W9-APW-486

PLUS TARD,
TU SERAS
ÉBOUEUR

PLUS TARD, TU SERAS ÉBOUEUR

LUDOVIC FRANCESCHET
AVEC ISABELLE MILLET

City
Document

Photo de couverture : Laure Veille

ISBN : 978-2-8246-2084-8
Code Hachette : 63 6265 0
Catalogues et manuscrits : city-editions.com

Dépôt légal : Août 2022

Avant-propos

Je me présente. Je suis Ludovic, l'éboueur. Dit comme ça, ça fait pas très chic, je sais, mais c'est ainsi qu'on m'interpelle régulièrement dans les rues de ma ville : Paris. Et j'en suis fier, sacrément fier même. Car mon métier, je l'aime, que dis-je, je l'adore. Je suis même à deux doigts de dire que c'est le plus beau métier du monde. Ne faites pas cette tête ! À vous aussi, votre maîtresse vous disait que si vous ne travailliez pas bien à l'école vous seriez éboueur ? C'était la menace suprême : « Tremblez jeunes gens, et apprenez bien vos leçons, sinon… du balai ! » Mais pourquoi tant de haine contre les balais ? Le mien est un artiste. Il virevolte du matin au soir, pour redonner à la plus belle ville du monde ses lettres de noblesse. Il en connaît chaque recoin, chaque aspérité, chaque blessure. Il remplit sa mission avec courage, abnégation et sens du devoir. Il est le prolongement de moi, et il me rend heureux.

Je vois d'ici vos regards surpris. Le type, il écrit un livre pour dire qu'il est content d'être éboueur ? Comme si c'était marrant de nettoyer la merde des autres ! Eh bien, non ça n'est pas « marrant », bien sûr que non, mais si je n'étais pas là (moi et tous mes petits camarades éboueurs), vous auriez de grandes chances, le matin, en sortant de chez vous, de glisser sur une déjection animale (ou humaine parfois, si, si...). Vous ne pourriez plus aérer vos maisons, à cause de l'odeur sous vos fenêtres. Vous devriez slalomer entre les poubelles éventrées. Vous auriez peur, à chaque sortie, que votre enfant ne tombe sur une seringue, un préservatif usagé, ou un masque contaminé...

Attention, je ne suis pas là pour vous culpabiliser. Je ne suis pas un donneur de leçons. Je ne suis ni votre père, ni votre prof. Surtout pas ! J'espère juste, modestement, devenir, au fil de cette lecture, votre Jiminy Cricket, vous savez, le petit grillon avec son chapeau bleu sur l'épaule de Pinocchio ! Je l'adore, celui-là. Il est un peu comme moi, il sourit tout le temps. Même quand il fait passer des messages importants. Même quand, parfois, le cœur n'y est pas.

Mes messages à moi sont très simples : civisme, respect, protection de notre planète. Je n'ai peut-être pas bac + 5, mais la vie m'a enseigné les priorités. Tout ce que je sais, je l'ai appris sur le terrain. Ces rues de

Paris que je balaye aujourd'hui, je les connais mieux que quiconque, pour y avoir dormi pendant près de dix ans. Ces mégots que je ramasse, je les ai vendus, avant qu'ils ne se consument, dans mon tabac des Grands Boulevards. Ces gens pressés qui balancent leurs canettes à côté de la poubelle, sans même s'en rendre compte et sans me jeter un regard, j'ai tenu la main de leurs grands-pères ou de leurs grands-mères, lors de leur dernier souffle, pendant mes années à l'hôpital. Ce monde qui maltraite son environnement, je suis allé à sa rencontre, au plus près. J'ai même franchi l'Atlantique pour découvrir le rêve américain.

La vie n'a pas toujours été tendre avec moi, pourtant je lui suis infiniment reconnaissant. Et j'aimerais que les générations suivantes puissent continuer à l'aimer passionnément, qu'elles s'extasient devant les paysages merveilleux qu'offre notre planète, qu'elles se baignent dans des eaux pures, qu'elles respirent un air sain, et qu'elles se promènent dans les rues avec légèreté, le regard vers les autres et pas vers leurs pieds, si vous voyez ce que je veux dire.

Ludovic l'éboueur. Un peu penseur aussi…

Moi que l'on n'a pas beaucoup regardé, je vous regarde aujourd'hui les yeux dans les yeux, sur les réseaux sociaux. Et vous êtes de plus en plus nombreux à me suivre. Vous n'imaginez pas comme ça me bouleverse. Face à l'écran de mon téléphone, je prends un plaisir fou à dialoguer avec vous, à parler de mon métier, de mes rues, de mon balai, de mes états d'âme aussi. Et je fais un rêve : si tous ceux qui me suivent pensent à moi avant de jeter leur Kleenex dans la poubelle plutôt que sur le sol, alors j'aurai gagné. Mais c'est un combat de longue haleine, je le sais, alors que la notoriété, elle, est éphémère et fragile. Je ne me fais pas d'illusions.

Les paroles passent, les écrits restent. Voilà pourquoi moi, Ludovic, j'ai décidé de me mettre à nu (ne fantasmez pas trop quand même, les amis !), de vous parler de moi, mais surtout de la vie, et de tout ce qui m'a conduit aujourd'hui à devenir un modeste ambassadeur du bien-être et du bien-vivre.

1

Je m'appelle donc Ludovic, je suis né au cœur de la Drôme provençale, à Montélimar, le 10 août 1975, dans un foyer d'origine modeste, une famille recomposée de sept enfants : cinq du côté de ma mère, deux du côté de mon beau-père. N'essayez pas de calculer mon âge, vous risqueriez de me vexer. Oh, et puis si, allez-y, faites-vous plaisir ! Depuis que je suis éboueur, je me marre en disant que j'ai 47 balais (un balai de plus chaque année, c'est pratique dans mon boulot…) ! J'assume totalement ce temps qui passe et qui me rend chaque jour un peu plus « sage ».

Moi, l'amoureux fou de Paris, j'ai vu le jour dans une petite ville de province, dont la principale caractéristique est d'être venteuse, très venteuse. Si j'étais de mauvaise foi, je dirais que personne ne vient par hasard à Montélimar. C'est une commune que l'on traverse quand on va dans le Sud, mais on n'y reste pas. « Les portes de la Provence », qu'ils disent sur les panneaux de l'autoroute A7, la route bleue des vacances ! Ça fait rêver, mais franchement, qui s'arrête à la porte ? Si près du but ? Bref, je n'ai pas grand-chose à dire de ma ville natale, ni en bien, ni en mal.

Ah si ! bien sûr ! Il y a une bonne raison au moins de visiter Montélimar : son nougat, sa spécialité locale. Capitale mondiale, fierté suprême ! Souvent copié, jamais égalé : 30 % d'amandes, 2 % de pistaches, 25 % de miel de lavande, des blancs d'œuf, du sucre en poudre, du sirop de glucose, du pain azyme et... je crois que c'est tout. Le nougat, donc... saveur de mon enfance. Je les ai tous testés : les mous, les durs, les colorés et ceux au caramel, mes préférés.

Je suis le cadet de la fratrie. Quand je dis ça, on me répond souvent : « Ah, le petit dernier, pourri gâté, quelle chance ! » Pourri gâté, moi ? Pas vraiment... Loin de moi l'idée de me plaindre. Je ne suis pas ici pour faire pleurer dans les chaumières. On ne peut pas dire que j'ai vécu une enfance malheureuse. Notre famille était modeste, mais je n'ai manqué de rien, si ce n'est peut-être de tolérance. Oui, c'est ça, de tolérance, cette attitude qui consiste à admettre chez autrui une manière de penser ou d'agir différente de celle qu'on adopte soi-même. Voyez-vous, je n'étais pas « dans la norme ». Je pense que vous l'avez constaté, si vous me suivez sur les réseaux sociaux, la norme, très peu pour moi. J'ai toujours été un esprit libre. Un corps libre également. Et mon corps à moi a très vite compris qu'il aimait les hommes. Pas de quoi en faire une histoire. Surtout à notre époque, non ?

Oui, mais à Montélimar, dans les années 1980, c'était une autre histoire justement... Je n'ai pas envie ici de m'attarder sur les petites bassesses de certains. C'est triste, mais c'est surtout triste pour eux. Je n'en tire aucune aigreur. J'ai la chance, heureusement, d'avoir toujours eu le soutien de ma mère, une femme formidable, très protectrice, qui en a pourtant vu de toutes les couleurs avec moi. Je n'étais assurément pas un petit garçon facile. J'avais des coups de sang, des mouvements d'humeur. Elle s'appelle Marguerite, ma maman, c'est joli, non ? Si je devais trouver un adjectif pour la décrire, je dirais « étincelante ». Je lui voue un amour inconditionnel.

J'ai très peu connu mon père. J'étais très jeune, en effet, quand mes parents ont divorcé. Il était routier. Je l'ai croisé ponctuellement, mais je n'ai aucun lien particulier avec lui. Là encore, je ne suis pas rancunier. Je ne pourrai jamais lui en vouloir, car il m'a donné la vie. Et cette vie, Dieu sait que je l'aime !

Sur le papier, j'avais tout pour être heureux, même si le divorce de mes parents a forcément laissé des traces chez le jeune enfant que j'étais. J'étais un petit garçon indépendant qui aimait beaucoup la nature. Je m'occupais des poules et des canards, je passais énormément de temps avec eux, c'étaient mes amis. Nous avons toujours eu des animaux à la maison. Des chiens surtout : Lucky, une sorte de saucisson à pattes, qui ne m'a jamais aimé, allez savoir pourquoi… Sardine et Starsky, eux, étaient sympas. Nous avions également une chatte borgne, Candy, et puis la chienne, Belle, avec qui nous allions à la chasse. J'accompagnais mon beau-père, et, comme Sissi, je m'arrangeais pour faire du bruit au moment où il s'apprêtait à tirer. Je ne supportais pas l'idée qu'on tue une pauvre bête sous mes yeux ! Dans l'un des pavillons où nous avons vécu, il y avait même une chambre rien que pour les oiseaux ! Des dizaines de canaris. Je vous jure que c'est vrai. Vous imaginez le raffut. Bref, j'étais un vrai petit gars de la campagne. J'aimais beaucoup les travaux du jardin : arracher les mauvaises herbes, cueillir les légumes. J'aidais beaucoup ma mère. J'appréciais aussi particulièrement aller aux champignons et aux escargots. Je ramassais des petits-gris et des bourgognes. Une fois, je suis allé ramasser et vendre des framboises uniquement pour gagner quelques sous et pouvoir m'offrir une paire de baskets de couleur verte, que je rêvais de porter pour le mariage de mon frère aîné. Je les avais repérées dans une vitrine et j'étais tombé amoureux de ces chaussures. Il me les fallait absolument ! Nous n'étions pas riches je l'ai dit, et pour les extras, c'était à nous de nous débrouiller. Ça forge le caractère.

Malgré ce bonheur apparent, très jeune j'ai commencé à fuguer. Dès 11-12 ans, je ne sais plus précisément, je suis parti de chez moi sans rien dire à personne. Je suis bien incapable aujourd'hui d'expliquer les raisons qui m'ont conduit à disparaître ainsi, à plusieurs reprises, du jour au lendemain. Rétrospectivement, j'imagine l'inquiétude de ma mère ! Je sais combien elle a souffert à chacune de mes disparitions. Nous en avons reparlé ensemble depuis. Son cœur de mère a été mis à rude épreuve. Un enfant ne devrait jamais faire vivre ça à ses parents. Pardon maman…

Je pense que c'était surtout l'illustration de mon mal-être. J'étais mal dans ma peau, mal dans mon corps et je supportais de moins en moins le regard des autres sur cette identité différente, que je n'avais pas choisie, mais qui s'imposait à moi. À chaque fois, je partais sur un coup de tête. Ça aurait pu très mal se terminer. Ce fut le cas d'ailleurs cette fois où j'ai décidé d'aller à Toulon. Ce jour-là, j'ai été pris en stop par un homme au volant d'une voiture blanche. Un homme banal, qui pourrait être votre mari, votre frère ou votre père. Comme tous les prédateurs, il a rapidement flairé sa proie. « Es-tu prêt à tout pour gagner de l'argent ? » m'a-t-il demandé. J'ai trouvé la question étrange mais je lui ai répondu que oui. J'étais un gosse, naïf, forcément. Il m'a tendu un billet et a pris ma main qu'il a posée sur son sexe, puis m'a forcé à lui faire une fellation, avant de refermer sa braguette et de me tendre un chewing-gum, sans un mot et sans un regard. Fin de l'histoire. Circulez, y a rien à voir…

J'étais comme tétanisé. Incapable de résister, de réfléchir. Je voulais m'échapper ou m'évanouir, mais même ça, je n'y arrivais pas. Je comprenais sans comprendre. Je n'avais pas idée que le corps puisse être quelque chose de monnayable. Surtout le corps d'un enfant… Quelle abomination. J'ai tenté d'enfouir cette scène au plus profond de moi. Sa simple évocation aujourd'hui me donne des haut-le-cœur. Ma mère n'est pas au courant. La lecture de cet épisode va forcément la glacer. Dois-je me censurer pour la protéger ? Ou dois-je témoigner, afin que d'autres enfants réfléchissent à deux fois avant de claquer la porte de la maison familiale ? Moi-même, aurais-je agi différemment si j'avais été informé de la présence de tels détraqués sur notre planète ? Aurais-je relevé le numéro de sa plaque d'immatriculation pour porter plainte ? Qu'aurait alors valu ma parole ? On ne peut malheureusement pas réécrire l'histoire…

Je me souviens d'un autre départ précipité, direction Lyon cette fois. Arrivé sur place, ce sursaut de lucidité, violent : « Mais qu'est-ce que tu fous là, Ludo ? » Je n'en savais fichtre rien. J'avais voulu partir. J'étais parti.

Me voilà, penaud, devant la caserne des pompiers : « Bonjour messieurs, j'habite à Montélimar, j'ai fugué et maintenant je ne sais plus quoi faire, je veux rentrer chez moi. » Ils ont été très gentils, ils m'ont donné à manger et ont contacté la gendarmerie qui m'a raccompagné auprès de ma mère. Quand ma sœur Isabelle m'a aperçu au bout du chemin, elle m'a fichu deux gifles. Je suppose que je les avais méritées.

Bizarrement, ma mère ne m'a jamais grondé pour ces fugues. Je la sentais surtout désemparée et accablée. Elle ne savait plus quoi faire de ce petit garçon qui avait tant de mal-être en lui. Elle a donc décidé, pendant quelque temps de me confier à la garde de mon grand-père, papi François, que j'adorais. C'était un ancien militaire, de retour d'Indochine. Il avait passé trente-cinq ans en Asie. Ça marque un homme ! Il était très strict, mais très bon, et je lui dois énormément. Son affection m'a permis de grandir sans trop de cicatrices. Parmi les petites anecdotes de notre vie commune, il exigeait que je reste debout, bien en équilibre, pour m'habiller. Pas question de gigoter dans tous les sens ! Il avait sans doute hérité cela de ses années dans l'armée. En tout cas, moi le rebelle, je n'ai jamais eu l'idée de contester la moindre de ses consignes. Comme quoi…

C'était un homme très généreux, qui nous gâtait beaucoup, notamment à Noël. Sans lui, le sapin n'aurait sans doute été guère garni. Il m'a même offert deux séjours en Grande-Bretagne, dans le cadre de mon école de rugby, sport que j'ai pratiqué pendant sept ans et que j'appréciais énormément. Quand je pense à papi François, je le revois venir nous chercher, mes copains et moi, à l'école de rugby dans sa Lada orange, les bras chargés de paquets de bonbons. À la maison, il nous préparait des bols de gâteaux de semoule. Nous nous régalions. J'étais licencié à l'Union montilienne sportive. Successivement comme talonneur, demi de mêlée et ailier. À cette époque, je courais plutôt vite et j'étais plutôt doué. Ce que j'aimais dans le rugby, c'était surtout l'ambiance, la cohésion d'équipe, le respect et le soutien entre joueurs. Heureusement d'ailleurs que j'ai fait du sport dans mon enfance, parce que je peux vous dire que le métier d'éboueur, c'est sportif !

Je repense à ce grand-père très souvent avec émotion. Il a énormément compté dans ma vie. C'était ma bulle de bonheur. Chaque matin, il me préparait mon bol de riz soufflé. C'est ma Madeleine de Proust à moi. Pendant des années, j'en ai cherché sans en trouver, jusqu'au jour où, dans un magasin juste à côté de chez moi, miracle : des paquets de riz soufflé ! Il me suffit de fermer les yeux, d'en prendre une bouchée, et je redeviens un petit garçon aux côtés de son papi. Si vous me croisez un jour, vous savez quoi m'offrir, les amis !

Malheureusement, je ne pouvais pas vivre indéfiniment chez lui. Ce n'est pas le rôle d'un grand-père d'élever ses petits-enfants. C'est alors que ma mère a eu l'idée, de m'envoyer dans une école du cirque à Die, dans les Alpes (financée, là encore, par mon grand-père). Elle m'entendait souvent dire que je voulais être clown et a pensé que c'était peut-être la solution pour que je retrouve une certaine sérénité. La pauvre femme était prête à tout pour m'aider. Je me suis senti heureux dans cette école, à apprendre à jongler, à marcher sur un fil ou en équilibre sur une boule. J'étais dans mon élément. Je ne saurai malheureusement jamais si j'avais un avenir dans le cirque, car l'expérience s'est arrêtée brutalement.

En avril 1989, de retour d'une sortie scolaire où nous étions partis faire du ski au col du Rousset, le car qui nous transportait a eu un terrible accident. Le choc a été effroyable. Je n'ai pas compris immédiatement ce qu'il s'était passé, mais quand je me suis retourné, j'ai vu notre véhicule éventré. Un immense rocher l'avait littéralement coupé en deux. Un de mes camarades a perdu la vie. C'est un souvenir épouvantable. Je me revois avec des morceaux de verre plantés dans le visage. Heureusement je n'étais pas gravement blessé, mais j'en suis resté très marqué, très affecté. J'ai toujours l'image de ce trou dans le car. Ça m'a tellement perturbé que, moi qui n'étais pas quelqu'un de violent, j'ai, quelque temps plus tard, giflé une pionne. Je ne sais plus pourquoi j'ai fait ça, mais je me souviens lui avoir ensuite acheté une rose pour m'excuser. Je n'avais pas un mauvais fond, j'étais un gentil gamin, mais j'avais manifestement un problème avec l'autorité.

Voilà en tout cas comment, à cause d'une gifle, j'ai été viré de mon école du cirque. Aurais-je été un bon clown ?... Bizarrement aujourd'hui, quand j'en croise, j'en ai peur...

Suite à ce nouvel « incident », ma mère a pris une décision radicale, douloureuse, pour elle comme pour moi, mais qu'elle jugeait nécessaire : elle m'a placé dans une famille d'accueil. J'avais alors 14 ans. Nous sommes allés ensemble au tribunal, à Valence. C'est là que j'ai compris que j'allais partir, mais, franchement, à ce moment-là je n'en ai pas vraiment pris conscience. Je croyais que j'allais simplement quitter ma famille pour quelques semaines, le temps des vacances. Ces vacances se sont prolongées jusqu'à mes 17 ans...

Sur le coup, j'en ai voulu à ma mère. Avec le recul, je comprends sa décision. Elle voulait me protéger, et elle pensait sincèrement que c'était le meilleur pour moi. Jamais je ne la jugerai pour cela, et j'interdis à quiconque de le faire. Ce que je n'ai pas compris en revanche, c'est qu'aucun de mes frères et sœurs n'ait réagi à ce placement. À ma connaissance ils n'ont rien fait pour tenter de me récupérer. J'ai très mal vécu leur absence de réaction. J'étais leur frère, bon sang !

Ma famille d'accueil vivait dans un magnifique château, dans la petite ville de Comps, dans la Drome, juste à côté de Dieulefit, la ville de la poterie. Un vrai château comme dans les dessins animés, avec quatre tours. Ma chambre était immense. Je changeais subitement d'univers. Un vrai prince ! Enfin, façon de parler... Je ne suis pas sûr en effet que les princes passent beaucoup de temps avec les porcs. Moi, quand je n'étais pas « sage », le père de famille m'envoyait à la tour des cochons. C'était censé être l'humiliation suprême. En réalité, cette cohabitation n'était pas si terrible. Je me suis fait des copains ! Si, si, je vous jure. J'ai toujours aimé les animaux. Eux ne vous jugent pas. J'ai notamment pu constater que les cochons sont très propres : un endroit pour dormir, un endroit pour manger et un endroit pour faire leurs besoins. Maniaques, comme moi !

J'ai également découvert là-bas les travaux de la ferme. J'ai appris à monter les ballots de paille et de fourrage à la main, pour les empiler dans le hangar. Sacré boulot !

J'aurais dû être heureux, je ne l'étais pas. J'ai très vite compris que les parents ne m'aimaient pas. Eux aussi, manifestement, étaient gênés par ma « différence », qu'ils n'avaient pas tardé à découvrir. Là-bas aussi j'ai fugué, preuve de mon mal-être persistant. Seule consolation : je m'entendais bien avec deux des enfants du couple. On faisait parfois des cabanes ensemble. Un week-end sur deux, je rentrais dans ma « vraie » famille. Parenthèse enchantée. Repartir dans mon « château » était à chaque fois une épreuve.

Quand je vous disais que ma pauvre mère en a bavé avec moi, ça n'est pas juste une expression… Ma scolarité a été pour le moins chaotique. J'ai redoublé trois fois ! Le CE1, le CM1 et la cinquième. Je suis donc arrivé en troisième à 17 ans et demi. Oui, je sais, ça la fiche mal. Vous qui me lisez et qui êtes peut-être encore au collège, évitez de suivre mon exemple. L'éducation est précieuse et nous avons la chance en France qu'elle soit gratuite. Des millions d'enfants dans le monde n'ont pas ce privilège ! Je n'étais certainement pas un bon élève, mais pas un cancre non plus. Je me souviens que j'ai toujours rêvé d'être le délégué de ma classe. Je voulais représenter les autres, être un porte-parole, donner un coup de main, aider… déjà. Comme quoi, ma vocation vient de loin !

Quoi qu'il en soit, ma scolarité s'est donc arrêtée en troisième. C'était l'heure du service militaire. Je sais que beaucoup de jeunes de mon âge faisaient tout pour se faire réformer. Pas moi ! Au contraire ! J'ai même décidé de m'engager pour un VSL (volontaire service long). Sans doute faut-il y voir l'influence de mon grand-père ? Je regrette vraiment que le service militaire tel que je l'ai connu ait été supprimé. Quel dommage ! Je suis persuadé que cela pourrait aider des jeunes, un peu perdus comme je l'étais, à se structurer et à envisager un avenir. Je sais que je ne devrais pas dire ça, mais quand je vois combien certains parents baissent les bras sur l'éducation, je me dis que l'armée pourrait peut-être pallier ce manque, et en remettre certains sur le droit chemin. J'ai bien conscience que ce n'est pas son rôle, mais l'armée permet de découvrir ou de redécouvrir ce que veulent dire des mots comme : « solidarité », « respect », « engagement collectif », et « autorité », des valeurs indispensables selon moi tout au long de la vie.

Me voilà donc à Barcelonnette, au-dessus de Gap. Chasseur alpin s'il vous plaît ! Plus précisément au centre d'instruction d'entraînement au combat en montagne, au 24e BCA (bataillon de chasseurs alpins). La classe ! Quoi ? Qui dit que je ne suis pas gaulé comme un chasseur alpin ? Mon beau-père m'a incité à suivre cette voie, lui qui avait été berger et qui aimait beaucoup la montagne. Et, croyez-le ou non, j'ai de très bons souvenirs de cette période. Je reconnais que les classes ont été très compliquées : randonnées interminables par – 20 degrés, ascensions sans fin, nuits dans la neige, crevasses aux pieds. C'était « marche ou crève ». Mais une fois cette épreuve passée, j'ai eu la chance d'avoir un poste un peu planqué. J'avais en effet été affecté au service du lieutenant-colonel. En parallèle, j'avais la charge du magasin du camp, où était entreposé tout le matériel. J'avoue que sur ce coup-là, j'ai eu du bol, et pourtant, aucun piston.

Cela ne m'a pas empêché, là encore, d'être la cible de moqueries. Toujours ma fichue « différence ». Régulièrement, je retrouvais mon lit en portefeuille au moment de me coucher, de façon qu'il me soit impossible de m'allonger. D'autres fois, en pleine nuit, des camarades m'ont fait le coup du lit en cathédrale. Et je peux vous dire que c'est très efficace pour être réveillé en sursaut en retombant violemment sur le sol. Quand je n'en pouvais plus, j'allais me planquer la nuit dans le magasin, sous des étagères, à l'abri, seul, et là au moins, personne ne m'embêtait. J'ai rapidement arrêté de dormir dans le dortoir.

C'est à l'occasion d'une permission que j'ai annoncé à ma mère que je préférais les hommes. Nous étions sur le pont de Saint-Jean, à Montélimar. Elle venait de me récupérer à la gare. J'avoue que j'appréhendais cette discussion, mais sa réaction a été incroyable. Elle m'a simplement répondu « D'accord », et on est passés à autre chose. C'est malheureusement souvent une épreuve d'annoncer à ses parents son homosexualité. Je crois que tous les jeunes gays le redoutent. Beaucoup n'ont pas la chance, j'en ai bien conscience, d'avoir une mère aussi formidable que la mienne. Aujourd'hui encore, elle est un pilier pour moi. Je l'appelle deux fois par jour, et elle ne rate pratiquement aucun de mes lives sur TikTok. À plus de 70 ans, c'est une mère connectée et fière de son fils. Nous nous disons « Je t'aime » chaque fois avant de raccrocher. La mort de mon frère aîné, qui souffrait de diabète, a été un choc épouvantable, et j'ai, depuis, toujours essayé d'être là pour elle, comme elle l'a été pour moi, dans les épreuves.

C'est la plus belle des mamans, forcément ! J'aime qu'elle ait gardé ses cheveux longs parce que je lui en ai fait la demande. Elle les conserve le plus souvent attachés dans un petit chignon. Elle reste coquette, malgré le temps qui passe. Et surtout, c'est une femme d'une force incroyable. Elle dit souvent qu'elle est un garçon manqué ! En tout cas, je ne l'ai jamais entendue se plaindre. Elle vit aujourd'hui à Marseille avec son nouveau compagnon, Jacky, qui est très gentil avec elle et que je respecte beaucoup. Je vais la voir le plus souvent possible.

Dans son appartement, ma mère cache l'un de mes petits secrets. Je ne sais pas si je vais vous l'avouer ? Et puis, allez, si, puisque j'ai décidé de me livrer à cœur ouvert. Tout petit, je la regardais tricoter et faire du crochet. Ça me fascinait. Je pouvais rester des heures à l'observer. Je l'aidais aussi à démêler ses pelotes. J'ai fini par apprendre, et je dois dire qu'aujourd'hui je me débrouille plutôt bien. Je sais, ça va vous paraître bizarre : un éboueur qui fait du crochet ! Mais franchement, si vous êtes surpris, c'est que vous n'avez pas encore bien cerné ma personnalité : Ludovic l'anticonformiste ! À Marseille donc, ma mère conserve précieusement et expose même chez elle mes trésors : trois robes de poupées dignes de Sissi l'impératrice, composées de boutons de fleurs multicolores. Franchement, je suis très fier de mes œuvres ! Quand je vous disais qu'avec moi, vous n'êtes pas au bout de vos surprises…

Mais pardon pour cette digression. Revenons-en à l'armée. Vous allez penser que je suis incorrigible. Moi, le roi des fugues, figurez-vous que j'ai fait le mur à l'armée ! En compagnie de deux camarades avec lesquels je m'entendais bien, nous sommes partis un soir faire la fête à Gap. Nous sommes allés en boîte de nuit. On a trop picolé, évidemment. Je vous laisse imaginer le tableau : trois militaires en goguette, fins bourrés. Problème : pour rentrer au quartier (c'est le terme que l'on utilise pour désigner la caserne chez les chasseurs alpins), avant le lever du jour, il fallait reprendre la voiture. Or, aucun de nous n'était en état de conduire. Nous avons fait ce que personne ne doit jamais faire : nous avons pris la route, dans un état second, sachant que la route en question est l'une des plus dangereuses de France. La moindre erreur peut être fatale.

Ce qui devait arriver arriva. Accident. Tonneau. J'étais devant, à la place du mort. Par un miracle que je ne m'explique pas, nous nous sommes arrêtés juste avant de plonger vers des abysses dont aucun de nous ne serait sorti vivant. L'accident s'est su, évidemment. J'ai été mis au trou, puis évincé de l'armée, à mon grand regret. J'avais en effet trouvé dans cet univers strict une forme d'épanouissement personnel. Moi le gamin fugueur, j'avais besoin d'être cadré. J'ai très mal vécu cette éviction et je me suis senti complètement perdu, sans horizon, sans avenir, sans projet, et sans argent.

Nous sommes alors en 1995. J'entame ma descente aux enfers.

2

C'est à Valence que commence ma période d'errance, après mon éviction de l'armée. Une errance marquée par plusieurs étapes. J'ai d'abord été hébergé quelque temps chez des connaissances. On m'a aussi prêté une chambre à l'arrière d'un bar. C'est également à Valence que j'ai découvert le milieu gay, et que j'ai passé ma première nuit dans la rue. C'est là aussi que j'ai fait mes premiers pas de mendiant. Sur le parvis de la gare. J'ai encore aujourd'hui du mal à en parler. C'était terrible. Je revois cette femme, mon ancienne prof de français, passer devant moi, me reconnaître et me dire : « Mais enfin Ludovic, qu'est-ce que tu fais ici ? » Si vous saviez comme j'ai eu honte ce jour-là (et les suivants aussi). Certains croient peut-être que c'est facile de faire la manche. Je peux vous garantir que c'est une des pires expériences de ma vie. L'humiliation absolue. Mon ancienne prof m'a glissé un billet de 50 francs. Je lui ai répondu :

« Merci madame, mais vous n'êtes pas obligée », et je l'ai aidée à porter sa valise jusqu'au train. Ce jour-là, j'ai compris que ma vie venait de basculer. Spectateur conscient, mais impuissant, de la déchéance qui s'annonçait.

Quelque temps plus tard, je décide de monter « à la capitale » comme on dit ! Paris, la ville qui fait rêver le monde entier, Paris la ville de tous les possibles. J'étais persuadé que j'y serais davantage dans mon élément, et que l'homosexualité y était moins stigmatisée qu'en province. C'était le cas, et ça l'est encore, d'ailleurs. Il est toujours plus facile d'être gay parisien que gay provincial. C'est terrible, mais c'est comme ça. Me voilà donc dans un train, sans billet évidemment, sans le sou, mais avec des étoiles plein les yeux et des rêves plein le cœur. Paris, me voilà ! La première chose que j'aie faite en arrivant, comme tout touriste qui se respecte, c'est de me rendre à la tour Eiffel. Je m'en souviendrai toute ma vie. C'était un rêve de gosse ! Qu'elle était belle ! Je me rappelle comme si c'était hier l'avoir enlacée, l'avoir couverte de baisers comme un idiot. À cette époque, on pouvait encore s'en approcher de très près, sans être bloqué par des systèmes de sécurité.

Ce jour-là je suis tombé amoureux de Paris. J'étais émerveillé. J'avais l'impression qu'une nouvelle vie allait s'ouvrir à moi, que j'allais enfin trouver ma place dans ce monde. L'avenir me prouverait que mon « heure » n'était pas encore venue. L'heure de trouver ma place, celle où je me sentirais vraiment moi-même, c'est-à-dire celle que j'occupe aujourd'hui : éboueur à la ville de Paris. Pour cela il me fallait encore patienter. La route fut longue avant que je me retrouve devant vous à cœur ouvert. Mais sans doute était-ce nécessaire pour me permettre de mieux savourer aujourd'hui l'instant présent.

Après avoir déclaré mon amour à la tour Eiffel et joui de cet instant, j'ai commencé à errer dans Paris, les yeux grands ouverts, comme un gosse à Disney. Je découvrais un monde inconnu, fascinant. Moi, le gars de province, je me sentais tout petit face à cette merveille. Je marchais sans but, le ventre vide, mais le cœur léger. Je m'imprégnais des bruits et des odeurs, me laissais emporter par les parfums qui s'évaporaient dans le sillage de ces drôles d'individus pressés. Je découvrais… les Parisiens ! Y'a pas à dire, vous n'êtes pas tout à fait comme nous autres, les provinciaux. Vous me donnez le tournis ! Franchement, où allez-vous comme ça ? Ne vous apprend-on pas à marcher quand vous êtes petits ? Êtes-vous programmés dès l'enfance pour la course à pied ? Ne savez-vous donc pas savourer la chance que vous avez de vivre dans une ville si incroyablement belle ? Vous arrive-t-il de lever les yeux de vos chaussures ou de votre smartphone ? Eh oh ! Y'a quelqu'un là-dedans ?

Expliquez-moi pourquoi vous vous extasiez quand vous visitez Londres, New York ou Venise et pourquoi vous êtes incapables de citer votre rue préférée à Paris. Peut-être tout simplement parce que vous êtes des humains, et que l'homme a toujours besoin de se persuader qu'ailleurs l'herbe est plus verte.

Mais je ne vous jette pas la pierre. Avec le recul, je me rends compte qu'au fil du temps, je suis devenu comme vous : un Parisien, un vrai, un pur et dur, qui court, qui peste. À un détail près quand même : chaque minute, chaque heure, chaque jour, je continue de m'extasier comme au premier jour. C'est sans doute aussi pour cela que j'ai envie que ma ville, reste belle et propre et c'est la raison pour laquelle, je vous supplie régulièrement sur les réseaux sociaux de la respecter. Je n'en étais, bien évidemment, pas encore à ce stade de la réflexion le jour de mon arrivée dans la capitale, il y a une bonne vingtaine d'années. J'étais juste un jeune crétin, qui venait de se faire virer du service militaire, et qui était monté dans un train. Sans projet, sans idées, mais plein d'illusions et de fantasmes.

Les illusions ne remplissent pas l'estomac, c'est bien dommage. La faim et la fatigue commençaient à se faire sentir. Je n'avais bien entendu pas les moyens de me payer une chambre d'hôtel. Ma toute première nuit à Paris, je l'ai passée dans un squat, du côté de la gare de Lyon. À force d'errer, j'ai fini par croiser d'autres gars comme moi, qui m'ont conduit vers d'autres encore, jusqu'à ce que l'un d'eux m'invite dans son petit « chez-lui », un recoin sombre et sordide, dans lequel il s'était aménagé un espace de vie. Les rencontres, quand on est à la rue, c'est la clé. Faire les bonnes et surtout pas les mauvaises. Si possible trouver quelqu'un qui a « de la bouteille » mais qui n'en abuse pas, si vous voyez ce que je veux dire. Idéalement un gars costaud, pour vous défendre, au cas où… J'ai eu la chance de commencer mon parcours initiatique de SDF, comme on dit, avec des « recommandations ». Mon camarade de squat m'a donné les clés, indispensables, pour survivre dans la rue.

J'entends souvent dire qu'être sans abri à Paris, c'est l'enfer. Eh bien je vais vous étonner, mais je n'adhère pas du tout à cette analyse, et je sais de quoi je parle. Bien sûr, ce n'est pas agréable de vivre dans la rue, mais franchement, personne ne devrait y mourir de faim ou de froid. Il existe tellement de structures et d'associations, qui vous permettent de vous nourrir, de vous laver, qui vous donnent des vêtements, ou qui vous proposent un hébergement qu'il faut vraiment le vouloir pour tomber dans la déchéance. Grâce à ces associations, vous pouvez obtenir des rendez-vous médicaux, chez l'ophtalmo ou chez le dentiste – gratuitement bien sûr – ou encore rencontrer une assistante sociale. On vous guide aussi pour vos démarches auprès de l'ANPE (l'actuel Pôle emploi). À mon époque, on nous donnait des tickets de métro. On peut même jouer au tarot ou à la belote si on veut, dans des locaux chauffés, en sirotant un café ! Que demande le peuple franchement ? OK, j'ai conscience que ce n'est pas très politiquement correct d'écrire cela, mais c'est la stricte vérité.

Moi en tout cas, j'ai très vite compris les ficelles. Et je vous assure qu'au cours de ces dix ans d'errance et de vie sans toit, je n'ai pratiquement jamais eu faim et jamais eu froid. Je passais mes journées à aller d'association en association. Elles font un travail extraordinaire et je voudrais ici les remercier infiniment : les Restos du cœur, bien sûr, le Secours populaire, le Secours catholique, la Mie de pain, la Croix-Rouge et tous les autres. Sans ces bénévoles incroyables, je ne serais pas là aujourd'hui. J'ai eu la chance de pouvoir dormir quinze jours dans la Péniche du cœur, un centre d'hébergement d'urgence. J'avais une chambre avec un hublot. J'observais le clapot de la Seine avec fascination. Je m'évadais le temps d'une nuit, pour une croisière imaginaire. La France est vraiment très généreuse ! Et tant mieux ! Loin de moi l'idée de critiquer cette générosité. C'est grâce à elle que je suis devenu l'homme que je suis aujourd'hui. C'est grâce à elle que j'ai réussi à surmonter cette période compliquée. Ces associations ont été pour moi un tremplin.

Je ne suis pas pour autant naïf. Certains, évidemment, profitent du système, parce que finalement, quand on est paumé, qu'on n'a plus d'énergie, se laisser porter, c'est tellement plus facile. Mais si ces associations sont indispensables, elles sont parfois insuffisantes. Les tremplins, vous savez, c'est comme tout : pour pouvoir rebondir, il faut faire un premier saut, et puis un autre et encore un autre, avant de s'envoler. Il faut le vouloir, vraiment. J'ai vu tellement de SDF ne pas avoir la force de faire ce premier saut. Ceux, notamment, qui sombraient dans l'alcool ou la drogue. Ce sont ceux-là que vous voyez avachis sur une bouche de métro par – 10 degrés en plein hiver. Ils n'ont même pas l'énergie d'aller demander de l'aide, et quand on la leur propose, ils la refusent.

Dans les cas d'extrême urgence, il reste toujours la solution Samu social. Personnellement, je n'ai fait appel à eux qu'à de rares reprises. J'évitais au maximum. La rumeur disait qu'on y attrapait la gale ou des morpions. Je ne sais pas si c'est vrai, mais je préférais éviter. En revanche, j'ai parfois dormi dans les trains mis à la disposition par la SNCF gare de l'Est. C'était très pratique les jours où je ne trouvais aucun endroit, ou bien quand il faisait très froid. J'avais l'impression de partir en vacances, sans que le train quitte le quai. Nous avions notre chambre, mais aussi un salon dans lequel nous nous retrouvions pour jouer aux cartes par exemple. J'en garde de bons souvenirs.

Je ne vais pas mentir, il m'est arrivé à moi aussi d'abuser de la bouteille. Je n'étais pas toujours exemplaire. J'aurai pu passer facilement du côté obscur, mais sans doute que mon amour de la vie m'a permis de remonter à la surface. Je ne suis pas très fier quand je repense à certaines scènes. Je me revois, par exemple, voler les fonds de bouteille des poivrots qui somnolaient. Je sais, c'est pas terrible… D'autant que beaucoup de SDF buvaient de la pelure d'oignons, un infâme breuvage. Quand j'y repense, j'ai encore le cœur qui se soulève. L'alcool est un refuge tellement tentant. La drogue aussi. On n'a plus froid, on n'a plus faim, on ne réfléchit plus. On voit les ravages que le crack fait actuellement dans les rues de Paris. La drogue du pauvre… Quelle calamité. Le crack détruit les cerveaux irréversiblement. Et à toute vitesse en plus. Certains quartiers du nord-est de Paris sont envahis de zombies. Cela m'effraie et me bouleverse. Je sais que la municipalité et la région dépensent de grosses sommes pour tenter d'endiguer le phénomène, mais son ampleur est telle que la tâche est compliquée. Bien sûr qu'à l'époque, on m'a proposé de la coke et diverses petites pilules et substances soi-disant magiques. Je les ai toujours refusées.

Mon pire cauchemar, mon pire souvenir de la rue reste la période, brève heureusement, au cours de laquelle j'ai fait la manche. Je vous ai déjà raconté l'épisode de Valence et la rencontre avec ma prof.

Mendier, ça n'était vraiment pas pour moi. Certains y arrivent très bien, moi, je me sentais humilié, dégradé. J'avais tellement honte. Pourtant, je peux vous assurer qu'un mendiant dans le métro peut gagner beaucoup d'argent : entre 60 et 80 euros par jour, c'est-à-dire à peu près ce que je gagne aujourd'hui en tant qu'éboueur de la ville de Paris ! Ce ne sont pas des chiffres que j'invente, mais qui me sont confirmés par les sans-abri avec lesquels je discute régulièrement. Certains cumulent avec le RSA. Et tout ça, net d'impôt. Encore une fois, merci la France ! Perso, je préfère, de loin, de très, très loin, ramasser la merde plutôt que tendre un gobelet dans le métro.

Dans la rue, il y a le côté sombre, mais il y a aussi, parfois des rayons de soleil qui viennent réchauffer le quotidien. J'ai eu la chance de faire de belles rencontres durant ces presque dix années d'errance. Je me souviens notamment de cet homme qui n'avait rien à faire là, en théorie. Il avait une femme et un appartement, et je ne comprenais pas pourquoi il ne rentrait pas chez lui. Il ne le savait même pas lui-même. Il s'était « embrouillé » avec sa nana. Un jour je me suis permis de lui dire : « Tu déconnes là, tu as tout ce qu'il faut pour être heureux, alors va voir ta femme, discute avec elle et tu verras, ça va s'arranger. » Eh bien figurez-vous qu'il a suivi mon conseil et que ça s'est arrangé. Quelque temps plus tard il est revenu me voir, m'a tendu la main et m'a dit : « Viens Ludo, je t'emmène chez moi. » Il m'a invité dans son bel appartement. Comme quoi, tout le monde peut se retrouver à la rue un jour ou l'autre. Ne jugeons jamais ceux que nous croisons. Tomber, c'est tellement facile, se relever, c'est tellement compliqué. Il suffit parfois de pas grand-chose et je suis heureux d'avoir déclenché, chez cet homme, le déclic qui a permis son retour à la vie « normale ».

Le destin a également mis sur mon chemin un couple de jeunes qui appartenaient à une l'association Moi sans toit. Ils venaient régulièrement avec un camion et nous distribuaient du café. J'avais un peu discuté avec eux, et à ma grande surprise, ils ont proposé de m'héberger, quelques jours, chez eux. Ils habitaient dans le Marais, un très beau quartier central de Paris, prisé par la communauté LGBT. Avec le recul, je comprends combien ce qu'ils ont fait est incroyable. Ils ne me connaissaient pas. J'aurais pu être un dangereux psychopathe ! Et surtout, ce n'est pas le rôle des bénévoles. Aider oui, mais on ne doit jamais emmener un SDF chez soi. Eh bien eux ont pris ce risque. Ils ont eu confiance. Je suis resté quelques jours au chaud dans leur appartement. Nous avons beaucoup discuté. C'étaient des jeunes formidables. Quand je ne me sentais pas bien, je savais que je pouvais aller sonner à leur porte. Cela m'est arrivé quelquefois, mais je n'en ai jamais abusé. Si par hasard ils lisent ce livre et qu'ils se reconnaissent, j'aimerais beaucoup reprendre contact avec eux pour les remercier infiniment de la confiance qu'ils m'ont accordée. Ce sont ces petits gestes qui vous reboostent et vous permettent de tenir sur le long terme. Vous n'imaginez pas combien c'est précieux.

Ces rencontres que j'ai pu faire avec les différents bénévoles au cours de ces années m'ont permis de devenir l'homme que je suis aujourd'hui. Grâce à eux, j'ai appris la générosité, le don de soi, l'amour de son prochain, la tolérance. Ils m'ont non seulement aidé à survivre mais aussi aidé à me comprendre. Je ne saurai jamais comment les remercier. Leur écoute bienveillante était pour moi une thérapie. Chapeau les mecs ! (Et les nanas bien sûr !)

Aujourd'hui on me dit parfois que je ressemble physiquement à Coluche. Je ne suis pas sûr que ce soit exact, mais vous n'imaginez pas combien c'est pour moi un compliment. Je pense que c'est peut-être à cause de mon côté bon vivant, de ma dégaine, de mon rire tonitruant, de ma sincérité aussi. Coluche a toujours été un exemple, un modèle, un phare dans la nuit. Je l'admire profondément, tout comme j'admire l'abbé Pierre ou Mère Teresa. En 1985, quand il a créé les Restos du cœur, certains ont peut-être pensé que c'était un « caprice de star ». On voit aujourd'hui combien il avait tout compris, puisque, malheureusement (et heureusement), son œuvre perdure. Il a laissé derrière lui des milliers de petits Coluche qui poursuivent son œuvre, avec toujours la même hargne, la même générosité, la même volonté de changer le monde. Sans eux, je ne serais peut-être pas là pour vous parler aujourd'hui. Voyez-vous, je ne suis pas croyant, mais grâce à toutes ces rencontres, à ces personnes qui m'ont écouté et guidé, je crois en moi, et c'est déjà énorme. Ce n'était pas le cas avant.

Je me suis toujours sous-estimé. Je disais de moi que j'étais, pardonnez-moi l'expression, « une sous-merde ». C'est violent, je sais, mais c'est comme ça que je me voyais. Il a fallu que je fasse ces vidéos de sensibilisation à la propreté pour que je commence à prendre conscience que, finalement, j'étais quelqu'un de bien et aussi que j'avais un rôle sur cette Terre, que mon passage ne serait pas vain. Enfin, je l'espère. Comme je le dis souvent : « On ramasse la merde, mais c'est pas de la merde ce qu'on fait ! » Quand on y pense, c'est dingue : vous connaissez beaucoup de personnes qui cartonnent avec la merde ?! Si, à mon petit niveau je pouvais être le Coluche de la propreté, alors, j'aurais réussi ma vie. On a tellement besoin d'une prise de conscience, dans ce domaine-là aussi. Notre planète est précieuse. Pourtant on lui fait tellement de mal ! Il faut que ça cesse !

Pour en revenir à mon passé de « clochard », on m'interroge souvent sur la violence dans la rue. Elle existe, c'est vrai, sans aucun doute, mais je n'en ai pas personnellement souffert. Je n'ai jamais été agressé, frappé, violenté. On ne m'a pas non plus volé mes affaires. Il faut dire que je n'avais rien à voler et que je prenais la précaution, le soir en me couchant, de toujours garder mes chaussures. C'était ma hantise : me retrouver nus pieds au réveil. J'ai toujours évité les personnes toxiques. Quand je sentais que le climat devenait électrique, qu'une bagarre se préparait, je partais systématiquement. Courageux le Ludo, mais pas téméraire. Si j'ai été épargné par la violence, je ne nie pas qu'elle soit un vrai problème. Bagarres de poivrots, de toxicos, mais surtout agressions contre les femmes. Je sais que les viols sont nombreux. Franchement, mesdames, j'espère que vous ne vous retrouverez jamais à la rue. Si malheureusement cela vous arrive, veillez à vous entourer de copains de galère fiables et costauds.

Ma vie de SDF ne ressemble assurément pas à celle que vous imaginez. Régulièrement, par exemple, j'allais en boîte de nuit. Un clochard en discothèque ! J'hallucine ! Eh bien, hallucinez braves gens, car oui, moi, Ludovic, le SDF, j'allais danser, comme vous ! Si ça se trouve, nous nous sommes croisés et vous ne m'avez même pas remarqué. Mais comment est-ce possible ? D'abord, je savais quels étaient les soirs où l'entrée était gratuite. Ça aide. Ensuite, je m'arrangeais pour me faire payer des coups, et plus si affinités, si vous voyez ce que je veux dire. Une nuit dans un lit douillet de temps en temps, ça aide à supporter la dureté du béton les jours suivants. À ce propos, c'est anecdotique, mais j'avais une obsession, une crainte absolue : celle de sentir mauvais. Même si je profitais régulièrement des douches publiques, je n'avais pas forcément une hygiène irréprochable. Et il était impensable que j'arrive en soirée en sentant le chacal ! Ma dignité en dépendait !

Ce que je vais vous raconter risque de heurter quelque peu les âmes sensibles. Vous m'en voyez désolé. Je n'avais, bien entendu, ni savon ni déodorant, et encore moins de parfum. Eh bien, il m'est arrivé, à plusieurs reprises de me rendre dans les toilettes publiques pour hommes, les sanisettes, de piquer les petits savons qui se trouvent sous l'écoulement de l'eau des pissotières et de m'en frotter les aisselles Oui, je sais, avec le recul, même moi, j'en ai des haut-le-cœur. Il m'arrivait aussi régulièrement de me laver dans les fontaines, surtout l'été bien sûr. Je n'avais aucune pudeur, aucune honte. J'ouvrais parfois les vannes dans le métro pour faire ma toilette, me brosser les dents notamment.

Je vous ai parlé des belles rencontres, de ces bénévoles qui ont joué un rôle tellement important dans ma reconstruction. Le destin a mis sur ma route d'autres personnes qui ont essayé de m'aider à m'en sortir. C'est ainsi que, deux ans après être arrivé à Paris, j'ai pu, grâce à une connaissance, rencontrée en discothèque, trouver un petit boulot chez Disney à Marne-la-Vallée. J'étais à l'époque hébergé dans un foyer, que m'avait trouvé une association. Pendant près d'un an j'ai préparé des nuggets, des hamburgers et des frites. Ça a été un break salutaire. Malheureusement, j'ai dû quitter ce poste. Retour à la case rue.

Une autre fois, j'ai été embauché dans une entreprise de déménagement en banlieue. Mon employeur m'avait même payé un appart-hôtel. Une autre fois encore, dans une société de sécurité. J'ai aussi rempli des caisses pour une société de livraison à domicile. Des breaks, j'en ai eu plusieurs. C'est peut-être ça aussi qui m'a permis de tenir si longtemps. Je me souviens qu'une association m'avait trouvé un studio dans le quartier de République. J'ai aussi eu un logement dans le 15e arrondissement, et un autre en banlieue parisienne. C'étaient, à chaque fois, des solutions provisoires. J'ai eu pas mal de petits boulots que j'ai quittés, le plus souvent sans explication, sur un coup de tête, comme un idiot. J'ai fait de l'intérim, mais j'étais, au fond, incapable de m'engager sur le long cours. Il y avait toujours un grain de sable pour enrayer la machine. Je me sabordais moi-même. C'est difficile à expliquer, mais j'étais mon propre ennemi.

Des tas de gens ont essayé de m'aider. J'ai conscience de la chance que j'ai eue. Je ne les ai pas toujours remerciés comme j'aurais dû, mais, à cette époque, les choses étaient beaucoup moins claires dans ma tête qu'elles ne le sont aujourd'hui. J'étais encore un jeune con. Certains ont sans doute été attristés de mon peu de reconnaissance. Je tiens à m'en excuser aujourd'hui auprès d'eux. J'étais aveugle, pas assez conscient de l'importance de la vie. Je me disais toujours : « Je verrai demain. » Le futur avait bon dos. Je suppose que c'est le propre de la jeunesse. Je dois là encore des excuses à ma pauvre maman, qui ne savait jamais si son fils était en vie ou non. Maman de fugueur, c'est pas terrible, maman de SDF non plus…

De mes années dans la rue, j'ai retenu une chose, capitale : on peut vouloir aider les gens, y mettre toute la force et la volonté du monde et ne pas y arriver. Car pour s'en sortir, il faut être deux. Deux personnes consentantes. Et il y a une clé : celui que l'on veut aider doit être prêt à recevoir cette aide, sinon, c'est l'échec assuré. Tout cela pour vous dire, amis bénévoles ou passants généreux, que vous ne devez pas vous remettre en question si vos efforts ne portent pas leur fruit. Continuez à vous dévouer pour aider les autres. Vous êtes des personnes merveilleuses, indispensables. Et comme le dit un proverbe japonais que j'affectionne (ou chinois, je ne sais plus) : « Quand le fruit est mûr, il tombe de l'arbre. » Si vous ne sauvez ne serait-ce qu'une vie, vous êtes des héros. Merci à vous, de la part de tous ceux que vous portez à bout de bras.

Je crois également qu'il faut savoir soi-même se prendre en main. C'est peut-être ce qu'il y a de plus difficile dans la vie. Il y a un mot que je déteste et que l'on devrait bannir, selon moi, de la langue française : le mot « si ». Si j'avais su, si j'avais fait ça, si j'avais écouté untel. Stop ! Faisons les choses, ne vivons pas dans les regrets et les remords. Les Américains par exemple n'utilisent quasiment jamais le mot *if*. Ils ne l'aiment pas, et ils ont raison.

3

Comment ai-je trouvé l'énergie, la force de sortir de la rue ? Excellente question… Grâce à l'amour de la vie tout d'abord. Mais pas seulement. Là encore, il y a eu une rencontre. Mais celle-là, c'était *la* bonne rencontre, au bon moment. Une certaine Mimi. Une femme formidable… Elle tenait un restaurant à Pigalle, en face du Moulin-Rouge, le « 49 » et, allez savoir pourquoi, elle m'a pris en affection. Sans doute parce que je suis un gars sympa ! Mimi était eurasienne, arrivée en France après une enfance difficile. Son père, un militaire volage mais autoritaire, l'avait envoyée en pension chez des religieuses françaises en Thaïlande. Des années de brimades, où elle n'avait eu d'autre choix que de marcher droit. Devenue adulte, la jeune fille débarque à Paris avec des envies de revanche. Elle commence par vivre de ses charmes, en travaillant pour un pipe-show, avec un objectif en tête : s'en sortir la tête haute. Ce qu'elle réussira admirablement bien des années plus tard en devenant une patronne respectée. On la surnommait la « Chintok » ou le « Pitbull ». Au fil du temps, pour se protéger, elle s'était construit un caractère autoritaire. Parfois même désagréable, mais jamais avec moi. C'était une grande gueule, qui tenait son établissement avec poigne. Je peux vous dire que ça filait droit.

Elle adorait jouer aux cartes et passait beaucoup de temps au casino. Elle était mariée à un ancien boxeur, avec une gueule incroyable, un vrai personnage de film. Je le revois avec son gros cigare et son whisky, en train de jouer au poker au fond de la salle. Mais c'était Mimi qui portait la culotte. Elle avait une sacrée personnalité et un grand cœur. Elle était très connue de toutes les hôtesses qui travaillent dans les bars de nuit de Pigalle. Ces dernières passaient d'ailleurs régulièrement commande dans son restaurant. C'est moi qui me chargeais de livrer ces repas. J'ai fini par bien connaître toutes ces jeunes femmes. Et je peux vous dire qu'elles étaient magnifiques, vraiment sublimes ! La beauté ne laisse jamais insensible, même quand elle ne correspond pas à votre « orientation ». J'avais accès aux coulisses, à leur intimité, en quelque sorte, sous la lumière tamisée. Lors de leurs temps de pause, elles redevenaient des jeunes filles comme les autres. Je me suis souvent dit qu'elles n'avaient rien à faire là. Je trouvais ça triste.

À ce propos, j'ai un souvenir marquant. Le 11 septembre 2001, j'étais précisément en train de porter l'une de ces livraisons, quand, dans un bar, j'ai aperçu à la télévision les avions se jeter sur les tours jumelles du World Trade Center, à New York. J'étais tellement sous le choc que j'en ai fait tomber mes assiettes. Je suis donc reparti au restaurant et j'ai annoncé à Mimi ce qui venait de se produire. Elle ne m'en a pas voulu d'avoir gâché la nourriture, bien au contraire. Elle m'a pris dans ses bras, et nous nous sommes consolés mutuellement, car, elle aussi était bouleversée, comme la planète entière à ce moment-là.

Mimi avait envie de m'aider mais ne savait pas trop comment s'y prendre. J'étais un petit animal égaré. Elle voulait sans doute que, comme elle, je reprenne mon destin en main. Plus facile à dire qu'à faire…

Parmi les nombreuses célébrités du monde de la nuit qui fréquentaient son restaurant, il y avait un peintre célèbre, Gérard Béringer, que l'on surnommait la Chaussette. C'était un personnage haut en couleur, avec un talent fou. Il dînait régulièrement dans son établissement en compagnie de son amant, Norbert, un gars haut placé au ministère de l'Éducation nationale. J'imagine que Mimi s'est dit que ce monsieur, avec ses contacts, pourrait m'aider à trouver ma voie, et surtout un vrai boulot. Elle me l'a donc présenté. Je me revois arriver à sa table, où il dînait avec le peintre. Norbert était un homme magnifique, très apprêté, avec un costume trois pièces bleu marine et une cravate. Immédiatement, je lui ai dit : « Vous ressemblez à un papa. » Sans doute représentait-il pour moi une figure paternelle ? Vingt ans plus tard, je considère toujours Norbert comme un père. Lui dit d'ailleurs encore aujourd'hui que je suis son fils. Je le respecte infiniment. Il a toujours été là pour moi, dans les bons, comme dans les mauvais moments. Il ne m'a jamais lâché. Et pourtant, je n'ai pas toujours été exemplaire. Comme un fils finalement, non ? On aime ses enfants pour le meilleur et pour le pire, paraît-il… Pourtant, le jour de notre rencontre, Norbert s'est retrouvé un peu démuni. Mimi lui mettait la pression et insistait : « Tu peux bien lui trouver un petit truc, une formation, un contrat d'apprentissage ou quelque chose ? » J'étais un colis bien embarrassant… Il n'avait pas de baguette magique, et moi, sans doute pas très envie à ce moment-là d'un boulot au Smic. En réalité, je n'étais pas du tout prêt à endosser moi aussi un costume deux ou trois pièces. Le monde de la rue et le monde de la nuit, avec leurs bons et leurs mauvais côtés, m'allaient bien. Le soir, je fréquentais les cabarets, le champagne coulait à flots, je croisais Michou et tout un tas de personnages hauts en couleur attachants. Pourquoi vouloir une vie « normale » ?

Norbert aurait pu rentrer chez lui sans plus de formalités, mais non. Comme Mimi, il avait envie de m'aider. Je n'aurai pas assez d'une vie entière pour le remercier. Il m'a pris sous son aile en quelque sorte, en veillant à me laisser toujours assez d'espace pour que je puisse m'envoler, moi, le petit oiseau blessé. Faute de pouvoir me trouver un job, il a passé des jours entiers à m'écouter, me conseiller, me protéger. Il m'a dit plus tard qu'il s'était senti investi d'une mission en quelque sorte. J'étais un enfant qui avait grandi trop vite, bourré de certitudes, mais tellement en quête d'affection. Norbert est un homme profondément généreux, qui aujourd'hui encore s'investit auprès de personnes en détresse, notamment des demandeurs d'asile. Il dit souvent : « Je ne vais quand même pas m'occuper uniquement de mon nombril. »

Quant à Mimi, voyant qu'elle ne pourrait pas me caser derrière un bureau, elle m'a trouvé un petit boulot dans un bar-tabac, chez une certaine Ginette, juste à côté du cabaret La Nouvelle Ève. J'y travaillais de 19 heures à 7 heures du matin. Le monde de la nuit y défilait. Les clients des bars et des boîtes venaient y chercher leurs cigarettes. Les employés aussi. J'en garde un excellent souvenir. Souvent, à la fin de mon service, avec un ami, Quentin, qui travaillait à proximité, la nuit lui aussi, nous nous donnions rendez-vous au bar Pandora pour boire des verres à l'heure où les autres prenaient leur café. Il s'enfilait des whisky-Coca et moi des Pisang ambon-ananas (une liqueur de banane verte et de fruits tropicaux de couleur vert vif, dont la recette est basée sur une liqueur indonésienne. J'adorais ça, j'avais l'impression de boire du Malabar !). C'était notre after, en quelque sorte.

On avait, ces matins-là, l'habitude de jouer au Rapido. On demandait un numéro à toutes les personnes qu'on croisait et on jouait la combinaison. C'est comme ça qu'un jour j'ai gagné 300 francs ! Je suis toujours en contact avec Quentin que j'aime énormément. Je peux même dire qu'il est le premier homme dont je sois tombé amoureux. Pas de chance pour moi, il est hétéro ! Nous en rigolons ensemble. Quentin restera toujours un ami fidèle. J'ai d'excellents souvenirs de cette période. D'autant que Mimi m'avait également trouvé un petit studio que je payais avec mon salaire. Cette femme était décidément exceptionnelle en tout point.

Il faut absolument que je vous raconte la folle soirée que nous avons vécue tous les deux. Quelques jours avant Noël, elle est venue me voir et m'a demandé ce que je faisais ce jour-là. Je lui ai répondu que je n'avais pas de projet particulier. Elle m'a alors offert 500 francs et m'a proposé de l'accompagner au casino d'Enghien-les-Bains, dans le Val-d'Oise, un lieu splendide au bord du lac d'Enghien : 1 500 m^2 dédiés aux machines à sous et aux jeux de table, avec trois bars et deux restaurants. Autant vous dire que je n'avais pas l'habitude de fréquenter ce genre d'endroit. Seule condition : porter un costume. Bien entendu, je n'en avais pas. Je venais de la rue et mon bagage était minimaliste. Qu'à cela ne tienne, elle m'a prêté une tenue appartenant à son mari : un magnifique costard beige, et une cravate très large dans le même ton, avec de fines rayures déstructurées grises. Il y avait un gros nœud, comme cela se faisait, je suppose, à cette époque. J'ai encore la photo. Je suis sûre qu'elle pourrait « buzzer » grave sur les réseaux sociaux !

Bref, nous voilà tous les deux en goguette à Enghien, au Casino. Elle, sublime, en habituée des lieux, moi, un peu gauche et emprunté dans mon habit. Chacun à une table de roulette. Elle m'avait auparavant expliqué les grandes lignes et les règles de base du jeu, dont j'ignorais tout. Tout feu tout flamme, je décide de miser la finale zéro. Grand seigneur, je pose 200 francs sur la table. « Faites vos jeux ! » La croupière lance la boule, et là… incroyable… Zéro ! Sachant que c'est payé 36 fois la mise, me voilà avec 7 200 francs en poche ! J'aurais pu, j'aurais dû m'arrêter là, mais je n'ai pas pu résister. Rebelote et là… encore zéro ! Je vous jure que c'est vrai. Cette fois, j'avais doublé la mise avec 400 francs. J'ai donc gagné 14 400 francs, plus les 7 200 francs que j'avais remportés au premier tour, soit 21 600 francs ! Une somme colossale ! J'étais littéralement en transe et prêt à tout miser de nouveau, fort de l'adage « jamais deux sans trois ». Heureusement, Mimi veillait au grain. Elle avait gardé un œil sur moi, tout en jouant de son côté. La voilà qui s'approche et me dit : « Ludovic, donne-moi tes plaques et arrête de jouer tout de suite ! » Elle ne voulait pas que je perde tout. Éternelle protectrice, elle a veillé sur moi ce jour-là – et heureusement car Dieu sait dans quel pétrin je me serais mis sans son intervention. Quoi qu'en disent les dictons, la chance passe rarement trois fois au même endroit.

Autant vous dire que je n'ai pas tardé à dépenser cet argent tombé du ciel. La sagesse aurait voulu que je le mette de côté, mais ça n'est pas trop mon genre. J'étais trop heureux de cette manne inespérée. J'ai flambé, offert des verres à mes amis, fait des cadeaux, je me suis acheté des vêtements et des montres, ma passion. L'argent, ça n'est jamais très difficile à dépenser. Beaucoup plus dur à gagner, mais ça, je l'ai compris plus tard...

Tout ça pour vous dire combien je dois à cette Mimi, paix à son âme. Une autre fois, elle m'a invité dans la maison de son frère à Saint-Raphaël, dans le sud de la France. Une propriété magnifique avec une piscine. Je n'avais jamais vu un tel luxe ! Si je suis là, à vous écrire aujourd'hui, c'est vraiment grâce à cet ange gardien. Car, au-delà des casinos et des paillettes, cette femme a vraiment cru en moi. Elle m'a écouté, secoué, elle m'a bousculé, jusqu'au jour où je l'ai regardée les yeux dans les yeux et où je lui ai dit : « Mimi, je te promets que je vais m'en sortir. La rue, c'est terminé. » Et j'ai tenu mon engagement. Ce fut pour moi le début de la rédemption, de la reprise en main. Mimi ne lira malheureusement pas ce livre car elle n'est plus de ce monde, mais je lui dois une fière chandelle. Merci Mimi de m'avoir pris sous ton aile.

Dans mon esprit, à ce moment-là, il est impératif de changer d'air pour changer de vie et pouvoir tenir la promesse faite à Mimi. Je me dis que je dois laisser Paris derrière moi quelque temps pour mieux y revenir lorsque j'aurai vraiment réussi à construire ma vie. Boosté comme jamais, grâce, toujours, au soutien de Norbert, je décide donc de faire « balles neuves » et de partir du côté de Lyon, une grande ville où je pense pouvoir trouver du travail et surtout éviter les tentations. J'avais croisé quelque temps plus tôt un couple de Lagnieu, dans l'Ain. Les deux hommes connaissaient mon désir de quitter Paris et ont accepté de m'accueillir chez eux pendant quelques mois. J'ai commencé à travailler pour eux. Je les aidais dans les travaux de leur maison. Je cassais des murs, je faisais du gros œuvre. C'était une forme de rédemption. Pourtant, je n'étais pas heureux. Je me sentais seul. Petit à petit, j'ai repris mon indépendance, et trouvé des petits boulots en m'inscrivant chez Manpower, une agence d'intérim. J'ai notamment travaillé dans une grande chaîne de supermarchés et été serveur sur une péniche.

C'est à Lyon que j'ai rencontré un homme, Étienne, avec qui j'ai vécu une histoire qui a duré près de six ans. Rapidement, nous nous sommes installés sous le même toit. Nous avions une petite vie tranquille, une vie de couple, bien différente de mes errances parisiennes. J'avais l'impression d'avoir enfin trouvé ma place. Cette année-là, la chance m'a une nouvelle fois souri, comme à Enghien. J'ai joué 27 euros au Rapido, et gagné 927 euros. Ça n'était pas la fortune, certes, mais cette somme nous a permis de payer les frais de notaire pour monter une SCI, puisque nous avions décidé d'acheter ensemble un appartement.

Notre rêve commun était d'être commerçants. Tenir un bar-tabac. Mon expérience parisienne m'avait beaucoup plu et l'idée de travailler tous les deux, côte à côte, dans un tel établissement m'enthousiasmait. Nous avons décidé de nous lancer. Étienne était un sacré magouilleur, mais ça, je l'ai compris plus tard à mes dépens. Quant à moi, je n'ai jamais été très au fait des histoires d'argent et de business. Là encore, quelques années plus tard, j'en paierai le prix fort. Mais c'est une autre histoire. Par un tour de passe-passe que je suis bien incapable de vous expliquer ici, mon compagnon a vendu l'appartement qu'il possédait et nous avons pu nous offrir le bar-tabac de nos rêves à la Croix-Rousse. Nous l'avons appelé : Le Bouledogue. Dans un premier temps, par souci de sécurité, il avait préféré garder son travail et c'est moi qui, avec deux employés, m'occupais de la gestion du bar-tabac. Un travail colossal : sept jours sur sept, de 7 heures à 22 heures. J'ai découvert à cette occasion que je n'étais pas fait pour donner des ordres. J'avais beaucoup de mal et bien souvent je faisais le boulot à la place des employés quand je voyais qu'ils rechignaient. Je n'ai pas l'autorité naturelle nécessaire dans ce métier.

J'étais épuisé mais heureux de vivre ce rêve. Au début tout allait bien. Étienne et moi logions dans l'arrière-boutique. Avec nous, il y avait aussi notre chienne Ursula et son bébé Casimir. C'étaient d'adorables bouledogues anglais, qui passaient leurs journées à manger, boire, dormir, roter et péter, eh oui ! Quelle vie de chien… Blague à part, j'adorais Ursula et Casimir. Les bouledogues anglais sont des chiens d'une grande force et en même temps d'une grande douceur, qui ne demandent qu'à être câlinés. C'est une race qui réclame beaucoup d'attention, et qui est un peu fragile. Je me souviens qu'on devait leur mettre de la pommade sur les plis et être vigilants avec leurs coussinets.

Au début donc, c'est la belle vie. Étienne me donnait un coup de main quand il rentrait le soir. J'étais un homme épanoui. Un homme naïf surtout ! J'ai mis du temps avant de prendre conscience que je ne touchais aucun salaire pour ce travail. Quand j'interrogeais mon ami sur ce sujet, il me répondait que je n'avais aucune raison de me plaindre : j'étais logé et je touchais les Assedic en tant que créateur d'entreprise. Il ne voyait pas pourquoi je réclamais davantage. Sauf que je ne pouvais pas vivre décemment avec 700 euros par mois ! Cette question d'argent a rapidement pourri notre relation. L'ambiance devenait de plus en plus tendue. Les noms d'oiseaux ont commencé à voler. Le climat est vite devenu insupportable, d'autant que c'est à ce moment-là que j'ai découvert qu'Étienne avait des amants, notamment un homme qui, chaque matin, venait boire son café chez nous. Quel culot ! Étienne passait beaucoup de temps à Paris, à cause de ses activités de syndicaliste. La séparation est devenue inévitable. Mon compagnon a proposé de me racheter mes parts. Un accord a été trouvé devant le notaire. Me voilà de nouveau seul, mais avec 90 000 euros sur mon compte en banque. De quoi voir venir.

Je décide alors de revenir à Paris. Mais cette fois, contrairement à la première, j'arrive le cœur lourd, et le portefeuille bien rempli. Plus question de dormir dans la rue ! Rapidement, je me mets à la recherche d'un tabac, seul, cette fois. J'ai bien retenu la leçon : mieux vaut être seul que mal accompagné ! Après en avoir visité plusieurs, je craque pour une civette, La Renommée, sur les Grands Boulevards, au métro Montmartre, non loin du Grand Rex. Un tabac seul, sans bar, me paraissait plus raisonnable. Je savais en effet, grâce à mon expérience lyonnaise, la quantité de travail que cela représente. Je vendais du tabac, des paquets de cigarettes, des cigares, des briquets, du papier à rouler, mais aussi des bibelots de Paris, des cartes postales, des cartes téléphoniques, des timbres-poste, des timbres fiscaux et des jeux à gratter. Au début, j'étais l'homme le plus heureux du monde.

J'avais un boulot que j'avais choisi et que j'aimais, j'étais mon propre patron et ça m'allait bien.

Puis la fatigue a commencé à s'installer. Je bossais de 7 heures à minuit, sans pause. Travailler seul, c'est bien, mais ça veut dire que l'on n'a personne avec qui partager les difficultés. Personne non plus qui peut donner un coup de main. Personne à qui parler. C'est simple, je ne faisais que dormir et travailler. Au début, c'est Norbert qui m'hébergeait, puis, pour plus de facilité, je me suis installé un matelas au sous-sol de mon tabac. Je ne pense pas que ce soit franchement légal, mais je n'avais pas d'autre option. J'étais tellement occupé que je négligeais complètement la gestion de mon affaire. Je ne faisais pas les comptes, ou je les faisais mal. Quand je voulais m'acheter à manger je prenais dans la caisse, sans réfléchir. Quand je vous dis que j'étais un piètre gestionnaire ! Rétrospectivement, je sais que, là encore, j'ai fait n'importe quoi... On ne s'improvise pas chef d'entreprise, il y a des écoles pour cela. Moi, je m'étais arrêté en troisième et j'en faisais les frais...

N'en pouvant plus, physiquement et moralement, je décide d'embaucher un type pour m'aider le week-end, et profiter un peu de la vie. Un soi-disant copain qui accepte de me dépanner. Mal m'en a pris. Trois mois plus tard, lors d'un inventaire, je constate qu'il manque 15 000 euros. Catastrophe ! Je panique, je comprends que le gars m'a arnaqué. Je l'interroge, il nie en bloc, mais je sais qu'il a régulièrement volé des cigarettes, des cartes de téléphone, des jeux à gratter, un peu de cash aussi. L'un dans l'autre, la somme est énorme. Direction la banque pour expliquer mon problème de vol et réclamer un chèque de banque certifié, afin de reconstituer mes stocks. Je n'avais pas d'autre solution. C'était ça ou... la clé sous la porte. Il faut croire que cette fois-là, mon ange gardien était aux abonnés absents. Nous étions en 2008, au tout début de la crise financière. Les bourses s'affolaient, le monde entier était en panique... Le banquier m'a regardé de haut et m'a dit qu'il ne pouvait rien pour moi.

Pendant trois semaines, je suis allé chaque jour le supplier. Il voyait bien que sans cet argent, mon commerce était mort. Je suppose qu'il subissait des pressions de sa direction en cette période de crise, mais son refus à l'époque était pour moi incompréhensible, d'autant que j'aurais facilement remboursé cette somme. Mes ventes me rapportaient près de 7 000 euros par jour, ce n'était pas compliqué. Mais non, il ne voulait rien entendre. Je me sentais piégé. Sans tabac je ne pouvais pas ouvrir, et sans argent je ne pouvais pas acheter de tabac. Moi qui croyais avoir enfin trouvé un statut social et un équilibre, voilà que tout s'envolait en fumée, c'est le cas de le dire ! Et c'était en grande partie ma faute.

Au bout de trois semaines, j'ai joué mon va-tout. Je me suis rendu une dernière fois chez mon banquier. Je dois préciser que j'avais quelques économies. Une petite somme que j'avais réussi à mettre de côté au fil des mois. Et pour être tout à fait honnête, avant de partir pour ce dernier rendez-vous, j'ai vidé ma caisse et pris quelques bricoles dans la boutique. Je sais, c'est mal, mais j'étais désespéré. J'ai aussi jeté quelques habits dans un sac de voyage. Au banquier, qui commençait à avoir l'habitude de me voir dans son bureau, j'ai dit ceci : « Cher monsieur, dans ma main droite il y a les clés de ma civette, dans la gauche, mes économies. Soit vous acceptez de me faire ce chèque de banque, soit je vous laisse les clés, je mets les voiles, et vous ne me reverrez plus jamais. » Et j'ai ajouté : « Je vous donne quinze minutes pour répondre. » C'est long vous savez, quinze minutes, les yeux dans les yeux. Le banquier transpirait à grosses gouttes. Moi aussi. Il n'a rien voulu savoir. J'ai jeté les clés sur son bureau et claqué la porte. Je dois être le seul au monde à avoir fait une chose pareille. J'ai retiré tout ce qu'il restait sur mon compte. On connaît l'abandon de domicile. Moi, j'ai fait un abandon de commerce. Adieu, tchao, bye, j'me casse !

Pas d'autre issue que la fuite, sans se retourner. Le pauvre Norbert, chez qui j'étais officiellement domicilié, a vu les policiers débarquer à deux reprises, demandant où je me trouvais. Embarrassé, il a expliqué que je ne vivais plus chez lui, ce qui était vrai, et qu'il n'avait aucune information me concernant. Il a même été convoqué au tribunal. J'ai honte, rétrospectivement, de l'avoir mis ainsi dans l'embarras. Malheureusement, en quittant mon tabac, j'ai oublié des objets auxquels je tenais énormément : le béret de mon grand-père et ses médailles, mais aussi sa montre Citizen, qu'il fallait remonter et que j'adorais. Je m'en suis rendu compte trop tard pour les récupérer. C'est l'un de mes plus grands regrets. En tout cas, après avoir fait le malin face au banquier, je me retrouvais une nouvelle fois face à mon destin, et face à un échec. Que faire de ma vie ? Retourner dans la rue ? Pas question !

4

Depuis quelques mois déjà, une idée me trottait dans la tête. Et si je tentais le rêve américain ? J'avais entendu dire que la ville de San Francisco était surnommée la capitale mondiale gay. Voilà qui sonnait drôlement bien à mes oreilles. Et puisque je n'avais plus rien à perdre et envie de fuir ce pays où rien ne me réussissait, pourquoi ne pas partir à l'aventure ? J'avoue qu'une fois encore, je n'ai pas choisi l'option la plus raisonnable.

Me voilà donc, fébrile, dans une agence de voyages, en train d'acheter mon billet, puis de remplir mon ESTA, sésame indispensable pour entrer au pays de Mickey. Et enfin, dans un vol direction les États-Unis d'Amérique ! PNC à vos postes, armement des toboggans, vérification de la porte opposée. Attention ! J'arrive ! Bercé de rêves et d'illusions, j'imaginais arriver dans une maison où l'on allait m'accueillir à bras ouverts. San Francisco, les amis ! Des quartiers entiers où l'on peut vivre son homosexualité au grand jour. J'avais lu que 12 % de la population globale de la ville se déclarait homosexuelle et même 100 % dans le célèbre quartier du Castro. Des arcs-en-ciel à chaque coin de rue. Cette fois, c'était sûr, j'allais trouver mon chez-moi, mon *home sweet home*. Et n'allez pas freiner mes ardeurs en me rappelant que je ne parlais pas un mot d'anglais ! « *Yes we can* », comme dirait qui vous savez ! Le petit Ludovic de Montélimar déboule donc, la fleur au fusil, à San Francisco, un beau matin, les yeux émerveillés, avec pour tout vocabulaire : OK.

Pour mes premières nuits, je me suis offert un petit hôtel en centre-ville. Je passais mes journées à découvrir le Golden Gate Bridge, le Fisherman's Wharf, le quartier de Mission, véritable musée à ciel ouvert. Je montais à bord des Cable Car, comme un vrai touriste. J'étais comme un fou, j'avais l'impression d'être dans un film. J'ai tellement été impressionné par la prison d'Alcatraz, que je l'ai visitée deux fois. On peut notamment y voir la cellule d'Al Capone ! Aucun détenu n'a réussi à s'évader de ce gros rocher, ce qui rend le lieu encore plus fascinant. Il faut dire qu'il était bien gardé, que les courants sont assez forts dans la baie de San Francisco et l'eau, plutôt fraîche. J'avais vu plusieurs films tournés à Alcatraz, notamment *The Rock*, avec Sean Connery, et un épisode d'*X Men* également. J'avais vraiment le sentiment d'être au cinéma.

Et bien sûr, l'une des premières choses que j'aie faites en arrivant à San Francisco, c'est me rendre à Castro, *le* quartier gay, *the place to be* ! Castro, ses maisons néovictoriennes aux bougainvilliers flamboyants, la fameuse « maison bleue » chantée par Maxime Le Forestier… Et ses oriflammes aux couleurs arc-en-ciel, omniprésents et rassurants. Je me souviens de mon émotion en découvrant ces couples s'embrassant sans gêne au milieu de la rue ou dans les bars. Adieu les interdits et les préjugés, place à la liberté. La liberté d'être soi, tout simplement. On aurait pu croire que la barrière de la langue serait un handicap. Pas du tout. J'arrivais toujours à me faire comprendre. Je me suis rapidement fait des amis. J'ai été hébergé chez certains. Il m'est arrivé aussi de dormir dans des buissons, mais heureusement peu souvent.

J'ai donc touché du doigt le fameux rêve américain. Rêve qui, un soir, a failli virer au cauchemar. Je n'ai que très peu de souvenirs de cette soirée. Je me rappelle seulement être sorti d'un bar après avoir bu plus que de raison. Le lendemain matin, je me suis réveillé allongé dans la rue, le visage tuméfié, difforme, avec des marques de strangulation. J'avais manifestement été tabassé. J'étais complètement groggy. Un passant, voyant mon état a appelé une ambulance. Dans la vitre du véhicule j'ai alors aperçu mon visage, je ne me suis pas reconnu. J'ai eu peur. Quand j'ai touché ma bouche, mes dents de devant bougeaient dangereusement. J'avais bel et bien été sévèrement boxé. Je suis resté deux jours hospitalisé, sous morphine. Les médecins ont réussi à me rendre un visage humain et à remettre mes dents en place. Je ne saurais jamais ce qu'il s'est passé cette nuit-là. Dans cette ville de la tolérance, j'ai manifestement dérangé quelqu'un. On m'avait, de surcroît, volé ma sacoche qui contenait 2 000 dollars.

Hormis cet épisode, je garde un excellent souvenir de ces mois passés à San Francisco, où je suis resté un an en pointillé, puisque j'ai dû faire plusieurs allers-retours en France, car mon visa expirait tous les trois mois. Je me souviens notamment de la magie d'Halloween. Y'a pas à dire, ils savent y faire, les Américains. L'ambiance à cette période est absolument dingue ! Cardiaques, s'abstenir. Frisco donne des frissons ! C'est là-bas qu'il y a d'ailleurs la plus grande maison hantée au monde, avec des attractions à grand renfort d'hémoglobine ! Tout est démesuré, de toute façon, de l'autre côté de l'Atlantique. C'est un cliché de dire ça, mais c'est vrai. Tout est *too much* : les voitures, les immeubles, les portions au restaurant.

Mais tout n'est pas rose pour autant. Les Américains n'ont pas la chance de bénéficier de l'aide sociale dont nous profitons en France. Pas de chômage, pas de sécu. Il faut travailler, beaucoup, et longtemps. La plupart ont deux boulots. La vie est très chère. Ils bossent souvent jusqu'à 80 ans. On ne mesure pas la chance que l'on a chez nous. Et vous savez quoi ? Je ne les ai jamais entendus se plaindre. Alors qu'ici... bref... c'est une autre histoire...

Je dois vous avouer qu'à San Francisco, j'ai passé la nuit la plus romantique de ma vie, au pied du Golden Gate Bridge. Nous étions sur les rochers, nous avons admiré le soleil se coucher. La suite, je la garde pour moi. C'est mon jardin secret, et je vous rappelle que ma mère compte à coup sûr parmi mes lecteurs... Je préfère vous laisser imaginer et ajouter tous les ingrédients que vous voulez. N'hésitez pas à y glisser les plus pimentés, mais aussi les plus doux. Je peux juste dire que ce fut très certainement la plus belle nuit de ma vie.

J'ai aussi le souvenir de quelques belles rencontres sur place, notamment avec un couple de Canadiens qui tenait un camping gay à côté de Victoria, la capitale de la Colombie-Britannique, à l'extrémité de l'île de Vancouver. Ils m'ont invité. Je leur ai rendu visite. Je dormais dans une caravane. J'y ai fait de belles rencontres : Rick, Owen, Brian, Todd,

Scotty, Dean, notamment. Le soir, ils allumaient un immense feu de bois autour duquel tout le monde se réunissait. C'était génial. Chacun venait avec sa bière, certains chantaient, beaucoup fumaient de la marijuana. C'est avec ce couple que j'ai assisté à mon premier match de hockey. J'ai adoré ça. Nous étions allés voir l'équipe de Vancouver, les Canucks. Quelle ambiance ! Là encore, j'avais l'impression d'être à la télé. Quel show !

À Vancouver, j'ai pris un bus pour redescendre à San Francisco. Vingt-sept heures de route, avec des escales à Sacramento, Oatland, Portland. Je dois reconnaître que je n'ai pas vu grand-chose de ces villes. Les arrêts étaient chronométrés. Régulièrement j'envoyais des vidéos à mes amis restés en France, pour partager l'ambiance de ce voyage.

Aujourd'hui, je ne suis pas bilingue, loin de là, mais je comprends à peu près ce qu'on me dit. Lors de ce séjour j'ai pratiqué une forme de survie linguistique, c'est-à-dire que, rapidement, j'ai su quels étaient les mots indispensables et je m'en suis servi, parfois dans le désordre. Peu importe, on m'a toujours compris. Je n'ai jamais souffert réellement de la barrière de la langue, même si j'ai parfois regretté de ne pas pouvoir participer aux conversations un peu sérieuses, qui m'auraient sans doute appris beaucoup d'autres choses encore sur ce pays.

Du point de vue de la propreté des rues, puisque vous savez que c'est mon obsession, les Américains ne sont pas forcément exemplaires. À l'époque où je m'y trouvais, les artères de San Francisco étaient souillées de déchets, comme les nôtres, à un détail près : là-bas, les propriétaires de chiens ramassent systématiquement les déjections de leurs amis à quatre pattes. C'est un réflexe, et on ferait bien d'en prendre de la graine. Vous savez combien je peste au quotidien contre ces Parisiens qui ne prennent pas la peine de se pencher pour récupérer l'offrande de leur animal de compagnie. Ça me rend dingue ! À San Francisco, il n'y a pas ce problème. Je me souviens que je croisais régulièrement des SDF chargés d'immenses sacs remplis de bouteilles et de canettes. On m'a expliqué qu'ils allaient les rapporter dans les décharges réparties à travers la ville. Pour chacun d'entre eux, ils gagnaient quelques centimes de dollars. Je crois que c'est une pratique qui existe aussi dans d'autre pays du monde, en Asie notamment. Mais honnêtement, je trouve qu'on ne devrait pas se reposer sur les SDF pour espérer des villes plus propres ! Vraiment pas ! À plusieurs reprises je suis tombé sur des dépôts sauvages, comme on en voit souvent à Paris. Je me rappelle qu'une fois il y avait un magnifique rocking-chair canné, et je me suis dit que ma mère aurait été drôlement contente d'en avoir un comme ça.

Je dois néanmoins ajouter que San Francisco, ces dernières années, a fait énormément d'efforts dans sa gestion des déchets. Il y a une culture du recyclage et du compostage qui commence à porter ses fruits. Je sais que depuis 2007, les fast-foods par exemple ont l'obligation d'utiliser des emballages compostables ou recyclables. Et surtout, San Francisco a été, en 2014, la première ville au monde à interdire la vente de bouteilles d'eau en plastique dans les lieux publics, après avoir interdit les sacs en plastique. Quelle bonne idée ! Il faut savoir que pour une ville de cette taille, des dizaines de millions de bouteilles d'eau finissent dans des décharges ou pire, dans les océans ! Les dégâts sur l'environnement sont catastrophiques, donc bravo San Francisco. Une raison supplémentaire pour moi d'aimer cette ville !

À propos d'amour… dans mes rêves les plus fous, j'aurais aimé trouver l'âme sœur à San Francisco et m'y installer définitivement. Cela ne s'est pas produit. Je n'ai pas croisé mon cow-boy… Et comme mes maigres économies avaient fini par s'évaporer, j'ai dû rentrer à Paris. C'est un Mexicain, Jack, rencontré sur place, qui m'a payé le billet retour. J'ai tout aimé en Amérique, sauf peut-être le café.

Me voilà donc en France, sans un sou en poche. Retour à la case départ : la rue, les squats, le Samu social. Après avoir connu la folie de San Francisco, le choc est violent. Fini le rêve américain. Heureusement, là encore, le destin a mis sur mon chemin un ange gardien. À première vue pourtant, il n'avait pas d'ailes et semblait presque aussi paumé que moi. Il s'appelait Denis. Ce jour-là, pour me réchauffer, j'avais décidé de passer la journée dans un cinéma porno du côté de Pigalle. Pas pour mater des films, mais pour m'assurer quelques heures de sérénité et de chaleur. Denis était assis sur les marches, en train de boire des bières. Je me suis posé à côté de lui et nous avons entamé la discussion. Il a rapidement compris que j'étais SDF et m'a proposé d'aller chez lui. Il était en couple avec un homme formidable, Orphée, qui, aujourd'hui encore, est mon meilleur ami. Malheureusement, Denis n'est plus de ce monde, mais, sans lui, qui sait où je serais aujourd'hui ?

Quand j'ai raconté ma vie à mes nouveaux compagnons, j'ai pris conscience que je n'avais pas réglé un problème de taille. En laissant tomber mon tabac un an plus tôt, et en prenant la poudre d'escampette, je m'étais mis dans l'illégalité la plus totale. J'étais en effet lié par contrat avec les douanes pendant trois ans. Je n'avais pas le droit de tout quitter. Cela aurait pu me coûter très cher, plusieurs centaines de milliers d'euros. J'ai donc décidé de me présenter spontanément à la justice pour essayer de régler l'affaire, d'autant que je savais, par Norbert, que j'étais recherché par la police. Le pauvre Norbert, je lui aurais vraiment tout fait… Je suis allé plaider mon cas devant le tribunal du commerce où j'ai expliqué toute l'histoire : mon employé qui avait piqué dans la caisse, mon désespoir, le banquier qui n'avait rien voulu entendre, mon départ aux États-Unis. J'ai essayé d'être le plus convaincant possible. En même temps je ne disais que la vérité. Au moment de prendre congé, le juge m'a dit : « Merci d'être passé monsieur Franceschet, vous nous avez bien fait rire. Vous ne pouvez manifestement pas payer. Vous êtes en situation de surendettement. Votre dette va être effacée. Nous allons néanmoins vous interdire de monter une société pendant cinq ans. » Et, a-t-il ajouté : « Si vous choisissez de retenter l'aventure ultérieurement, surtout sachez bien vous entourer, car manifestement, le business, c'est pas trop votre truc. » Comme j'étais insolvable ils ont annulé ma dette, et je les en remercie aujourd'hui. L'affaire a été classée sans suite.

Une fois ce « problème judiciaire » réglé, j'ai décidé, toujours avec l'aide de mes nouveaux amis, de me reprendre en main. J'ai trouvé un petit boulot chez Leader Price. Une collègue, caissière, une femme adorable, a alors proposé de m'héberger quelque temps pour me dépanner. Elle vivait dans un foyer pour Africains avec toute sa famille. J'étais très touché par son accueil, malheureusement le logement était quasiment insalubre. Il y avait des tonnes de cafards, c'était horrible. La nuit, en particulier, ils sortaient de partout, par centaines. Je m'enfermais dans mon sac de couchage. C'était insupportable, en particulier pour les enfants, qui se réveillaient le matin avec des cafards sur le visage ! Personne ne devrait vivre cela.

Une fois encore, le destin a mis sur mon chemin une personne qui a changé ma vie. Je ne vous en ai pas encore parlé, mais je fréquentais à l'époque les sites de rencontre. Ceux qui ont déjà testé savent qu'il y a à prendre et à laisser sur ces plateformes. Plus souvent à laisser qu'à prendre, d'ailleurs... Bref, j'ai fait la connaissance d'un homme haut placé à l'hôpital Georges-Pompidou à Paris. Nous avons discuté et je lui ai dit que j'étais prêt à tout pour prendre un nouveau départ, pour trouver enfin un boulot dans lequel je m'épanouirais. « Ça tombe bien m'a-t-il répondu, j'ai peut-être quelque chose pour toi. Envoie-moi ton CV et ta lettre de motivation. » Aussitôt dit, aussitôt fait. L'après-midi même, il m'a convoqué et présenté à l'ensemble des équipes du service de cancérologie dont il s'occupait.

J'ai commencé dès le lendemain, en tant qu'agent d'accueil. Je recevais les patients qui venaient pour des séances de chimio ou de radiothérapie. Je les dirigeais vers le lieu où ils recevaient leurs traitements. Ça n'était pas compliqué en soi. Il fallait surtout beaucoup d'empathie. Je me retrouvais face à des personnes malades, et souvent terriblement angoissées. La plupart étaient épuisées par ces traitements si lourds. J'essayais de leur offrir mon plus beau sourire pour tenter de leur apporter un peu de douceur dans cette épreuve. Le plus dur était d'en voir certains décliner de jour en jour. Mais il y avait aussi des moments de joie. Il était fréquent que des personnes guéries ou en rémission nous apportent des chocolats par exemple. On en avait une armoire pleine !

J'ai ensuite changé de service. Je suis monté en ORL. On m'a demandé d'endosser le costume d'aide-soignant, sans en avoir le titre. Je faisais fonction de… c'est-à-dire la même chose, mais sans le diplôme. Je devais assister les infirmières auprès de patients parfois lourdement touchés : cancer des poumons, de la gorge, de la trachée, de la langue. Certains étaient vraiment très mal en point. J'étais chargé de faire leur toilette notamment. Je devais aussi répondre aux appels d'urgence des malades. En salle de garde, on m'avait surnommé « monsieur sonnette ». Dès qu'un patient sonnait, je bondissais pour lui demander ce dont il avait besoin. Pas question de les faire attendre. Ils pouvaient toujours compter sur moi.

C'est un métier terriblement difficile. Les horaires sont fous, le travail, colossal, le salaire, bien maigre. Il faut avoir un mental d'acier, et je tire mon chapeau à ces hommes et ces femmes qui font ce job et qui tentent comme ils le peuvent d'apaiser la souffrance.

Ce que j'aimais par-dessus tout, c'était être là pour les autres. Je me sentais utile. Je n'avais aucune compétence médicale, je ne pouvais donc pas apaiser les douleurs physiques, mais j'essayais à mon petit niveau de leur rendre la vie plus douce, ou au moins de les faire penser à autre chose. J'avais toujours le sourire, même si parfois je m'effondrais en quittant la chambre. J'étais comme je suis dans la vie, joyeux, humain et bienveillant. Mes plus grandes victoires, c'est quand j'arrivais à leur arracher un sourire, voire un rire. Les infirmières adoraient travailler en binôme avec moi, car j'avais ce côté « clown » qui permettait de dédramatiser des situations, ce petit brin de folie, que j'ai conservé aujourd'hui.

Bien sûr, il y a eu des moments délicats. Je suis, comme vous l'avez compris, quelqu'un de sensible. Pourtant, face à ces malades, je mettais un point d'honneur à ne jamais montrer combien j'étais affecté, ce qui ne m'empêchait pas, le soir, en rentrant chez moi, d'avoir le cœur lourd, très, très lourd parfois. Il n'y a qu'une fois où je n'ai vraiment pas pu supporter ce que j'ai vu. On m'avait demandé d'assister une infirmière pour aider un patient en fin de vie, qui avait une plaie béante dans le dos et qui n'arrêtait pas de saigner. Je devais tenir cet homme dans mes bras, tandis que l'infirmière refaisait ses pansements. Elle n'arrivait pas à arrêter l'hémorragie. Elle est alors allée chercher des renforts et m'a demandé de rester seul avec cet homme dans mes bras. J'ai cru que je n'y arriverais pas. Tout ce sang qui coulait, toute cette souffrance. Quand elle est revenue, l'infirmière a vu mes yeux qui commençaient à briller et a compris que je m'apprêtais à craquer. Elle m'a dit de sortir. J'ai éclaté en sanglots dans le couloir, à peine la porte refermée. J'ai rarement été aussi mal de ma vie. C'était une scène atroce qui me hante encore de temps en temps.

En plus de notre boulot en cancérologie, quand les urgences de l'hôpital étaient saturées, et que nous avions des lits libres, on nous adressait souvent d'autres patients. Certains venaient parfois de loin, comme cette famille, rapatriée de Tunisie, où elle avait eu un grave accident de voiture. Lors du choc, personne ne portait de ceinture de sécurité. La mère et le père s'en sont sortis avec des fractures. Malheureusement, les trois enfants ont eu moins de chance. Ils ont traversé le pare-brise. Une petite fille est décédée. Je revois son frère âgé d'une dizaine d'années, grièvement blessé. Il ignorait encore que sa sœur était morte. Nous devions garder le secret, évidemment. Cette scène m'a beaucoup marqué.

Il y avait aussi des moments plus joyeux, heureusement. comme ce jeune homme qui avait trop fait l'amour avec sa copine et qui s'était coincé les testicules. Je n'ose imaginer combien ce doit être douloureux ! Pourtant, j'ai dû réprimer un fou rire quand ma collègue m'a demandé, sans rien m'expliquer, d'aller dans sa chambre et que je l'ai vu tout penaud.

J'ai, plus tard, toujours au sein du service ORL, rejoint les soins de support, l'équivalent des soins palliatifs, autrement dit, là où l'on accueille les patients en fin de vie. Là encore, il n'était pas question de montrer ses émotions, face à des personnes qui avaient tellement besoin de nous. Nous devions tout faire pour que leurs dernières heures se passent le plus sereinement possible. Les familles n'étant pas toujours présentes pour assister leurs proches dans ces derniers moments, j'ai, à plusieurs reprises, tenu des mains, écouté les derniers mots, et tenté comme je le pouvais de rendre ce passage dans l'au-delà moins effrayant. Sachant que moi-même, je suis terrifié par la mort, ce n'était pas toujours évident, mais, là encore, j'ai toujours veillé à refouler mes émotions, pour être avant tout au service de l'autre.

J'ai été troublé de voir à quel point les personnes qui se savent sur le point de basculer dans l'au-delà s'inquiètent pour leurs proches. Plutôt que se lamenter sur leur propre sort, ou faire le bilan de leur vie, elles veillent à ce que tout soit bien en ordre pour ceux qui leur survivent. Elles s'inquiètent pour leurs enfants, leurs petits-enfants, leur mari ou leur femme.

Combien de fois ai-je entendu : « Est-ce que j'ai pensé à ça ? Est-ce qu'elle va être heureuse ? Est-ce qu'il ne va manquer de rien ? Est-ce que vous pouvez lui redire que je l'aime ? » Je me souviens en particulier d'un papi, adorable, qui savait qu'il n'en avait plus que pour quelques heures et qui m'a demandé d'aller voir sa fille et de l'embrasser pour lui. Je l'ai fait. Quand la fin approche, l'être humain pense davantage aux autres qu'à lui. Je trouve que c'est une belle leçon de vie, paradoxalement. Dans ces moments-là, je n'ai jamais pleuré. Je voulais avant tout que ces derniers instants soient sereins. Je n'allais certainement pas les « parasiter » avec mes larmes.

Ce qui était dur également, c'est quand je rentrais de mes jours de repos et qu'on me demandait d'aller faire le ménage complet d'une chambre pour y accueillir un nouveau patient. Je savais ce que ça voulait dire. Soit le patient précédent était guéri, soit il était décédé. Dans ce métier, on n'a pas vraiment le temps de s'attarder sur nos émotions et c'est peut-être mieux comme ça finalement. Ça nous protège. Malgré tout, même si on ne montre rien, on a besoin d'un sas de décompression. C'est la raison pour laquelle on faisait souvent des pots pour pouvoir évacuer, penser à autre chose. Et surtout pour éviter de plomber l'ambiance en rentrant chez nous. Nos proches doivent être à tout prix épargnés.

Je pense souvent à nos courageux soignants qui, pendant des mois, ont accueilli des malades du Covid en réanimation, vague après vague, variant après variant. Comment ont-ils fait pour tenir ? Il faut le vivre pour le comprendre. Il n'y a aucun moment de répit dans ce métier. Il y a urgence à recruter ! Ça n'est pas faute, pourtant, d'avoir mis en garde nos dirigeants depuis des années. On va droit dans le mur si on ne fait rien. La crise du Covid a été un révélateur, mais le phénomène n'est pas nouveau. J'ai du mal à comprendre que ce ne soit pas aujourd'hui une priorité.

De cette époque à l'hôpital, j'ai conservé un autographe et un album, offert par un chanteur, hospitalisé pour un cancer de la gorge. Le secret médical m'interdit de vous dire de qui il s'agit, mais c'était un homme charmant, un patient comme on les aime. Même dans la souffrance, certains restent sympas et chaleureux. Ce n'est pas le cas de tout le monde. La maladie rend parfois méchant, irascible, voire odieux, mais comment en vouloir ? Moi en tout cas, je ne me formalisais jamais. Sait-on comment chacun de nous réagirait dans une telle situation ?

À deux reprises j'ai passé le concours pour devenir aide-soignant. Je l'ai, à chaque fois, raté, malgré des notes correctes : 11/20 et 15/20, ce qui était fort honorable pour quelqu'un qui n'a jamais fait d'études.

Néanmoins insuffisant. C'est la loi des concours. Pourtant, j'avais été bien préparé par Aurélien, un gars super sympa qui occupait le poste de manipulateur en radiothérapie. Voyant que je n'avais pas les compétences nécessaires, il a spontanément proposé de me donner un coup de main. Il m'a proposé des cours particuliers gratuits ! Encore un ange gardien sur mon chemin. Décidément ! Après le boulot, nous nous retrouvions dans une salle pour des cours d'anatomie et de mathématiques. J'étais un élève très appliqué, bien plus qu'à l'école ! J'avais mes livres achetés chez Gibert Jeune, mon classeur, ma trousse, ma règle. Malheureusement, cela n'a pas suffi. Je me suis « vautré » à l'oral. On m'avait donné un sujet sur lequel je devais faire une sorte de dissertation argumentée. En l'occurrence, on me demandait ce que je pensais de l'automédication. Je n'ai pas dû être très convaincant. Malgré cet échec, je garde de cette expérience une bonne connaissance du corps humain. Une vraie usine, où chaque boulon est utile à quelque chose. Tellement bluffant !

En tout, j'ai passé un peu plus de deux ans à l'hôpital. Mais, après mes échecs aux concours, je ne pouvais pas être prolongé indéfiniment. Je n'avais pas de possibilité de CDI. Je devais donc partir. Il y avait une psychologue qui travaillait dans mon service, avec qui je m'entendais bien et qui savait que mon contrat se terminait. « J'ai peut-être, m'a-t-elle dit, une place à te proposer. Va, à telle heure, à cette adresse. J'ai pris un rendez-vous pour toi, tu verras bien. » Intrigué je me suis rendu sur place, à Sartrouville, en banlieue parisienne. À l'adresse en question se trouvait un FAM, un foyer d'aide médicalisé. Je suis entré et ai été accueilli par une résidente qui s'est littéralement jetée sur moi et m'a enlacé langoureusement en me bavant dessus. Je vous jure que c'est vrai. Sacré accueil ! De quoi faire fuir. J'aurai pu repartir aussi sec, pourtant je suis resté, intrigué.

Une personne de la direction m'a alors reçu et expliqué que ce foyer accueillait des adultes handicapés mentaux, notamment de nombreux autistes. J'avais entendu parler de l'autisme, bien sûr, mais je ne savais pas exactement de quoi il s'agissait. Elle a demandé mes références, qui ont semblé lui convenir, et m'a expliqué qu'il y avait peut-être du travail pour moi. Elle m'a aussi précisé qu'il y a de nombreuses formes d'autisme, des plus légères aux plus sévères. J'ai écouté avec attention, et j'ai très vite compris que ça ne serait pas un travail de tout repos, mais j'étais emballé, là encore, à l'idée de pouvoir aider les autres. Comme à l'hôpital, on m'a demandé de faire fonction d'aide-soignant, malgré mon absence de diplôme. J'habitais alors à l'opposé de Sartrouville.

Il me fallait plus de deux heures de mon domicile pour me rendre dans ce foyer, et bien davantage les jours de grève des transports ou de travaux sur les lignes que j'empruntais. Je devais traverser toute la région parisienne ! Pourtant, je n'ai pas hésité. Je sentais que j'allais m'épanouir dans ce travail.

Et ce fut le cas.

5

L'association qui tenait ce foyer avait un nom prédestiné. Elle s'appelait Les Jours heureux. Et oui, je peux le dire, j'ai été heureux là-bas. Je me suis rapidement senti dans mon élément au milieu de ces personnes différentes. Les autistes sont extrêmement attachants, avec des profils très variés, comme j'ai pu m'en rendre compte. Il y a ceux que j'appellerais les autistes légers, qui ont du mal à communiquer et qui souvent sont terrorisés par tout ce qui est nouveau. Avec eux, il faut avoir une routine, respecter leurs phobies, parler toujours sur le même ton, ne pas perturber leurs habitudes. Ils finissent par vous adopter et alors il est possible d'avoir un semblant de relation avec eux. En revanche, ils sont très perturbés dès que les équipes changent.

Il y avait également dans ce foyer des cas beaucoup plus sévères. Tout au fond du service, par exemple, avait été aménagée une chambre spéciale, sécurisée, dont le résident, était susceptible à tout moment de « péter les plombs ». On m'avait mis en garde contre ce monsieur qui pouvait subitement devenir très violent, avec lui, ou avec les autres. Pour les repas par exemple, on ne lui donnait pas de couteau, pour éviter les drames. Nous étions peu nombreux à nous porter volontaires pour nous occuper de lui, et je peux le comprendre. Pour ma part, je n'ai jamais hésité. Je trouvais ça tellement triste de le laisser à l'isolement. J'étais persuadé que je pouvais y arriver. En réalité, c'est une personne qui manquait énormément d'attention. Le fait d'être relégué au fond du foyer comme un pestiféré n'arrangeait pas les choses. Petit à petit, en compagnie de Julie, une aide-soignante très impliquée, j'ai appris ses codes, j'ai réussi à nouer un lien. Je savais par exemple qu'il fallait toujours le lever d'un côté du lit et pas de l'autre. Si un membre de l'équipe partait en vacances et qu'il était remplacé, c'était le drame. Il devenait ingérable… J'en venais presque à hésiter à prendre des jours de congé.

Pour vous donner une idée de la lourdeur de certains cas, il pouvait arriver qu'un résident étale ses selles sur le mur ou sur son lit. Il faut toujours garder son sang-froid, mais parfois, c'est difficile. Les moments des repas au réfectoire étaient également compliqués. Il y avait beaucoup de bruit. Certains criaient, tapaient sur les tables, se levaient. Les plus sensibles ne supportaient pas cette ambiance. Ce n'était pas aisé, comme situation à gérer. C'est vraiment particulier de fréquenter ce genre de personnes, mais moi, j'aimais beaucoup ce métier. J'ai toujours essayé de comprendre ce qui pouvait bien se passer dans leur tête. J'ai aussi toujours été respectueux de leur différence, et je pense que c'est pour ça qu'ils m'appréciaient.

J'ai notamment été très impressionné par un monsieur, incapable de parler, mais qui, quand on le mettait devant un piano, était un virtuose ! Pourtant, il n'avait jamais pris un seul cours. Il jouait divinement bien. Son visage s'éclairait tandis que ses doigts couraient sur le clavier. C'était magique, un moment de grâce à chaque fois ! Un autre résident était capable de réciter par cœur les dialogues de tous les films de Disney, et toutes les chansons. Je me régalais en l'écoutant. Je passais la journée avec eux, du réveil, jusqu'au coucher. Parmi mes missions, je devais aussi les accompagner lors de sorties, au McDo, au cinéma, ou en promenade. Nous devions être extrêmement vigilants, car les réactions de ces personnes, en dehors de leur cadre habituel, sont inattendues.

Lors de ces déplacements, nous utilisions les véhicules du foyer, et j'ai pu remarquer combien les Français sont peu respectueux du handicap. Combien de places signalées étaient occupées par des voitures qui n'ont rien à y faire. C'est scandaleux ! Pensons un instant à ces personnes qui sont parfois obligées de rebrousser chemin, car elles ne trouvent pas d'endroit où se garer. Chaque escapade était une parenthèse bienvenue. Plusieurs fois par semaine, j'accompagnais le résident potentiellement « violent » dont je vous ai parlé plus haut pour une sortie à pied ou à vélo. Il adorait ça. Nous sortions tous les deux et faisions le tour de la résidence. Je sentais combien il était alors heureux, et moi aussi du même coup. Pour chaque sortie, nous devions être plusieurs. Il fallait en effet une vigilance de chaque instant. Chacun d'entre nous veillait sur un patient et ne devait jamais le quitter des yeux. Bizarrement, certains patients très turbulents, voire violents, devenaient doux comme des agneaux quand on les emmenait au cinéma ou au théâtre. Je redoutais qu'ils se mettent à pousser des cris et dérangent tout le monde. Ce n'est jamais arrivé. Ils restaient concentrés du début à la fin, ce qui, chez eux, était tout à fait inhabituel.

Cette expérience a été pour moi une sacrée claque. Si vous saviez comme j'étais fier quand, par exemple, un résident arrivait à manger seul avec sa cuillère, après de longs mois d'apprentissage. J'imagine que j'avais la même satisfaction qu'un parent qui apprend, jour après jour, à son enfant à faire du vélo, quand, enfin, il comprend qu'il n'a plus besoin d'assistance. Je me souviens d'une femme qui ne disait rien, jamais. J'avais pris l'habitude, quand j'allais dans sa chambre, de lui parler quand même, tout seul, comme un idiot. Je lui racontais ce que je faisais, je lui parlais de mes états d'âme, du temps qu'il faisait, du menu du jour. Eh bien quand elle a pour la première fois émis un son en réponse à mon monologue, j'ai été bouleversé ! Pour la première fois de sa vie, elle venait de communiquer. Chacun, d'ailleurs, avait sa façon de s'exprimer. Il fallait les voir danser par exemple ! C'est tout simplement incroyable. Ils se déhanchaient n'importe comment, sans cette crainte du regard extérieur, que nous avons, nous. Et ils ont tellement raison. Quel message de tolérance…

J'avais une affection toute particulière pour Anne. Elle ne parlait pas, mais elle émettait des borborygmes incompréhensibles, des cris plutôt, dont elle seule comprenait la signification. Les premières fois où j'ai dû m'occuper d'elle, elle me frappait. Je la laissais faire, sans rien dire. Elle a rapidement compris que je ne lui voulais pas de mal. Les coups se sont alors transformés en caresses. Elle passait sa main sur mon visage maladroitement. Je sais qu'elle m'aimait beaucoup et c'était réciproque. Quand elle était en visio avec sa maman, elle me faisait signe de venir, pour me présenter à sa famille. Nous étions devenus amis.

Il y a aussi cette patiente qui s'était jetée sur moi le jour de mon arrivée. Elle avait une particularité. Elle bavait beaucoup et enfonçait ses mains dans sa bouche. Résultat : ses doigts étaient complètement rongés par la salive et en sale état. On avait l'impression qu'elle les avait trempés dans la Javel. Nous avons tout essayé pour l'en empêcher, y compris de lui mettre des moufles. Rien à faire. Il fallait, plusieurs fois par jour, l'enduire de crème.

Il serait beaucoup plus facile de ne rien faire pour ces personnes, de les laisser végéter dans leur lit ou leur fauteuil roulant. Mais il en était hors de question ! Toute l'équipe était là pour les stimuler en permanence, les aider à faire quelques pas, chaque jour, jusqu'à ce que certains abandonnent définitivement toute forme d'assistance. C'était rare, mais c'était alors une grande victoire. J'en revois certains, mettant toutes leurs forces pour s'accrocher à des barres et réussir à se redresser. Nous étions si fiers d'eux dans ces moments-là. Vous n'imaginez pas le courage, la force mentale et même physique de ces gens-là, qui luttent quotidiennement pour se sortir de toutes sortes de handicaps. Ce monde m'a ouvert les yeux, bien plus encore que tous les voyages que j'aurais pu faire.

Mon travail, d'abord à l'hôpital, puis au FAM, et les bulletins de salaire qui vont avec, m'a aussi permis d'avoir suffisamment d'argent pour louer mon propre appartement en banlieue parisienne, à Morigny-Champigny, dans l'Essonne. Mes amis Orphée et Denis ont bien voulu se porter garants. Rendez-vous compte, un appartement, rien qu'à moi ! La revanche de l'ex-SDF ! Je me souviens encore du montant de mon loyer : 498 euros pour 24 m^2. Je l'avais trouvé sur pap.fr. C'était un petit duplex envahi par les fourmis (c'est quand même mieux que les cafards...), avec une petite cour intérieure, que j'avais réaménagée et dans laquelle j'avais planté des tomates, de la menthe et même des citrouilles. Ce n'était pas grand-chose, mais c'était mon petit paradis. Je m'y sentais bien. Les astres étaient alignés. Pourtant, au fond de moi, la fragilité rôdait toujours. Le gamin incompris ressurgissait certains jours, et tirait l'adulte que j'étais vers le fond. Parfois même tout au fond. J'ai connu une période de dépression profonde, qui m'a obligé à arrêter mon travail pendant trois mois. Je n'arrivais plus à supporter les trajets, interminables, et le réveil qui sonne à 2 heures du matin. Et moi, qui suis ultra-sensible, je me suis pris de plein fouet les attentats du 13 novembre 2015. Comme tout le monde, me direz-vous. C'est vrai. Je n'ai pourtant perdu aucun proche, mais cette violence aveugle m'a laissé dans un état de sidération, qui, sur un terrain déjà fragile, m'a totalement déstabilisé. J'ai même eu, pour la première fois de ma vie, des idées suicidaires, moi qui ai tellement peur de la mort...

Je n'arrivais pas clairement à exprimer ce que je ressentais. Pas même à ma mère, qui n'a jamais rien su de mon état.

Un autre déclencheur de ce mal-être est une brouille avec l'un de mes voisins, un retraité, adorable en apparence, qui m'offrait les légumes de son jardin. Chaque jour ou presque, je trouvais une cagette devant ma fenêtre. Je pensais avoir un nouvel ami. Comme un idiot sans doute, j'ai décidé un jour de lui confier que j'étais gay. Je ne saurais dire pourquoi, mais j'ai eu besoin de lui écrire pour lui raconter qui j'étais. Je n'avais aucune raison de le cacher, après tout. Quelle erreur ! Du jour au lendemain, le gentil voisin s'est transformé en monstre de haine. J'étais, à ses yeux, devenu Satan. Il ne m'a plus jamais adressé la parole et a même menacé de me tuer. Cet épisode a accentué ma fragilité, sachant que mon quotidien auprès de malades n'arrangeait sans doute rien. J'ai commencé à m'enfoncer dans le mal-être. Je n'allais plus travailler, je vivais reclus, je ne quittais plus mon appartement, si ce n'est le soir parfois, à la fermeture des supermarchés pour y faire les poubelles. (Ce que je n'avais jamais fait en tant que sans-abri, puisque je bénéficiais de l'aide des associations.) Je n'osais jamais faire ça le jour. Trop honte. Je quittais mon appartement le plus discrètement possible avec mon cabas. J'avais repéré à quelle heure les employés sortaient les bennes avec les produits périmés, et j'allais y remplir mon frigo. Je comprends que vous puissiez être dégoûtés à cette évocation. Moi, ce que je trouve dégoûtant, c'est de jeter de la nourriture au prétexte qu'elle est tout juste périmée.

Je sais que depuis, les choses ont évolué, que la législation a changé, heureusement. Deux ou trois jours avant expiration de la date limite de consommation, les produits sont retirés des rayons et donnés à des associations caritatives. Quelle bonne initiative ! Que de gâchis évité ! Parfois, je trouvais des cuisses de poulet par paquets de dix, ou bien des yaourts, des œufs, du lait. Largement de quoi me nourrir. Je me régalais de fromage aussi, moi qui adore ça, et qui ai rarement l'occasion d'en manger. Ça tombe bien, le fromage, plus il est fait, plus il pue, meilleur il est ! Je me souviens également avoir récupéré des filets d'oranges. Il suffisait qu'une seule soit pourrie pour que le lot parte à la benne. Quelle honte !

Il y a énormément de Parisiens qui travaillent, qui ont un salaire et qui, pourtant, ne mangent pas à leur faim. Ce sont eux que vous voyez parfois fouiller les poubelles. Ce ne sont pas les SDF. Les sans-abri, eux, bénéficient, comme j'en ai déjà parlé, de l'aide des associations. Ceux qui baissent la tête, envahis par la honte, ceux qui évitent de croiser votre regard, quand ils plongent le bras dans vos déchets, ceux-là n'ont pas le choix, il faut en être conscient. Ce sont des femmes et des hommes qui n'arrivent pas à se nourrir et à nourrir leurs enfants, à boucler leurs fins de mois. Les loyers parisiens sont tellement chers que bien souvent, avec un Smic, une fois que vous avez payé votre logement, il vous reste 100 euros pour manger pour tout le mois. Je vous en prie, ne jugez jamais une personne qui fouille une poubelle. Vous ne connaissez pas son histoire. Détournez les yeux, pour ne pas l'embarrasser davantage. Elle est déjà tellement humiliée. Vous ne connaissez ni sa vie, ni sa situation.

Dans le cadre de mon métier, je croise régulièrement des gens qui plongent avidement leurs mains dans les ordures, dans l'espoir d'en sortir un morceau de pain ou les restes d'un sandwich. Dans ces cas-là, je vais un peu plus loin, pour ne pas les gêner, et je reviens quand elles ont terminé. Ces personnes me font tellement penser à moi, à cette période de ma vie, période dont, encore une fois, je suis sorti grâce à un ange gardien. Il se trouve en effet que le vieux voisin homophobe dont je vous parlais plus haut a succombé à un cancer peu de temps après m'avoir signifié, à sa façon, que j'étais une honte pour la société. Rapidement, son appartement a été vidé, avant qu'une nouvelle locataire n'y pose ses cartons.

Pour ma part, loin de cette effervescence de voisinage, je m'enfermais chaque jour un peu plus dans mon silence dépressif. Volets clos depuis des semaines. Odeur de renfermé. Quant à moi, je ne sentais sûrement pas non plus la rose. N'importe quel être humain aurait rebroussé chemin. Pas Odette, qui sonna ce jour-là, et fit comme si de rien n'était : « Bonjour, je suis votre nouvelle voisine. » Un ange venait de frapper à ma porte, avec son sourire étincelant et ses dents magnifiques. Elle irradiait, elle était pimpante et surtout, elle me parlait. Je reprenais contact avec le monde. « Viens boire un verre à la maison ! » Cette bouffée d'humanité a eu un effet bien plus puissant que tous les antidépresseurs. Odette ne m'a jamais jugé. Elle m'a ouvert sa porte, sans aucune hésitation. J'adorais son appartement. Elle avait une cheminée, ma passion. Je veillais à ce qu'elle soit allumée les soirs d'hiver quand elle rentrait. Elle m'avait confié ses clés.

C'est pour Odette que je me suis lancé dans la pâtisserie. Je voulais tellement lui faire plaisir. Elle était gourmande et ne rechignait jamais à tester mes expérimentations. Mes premiers macarons, complètement ratés, ne l'ont pas rebutée. Pour elle, j'ai confectionné des Paris-Brest, des gâteaux chapiteaux en pâte à sucre, des gâteaux arc-en-ciel aussi. Et cette fois j'ai été franc d'entrée de jeu : « Je suis gay. » Contrairement au précédent occupant des lieux, l'annonce ne l'a absolument pas émue.

Odette travaillait pour une société d'ambulances. Elle m'invitait régulièrement quand elle recevait chez elle. Elle m'a notamment présenté un couple exceptionnel, Rose et Fifi, un duo de bonté et d'amour... qui m'ont aidé, eux aussi, à sortir de ma dépression. Je ne les oublierai jamais. J'ai passé avec et grâce à eux des moments inoubliables. Ce sont des personnes à la vie incroyable. D'ailleurs, il faudrait peut-être qu'ils songent, eux aussi, à écrire leur biographie !

Ces trois anges gardiens m'ont permis de me reconstruire, de retrouver de la confiance et de reprendre mon travail au FAM. Je ne sais pas si j'aurais pu faire ce métier toute ma vie. Je ne crois pas. Mais je peux vous dire que chaque patient reste dans mon cœur. J'étais très attaché à tous ces résidents. Leur fragilité et paradoxalement leur force m'ont bouleversé. Les quitter m'a fendu le cœur, même si c'était mon choix. J'ai dû couper net le cordon pour que ce soit moins douloureux. Et je dois aussi tirer un coup de chapeau aux personnes qui consacrent leur vie à ces patients, vingt-quatre heures sur vingt-quatre. J'ai une pensée également pour les parents, qui doivent gérer ces enfants différents. Soyons tolérants avec eux aussi, car Dieu sait que, même avec beaucoup d'amour, il faut une sacrée dose d'abnégation et de courage.

De mon côté, après ma dépression, je suis resté épuisé, physiquement, par les trajets interminables pour aller travailler, et moralement, car ce boulot nécessitait une énergie folle et un grand don de soi. Je suis tellement sensible que je suis une vraie éponge. Je ne sais pas suffisamment me protéger et j'avais, je crois, atteint mes limites. Il était urgent que je change d'horizon.

6

Quand j'étais petit garçon et que je voyais passer le camion poubelle devant chez moi, j'étais absolument fasciné. Pas très original, me direz-vous. Pratiquement tous les enfants le sont ! Sauf qu'au fond de moi, cette fascination avait une résonance particulière. Très jeune déjà, j'avais cette conscience écologique. À 4 ou 5 ans, je ramassais les mégots abandonnés par mes frères et sœurs. Je les leur rapportais et je les engueulais : « Mais qu'est-ce que ces mégots font par terre ? Vous ne connaissez pas les poubelles ? » Je ne supportais pas ça. C'était plus fort que moi. Je leur faisais « la guerre des mégots » et ça ne contribuait pas à me rendre très populaire auprès d'eux. Plus tard, j'ai fait la même chose avec des inconnus. Je ramassais les bouts de cigarette encore incandescents qu'ils venaient de jeter et leur disais : « Qu'est-ce que ça fout dans ma main ? »

J'ignorais alors qu'un seul mégot pouvait polluer 500 litres d'eau. Oui, vous avez bien lu ! 500 litres ! Ce chiffre est absolument terrifiant. Quand je l'ai appris, ça m'a fait un choc terrible ! Les mégots représentent 40 % des déchets ramassés dans nos villes, mais aussi sur nos plages… Chaque cigarette contient près de 4 000 substances chimiques, dont une centaine sont toxiques et nocives. Ces substances finissent pour la plupart dans les égouts et se retrouvent dans les réseaux d'assainissement des eaux qui ne sont pas équipés pour les traiter. Les mégots peuvent mettre jusqu'à dix ans pour se dégrader totalement (au minimum deux ans). Donc non, les jeter par terre n'est pas anodin ! Aujourd'hui en France, une amende de 68 euros est théoriquement prévue pour ce délit. Théoriquement. Quelqu'un ici a-t-il déjà été verbalisé ? Je n'en suis pas sûr, et surtout, je trouve que ce n'est pas assez cher. Paris, comme d'autres grandes villes françaises, est sensible à la question, mais les autorités sont bien impuissantes. Seule une modification radicale des comportements nous permettrait de venir à bout de ce fléau. Il y a encore du boulot, malheureusement. Et pourtant je suis persuadé que ce n'est pas une fatalité. On ne peut pas tout exiger de l'État. C'est à chaque fumeur de prendre ses responsabilités. Il existe par exemple un truc génial que vous pouvez acheter partout, qui ne coûte pas cher et qui ne prend pas de place : ce sont les cendriers de poche. Vous pouvez y mettre vos mégots de la journée et les jeter le soir à la maison. C'est pas sorcier ! Amis lecteurs, fumez si vous le voulez, je ne suis surtout pas là pour vous culpabiliser, mais utilisez les cendriers ou les poubelles, s'il vous plaît. La planète vous en sera éternellement reconnaissante. Et moi aussi.

Je supplie également les propriétaires de chiens de ne plus détourner le regard quand leur toutou d'amour dépose son offrande. Vous croyez que ça nous amuse de passer derrière vous ? Franchement ! C'est quand même pas compliqué de ramasser les crottes avec un petit sachet ! Apparemment, si... et ça me désespère. Savez-vous qu'en moyenne, 650 Parisiens sont hospitalisés chaque année parce qu'ils ont glissé sur une crotte de chien ? Je vous jure que c'est vrai. Fractures du poignet ou du coccyx, non mais sans blague, ça devient dangereux de fouler les pavés parisiens ! Environ 20 tonnes de déjections canines sont déversées sur les trottoirs de Paris par quelque 300 000 chiens, soit environ 1 kilo de merde toutes les 5 secondes !! Malgré les campagnes de sensibilisation, et les amendes, là aussi trop faibles à mon goût. Mais je ne suis pas là pour accabler les Parisiens. Il paraît que c'est pas beaucoup mieux ailleurs.

Enfant, j'appréciais particulièrement les balades à la campagne. Nous allions parfois, mon beau-père et moi, ramasser les escargots avec nos bourriches ou pêcher des poissons-chats ou des perches soleil que nous donnions ensuite à nos poules (qui se régalaient). Cela fait partie des bons souvenirs de cette période tourmentée. Lors de ces sorties, il m'arrivait régulièrement de tomber sur des décharges à ciel ouvert, des dépôts sauvages, avec des gravats, des tuyaux, des frigos et j'en passe. Des dépotoirs indignes de l'humanité ! Cela perturbait beaucoup l'enfant que j'étais. Je trouvais ça incompréhensible et ça me rendait malheureux. Aujourd'hui, des associations se mobilisent pour permettre aux particuliers de signaler la présence de ces décharges, en envoyant leur localisation précise et même des photos. Quelle belle initiative ! Bien sûr, seul avec vos petits bras, aussi musclés soient-ils, vous ne pouvez pas dégager vous-même des tonnes de gravats. Il est donc indispensable d'être tous solidaires. Ça tombe bien car désormais, pratiquement partout en France, des groupes de « nettoyeurs » se créent et emploient leur temps libre à nettoyer leur région.

Il m'arrivait aussi, gamin, de découvrir avec stupeur du polystyrène dans le lac où nous allions pêcher. J'étais fou de colère ! Qui pouvait ainsi polluer sans vergogne *mon* lac ? Mon beau-père devait m'empêcher de plonger pour aller le récupérer tellement cela me mettait hors de moi. Il me retenait par le col et tâchait de me calmer, mais j'ai encore cette image en tête. J'ai appris depuis que le polystyrène est une bombe à retardement. Il contient une molécule très polluante, le HBCD, qui figure dans la liste des pires polluants de notre planète.

Tout ça pour vous dire que le respect de l'environnement est ancré en moi depuis toujours. Je n'ai pas attendu la « mode » écologiste. J'ai toujours eu cette conscience. J'avoue que je n'ai jamais compris que l'humain dégrade autant son environnement. Certains pensent peut-être que j'exagère, mais je vous assure que non. Ce ne sont pas juste des mots dans l'air du temps, cela me bouleverse profondément, à un point que vous ne pouvez même pas imaginer. Il n'est pas rare que j'aie les larmes aux yeux quand je constate à quel point nous maltraitons notre planète.

Toujours dans mon enfance, j'ai le souvenir que ma mère m'avait confié l'entretien d'une allée bordée de rosiers, dans une maison qui appartenait à mon beau-père. Elle était située à Montélimar, dans la zone industrielle. On l'avait appelée « le cabanon », car au tout début, sur ce terrain, il n'y avait qu'un simple cabanon de jardin. On y allait le week-end et j'aimais beaucoup cet endroit. Nous y passions de bons moments, jusqu'à ce que l'on soit expropriés. Pour s'y rendre, il fallait emprunter une allée de cyprès. J'avais l'impression d'être dans le feuilleton *Dallas*. Je rêvais d'accrocher un panneau sur la façade de cette maison avec en lettres dorées : « Le Cabanon ». Il y avait aussi de jolies fleurs, mais personne ne voulait s'en occuper, en particulier des rosiers. J'ai donc proposé à ma mère de le faire. Cela occupait mes journées avec délice ! Bien sûr, je me piquais un peu les doigts, mais j'aimais beaucoup ça. Je voulais que tout soit impeccable. Aucune branche ne devait dépasser ! Pas une mauvaise herbe ! Déjà à cette époque, j'étais un perfectionniste. Je n'étais définitivement pas un petit garçon comme les autres. Après mon passage, c'était nickel et j'en tirais une grande satisfaction.

J'éprouve d'ailleurs aujourd'hui cette même satisfaction quand je passe dans une rue souillée et que, grâce à moi, elle retrouve sa propreté. C'est un sentiment intense, la sensation d'être utile à la communauté. C'est aussi pour cela que je fais régulièrement sur TikTok des vidéos avant/après, pour que tout le monde puisse constater la différence et se dise : « Ah oui, quand même ! » Je pense que certains finissent par s'habituer à la saleté, ils ne la voient même plus.

En grandissant, j'ai continué à regarder les éboueurs avec envie. Quel beau métier ! Vous n'allez sans doute pas me croire, mais je vous jure, sur ce que j'ai de plus précieux, que j'ai toujours été persuadé que c'était une profession réservée à une élite. Je pensais qu'il fallait être pistonné, connaître quelqu'un, pour pouvoir y accéder. Je suis parfois un grand naïf, mais c'est ça qui fait mon charme, non ?! En réalité je n'avais pas tout à fait tort. Il paraît en effet qu'à l'époque de l'ancien maire de Paris, Jacques Chirac, il valait mieux avoir sa carte au RPR si on voulait être embauché…

D'où ma surprise quand le petit ami de ma voisine de palier m'a informé un jour que la Ville de Paris recrutait des éboueurs. J'ai halluciné. Quoi ? On embauchait des éboueurs ? Mon rêve ! Sans hésiter, j'ai donc envoyé mon CV, avec une lettre de motivation, comme jamais encore ils n'avaient dû en recevoir. J'étais tellement enthousiaste que j'ai tout donné dans ce courrier. Il faut croire que j'ai été convaincant, puisque j'ai été convoqué pour les épreuves de recrutement. Et je précise que je n'ai aucune carte, d'aucun parti politique ! Le jour J, pour l'épreuve écrite, me voilà donc, anxieux, mais ultra-motivé, arrivant au centre d'examen de Villepinte, en banlieue parisienne. Et là… quelle ne fut pas ma surprise de voir une file de candidats qui faisait pratiquement un kilomètre de long ! Je n'étais manifestement pas le seul à rêver de monter derrière un camion poubelle… Plus d'un millier de candidats sur la ligne de départ, quelques centaines de « survivants » pour l'épreuve orale et 150 environ retenus à l'issue de la pratique. Ça fait un sacré écrémage. C'est pire que *Koh Lanta* ! Seul au milieu de cette foule, je sentais que j'étais sur le point de toucher du doigt mon rêve. La pression était à son comble. Pas question de me rater ! Et comme j'avais déjà loupé plusieurs concours pour devenir aide-soignant, j'avais très peur de l'échec.

Nous avons tout d'abord dû répondre à une série de questions en relation avec notre futur métier, avec notamment des mises en situation. Voici un exemple de ce qu'on m'a demandé ce jour-là : « Vous êtes en train de balayer la rue. Une grand-mère se fait agresser sous vos yeux. Comment réagissez-vous ? » Bien entendu, beaucoup ont répondu : « Je pose mon balai et je vais la défendre immédiatement ! » Mauvaise réponse ! Il fallait écrire : « J'appelle la police et les secours. » La Ville de Paris ne veut pas en effet d'employés impulsifs et bagarreurs, ce que je comprends tout à fait. J'ai heureusement bien répondu à cette question. Tous ceux qui ont répondu qu'ils allaient « casser la gueule » aux agresseurs de la mamie se sont fait recaler. Entre nous, je peux vous confier que je ne laisserai jamais une grand-mère se faire tabasser, évidemment, mais chut, ne le répétez pas... De toute façon, je ne suis pas un violent, je ne l'ai jamais été. Aucun risque avec moi de ce côté-là ! Parmi les questions que l'on m'a également posées pour cette première épreuve : « À quoi sert l'eau qui coule dans les caniveaux ? » J'ai répondu que c'est pour évacuer les petits déchets. Bonne réponse ! Pas sorcier, il faut le reconnaître. On nous a aussi interrogés sur l'attitude que nous aurions si notre binôme ne voulait pas travailler. J'ai répondu que j'essayerai d'abord de le motiver, et que, si vraiment il ne voulait rien entendre, j'irais voir mon supérieur pour le lui signaler. Dans la vraie vie, ce genre de situation est très rare, mais si elle m'arrive, je suis du genre à travailler pour deux plutôt qu'à dénoncer l'un de mes compagnons.

Dans la seconde partie de l'épreuve écrite, on nous fournissait le plan d'un secteur parisien. L'idée était de voir si nous étions capables de nous repérer facilement. On nous demandait, à partir de cinq noms de rue, de déterminer un périmètre. Il fallait ensuite que nous transportions une machine à laver, trouvée sur un trottoir, d'un point A à un point B, en empruntant, avec un véhicule, le parcours le plus simple. Il y avait plusieurs choix, avec des pièges, comme des sens interdits ou des rues à sens unique. Je trouve que c'est une épreuve nécessaire, car, dans notre métier, il est capital de savoir se repérer sur le terrain. Les chefs ne sont pas toujours derrière nous ! Il faut savoir prendre les bonnes décisions, le plus rapidement possible. L'orientation, heureusement, n'a, pour moi, jamais été un problème. Je peux circuler dans Paris quasiment les yeux fermés. J'ai tellement arpenté les rues de la capitale pendant mes années d'errance que j'en connais mieux que quiconque les moindres recoins. Cela m'est d'une aide précieuse dans le cadre de mon métier, notamment quand il faut aller nettoyer des endroits un peu cachés, qui ont souvent bien besoin de mon balai pour retrouver un peu de dignité.

Au-delà de notre profession, connaître le nom des rues est important. Combien de fois des Parisiens ou des touristes m'interpellent pour me demander la localisation de tel ou tel endroit. Je suis toujours heureux de pouvoir les guider et fier aussi de me sentir doublement utile. Nous sommes, nous, les éboueurs, des GPS ambulants ! Je peux, sans aucun problème, indiquer la Poste, l'entrée du métro, la boulangerie la plus proche, etc. Vous pouvez tout ou presque me demander ! J'aime tellement cette ville que je mets un point d'honneur à bien la connaître. Et puis ça permet de discuter quelques secondes avec les passants. Tout d'un coup, nous ne sommes plus des invisibles. Certains sont surpris de la précision de mes indications, je le vois dans leur regard. « Tiens, l'éboueur, il sait faire autre chose que balayer ! »...

J'ai eu la chance de passer avec succès les épreuves écrites. Mon bon sens a payé. Quel bonheur le jour où j'ai appris par courrier que j'avais franchi une première étape et que j'étais sélectionné pour l'oral ! Tellement heureux, mais aussi terriblement angoissé, à mesure que je me rapprochais du but. C'est le cœur battant à mille à l'heure et les mains moites que je me suis donc présenté devant le jury. Je savais que, pour cette épreuve, je devais mettre en avant mon amour de Paris et mon désir sincère de faire ce métier. En soi, ce n'était pas très difficile, vu que c'était la stricte vérité. Néanmoins, c'est toujours impressionnant de se retrouver face à des femmes et des hommes qui vous dévisagent. Pendant les premières minutes, la sueur dégoulinait le long de mes tempes, c'était gênant. Je me suis heureusement assez vite détendu, notamment grâce à cette phrase, prononcée par l'un des membres du jury : « Vous savez, monsieur Franceschet, un CV comme le vôtre, on en voit rarement ici. » Cela m'a beaucoup touché. Certes, je ne suis pas Polytechnicien, mais je suis vraiment très fier de mon parcours, qui fait de moi l'homme que je suis aujourd'hui. Je ne suis pas né avec une cuillère en argent dans la bouche, je n'ai pas fait de grandes études, mais j'ai appris à l'école de la vie, et je vous garantis que c'est une école exigeante et sans pitié. Ce compliment sur mon CV m'a donc bouleversé. Il m'a redonné confiance en moi et m'a boosté pour la suite.

Comme pour l'écrit, l'examen oral, consistait en une succession de mises en situation. On m'a notamment demandé ce que je ferais si je me trouvais place de la Bastille, à Paris, et que mon chef me demandait d'aller chercher, le plus rapidement possible, un carton abandonné au beau milieu de la place, au pied de ce que l'on appelle « la colonne de Juillet ». Il s'agit de la grande colonne, classée monument historique, bâtie à l'emplacement de l'ancienne prison. Très posément, j'ai répondu que je veillerais d'abord à ce que le feu tricolore soit rouge pour les voitures et que je traverserais au passage piéton pour me rendre de l'autre côté afin de récupérer ledit carton, avant de faire le chemin inverse, toujours en veillant aux feux de signalisation. Réponse somme toute logique. Sauf que l'examinateur en question m'a alors regardé et interpellé : « Il me semble, m'a-t-il dit, qu'il n'y a pas de passages piétons sur cette place ? » Avant d'ajouter : « Je n'en suis pas sûr. » J'ai été troublé par son commentaire et je me suis mis à douter. Je vous avoue que je ne savais pas non plus s'il y avait des passages piétons à cet endroit. Je suis observateur, mais pas à ce point ! Ma réponse a néanmoins été validée. En réalité, ce que ne voulait surtout pas entendre le jury, c'est : « Je fonce pour aller récupérer le carton. » Sécurité d'abord : la base ! On ne doit jamais se mettre en danger ni mettre en danger les autres.

À la fin de cette épreuve, un examinateur m'a demandé pourquoi on devrait m'embaucher moi et pas un autre. Aucune hésitation de ma part. La réponse était évidente : « Parce que je suis le meilleur ! » ai-je répondu du tac au tac. Loin de moi toute prétention, ce n'est vraiment pas mon genre, mais j'avais l'intime conviction que j'étais fait pour ce métier et qu'ils auraient du mal à trouver quelqu'un de plus motivé que moi ! Pour la première fois de ma vie, moi qui ai toujours été si peu sûr de moi, je me suis mis en avant. Et je ne le regrette pas. Toute mon enfance et mon adolescence, je me suis pratiquement excusé d'exister. Je n'avais aucune confiance en moi, que ce soit d'un point de vue physique ou intellectuel. Mais ce jour-là, j'ai compris qu'il fallait remiser ma modestie maladive au placard. Et j'ai bien fait, puisque mes examinateurs ont été apparemment convaincus.

Une fois l'écrit et l'oral validés, place à l'étape finale, celle de la pratique. Le principe est simple :

on nous demande de réagir à toutes sortes de mises en situation. C'est l'occasion pour les examinateurs de tester notamment notre sens de l'observation. Par exemple, imaginez que sur un trottoir soient déposés une chaise, une porte, une petite commode et des sacs de sable. Certains sacs positionnés sur la table, d'autres en dessous. Nous devions visualiser la scène rapidement, et la reproduire ensuite à l'identique. C'est-à-dire tout replacer de l'autre côté du trottoir, exactement dans la même position. Les examinateurs en profitaient pour regarder comment nous nous débrouillions pour porter les meubles en question, car ça aussi, c'est très important. Il faut être efficace et organisé, tout en veillant à protéger son dos ou ses bras, qui peuvent vite être endoloris voire blessés par des postures inappropriées. On observait notamment comment nous nous y prenions pour porter les sacs de sable : un par un, deux par deux ? Il suffit de peu de choses pour améliorer une posture et protéger sa santé.

Autre test : prendre une vieille porte trouvée sur un trottoir, la déplacer jusqu'à son véhicule et veiller à ce qu'elle soit bien arrimée pour le transport. Là encore, c'est simple sur le papier, mais la moindre erreur peut être fatale. Enfin on nous confiait une poubelle et on nous demandait de parcourir un itinéraire donné. À votre avis, faut-il pousser la poubelle devant soi ou bien la tirer ? Réponse : il faut toujours la tirer ! Je l'avais observé en regardant régulièrement le travail des éboueurs. C'est la base du métier.

J'ai passé cette troisième épreuve avec succès. J'étais donc apte à devenir éboueur. Quelle joie ! Mais avant de pouvoir exercer mon nouveau métier, il me restait encore une étape, importante : la formation. Quinze jours d'immersion et d'apprentissage. Nous avions pour cela rendez-vous à l'école Eugène-Poubelle, dans le 18e arrondissement. C'est là que sont formés tous les futurs éboueurs aux techniques de la propreté de la voie publique et de la collecte des déchets ménagers. D'abord la théorie, puis la pratique, sous la forme d'ateliers. Quel grand monsieur cet Eugène ! On lui doit une fière chandelle. Normand, il fut préfet de la Seine à la fin du XIXe siècle. Paris était déjà très sale à cette époque ! En 1883, il a instauré, par arrêté, la toute première collecte des ordures. Il a exigé que les propriétaires d'immeubles mettent des récipients à déchets à disposition de leurs locataires. Les toutes premières poubelles ! Récipients qui devaient impérativement être dotés d'un couvercle et avoir une contenance de 40 à 120 litres. Et pour vous dire combien il était visionnaire, c'est également Eugène Poubelle qui a instauré le tout premier tri sélectif avec un bac pour les papiers et les chiffons, un autre pour le verre, les débris de vaisselle (et les coquilles d'huîtres ! Je vous jure, c'est véridique). Enfin un troisième pour les matières dites putrescibles. Il avait déjà tout compris ! L'idée, paraît-il, a été très mal accueillie, car accusée de voler le métier des chiffonniers, qui consistait, à l'époque, à passer dans les villes et les villages pour racheter les objets usagés. Le tri sélectif est donc loin d'être une idée nouvelle. Malheureusement, je vous en parlerai plus loin, il y a, dans ce domaine, encore beaucoup de travail de pédagogie à faire !

Pour en revenir à mon passage à l'école Eugène-Poubelle, nous avions donc, je le disais, des ateliers, théoriques et pratiques. La clé, c'était d'être extrêmement attentif aux consignes des formateurs. J'ai appris beaucoup de choses lors de cet apprentissage. On nous y enseigne notamment les gestes et postures, ô combien importants dans ce métier. Comment porter une charge, comment utiliser un balai, se pencher en pliant les genoux, ménager son dos, ses bras, etc. On a l'impression que tout le monde sait tenir un balai, mais je vous jure que la première fois que j'en ai eu un entre les mains, j'ai été très maladroit. D'ailleurs je n'avais pas pris la bonne taille. C'est autre chose que de balayer son salon ! Pour éviter de trop souffrir, il vaut mieux avoir un très long manche. Il y a aussi des techniques spécifiques pour chaque action.

Lors de cette formation, on nous parle également des potentielles agressions ou insultes dont on peut être victimes. On nous dit comment réagir. Toujours sans agressivité bien entendu. Cette formation m'a (malheureusement) été utile dès mes premiers mois d'activité, lorsqu'un individu, sans aucune raison, m'a craché dessus en m'insultant. « Tu es payé pour ramasser la merde », vociférait-il, en déversant sa haine contre moi. Le pire, c'est que je ne crois même pas qu'il était bourré ! J'ai été profondément choqué, mais je n'ai pas répondu. Quand j'en reparle aujourd'hui, j'en ai encore les larmes aux yeux. Je me suis senti souillé, humilié... À ma pause de 16 heures, je me suis précipité pour prendre une douche et me changer. Une autre fois, alors que je répondais au média en ligne Brut, quelqu'un m'a jeté dessus une bouteille d'eau. Là encore, c'était un geste gratuit qui m'a beaucoup affecté, même si la bouteille ne m'a pas touché et si je n'ai pas été blessé. Et si un jour on me jetait une bouteille en verre ?! Je ne croyais pas si bien dire. Quelques mois plus tard, c'est bel et bien une bouteille en verre qui a atterri à mes pieds alors que je m'activais pour nettoyer un trottoir souillé par une selle humaine, rue des Lombards. Un gars dont je n'ai pas vu le visage l'a lancée sur moi, sans raison, sans doute juste pour m'humilier… Par chance, elle ne m'a pas explosé au visage. Je finis par redouter ce genre d'agressions. Je ne m'y habituerai jamais, vraiment jamais. Je ne comprends pas la nature humaine. Qu'est ce qui fait qu'une personne puisse avoir ce genre d'attitude, ce mépris de l'autre ? J'ai réussi aujourd'hui à me blinder contre ce genre de comportements, rares, Dieu merci, mais je reste très sensible à la méchanceté gratuite.

En tout cas, une fois ma formation validée, il était temps de sauter dans le grand bain ! Quelle fierté de recevoir mon affectation. Je devenais officiellement éboueur et laissais derrière moi toutes mes années de galère. Enfin, j'avais, moi aussi, le droit d'être heureux. Il y a seule une chose que je regrette : je n'ai pas réussi à obtenir les notes que j'ai eues à cet examen. Ça me plairait beaucoup de les connaître, par curiosité.

Il faut savoir que le budget global consacré par la Ville de Paris à la propreté et à l'assainissement est d'environ 600 millions d'euros par an. Il augmente tous les ans, ce qui permet l'embauche de nouveaux éboueurs et l'achat de nouveaux matériels. Il y a 6 900 agents, en charge de la propreté, dont 700 conducteurs et 5 000 éboueurs. Leur nombre est en évolution constante. Ils étaient 4 917 en 2015. Ils sont répartis dans plus de 100 ateliers, dans tous les arrondissements parisiens. Vous avez peut-être l'impression que ça fait beaucoup de monde. Moi, je trouve que c'est encore largement insuffisant, vu l'ampleur de la tâche. La Ville recrute entre 300 et 400 agents chaque année, pour le seul métier d'éboueur. Des concours sont organisés une à deux fois par an.

Attention, seules peuvent postuler les personnes de nationalité française ou membres d'un État de l'Union européenne, à condition qu'elles aient moins de 45 ans l'année de leur recrutement. On me demande souvent quelles sont les connaissances et les compétences à avoir pour passer avec succès les épreuves. Je réponds toujours qu'il faut, avant tout, avoir une envie sincère de faire ce métier, mais aussi un minimum de jugeote et de bon sens, et une bonne condition physique, évidemment.

Les effectifs actuels sont composés à 90 % d'hommes, mais la part des femmes augmente régulièrement. On est néanmoins encore très loin de la parité. La municipalité en a bien conscience. Elle s'emploie à les valoriser, à trouver des solutions, notamment en cas de grossesse. Il y en a peu, mais celles qui s'engagent font preuve d'un courage exceptionnel. Avec tout le respect que j'ai pour la gent féminine et l'importance que je porte à l'égalité des sexes, je ne suis pas sûr que je recommanderais cette profession aux femmes. Attention, je ne suis absolument pas macho ! Mais c'est un métier extrêmement physique. Il faut porter des charges très lourdes. J'ai beaucoup de respect pour celles qui se lancent. Vraiment chapeau !

Je constate qu'il y a, dans cette profession, beaucoup de reconvertis, c'est-à-dire de personnes qui avaient un autre métier et qui, comme moi, ont décidé de changer de vie. J'ai croisé par exemple un ancien ouvrier, un ancien de la Poste, un ancien cariste, un ancien chauffeur de taxi, et même un ex-boxeur. L'âge moyen des agents de la DPE (Direction de la propreté et de l'eau), est de 42,5 ans. On a assez peu de « petits jeunes ». Cela fait partie, d'ailleurs, des choses que je souhaiterais changer. J'aimerais tellement que cette profession ne soit plus un choix par défaut, car, je le dis et je le redis, oui, on peut s'épanouir en tant qu'éboueur. Encore faut-il avoir une volonté sincère de s'investir et de faire bien son travail. Je serais si heureux que des personnes de 18 ou 20 ans aient sincèrement envie de rejoindre nos rangs, que ce soit un vrai choix de carrière. Je regrette par exemple que l'on ne puisse pas accueillir dans nos rangs des jeunes en stage. L'alternance est impossible. Cela n'existe tout simplement pas. Quel dommage ! Pour ma part, je serais ravi d'accueillir un jeune pour lui montrer à quoi ressemble vraiment mon boulot, qu'il m'accompagne et se fasse une idée précise. Pourquoi ne pas imaginer des stagiaires de troisième, par exemple, qui viendraient chez nous ? Ce serait une idée formidable ! Je comprends néanmoins les réticences de la Ville de Paris. Avec la pénibilité, les horaires de travail, et les problèmes de sécurité, c'est compliqué. Il y a bien quelques stagiaires, mais ils sont cantonnés dans les bureaux.

En tout cas, avec ou sans stagiaire, il est temps de changer les mentalités. Je suis horrifié quand je vois combien cette profession est encore trop souvent assimilée au fait d'avoir raté sa vie, même si, heureusement, les choses évoluent. J'espère d'ailleurs y contribuer. Si vous saviez comme ça m'énerve d'entendre, encore aujourd'hui, certains profs (de moins en moins, heureusement) dire à leurs élèves : « Si tu ne travailles pas à l'école, tu vas devenir éboueur ! » Cela me met hors de moi. Quelle insulte à cette profession ! Comment peut-on dire ce genre de choses ? Que ferions-nous sans éboueurs ? Que deviendrait notre planète ? Et Paris ? Que serait Paris sans ces travailleurs de l'ombre qui redonnent sa lumière à la plus belle ville du monde !

Je vous en supplie, mesdames et messieurs les professeurs, ne dites plus jamais ce genre de choses aux enfants. Aucune profession ne mérite d'être ainsi stigmatisée. Surtout pas la nôtre ! Dites plutôt à vos élèves que le but dans la vie, c'est de choisir un travail qui nous rend heureux, et que le bonheur ne se trouve pas forcément dans les hautes sphères. Gardons, s'il vous plaît, la capacité de nous émerveiller des choses simples et autorisons-nous à concevoir que le bonheur n'est pas forcément de bosser dans un bureau bien au chaud. Pardon pour ce coup de gueule, mais je crois que c'était important de le pousser !

Cette parenthèse refermée, revenons-en à mes premiers pas en tant qu'éboueur. Une fois l'épreuve des examens et des ateliers passée avec succès, le candidat devient stagiaire pendant un an. Pendant cette première année, pas le droit à l'erreur. Pas d'absences, pas de retards. Il faut encore faire ses preuves, prouver que l'on est vraiment fait pour ce métier. J'ai pour ma part vécu cette première année avec bonheur. J'ai appris à découvrir et à expérimenter toutes les facettes de la profession. Beaucoup pensent en effet qu'un éboueur se contente de ramasser les poubelles. Pas du tout ! Nous avons de nombreuses missions, différentes, ce qui rend d'ailleurs le métier moins monotone.

Allez, je vais faire un petit quizz avec vous ! À votre avis comment appelle-t-on les éboueurs que l'on voit derrière les camions poubelles ? Ceux qui récupèrent les bacs pleins, les versent dans les bennes, où ils sont compressés ? Ceux qui vous permettent d'avoir des bacs vides le lendemain pour y jeter vos ordures ? Eh bien, on les appelle les ripeurs. Ça vient du verbe « riper » (évacuer, faire glisser une chose lourde). Chaque jour, des dizaines de camions sillonnent les rues de la capitale pour collecter vos déchets, avec, pour chaque camion, trois éboueurs : celui qui conduit et les deux autres qui sont à l'arrière du véhicule. Et comment appelle-t-on les éboueurs, qui nettoient vos trottoirs avec de grandes lances, branchées sur des camions ? On les voit surtout faire place nette à la fin des marchés. Ce sont les lanciers ! Vous avez aussi forcément croisé des Glutton, ces petits engins qui aspirent les feuilles ou les mégots sur les trottoirs avec une sorte d'immense tuyau d'aspirateur. Et non, je n'ai pas fait de faute d'orthographe, on écrit bien « Glutton » et pas « glouton »… Il y en a une centaine dans la capitale. Je suis certain que sur votre chemin, vous êtes également tombé un jour sur un « tenax ». Il s'agit d'une sorte de mini-tracteur avec des brosses devant, qui aspirent les saletés sur les trottoirs. Autrefois, on les appelait les « moto-crottes ». Les nouveaux engins sont électriques, beaucoup plus silencieux que les anciens qui avaient tendance à réveiller les riverains, parfois de très bonne heure. Pour votre info, il y a, en tout, plus de 400 véhicules qui sillonnent Paris quotidiennement. Certains sont électriques, d'autres fonctionnent à l'essence ou au gaz naturel. Quant à ceux qui balayent les rues, ils n'ont pas de nom spécifique. Ce sont des balayeurs. On dit entre nous qu'on est « au balai ». Il existe encore une autre catégorie d'éboueurs, ce sont les chauffeurs. Il faut, bien entendu avoir le permis de conduire, que je n'ai pas. Je n'occupe donc jamais cette fonction.

Enfin, parmi nos missions figure « l'urgence propreté ». Dans ces cas-là, nous quittons nos gilets jaunes pour endosser des gilets orange. Il s'agit d'intervenir rapidement, quand par exemple est signalé un dépôt sauvage d'objets devant un domicile ou une entrée de parking. Ce sont les Parisiens qui déclarent ce genre d'incivilité sur Internet. Nous intervenons le plus rapidement possible pour dégager les lieux. En revanche, nous ne sommes jamais amenés à intervenir pour nettoyer à l'issue d'une manifestation, par exemple, ou après un défilé comme la Techno Parade ou la Gay Pride. Il existe pour cela une brigade spéciale, appelée la « Fonctionnelle ». Elle est considérée comme l'élite de la profession. Il faut avoir un excellent dossier pour pouvoir intégrer ce service, et au moins trois ans d'ancienneté. Ce sont des éboueurs spécialement formés pour les missions plus délicates. Par exemple, aller récupérer des centaines de poulets qui se sont échappés d'un camion accidenté sur le boulevard périphérique. Certaines de ces missions, effectuées par la Fonctionnelle, sont particulièrement sensibles, comme quand il faut intervenir après un attentat pour nettoyer. Je vous laisse imaginer la difficulté… Après le Bataclan par exemple, ce sont eux qui ont été appelés. Je n'aurais vraiment pas voulu être à leur place. D'ailleurs, aujourd'hui encore, ils ont du mal à en parler. Les éboueurs de la Fonctionnelle sont amenés à intervenir vingt-quatre heures sur vingt-quatre. Ils doivent impérativement habiter Paris, afin de se rendre disponibles très rapidement. Mireille Dumas leur a consacré un très beau livre intitulé *Des ordures et des hommes*[1]. Je vous le conseille.

Quant à nous, nous sommes amenés à changer pratiquement chaque jour d'affectation. Un jour le balai, un jour lancier, un jour ripeur, en fonction de notre emploi du temps. Mais les chefs tiennent compte de nos préférences. Les miens savent que j'apprécie particulièrement le balai. J'aime aussi être ripeur. Ça change. C'est très physique, mais c'est bon pour la santé, car on passe notre temps à courir, à grimper sur le camion, à pousser des poubelles souvent

1. Paris, Buchet-Chastel, 2020.

horriblement lourdes. Je peux vous assurer qu'on n'a pas besoin d'aller à la salle de sport après ! La lance est un autre exercice, très différent, mais pas déplaisant. Il faut savoir qu'il y a deux façons de la passer : en mode parapluie, c'est-à-dire comme un éventail, ou en mode jet-bâton, avec davantage de pression. Quand je passe la lance, j'ai l'impression de scanner le sol, surtout en mode parapluie. Après mon passage, je me retourne et j'ai l'impression d'observer un miroir. Les bâtiments se reflètent dans la propreté. Cela rajoute encore plus de splendeur à l'architecture de Paris, et ça me rend heureux. Je ne suis pas très « machines », mais je sais que je dois m'y coller de temps en temps. Ce que j'apprécie dans le balai, c'est que je peux voir immédiatement, comme à la lance, le résultat de mes efforts. Quand je passe dans une rue et que je me retourne, je suis fier de moi.

Il ne faut pas croire pour autant que c'est un boulot de tout repos. C'est même un poste qui est assez physique. Ça n'a l'air de rien comme ça, mais ça n'est pas une promenade de santé. Il faut une sacrée énergie. Au début, je l'avoue, j'ai galéré. Je m'y prenais très mal. J'ai très vite eu mal au dos. Heureusement, mon formateur m'a expliqué que ma posture était mauvaise. On doit toujours se baisser le dos droit, plier les jambes quand on se penche pour récupérer une charge. À force, c'est devenu un réflexe. Je ne me pose même plus la question. Les outils doivent également être adaptés à notre morphologie. À mes débuts, j'avais pris un balai trop petit pour moi, avec un manche qui arrivait à ma hauteur. Or, pour éviter de se blesser, il faut que le manche soit plus long. Quand on balaye les caniveaux en contrebas, il est ainsi inutile de se pencher. Il y a une technique spécifique pour balayer, une autre pour utiliser la pince, l'outil avec lequel on ramasse les déchets, l'idéal étant de varier les gestes : pincer, balayer, pincer, balayer… Les débutants ont tendance à pincer en permanence. C'est une erreur qui m'a valu une tendinite. J'ai eu beau modifier mes postures et mes gestes, certaines nuits je me réveille avec les doigts paralysés, tout crochus, et douloureux. Mais cela ne m'empêche pas d'y retourner chaque jour avec le sourire. Je m'y suis habitué, je vis avec. Il y a également une technique pour balayer sous les voitures, car oui, cela fait aussi partie de notre job. On doit faire un huit sous les voitures, avec notre balai. J'en profite pour demander aux automobilistes de penser à laisser de l'espace entre leurs roues et le trottoir, afin que nous puissions effectuer correctement notre travail. Malheureusement, ce n'est pas souvent le cas.

Au début, quand je rentrais chez moi, j'avais très mal aux jambes. Il faut dire que je parcours près d'une quinzaine de kilomètres quotidiennement.

Je peux vous dire que je suis heureux de retrouver mon lit le soir ! Chaque jour néanmoins, je vais au travail le cœur léger, parce que je sais que je fais ce que j'aime. C'est si précieux. Il y a tellement de personnes qui vont au boulot à reculons. Tellement de gens qui bossent exclusivement pour le salaire. Ce que j'apprécie particulièrement, c'est le fait de travailler dehors. Je ne pourrais sûrement pas passer trente-cinq heures par semaine dans un bureau. Je dis toujours que j'ai une chance inouïe : celle de passer mes journées à arpenter la plus belle capitale du monde. Je suis si fier de travailler à Paris, bien que le mot « fierté » ne soit pas assez grand pour exprimer ce que je ressens. J'aime aussi le fait de travailler en équipe. C'est important, car en côtoyant les autres, on apprend énormément sur soi. Nous avons beaucoup de moments de partage. Nous parlons de tout et de rien. De foot notamment (mes collègues me chambrent car j'ai un sac à dos aux couleurs de l'Olympique de Marseille, offert par ma mère, un comble à Paris !), mais aussi de la vie en général et de politique. Il y a parfois des petits moments de friction, car chacun a ses opinions, mais je trouve ça très sain de ne pas toujours être d'accord. Les engueulades sont rares, voire inexistantes.

J'ai toujours été là pour les autres, que ce soit à l'hôpital, au foyer pour autistes ou à la Ville de Paris.

Ceux qui travaillent en binôme avec moi savent que je serai toujours là pour eux. Je suis du genre, par exemple, à porter un objet particulièrement lourd, pour éviter que mon collègue ne s'en charge, pour le soulager. Je ne réfléchis pas, je suis comme ça.

Notre emploi du temps nous est donné très en amont, ce qui nous permet de nous organiser. Il faut savoir que nous travaillons, pour certains très tôt le matin, pour d'autres en milieu de journée ou tard le soir, et également les week-ends. (Nous travaillons quatre dimanches de suite. Les quatre suivants, c'est repos.) La saleté et la pollution ne prennent pas de jours de congé… Personnellement, mon jour préféré, c'est le samedi, car c'est très vivant, il y a du monde plein les rues, surtout dès qu'il y a un rayon de soleil. Le revers de la médaille, c'est aussi qu'il y a davantage de boulot. S'il n'y avait que moi, on supprimerait le dimanche du calendrier. C'est beaucoup trop fade ! Qu'est-ce qu'on s'ennuie, non ? Trois équipes se succèdent : celle qui travaille de 5 h 30 à 13 h 18 (c'est précis !). Une autre de 12 h 24 à 20 h 12. Enfin la collecte de soirée de 16 heures à 23 h 30.

De tous les postes, je le disais, c'est certainement celui de ripeur qui est le plus physique. Pendant plusieurs heures, on court derrière le camion, on monte et on descend du marchepied et on tire sur des poubelles qui pèsent leur poids ! Et il n'y a aucun temps mort. Vous ne vous en rendez peut-être pas compte quand vous pestez en voiture derrière nous, mais la mécanique est très bien huilée. Pendant qu'un ripeur accroche les bacs à la benne, l'autre court devant pour préparer les bacs suivants. J'ai occupé ce poste pendant un an, entre 2018 et 2019. Les trois premiers mois, j'étais complètement cuit, mais mon corps a fini par prendre le rythme. Non seulement c'est physique, mais en plus il faut être extrêmement vigilant. Nous sommes au beau milieu de la route, devant des automobilistes souvent exaspérés qui, parfois, se collent un peu trop près. Il faut réussir à faire correctement son travail sans tenir compte des coups de klaxon. Au début ça rend fou, mais rapidement on n'y prête plus attention. Je trouve juste ça dommage que certains ne comprennent pas que nous ne pouvons pas aller plus vite ! Alors oui, vous allez peut-être perdre trois minutes sur votre emploi du temps, mais respectez-nous, je vous en prie.

Être ripeur c'est être en permanence sur ses gardes. Régulièrement, les bus, par exemple, nous frôlent. Certaines rues sont tellement étroites que l'on peut sentir leur souffle sur nos oreilles. Et imaginez quand il y a des bouchons. Alors là, c'est l'enfer. Les voitures s'agglutinent et se rapprochent de plus en plus dangereusement de nous. Il faut espérer que le camion ne soit pas obligé de piler, de freiner d'un coup sec, car si on tombe, on chute, au mieux sur un capot, au pire sous les roues. Mesdames et messieurs les conducteurs, respectez une distance minimum entre votre véhicule et le nôtre. Votre impatience est certainement légitime, mais notre santé est en jeu, et peut-être aussi notre vie. Il faut savoir que l'on a déploré en 2021 à Paris environ 500 accidents de la circulation, responsables ou non, impliquant des agents de la propreté. Aucun mortel, heureusement, cette année-là. La plupart sont des collisions sans caractère de gravité, mais répertoriés comme accidents.

Il m'est arrivé de me blesser une fois à ce poste de ripeur. Une attache de l'un des bacs était en effet cassée, je ne l'avais pas remarqué. Après que je l'ai arrimée selon la manœuvre habituelle, la poubelle m'est retombée dessus et m'a assommé. J'ai été groggy quelques secondes, mais je suis reparti. Cela aurait pu être beaucoup plus grave ! Si ce jour-là une voiture avait été trop proche, j'aurais pu passer sous ses roues. Un jour également, lors d'une accélération brutale du chauffeur, je me suis retrouvé sur le bitume, les quatre fers en l'air. C'était de ma faute, je me tenais mal. Là encore, mon ange gardien était avec moi, je n'ai rien eu. Dommage que je n'aie pas été filmé ce jour-là, ça aurait sans doute fait le buzz ! Je me souviens d'une autre fois où, voulant accélérer la cadence, j'ai pris trois bacs jaunes en même temps ! Habituellement, on n'en prend jamais plus de deux (beaucoup trop difficile à manier et trop lourd, surtout s'ils sont remplis de livres !). Mon collègue me regardait avec des yeux ronds ! Le chauffeur n'avait jamais vu ça ! Je reconnais que si j'ai été fier de mon petit exploit, je n'ai pas réitéré l'expérience. Les bacs jaunes, j'espère que vous commencez à le savoir, sont réservés aux plastiques, aux papiers, aux emballages en carton et en métal. Parfois certains y mettent des livres. Je vous laisse imaginer le poids… au-delà du fait que je trouve ça complètement nul de jeter des livres, sachant le prix que ça coûte et alors que beaucoup ne peuvent pas s'en acheter. Il arrive que des commerçants remplissent les poubelles de glaçons, qui fondent évidemment. On se retrouve alors avec un bac de 600 litres, rempli de 600 litres d'eau ! Impossible à bouger et encore moins à soulever.

Quand on est ripeur, on n'a absolument pas le temps de vérifier le contenu des bacs, mais je remarque souvent que certains n'ont toujours pas compris la notion de tri sélectif. Quelle tristesse… C'est pourtant tellement simple. On m'a raconté qu'une fois, des collègues ont découvert des centaines de rats dans une poubelle, qui se sont carapatés au moment où ils ont ouvert le couvercle. Je n'aurais vraiment pas aimé être à leur place. Moi, ma hantise, ce sont les cafards. Quand on attrape les bacs, il arrive souvent qu'il y en ait sur les rebords. Je n'aime pas du tout ces bestioles, et même si je porte toujours des gants, je redoute qu'il y en ait un qui se glisse dans ma manche. Beurk ! La présence de cafards prouve que les gens n'ont pas fermé leurs sacs correctement. Là encore, si vous pouviez penser à nous, ce serait sympa !

Vous êtes nombreux à me demander à quoi ressemble la journée type d'un éboueur. Je ne peux pas parler pour les autres, mais je vais vous parler de moi. En temps normal, j'arrive au travail vers 10 heures. Le local de la division dont je dépends est situé juste à côté de la rue de Rivoli, dans l'un des plus beaux quartiers de Paris, même si à mes yeux, ils sont tous beaux. Au sous-sol, que l'on appelle « le caveau », se trouvent les vestiaires et les douches. Chacun a son casier pour y entreposer ses affaires personnelles. Nous avons aussi un séchoir pour notre linge. Cela peut s'avérer précieux les jours de pluie. Je vous l'accorde, ça ne sent pas toujours la rose... Dans mon atelier, il n'y a que des hommes. D'autres accueillent des femmes, et disposent évidemment de vestiaires et de douches séparés. Chez nous, ce serait impossible. Question d'infrastructures.

C'est également dans le caveau qu'est entreposé notre matériel. Chaque éboueur a son roule-sac, le fameux petit chariot que nous poussons devant nous, sur lequel nous rangeons le balai, la pelle et la pince, les trois outils indispensables. Chacun écrit son nom sur son balai. Même s'ils n'ont pas tous la même taille, ça permet de ne pas se tromper. Sur le mien, un fan, un jour, a griffonné une sorte de graffiti. Nous ne nous attardons pas dans le caveau, nous y restons juste le temps de troquer nos tenues de ville contre nos vêtements professionnels.

En tant qu'éboueur, les fantaisies vestimentaires sont interdites. Pas question de mettre un blouson bariolé ou des baskets à la mode. Lors de notre nomination, nous recevons tous un paquetage, comme à l'armée. La Ville de Paris nous fournit la tenue complète. J'étais heureux comme un gosse quand j'ai reçu la mienne. Chaque jour, je suis fier de la porter. Je n'en ai jamais honte, bien au contraire. Elle marque mon appartenance à cette profession. Dans ce paquetage se trouve tout ce dont nous avons besoin : des chaussures de sécurité, indispensables. Les premiers jours elles sont très inconfortables, mais on s'y habitue. J'y ai quand même laissé un ongle au début. Depuis, je mets deux paires de chaussettes en coton et je n'ai plus de problèmes. On nous donne également des chaussons à glisser à l'intérieur ; une paire de bottes pour quand nous sommes à la lance ou quand il tombe des cordes ; des caleçons longs à mettre sous le pantalon les jours où il fait froid ; deux ou trois pantalons verts ; trois ou quatre tee-shirts ; trois ou quatre pulls ; une veste ; une parka ; un bonnet ; plusieurs paires de gants (une paire adaptée à la lance en caoutchouc, une autre anti-coupures, nécessaire quand on doit débarrasser des encombrants ou quand on est à la benne et la paire de gants que l'on porte quand on balaie) ; des sous-gants ; et bien sûr la chasuble, le fameux gilet jaune à bandes réfléchissantes, que nous ne devons jamais quitter pour raisons de sécurité. Je sais que certains collègues ont acheté des blousons chauffants pour les jours de grand froid. Ils se rechargent avec une clé USB, c'est pratique. Rien ne nous empêche non plus de porter des Damart. L'essentiel est que la tenue, à l'extérieur, dans sa partie visible, soit conforme. Cela manque peut-être un peu de fun, mais franchement, pour travailler c'est parfait. Rien à redire. Nous sommes bien équipés et bien protégés, en plus d'être facilement identifiables dans la rue. Petite touche personnelle : ma paire de lunettes de soleil, indispensable quand on passe huit heures dehors. On appelle l'ensemble de ce paquetage les EPI, les équipements de protection individuelle. En plus de cette tenue, nous recevons tous également une clé de lavage, une clé de BL, qui permet d'ouvrir les vannes, les arrivées d'eau situées le long des trottoirs. Elle est indispensable.

Pour en revenir à notre local, hormis le fameux caveau, nous avons au rez-de-chaussée un espace cuisine, pour réchauffer nos repas ou boire un café entre collègues. Il y a tout ce dont nous avons besoin : frigo, micro-ondes et four. C'est le lieu où nous nous retrouvons, souvent en coup de vent, et où nous prenons des nouvelles les uns des autres. Il y a généralement une grande solidarité entre éboueurs. C'est très important, car les jours où l'on n'est pas en binôme, c'est appréciable d'avoir quelqu'un à qui parler, ne serait-ce que quelques minutes. J'aime beaucoup cuisiner, en particulier les pâtisseries, et j'ai pris l'habitude d'apporter des gâteaux à mes collègues. Ils en raffolent. Je fais des cakes, des tartes, des pains d'épice ou des crêpes. Et je ne fais pas ça pour fayoter, mais parce que ça me fait sincèrement plaisir de faire plaisir. Je n'attends pas de remerciements, je suis juste heureux de les voir se régaler. Il faut dire que nous faisons un métier difficile et que nous méritons, de temps en temps, quelques petites douceurs. C'est devenu un rituel. Quand je rentre de mes jours de repos, j'apporte une pâtisserie, ou plutôt plusieurs, car j'ai l'habitude de cuisiner en grand ! En général, il y en a pour toute la semaine…

Ma journée type commence assez tôt car j'ai beaucoup de trajet pour rejoindre mon lieu de travail. Je ne vis malheureusement pas à Paris. Dieu sait que j'en rêve ! Ce serait tellement plus simple. J'ai fait une demande de logement auprès de la Ville, j'espère qu'elle va aboutir, mais je sais que je ne suis pas le seul à postuler. Se loger reste l'une des principales difficultés en région parisienne. Avec un salaire entre 1 500 et 1 700 euros nets par mois, impossible de trouver un appartement dans la capitale, même un petit studio. Et quand on a une famille, c'est encore plus compliqué. Nous sommes donc très nombreux à passer deux, trois ou quatre heures chaque jour dans les transports. Je sais que les provinciaux nous prennent pour des fous. Ils n'ont pas tort, mais a-t-on vraiment le choix ? J'ai fini par m'habituer à ces longs trajets. Dans les transports, je pense à mes prochaines vidéos et à mes prochains lives. Ça m'occupe. Je pourrais, bien sûr, arriver plus tard au travail, mais je tiens à être là vers 10 heures, non par excès de zèle, mais parce que je consacre environ une heure et demie, chaque matin, à mes lives sur TikTok. Je vous en reparlerai dans un instant, c'est promis, ne soyez pas impatients ! Amis internautes, vous n'allez pas y échapper. Encore quelques pages et je parle de vous ! Quand j'arrive au boulot, je file directement au sous-sol enfiler mon « habit de lumière », tel un matador prêt à entrer dans l'arène.

Je le redis : je suis fier de porter ce costume d'éboueur. Je peux ensuite commencer mon live, durant lequel je déjeune la plupart du temps en direct, face à mes abonnés. Cela me conduit parfois à parler la bouche pleine. Je sais, c'est mal… J'espère qu'ils ne m'en veulent pas.

Avant de commencer notre journée, nous devons identifier sur le planning le secteur dans lequel nous sommes affectés. Par exemple, si ma mission du jour est de nettoyer le jardin Nelson-Mandela, qui se trouve au cœur du nouveau quartier des Halles, j'y passe toute la journée, de midi et demi à 20 heures. Je dois toujours rester dans le canton dans lequel je suis affecté, sinon je serais considéré comme étant « hors secteur », et cela peut me valoir un blâme. Je ne peux pas décider que c'est bon, c'est propre, et m'en aller. C'est totalement interdit. On ne fonctionne pas à Paris avec le système du fini-parti. Cette pratique, comme son nom l'indique, consiste à quitter son travail une fois que l'on a récolté les ordures. En clair, cela veut dire que les agents ne sont pas soumis à un nombre d'heures, mais à un travail effectué, et qu'ils peuvent donc finir plus tôt une fois la tâche accomplie. Cela a longtemps été le cas à Marseille, à Nantes, à Toulouse et dans plusieurs grandes villes. Je crois qu'aujourd'hui, c'est terminé. Je sais que ce changement a donné lieu à des conflits et même à des grèves. Pour ma part, je respecte ceux qui font grève, mais je n'ai simplement pas les moyens de perdre un jour de salaire. Il faut bien remplir le frigo. Et puis franchement, je ne me sens pas malheureux ni lésé. Bien sûr que j'aimerais toucher davantage. Qui ne le voudrait pas ?

Concrètement, lors de ma journée de travail, je dois donc rester dans mon secteur jusqu'à la fin de mon service, ce qui veut dire que je suis amené à repasser plusieurs fois au même endroit, et immanquablement, je constate que de nouveaux déchets ont fait leur apparition. La propreté est un éternel recommencement, comme un film que l'on passerait en boucle. Souvent, je nettoie à fond une rue ou une allée, je me retourne, et je constate qu'il y a déjà de nouveaux papiers par terre. C'est le cas, notamment après la pause déjeuner. Les Parisiens aiment prendre l'air sur un banc pour manger leurs sandwichs ou leurs kebabs. Comme je les comprends ! Ils s'y retrouvent entre collègues et, quand il fait beau, c'est vraiment agréable. Il existe 30 000 poubelles de rue dans la capitale, soit une tous les 100 mètres. Mais manifestement, c'est une distance trop difficile à parcourir pour ces urbains pressés ! Cela me met hors de moi. Combien de fois je les vois repartir en laissant leurs cartons et leurs papiers gras sur ou sous le banc, rapidement éparpillés par les corneilles qui n'attendent que ça ! Certains jours, quand je les prends en flagrant délit, je me permets de les rattraper et de leur demander avec le sourire : « Êtes-vous sûrs de ne rien avoir oublié ? » La plupart du temps ça les met très mal à l'aise, ils s'excusent et récupèrent leurs déchets. Mais certains sont vexés et me regardent méchamment. Je vois dans leur regard ce qu'ils pensent au fond d'eux : « T'es pas payé pour ramasser mes ordures, mec ? » Il arrive qu'on ne me réponde même pas ou qu'on m'insulte. J'encaisse, mais parfois c'est dur.

Je suis effaré également quand, le matin, je retrouve dans les buissons des dizaines de bouteilles de vodka, vides évidemment. Je dis bien : des dizaines ! Certains ont dû passer une sacrée soirée. Le pire, c'est quand il y a eu des bagarres. Le sol est alors jonché de morceaux de verre. Si le soleil brille, on les repère facilement, sinon, c'est plus difficile. Fréquemment aussi, je tombe sur des préservatifs, usagés. Les nuits parisiennes sont manifestement débridées. Avec un collègue, nous avons même trouvé un « jouet pour adultes », si vous voyez ce que je veux dire... Il était d'une taille indécente, posé nonchalamment sur un escalier. Curieux, non ? J'avoue que ça nous a bien fait marrer ! On trouve parfois, allez comprendre pourquoi, des serviettes périodiques... Mais le pire, ce sont les seringues. Et là, on ne rigole plus... Il faut faire vraiment attention. Je suis terrorisé à l'idée que des enfants puissent s'en emparer. Et il ne faut pas croire que les beaux quartiers sont épargnés. Il y en a peut-être moins qu'ailleurs, mais il y en a quand même. Il existe un protocole spécifique pour ces seringues. Chaque éboueur doit avoir sur lui une petite boîte jaune, identique à celles que l'on trouve dans les hôpitaux, réservée aux aiguilles et seringues. Nous avons également une petite pince. Il faut évidemment faire très attention en manipulant ces objets, potentiellement dangereux. Si, par hasard, nous n'avons pas le réceptacle adéquat sur nous, il suffit de passer un coup de fil au magasinier de notre secteur qui nous en apporte un. Dieu merci, je ne trouve pas de seringues quotidiennement. Mais j'estime qu'une seule, c'est déjà trop. Il y a des secteurs et des périodes où il y en a davantage. Les toxicomanes ont en effet leurs habitudes. Ils squattent un endroit pendant un moment avant d'être délogés. Je suis toujours effaré, car à côté de ces seringues, il y a souvent des cotons ensanglantés, des pansements... La totale... Pas franchement ragoûtant.

Il y a aussi quelque chose qui m'insupporte, c'est cette manie de prendre les bacs à fleurs pour des poubelles. Je ne suis pas chargé de l'entretien des plantes et des fleurs, d'autres équipes s'en occupent, mais je ne peux m'empêcher de ramasser les déchets qui s'y trouvent. C'est plus fort que moi.

Mes amis me demandent souvent comment je fais pour ne pas céder au découragement. Je leur réponds que je suis comme un parent qui ramasse inlassablement les Lego que son fils jette au sol. Je le fais car c'est mon devoir, et que si je ne le faisais pas, ma ville serait dans un état désastreux. Et, comme cette maman ou ce papa qui explique à son fils qu'il a une caisse pour ranger ses Lego plutôt que les éparpiller dans le salon, je prends le temps de dire et de redire à ceux qui veulent bien m'écouter qu'il faut jeter à la poubelle et pas par terre. Bien sûr, comme le parent de mon exemple, j'ai de temps en temps des moments de découragement, mais, heureusement, j'ai foi en l'humain. Je suis persuadé qu'il est capable de s'améliorer. Si je ne l'étais pas, vous ne seriez pas en train de me lire actuellement. L'homme est un grand enfant, à qui il faut répéter les choses pour qu'il puisse les intégrer. Alors je répète et je répète, encore et encore. Et si, grâce à ce livre, il y a, ne serait-ce qu'un peu moins de mégots dans la rue, alors j'aurais gagné. Il y a une chose que je déteste, c'est ramasser deux fois le même objet. Lorsqu'un papier s'échappe de ma pince et que je dois le récupérer une deuxième fois, ça m'agace prodigieusement. C'est une perte de temps ! Vous me direz que c'est un détail, pas de quoi se mettre la rate au court-bouillon, je sais, mais moi, ça pourrait presque me gâcher la journée. Ludovic le perfectionniste…

Dans le cadre de mes fonctions, je suis également amené à enlever les sacs des poubelles quand ils sont pleins et à en mettre des neufs. Les nouvelles poubelles parisiennes, qui portent le doux nom de Bagatelle, sont très pratiques, car elles disposent d'une ouverture sur le côté, qui nous facilite grandement le travail. Elles sont très pratiques, sauf quand quelqu'un a la mauvaise idée de garer son vélo pile du côté de l'ouverture. Il faut le faire ! Je profite donc de ce livre pour lancer un appel à mes amis cyclistes : ne vous garez pas, s'il vous plaît, le long des poubelles ! Non seulement ce n'est absolument pas un lieu hygiénique, mais en plus vous nous empêchez de faire notre travail. Et j'ajouterai : méfiez-vous, car rien ne dit qu'un jour, qui sait, un éboueur exaspéré se venge sur vos pneus. J'dis ça, j'dis rien… Sachez qu'il existe également des poubelles anti-rats, avec un système spécifique pour empêcher les rongeurs de s'attaquer aux déchets. On les appelle les Cybel. Devant celles-ci, il n'est pas possible de garer un vélo. Tant mieux…

Avec l'expérience, je sais quelles sont les poubelles qui se remplissent rapidement, car situées sur un lieu de passage fréquenté ou particulièrement touristique. Je suis donc vigilant dans ces secteurs pour éviter qu'elles ne débordent. Cela donnerait une bien mauvaise image de notre ville. J'ai la chance de travailler dans l'un des plus beaux secteurs de Paris, les 1er, 2e, 3e et 4e arrondissements, le cœur historique de la capitale. J'ai ce privilège inouï d'être payé pour arpenter des rues sublimes. Je vois combien les touristes que je croise sont émerveillés quand ils découvrent la splendeur de nos bâtiments et de notre histoire. Eux ont souvent payé très cher pour venir. Moi, on me paye pour être là, dans la plus belle ville du monde. C'est merveilleux non ? Je suis heureux de rendre Paris le plus propre, ou en tout cas le moins sale possible. Je n'aimerais vraiment pas que ces visiteurs venus de l'autre bout de la planète repartent chez eux avec une mauvaise impression. J'en serais très malheureux. Je me sens investi d'une mission, je prends vraiment ça très au sérieux. Il faut savoir que si nous n'intervenions pas dans vos rues quotidiennement, ce serait très vite immonde. Certains se demandent pourquoi nous balayons tous les jours. Eh bien tout simplement parce que la pollution urbaine est terrifiante !

Faites un test chez vous, pour ceux qui vivent dans une grande agglomération : laissez sur l'un de vos meubles un petit carré de 10 centimètres sur 10 que vous ne nettoyez pas pendant un mois. Vous verrez rapidement la différence. Le meuble, à cet endroit, sera couvert de poussière. Essayez, c'est spectaculaire ! Et c'est exactement la même chose pour nos rues. Il faut les brosser et chasser sans relâche la saleté. Voyez comme certains vieux bâtiments sont aujourd'hui tout noirs ! Ils n'ont plus rien à voir avec leur splendeur d'antan. On repère d'ailleurs immédiatement la différence quand des travaux de nettoyage ou des ravalements sont entrepris. Pour continuer la comparaison avec nos habitats, ceux d'entre vous qui prennent des douches et qui ont de longues crinières ont forcément constaté les cheveux qui s'accumulent dans le siphon. Il est nécessaire de les enlever régulièrement. Eh bien sachez qu'en ville (où, à ma connaissance personne ne prend sa douche), quand j'enlève les bouchons qui se trouvent sous les grilles des caniveaux, ils sont envahis de cheveux ! Les déchets en tout genre s'infiltrent absolument partout.

On me demande souvent quelle est la saison la plus difficile pour les éboueurs. Personnellement, j'aime l'été, quand il fait chaud. Je n'oublie jamais mes lunettes de soleil et mon monoï ! Quitte à travailler dehors, autant en profiter ! Et je vous rappelle que je suis un gars du Sud, habitué à la chaleur. Mais l'été est aussi la période où il y a le plus de monde dans les rues. C'est normal, il fait beau, on se pose sur un banc pour manger entre amis. Les soirées chips-rosé, c'est sympa, mais pensez s'il vous plaît à récupérer vos papiers, sacs et bouteilles en repartant ! À cette saison, les poubelles se remplissent toujours beaucoup plus vite. C'est donc, pour nous, un surcroît de travail.

En plein hiver, quand les températures sont négatives, c'est plus compliqué bien sûr, notamment quand on est au balai. On a beau marcher beaucoup, le rythme est lent, insuffisant pour se réchauffer. Les ripeurs, eux, n'ont jamais froid ! Leur poste est tellement physique que certains sont en tee-shirt par – 5 degrés. Après les fêtes, vient la plaie des sapins de Noël. Il existe pourtant, à Paris, 190 points de collecte ouverts à cet effet, jusqu'à fin janvier. Les riverains sont invités à y apporter leurs sapins. Malheureusement, beaucoup préfèrent les déposer en bas de chez eux, plutôt que faire quelques mètres jusqu'au lieu de collecte. Cela me met hors de moi ! Quand j'en vois, abandonnés sur le trottoir, soit je les porte moi-même jusqu'à l'espace dédié, soit je les laisse près d'une poubelle afin que le porteur puisse les récupérer. (Le porteur, c'est le petit engin chargé du ramassage des poubelles et des encombrants.)

Qui dit fêtes dit aussi parfois confettis. Le cauchemar des éboueurs ! Enterrement de vie de jeunes filles ou de jeunes garçons, mariages, anniversaires, toutes les occasions sont bonnes, et ça met nos nerfs à rude épreuve. À propos de confettis, si vous perdiez l'habitude de déchirer en mille morceaux vos tickets de caisse, avant de les éparpiller dans votre sillage, façon puzzle ! Qu'est-ce que c'est que cette manie ? Heureusement qu'ils vont bientôt être supprimés. *Idem* pour vous, les adeptes de la Française des jeux. OK, c'est énervant de perdre, mais est-ce nécessaire de vous venger sur votre ticket, en le déchiquetant rageusement ? Zen, soyons zen, pour le bien de la communauté.

Mais ce que nous redoutons le plus, c'est la pluie. Ça, c'est vraiment dur. Nous avons certes des vêtements imperméables, mais l'humidité rend notre travail deux fois plus compliqué. Un ticket de caisse (encore lui), collé sur un trottoir est beaucoup plus difficile à enlever que lorsqu'il est sec. Le carton mouillé est beaucoup plus lourd quand il est gorgé d'eau. On met beaucoup plus de temps à le ramasser. Heureusement que les tickets de métro ont disparu, parce que c'était un enfer… Si petit, mais si énervant. Cela dit, j'en retrouve encore. Manifestement certaines personnes en ont conservé et continuent à les utiliser. Quand il tombe des cordes, nous avons le droit de nous abriter sous un porche quelques minutes, mais pas question d'y passer la journée. Qui ferait le boulot sinon ? Personnellement, au cas où, j'ai toujours un K-way dans mon sac.

La période que j'aime le moins, c'est le début de l'automne, quand les feuilles s'accumulent sur les trottoirs. En forêt, c'est beau l'automne, mais en ville, c'est une calamité, à tel point qu'est prévue dans nos statuts la possibilité de nous faire revenir sur nos jours de repos, un lendemain de gros coup de vent par exemple. Nous sommes alors payés en heures supplémentaires. Balayer des feuilles, surtout quand elles sont humides, c'est très fatigant. J'ai toutefois découvert récemment une technique qui facilite un peu la tâche. Plutôt que tirer les feuilles, je les pousse devant moi. C'est, à mon sens, beaucoup plus efficace.

En tout cas, quels que soient les aléas climatiques, nous sommes sur le pont. Même quand il neige. Nous sommes alors chargés de saler les trottoirs devant les endroits stratégiques, comme les écoles, les mairies, les passages piétons, les accès aux hôpitaux, etc. Chaque hiver, nous recevons des sacs de sel et de sable, prêts à être répandus, au cas où. Pour ce qui est des rues, la ville dispose de 28 engins pouvant servir aux opérations de salage et de déneigement.

Il faudrait vraiment qu'il y ait une très forte tempête pour qu'on nous dise de rester chez nous. La seule fois de ma vie où l'on m'a demandé de ne pas travailler, c'était pendant le premier confinement. L'activité de collecte a été maintenue, bien évidemment, mais celle de nettoiement, réduite. La propreté est une mission essentielle de service public, qui ne pouvait évidemment pas être stoppée à 100 %. Impossible ! Le choix a été fait de privilégier le nettoiement mécanisé.

7

Pendant le confinement, chaque jour, un millier d'agents étaient présents sur le terrain, par roulement, sur la base du volontariat. Les mesures de protection et les jauges étaient très strictes. Et je peux vous dire que ces agents avaient du boulot. Car, comme les Parisiens ne sortaient pas de chez eux, il y avait deux fois plus de déchets qu'en temps normal, sans compter toutes les livraisons à domicile, qui se traduisaient par des montagnes de cartons à récupérer. Certains en ont profité pour faire des travaux chez eux. Je vous laisse imaginer le nombre de pots de peinture, de planches et de vieux meubles qui ont été jetés.

Pour ma part, je n'ai pas travaillé pendant cette période, mais ma rémunération a été maintenue. Je suis resté dans mon petit appartement de banlieue parisienne et j'ai respecté à la lettre les consignes. Comme beaucoup de Français, quand j'ai appris la nouvelle du premier confinement, je me suis rué au supermarché pour acheter des quantités de pâtes, de riz et de papier toilette. Avec le recul, je trouve ça ridicule, mais sur le moment, ça a été plus fort que moi, cette peur de manquer.

Je n'ai pas souffert de solitude pendant cette période. J'occupais mes journées à regarder la télé et je me suis beaucoup reposé, moi qui habituellement suis super actif. Je n'ai jamais autant dormi de ma vie. J'appelais ma mère au moins trois ou quatre fois par jour. J'étais inquiet pour elle, évidemment. La pauvre femme tournait en rond chez elle. Les sorties lui manquaient plus encore qu'à moi. Elle passait sa journée à tricoter. C'était une vraie ouvrière ! Elle avait même peur de manquer de laine, vu que tous les magasins étaient fermés. Je profitais de l'heure de sortie quotidienne qui nous était octroyée pour aller faire mes courses, mais aussi pour ramasser des déchets. On ne se refait pas ! À cette époque, je n'avais pas encore commencé mes lives sur TikTok. C'est dommage d'ailleurs, car ça m'aurait bien occupé.

Je n'ai pas reçu d'amis, je n'ai vu personne, hormis mes voisins tous les soirs à la fenêtre, à 20 heures, avec leurs casseroles, pour applaudir les soignants. C'était un moment que j'attendais avec impatience. J'ai la chance d'habiter dans une rue qui est très vivante. Pourtant, il a fallu cet événement pour que l'on puisse se connaître un peu, pour qu'une forme de solidarité se crée. C'est fou quand on y pense. Le Covid, cet anti-social, a malgré tout réussi à créer des liens. De courte durée, malheureusement.

Autant je n'ai pas trop mal vécu le premier confinement, autant le retour au boulot a été violent. On aurait pu croire que cette épreuve collective déclencherait une prise de conscience sur la fragilité de notre planète. Pas du tout ! J'ai été effaré, en particulier au moment du deuxième confinement, de constater l'état des rues. Dès que les Parisiens ont eu l'autorisation de sortir, ils en ont profité pour faire tout ce qu'ils n'avaient pas pu faire pendant ces jours où ils étaient enfermés chez eux. À ce moment-là, les restaurants n'avaient pas encore le droit d'accueillir des clients. Du coup, la vente à emporter connaissait un grand succès. Des groupes d'amis se retrouvaient devant un McDo pour ne pas le citer ou devant une pizzeria, achetaient leur repas et s'asseyaient sur des bancs, près de fontaines ou dans les parcs. On retrouvait des emballages absolument partout. Je n'avais jamais vu ça ! De toute ma vie, je n'ai jamais ramassé autant de sacs d'ordures. Le boulot était monstrueux. Et comme les gens avaient peur de la contamination, ils n'osaient pas ouvrir les Bigbelly, les grosses poubelles qui permettent de compacter les déchets et qui sont installées un peu partout à Paris. Pas question de les toucher avec les mains. Sauf que… les Bigbelly s'ouvrent avec le pied, il suffit d'appuyer dessus. C'est pourtant simple ! Eh bien non, elles étaient couvertes d'emballages. Sans parler des masques qui commençaient à joncher les rues. La peur de la contamination. Nous étions débordés de travail, et c'était assez décourageant. Fini les éloges dans les journaux télé, les remerciements adressés aux travailleurs de la deuxième ligne. Il n'a pas fallu longtemps pour que nous retrouvions notre statut d'hommes invisibles.

Je dis souvent que les éboueurs sont les médecins de nos rues. Bien entendu, je ne nous compare pas aux professionnels de santé qui font un boulot absolument exceptionnel, dans des conditions si difficiles. J'en ai été le témoin pendant plusieurs années. Mais sans nous, le monde tournerait assurément beaucoup moins rond. Malgré ces difficultés, j'étais heureux de reprendre le travail. Dormir et regarder la télé, c'est bien pendant un temps, mais ça n'est pas dans mon caractère. Certes, nous exerçons un métier difficile, mais il y a heureusement aussi beaucoup de motifs de satisfaction.

J'ai notamment ce souvenir qui remonte à la période où j'étais ripeur. Avec l'un de mes coéquipiers, nous avions, depuis plusieurs mois, l'habitude de voir chaque jour, au moment de notre passage un petit garçon qui nous regardait, les yeux émerveillés, depuis la fenêtre de son appartement, et qui nous faisait coucou. C'était un rituel. Une forme de récompense pour notre travail. Ça fait plaisir de voir que quelqu'un s'intéresse à nous. Nous attendions avec impatience d'arriver dans sa rue. Mais, un jour, pour la première fois, le petit garçon n'était pas à sa fenêtre. Nous nous sommes regardés, inquiets, jusqu'à ce que nous remarquions qu'en fait, il nous attendait sur le trottoir, avec son papa. Il avait à la main un petit sachet en plastique qu'il voulait jeter directement dans la benne. Il avait les yeux brillants d'excitation et d'émotion. C'était adorable. Nous n'avons pas pu résister, nous l'avons pris avec nous quelques secondes sur le marchepied, même si, en théorie ce n'est pas autorisé. Nous avons bien sûr fait extrêmement attention et son papa nous avait donné son accord. Je crois que ce jour-là, il a été le petit garçon le plus heureux du monde. Je ne sais pas s'il sera éboueur un jour, mais je pense qu'il se souviendra de cette aventure ! J'aurais tellement aimé, gamin, qu'un ripeur fasse ça pour moi !

Je suis toujours ému quand les passants viennent discuter avec moi. C'est rare, mais ça fait plaisir. Ne serait-ce qu'un bonjour ou un sourire ensoleille ma journée. Depuis que je fais mes vidéos sur TikTok, il arrive régulièrement que l'on me reconnaisse dans la rue. En moyenne une à deux fois par jour. Je suis à chaque fois surpris et flatté. Ce sont des jeunes le plus souvent, qui viennent me voir pour me féliciter et me remercier. Ils me disent qu'ils apprécient ce que je fais, qu'il faut que je continue. On m'a même affirmé un jour que j'avais du flow avec mon chariot ! Qui l'eût cru ! Je sais, parce qu'un collègue me l'a dit, que, dans ces circonstances, je deviens tout rouge. On ne dirait pas comme ça, mais je suis un grand timide ! Il y a une différence entre s'exprimer derrière un écran et se retrouver face aux gens. Je suis beaucoup plus à l'aise dans mes lives. Toutefois, plus ça va, plus je me soigne et plus je savoure ces moments d'échange. Je m'en nourris et ça me donne de la force.

Au-delà des « fans », il arrive que mes journées soient ensoleillées par des rencontres. Des commerçants par exemple, qui m'offrent un café ou un sandwich. Ça fait toujours plaisir. Je pense en particulier à ce kebab de la rue Saint-Denis. Régulièrement, ses propriétaires me proposent une boisson chaude. Il y a aussi des liens qui se créent avec certains, comme avec cette femme qui tient une friperie de luxe, devant laquelle je passe régulièrement. Un jour elle m'a interpellé, pour me dire qu'elle m'avait vu à la télévision. Nous avons commencé à discuter, de plus en plus longtemps, à chacun de mes passages. Elle me soutient énormément et me touche profondément. Elle a toujours un mot gentil pour moi. Une fois, je l'ai aidée en veillant à ce qu'un dépôt sur le trottoir, qui gênait sa vitrine, soit enlevé le plus rapidement possible. Cette femme est un rayon de soleil. Qu'elle soit ici remerciée de sa gentillesse.

À l'époque où j'avais davantage de temps, avant d'être « happé » par les réseaux sociaux, j'avais pris l'habitude d'apporter des madeleines, des meringues ou des financiers aux commerçants qui se trouvaient sur mon trajet quotidien. Il y en a un, notamment, qui était très sympa. Il tenait un magasin Kodak. Il y a aussi ce bar où je prenais régulièrement mon café avant d'aller travailler. La première fois, ça les a surpris. Ce n'est pas vraiment dans notre culture d'offrir des cadeaux sans rien espérer en retour. Mais, très vite, ils ont compris que c'était dans ma nature de faire plaisir.

Sur ma route, il m'arrive aussi de croiser Laurent, un riverain qui habite rue Quincampoix. C'est un homme très souriant, qui a toujours un mot gentil à mon égard et une voix très douce, comme celle d'un curé. Je ne sais pas ce qu'il fait dans la vie, mais il m'a dit un jour qu'il se considérait comme une usine à bonheur. Pas mal, non, comme philosophie de vie ? Il était, paraît-il, ami de François Mitterrand. Pas mitterrandiste, mais mitterrandien, comme il dit ! Hormis ces rencontres, le balayeur est seul 90 % de son temps, sauf, bien sûr, ceux qui sont en binôme. Seul, certes, mais il se passe beaucoup de choses dans ma tête ! Je pense à ma mère, à mes prochains lives et à mon avenir aussi. Je m'interroge sur la suite. Comment vais-je évoluer dans ma vie, comment puis-je faire pour que mes messages soient davantage percutants ?

Je m'imagine aussi dans un petit appartement parisien. Je me vois ouvrir ma fenêtre et regarder ma ville au réveil. Je le visualise. Je me vois déjà à l'intérieur. Ça ne coûte rien de rêver !

Rêver oui, mais en n'oubliant pas de rester vigilant. Pas question de relâcher totalement l'attention, surtout avec cette nouvelle mode des trottinettes et autres engins à une ou deux roues, qui ont pris la très mauvaise habitude de circuler sur les trottoirs. Je les redoute énormément. On ne les entend pas arriver et ils vous frôlent souvent dangereusement à toute vitesse. Ils se croient vraiment chez eux. Ce sont des dangers publics ! Certes, je comprends qu'ils hésitent à rouler sur la chaussée, mais les piétons n'ont pas à en payer le prix. C'est une vraie anarchie. J'ai souvent été témoin de scènes où l'on a frôlé la collision et le drame. Je pense en particulier aux personnes âgées, qui sont si facilement déstabilisées. Mais là encore, que faire ? Mettre des amendes ? C'est prévu, mais les forces de l'ordre, comme pour les mégots et pour tout le reste, n'ont pas les bras suffisants.

Non seulement ces engins sont dangereux, mais en plus ils bloquent régulièrement le passage, empêchant les parents avec des poussettes ou les personnes handicapées de circuler sur les trottoirs. Comme je suis un brave gars, quand j'en vois un, échoué lamentablement au sol, je le redresse parfois, mais pas systématiquement ! Je commence à en avoir marre d'être le larbin de ces urbains soi-disant pressés qui ne prennent même pas la peine de ranger leur engin le long d'un mur. Ça commence à bien faire. Quel irrespect pour le prochain locataire de l'engin, pour les personnes chargées de son entretien, et pour les riverains ! Là encore, nous sommes tellement mal éduqués. C'est pourtant formidable le partage non ? Partager une voiture, un vélo, une trottinette, ne pas être obligé d'en acheter, mais en avoir quand même la jouissance. Eh bien non ! Les Français sont incapables de respecter le bien commun. Pour quelle raison ? Pourquoi sommes-nous ces animaux sauvages individualistes ?

Je suis, vous l'avez compris, choqué par l'incivisme en général. Je suis également souvent étonné de voir à quel point, dans certaines situations, l'être humain réagit de façon curieuse, pour ne pas dire stupide. Je vais vous donner un exemple. Il arrive assez souvent qu'un mégot mal éteint occasionne un départ de feu dans une poubelle, surtout l'été. Dans ces cas-là, les passants s'agglutinent autour et regardent, sans agir. Aucun n'a l'idée de prendre sa bouteille d'eau ou d'en demander au bistrot d'en face, et d'éteindre le début d'incendie, ce qui, dans la plupart des cas, suffit. Il m'est arrivé plusieurs fois de passer à ce moment-là et de constater cette inaction incompréhensible. À ce stade, un feu de poubelle s'éteint facilement, alors que ne rien faire peut avoir des conséquences très lourdes. Comme disait l'ancien président Jacques Chirac : « Notre maison brûle, et nous regardons ailleurs. » Je serai encore plus radical : « Notre maison brûle, et nous la regardons brûler, sans rien faire »…

Parmi les fantasmes qui existent sur notre métier, certains pensent que nous récupérons parfois des trésors dans les poubelles. Il paraît qu'un jour un collègue a trouvé une montre Rolex et un billet de 100 euros. Je ne sais pas quelle est la part de vérité dans cette histoire. Moi, en tout cas, j'y crois, car il s'agit d'un éboueur qui travaille tôt le matin, à l'heure des sorties de boîtes de nuit. Entre 4 heures et 7 heures du matin, tout est possible ! Le corps se dissocie parfois de l'esprit… Je n'ai jamais vu cette montre, mais je peux vous dire que cette découverte a fait beaucoup d'envieux. Pas de Rolex pour moi donc, malheureusement, mais j'ai déjà déniché de vieux disques vinyles en très bon état. Je les adore. C'est mon côté vintage. J'ai dégoté de petits trésors. Jugez plutôt : Babar le petit éléphant. Toute mon enfance ! Celui-là, j'étais obligé de l'embarquer. J'ai aussi récupéré, près d'une poubelle, le disque des *Mystérieuses cités d'or*. Là, c'est plutôt mon adolescence ! J'ai aussi dans ma discothèque de rue, un disque de Michel Sardou, avec *La Maladie d'amour* et *Les Vieux Mariés* ou encore un Guy Béart. Et, cerise sur le gâteau, *La Cicrane et la Froumi* de Pit et Rik. Ne vous moquez pas !

Ce sont des objets de collection ! Du coup, j'ai eu envie d'investir, dans une platine. Il paraît que c'est de nouveau très à la mode. Les bobos en raffolent. Moi aussi j'aime leur côté vintage et ce petit craquement qui fait toute la différence et qui me transporte en enfance. J'ai pris l'habitude, à chaque fois que je trouve des disques, de les faire découvrir à mes abonnés. C'est ma façon de leur redonner vie. J'organise une soirée sur TikTok, au cours de laquelle je diffuse mes trouvailles. Gros succès ! Tout le monde adore ça. DJ Ludo aux platines !

Théoriquement, on n'a pas le droit d'écouter de la musique quand on travaille. Question de sécurité. Il faut pouvoir entendre, par exemple, les klaxons des automobilistes. Avec des écouteurs sur les oreilles, on perçoit moins les dangers. Je m'autorise néanmoins à en écouter quelquefois, mais uniquement quand je suis, par exemple, dans un parc et que je sais que je n'aurai pas de rue à traverser. En matière de musique, je suis éclectique. J'aime absolument tout : le rap, la country, le rock, le disco, et même les chants religieux et l'accordéon. Je ne me permettrai jamais de critiquer tel ou tel style, car je sais que derrière chaque création musicale il y a un artiste qui a mis toutes ses tripes dans son art et que l'on doit le respecter. Je n'ai aucune barrière musicale. Cela ne m'empêche pas d'avoir des préférences. Je suis dingue par exemple de la musique du film *Sister Act*, avec Whoopi Goldberg.

En particulier *Oh Happy Day*. Je la trouve bouleversante. Quand je la passe, ça marche à tous les coups, je suis traversé par des émotions et je chante en chœur « lalalala » ! Ne riez pas, je suis sûr que vous aussi, il vous arrive de vous ambiancer seul chez vous sur un titre que vous aimez.

Je ne peux pas expliquer pourquoi ces chansons me bouleversent autant. Ce sont des chants religieux que l'on pourrait entendre par exemple dans une église à Harlem. Je ne suis pourtant pas vraiment croyant, même si j'ai été élevé dans la religion catholique. Mon grand-père avait carrément chez lui une chambre dédiée à la sainte Vierge. Je l'accompagnais à la messe le dimanche et j'étais impressionné, car il était capable d'anticiper tout ce que le curé allait dire. Lui, était un vrai homme de foi. Moi non. J'ai assisté au catéchisme jusqu'à ma communion, mais ça s'arrête là. Je respecte toutes les religions, mais je crois surtout que c'est un choix personnel. On ne devrait jamais imposer une religion à un enfant. Dans mon cas, j'ai le sentiment qu'on m'a un peu forcé la main. Donc j'ai pris du recul avec tout ça.

À propos de religion, il m'arrive de récupérer des chapelets dans les poubelles ! Pour ceux qui ne connaissent pas, un chapelet, c'est une sorte de collier avec des grains enfilés sur un cordon. Chez les catholiques il comporte une croix. Chaque petit grain permet de compter des prières récitées de manière répétitive. Il se trouve que j'ai un abonné catholique, Sébastien, très pratiquant. Il fait lui aussi des lives, axés sur la religion. Sachant cela, dès que je trouve un chapelet, je le lui envoie, et je sais qu'il apprécie. Je ferais la même chose si je trouvais un Coran par terre. J'ai beaucoup de respect pour les croyants, quels qu'ils soient.

Si les chapelets sont rares, il est fréquent en revanche que nous trouvions des papiers d'identité, des portefeuilles, ou des clés dans les poubelles ou à même le sol. Les vols à l'arrachée sont malheureusement monnaie courante à Paris et les malfaiteurs ne conservent en général que l'argent ou la carte bleue avant de se débarrasser du reste. Je sais combien ces vols sont une épreuve pour ceux qui les subissent. Avoir la possibilité de retrouver ses papiers ou ses clés est une petite consolation, c'est pourquoi, dès que j'en trouve, je veille à ce que leurs propriétaires puissent les récupérer. Je me souviens notamment du jour où j'ai trouvé, au même endroit, des papiers et un gros trousseau avec de nombreuses clés. Par chance, il y avait un numéro de téléphone, que j'ai composé en rentrant chez moi. Le propriétaire ne savait pas comment me remercier. « J'ai toute ma vie dans ce trousseau, m'a-t-il dit ! Mon commerce, mon véhicule, mon appartement. » Le pauvre homme s'était fait braquer sa voiture. Il a été très touché par ma démarche et m'a même donné 50 euros au moment de récupérer le tout. Une autre fois, une femme m'a offert des macarons. J'avais retrouvé son portefeuille et son portable. Je n'avais pas son numéro, seulement celui de l'entreprise où elle travaillait. Ça a été plus compliqué. On ne voulait pas me communiquer ses coordonnées, mais j'y suis arrivé. Quand je l'ai enfin eue au bout du fil, elle était en pleurs. Il m'arrive malheureusement régulièrement de trouver ce genre d'objets, environ deux fois par mois. Je ne peux pas toujours me permettre de contacter les propriétaires. J'y passerais mes soirées ! D'ailleurs, souvent, il n'y a pas leurs coordonnées. Dans ce cas, je vais déposer les clés ou les papiers au commissariat le plus proche.

Ce que les Parisiens ont aussi la mauvaise habitude de semer régulièrement, ce sont leurs pass Navigo (leur titre de transport). Dans ce cas, je les rapporte directement dans un bureau de la RATP. Ce qui est sûr, c'est que ce n'est pas avec ce genre de trouvailles que je vais devenir millionnaire… Faute de trouver une Rolex, celui qui veut gagner beaucoup d'argent en faisant mon métier sera déçu. En tant qu'éboueur principal je touche entre 1 500 et 1 700 euros nets par mois. Avec les primes. Nous avons par exemple 45 euros supplémentaires si nous travaillons le dimanche et les jours fériés, sauf le 1er mai, seul jour de l'année où la collecte et le nettoyage quotidien ne sont pas effectués. Ce jour-là, ce sont les agents de la Fonctionnelle qui sont mobilisés pour gérer les urgences. Nous avons trente et un jours de RTT, liés aux cycles de travail, mais aussi aux horaires décalés. J'aurais la possibilité de gagner davantage si je passais le concours pour devenir chef d'équipe, TSO (technicien des services opérationnels), mais cela impliquerait d'avoir à gérer une équipe. Or c'est quelque chose qui ne me tente pas. Avoir vingt personnes sous sa responsabilité, ce n'est pas donné à tout le monde. Je ne me vois pas du tout donner des ordres. Je laisse ça à d'autres, qui le font très bien ! Et puis, si je devenais chef, je ne pourrais sûrement plus faire mes vidéos, et ça… c'est impensable !

En tout cas, si vous êtes intéressés par ce métier, sachez qu'il existe des possibilités d'évolution. Vous pouvez passer des concours ou des examens internes et gravir les échelons. Les plus motivés peuvent devenir agents de maîtrise, chefs de secteur, directeurs de division. Il y a une vraie carrière à faire chez nous. 80 % des chefs d'équipe sont d'anciens éboueurs, et certains des ingénieurs ont débuté en balayant les rues. Il existe aussi des passerelles qui permettent, par exemple, à ceux qui veulent changer, d'être affectés à l'entretien des jardins de la Ville de Paris. C'est le principe de la mobilité dans la fonction publique. Un éboueur, agent titulaire dans la catégorie C, peut postuler à un autre poste de la même catégorie, dans une autre administration ou un autre établissement public. Pour les agents ayant besoin d'une reconversion professionnelle, pour raisons médicales par exemple, il existe aussi des parcours avec des formations pour les amener vers d'autres métiers au sein de la Ville de Paris. Le métier d'éboueur peut être, pour ceux qui se rendent compte qu'ils se sont trompés de voie, un tremplin vers d'autres jobs.

Moi-même, un jour peut-être, je pourrais profiter de ma petite notoriété pour travailler, par exemple, à la communication de la Ville de Paris, pour aider les élus à sensibiliser sur la propreté. Qui sait ? À bon entendeur… Je me découvre en effet, grâce à TikTok, une capacité à fédérer et à communiquer.

8

TikTok, parlons-en ! Mon « aventure » a commencé par hasard le 22 mai 2019. J'étais à l'époque ripeur – derrière le camion poubelle – et je n'en pouvais plus de ces automobilistes qui nous cassaient les oreilles avec leurs klaxons. Comme si nous pouvions aller plus vite ! Ce jour-là, j'étais avec mon binôme, Guillaume, que j'apprécie beaucoup. C'est un collègue en or, mon tout premier binôme. Mon binôme éternel, comme je dis souvent. Nous nous sommes mis à danser derrière le camion, pour détendre l'atmosphère. En général, c'est efficace ! J'ai eu l'idée, sans arrière-pensée, de filmer la scène. J'avais découvert TikTok quelque temps plus tôt. En rentrant chez moi ce soir-là, et en regardant ma vidéo, que je trouvais assez drôle, je me suis dit : pourquoi ne pas la publier ? Il faut préciser que, jusque-là, je n'étais absolument pas client des réseaux sociaux en général. C'était assez loin de mon univers. Je n'en avais pas les codes. Encore aujourd'hui d'ailleurs, j'apprends en permanence. Autant dire que je n'imaginais pas une seconde me retrouver quelques heures plus tard avec 345 000 vues et 3 000 abonnés. Le choc ! Je ne comprenais pas ce qu'il m'arrivait. Je recevais des tas de messages. Moi, le petit éboueur, j'étais subitement au centre de l'attention.

Je décide alors de réitérer l'expérience le lendemain, puis le surlendemain. Mais, allez savoir pourquoi, je prends peur. Ça va trop vite, trop fort. Tout cela me dépasse. À tel point que je décide d'arrêter d'aller sur l'application. Je n'arrive même plus à l'ouvrir. C'est comme si j'avais peur de m'y brûler les ailes.

Un an plus tard, en 2020, en plein cœur de l'été, j'en reparle avec David, un collègue qui compte énormément pour moi et qui est toujours de très bon conseil. Il est arrivé trois mois avant moi à la Ville de Paris. C'est un gars exceptionnel, père de famille, gros bosseur, et très sympa. C'est grâce à lui que je suis devant vous aujourd'hui. Sans son soutien, je n'aurais pas osé poursuivre l'aventure. Je lui ai fait part de mes doutes sur l'intérêt de faire des vidéos. Je pensais qu'un éboueur sur les réseaux allait forcément se faire insulter. Sans hésiter, il m'a dit : « Fonce Ludo. Tu vas cartonner. » Et il a eu raison ! Il y avait un créneau qui n'était pas encore exploité.

Il n'existait aucun « influenceur » (entre guillemets, car je n'aime pas trop ce mot), dans le domaine de la propreté. C'est ainsi que je décide de retourner sur TikTok, pour comprendre un peu mieux comment cela fonctionne. Très vite, tout devient assez clair dans ma tête. Je me dis que je vais pouvoir me « servir » de cet outil incroyable pour toucher le public, puisque manifestement aujourd'hui, tout passe par les réseaux sociaux. Je commence à me filmer, régulièrement, dans différentes situations, avec mon balai, ma pelle et ma pince.

Quelque temps plus tard, en tâtonnant sur mon application, je découvre que des gens font des directs, pour faire passer leurs messages. Je trouve l'idée formidable ! Et si moi aussi, je me lançais ? Ce serait une excellente façon, là encore, de sensibiliser les abonnés à la propreté et au métier d'éboueur, en instaurant un vrai dialogue.

Le 1er août 2020, je me lance. Le saut dans le vide. J'allume mon téléphone, je m'installe, et là… le désert… trois abonnés. Et déjà, je trouve ça in-croyable ! Trois personnes qui me regardent, de l'autre côté du miroir, moi, maladroit, totalement perdu, qui tourne la tête à droite et à gauche, en mode panique, comme un lapin effarouché dans les phares d'une voiture ! Je ne sais pas trop quoi dire, je bafouille, je me vois sur l'écran et je me trouve moche. Bref, c'est la cata. À ce moment-là, j'aurais pu douter, mais non, je m'accroche. Petit à petit, les choses s'enchaînent dans ma tête. Je me dis que si j'ai réussi à intéresser trois personnes, je dois pouvoir en convaincre six. Je commence à réfléchir, à imaginer des messages structurés, et je persévère. Je décide assez rapidement d'instaurer un rendez-vous quotidien et puis deux. Je comprends vite que la clé, c'est de fidéliser son auditoire. Et je me prends au jeu. À ma grande surprise, le compteur des abonnés se met à grimper. En quelques mois, je dépasse la barre des 100 000. De quoi faire tourner la tête. Rien ne m'arrête ! Je me souviens même avoir fait un live sur les toits de Paris. Je trouvais l'idée sympa. Ce jour-là, j'avais emporté des melons, car j'adore ça. Sauf que je me suis rendu compte, une fois là-haut, en plein direct, que j'attirais toutes les guêpes. Trop tard pour redescendre. Il y en avait des tonnes, que je passais mon temps à chasser à grands coups de bras. Par chance, j'ai échappé à la piqûre et beaucoup fait rire les internautes… C'était du grand n'importe quoi, mais c'était magique.

Aujourd'hui j'ai arrêté de grimper sur les toits, mais mes abonnés savent qu'avec moi, tout peut arriver, à tout moment ! Je ris fort, je parle la bouche pleine, je me lève souvent en plein direct pour me faire un café ou aller aux toilettes. Je suis nature. Je suis moi. Je suis Ludovic, et pour la première fois, on m'accepte tel que je suis. C'est inespéré, j'ai enfin trouvé ma place. Et tout ça, en faisant une bonne action : je m'amuse, en volant au secours de notre planète. Au-delà de mon cas personnel, très vite, je me suis rendu compte qu'il y avait une vraie curiosité autour du métier d'éboueur. C'est une profession de l'ombre qui n'est quasiment jamais mise en avant dans les médias et sur les réseaux sociaux. Ça m'a profondément touché de voir qu'autant de personnes se connectaient quotidiennement pour écouter un éboueur parler de son métier.

Aujourd'hui encore, je dois me pincer pour y croire. Certains jours 4 000 ou 5 000 personnes me suivent en direct ! J'ai eu jusqu'à 58 000 personnes sur un seul live. Vous imaginez ? L'équivalent d'une ville moyenne qui me suit ! C'est dingue. Jamais de ma vie je n'aurais cru toucher autant de monde. Jour après jour, je suis toujours aussi étonné, sincèrement, et je ne dis pas ça pour faire le gars modeste. Je voudrais d'ailleurs remercier ici les fidèles des fidèles : Ludivine, notamment, qui me suit depuis les premiers lives. Que de chemin parcouru ! Son soutien est important pour moi. C'est une abonnée régulière et discrète. Sa présence m'apaise. Parmi les abonnés de la première heure, il y a aussi Melissandre, une très jeune fille. Shaïa est là également depuis le 1er août 2020. Il y a aussi Marie de l'Aveyron, qui est très attentionnée. Tous ne viennent pas quotidiennement, mais à chaque fois que leur nom apparaît, ils me donnent de la force. C'est un noyau soudé, et pour moi une forme de bouclier. Je ne dis pas qu'ils me protègent, mais ils me rassurent. Les jours où je ne suis pas en forme (ça arrive), leur soutien a chez moi l'effet d'un médicament. Je vous jure que c'est vrai. Avec eux, Doliprane et Efferalgan vont faire faillite ! J'espère en tout cas ne jamais les décevoir. C'est ma hantise. Je pense aussi à Sébastien, celui à qui j'envoie les chapelets quand j'en trouve. Je suis même allé chez lui, dans l'Oise, pour une opération de dépollution. Il y a également Dylan, avec qui j'ai, là aussi, participé à des opérations de nettoyage sur mon temps libre. Sans oublier Brigitte, qui est là régulièrement, et que j'appelle de temps en temps. Désolé pour ceux que je n'ai pas cités ici. Vous le savez, vous êtes tous chers à mon cœur.

Cette petite bande de fidèles que j'ai fini par bien connaître forme une bande d'amis. Des amis que je retrouve chaque matin. Et ce qui est formidable, c'est que la famille ne cesse de s'agrandir. Chaque jour je jette un coup d'œil au compteur des nouveaux abonnés et je reste sans voix. 1 000 de plus parfois, en vingt-quatre heures ! Je ne sais pas si je mérite une telle attention, mais j'ai conscience que j'ai une chance inouïe. Croyez-moi si vous le voulez, mais j'en pleure régulièrement, tellement je suis heureux. Je me dis que si ces milliers de personnes pensent à moi et jettent leurs papiers ou leurs mégots à la poubelle plutôt que par terre, alors mon combat ne sera pas vain. Il est arrivé également que le compteur baisse de façon inexpliquée pendant plusieurs jours. Des internautes qui se désabonnent. C'est rare heureusement, mais ça me met toujours dans un état de stress incroyable. J'essaye de comprendre pourquoi je les ai déçus, ce que j'aurais pu mieux faire, quelles ont été mes erreurs. J'avoue que ce sont des moments très durs à vivre, mais il faut s'y habituer et vivre avec. Je peux comprendre que certains se lassent de voir des vidéos de caca…

J'ai la possibilité, grâce aux données analytiques, de savoir d'où viennent mes abonnés. C'est important pour moi, car ça me permet, là encore, de mieux les connaître et aussi de mieux cibler mes messages. 76 % vivent en France, 4 % en Belgique, 1 % au Canada, 1 % en Algérie, 1 % également au Maroc. Comme je dis souvent, d'où qu'ils viennent, ce sont tous des terriens qui aiment notre planète. Je trouve fascinant de savoir que l'on me regarde de l'autre bout du monde. Vous n'imaginez pas combien ça me touche. Je consulte régulièrement ce tableau qui me permet également de voir combien de personnes viennent sur mes lives. Les statistiques sont intéressantes, elles me permettent de mieux cerner le public auquel je m'adresse. Je sais que 59,5 % de ceux qui me suivent sont des hommes et donc 40,5 %, des femmes. J'ai aussi la possibilité de consulter en temps réel l'évolution de chaque vidéo.

Je m'impose aujourd'hui d'en publier une ou deux par jour, même quand je suis en congé. Quand je vais voir ma maman à Marseille par exemple. Et Dieu sait qu'il y a des choses à dire sur la propreté de Marseille… Parfois, je demande même à ma mère de m'aider. Elle me sert d'actrice, en quelque sorte. On la voit aller jeter des déchets dans des poubelles. Ça l'amuse, et c'est sympa de passer du temps avec elle. Ça n'a l'air de rien, ces vidéos, mais ça demande du boulot. J'essaye de me renouveler, même si je montre à chaque fois à peu près la même chose : des poubelles qui débordent, des déchets déposés au pied des containers plutôt qu'à l'intérieur, des selles non ramassées sur le trottoir, bref, tout ce qui fait notre quotidien, et tout ce qui me choque profondément.

Mon objectif, là encore, n'est pas de faire la leçon, comme un père qui gronderait son enfant. Mon objectif est plutôt de réussir, vidéo après vidéo, à amorcer une prise de conscience. Je montre souvent le « avant » et le « après », c'est-à-dire, un lieu tel que je le trouve, en piteux état, et ce même lieu après mon intervention. Et je filme, en accéléré, mon travail de nettoyage, pour que cela ait davantage d'impact. Je me dis qu'à force, le message va bien finir par passer. Je profite de chaque occasion : une averse, un arc-en-ciel, un événement particulier, un objet insolite… Pour éviter de lasser, je change la musique, je trouve des effets sonores ou visuels, je fais en sorte d'attirer à chaque fois l'attention. Je découvre sans arrêt de nouvelles applications qui permettent de faire des merveilles avec son téléphone. Sur certaines vidéos je parle, sur d'autres, je danse. Sur d'autres encore, on me voit simplement en train de balayer. J'essaye d'alterner et d'innover à chaque fois dans la mesure du possible. Par exemple, si je ramasse un gobelet de cappuccino, je mets de la musique italienne. Il n'y a pas de recette magique pour concevoir une vidéo qui marche. Il y en a qui font beaucoup plus de vues que d'autres, allez savoir pourquoi. Ce ne sont pas forcément celles que l'on attend. Mais il faut dire quand même qu'il y a des modes sur TikTok, des *trends*, c'est-à-dire des tendances, éphémères, par définition. Si vous acceptez de coller à la tendance, alors vous avez davantage de chances de cartonner.

Il y a une de mes vidéos qui a connu un gros succès, c'est celle sur laquelle on me voit, chez moi, en train d'éternuer bruyamment dans mon coude. Celle-ci était une *trend*. Par la magie d'un effet spécial, j'atterris ensuite à Paris, en tenue de travail, devant la fontaine des Innocents, en train de balayer. Elle a dépassé le million de vues. Une autre a cartonné : on me voit en train de ramasser une selle humaine à côté des toilettes, et de m'interroger sur l'humain qui a posé cette « offrande » juste devant les WC publics. Énorme succès ! À ce propos, certains internautes m'interpellent régulièrement en me disant que ceux qui font leurs besoins sur les trottoirs sont les SDF. Je rétorque que c'est faux ! J'ai moi-même été dans la rue, et je n'ai jamais déféqué sur les trottoirs. D'autant que la capitale a fait de gros efforts en la matière. Plus de 750 toilettes publiques et urinoirs sont installés dans Paris, dont 435 sanisettes automatiques. Il s'agit de la ville au monde où la densité de toilettes publiques gratuites (et accessibles aux personnes à mobilité réduite) est la plus importante. Des toilettes à nettoyage automatique, en théorie, donc propres en permanence. Depuis 2020, 50 sanisettes ont par ailleurs été équipées d'un urinoir additionnel. Je ne m'occupe pas du nettoyage de ces lieux. C'est JC Decaux, titulaire du marché, qui en a la charge. Tout ça pour dire que ceux qui font leurs besoins dans la rue n'ont aucune excuse. Ce sont juste des goujats. Il n'y a pas d'autres mots. Je peux vous dire qu'il faut avoir le cœur bien accroché pour ramasser des selles humaines. Même avec un masque anti-Covid, l'odeur est parfois insoutenable. Certaines sont plus compliquées que d'autres à nettoyer, je ne vous fais pas un dessin. Je dois parfois prendre un carton dans une poubelle et m'en servir, afin de réussir à les décoller.

En tout cas, je ne sais pas toujours à l'avance quelle vidéo va fonctionner ou non. C'est vraiment très aléatoire. On peut parfois mettre beaucoup d'énergie, de préparation et d'effets spéciaux et faire un bide. Au contraire, un scénario tout simple peut avoir énormément d'impact, comme quand je me filme en train de jeter une canette dans la poubelle. Ou quand je ramasse une crotte. Allez comprendre pourquoi la crotte cartonne. Seule certitude, il ne faut jamais prendre ceux qui vous suivent pour des abrutis. Il faut avoir un vrai message. Ils doivent sentir la sincérité, sinon vous ne durez pas longtemps sur les réseaux sociaux.

Ma priorité, c'est de prendre soin de mes abonnés. Je suis en permanence à l'écoute et je les respecte profondément. J'ai conscience de ma chance de les avoir. Ils me portent, me soutiennent et méritent toute mon attention. Je n'ai jamais reçu de formation spécifique pour réaliser ces vidéos. Tout ce que je sais, je l'ai découvert en tâtonnant. Autodidacte de TikTok... On dit que je suis doué, je ne sais pas si c'est vrai, mais je m'amuse beaucoup.

Il arrive aussi que je sois à court d'idées, surtout les jours où je suis très fatigué. Je sais que je dois poster quelque chose, mais je ne trouve rien. C'est rare, mais quand ça m'arrive, ça me stresse. Heureusement, je finis toujours par m'en sortir. En plus de ces vidéos, je m'impose deux lives chaque jour : le matin, vers 10 h 30 ou 11 heures, et le soir quand je rentre du boulot. C'est parti pour une heure et demie de dialogue, ou parfois de monologue, car les abonnés sont plus ou moins réactifs selon les jours. En général, pour ces lives du quotidien, je ne prépare pas forcément quelque chose. Je maîtrise le sujet et je connais les messages que je souhaite faire passer. Je me laisse porter par les abonnés, par leurs encouragements, et surtout j'essaye d'être moi-même, dans les bons, comme dans les moins bons jours. Je parle de tout et de rien, de mon quotidien, du leur aussi, car je commence à en connaître certains de mieux en mieux. Une certaine complicité s'est instaurée au fil de ces directs.

Il m'arrive, comme tout le monde, d'être fatigué, pourtant je ne rate jamais un rendez-vous. Si, exceptionnellement, je dois m'absenter car je fais une opération de sensibilisation dans une école par exemple, je préviens toujours, afin que les abonnés ne soient pas déçus. Et si je rate la session du matin, je suis là le soir, quoi qu'il advienne. C'est vrai que, parfois, j'ai envie de me mettre au lit en rentrant chez moi car la journée a été harassante. Mais je sais combien ils seront attristés si je leur fais faux bond. Et au final, même épuisé, être avec eux me donne de la force. Le jour où j'ai perdu un collègue qui a succombé au Covid, j'étais vraiment très affecté. J'ai cru que je ne pourrais pas honorer mon rendez-vous, mais je l'ai fait quand même. Je me suis connecté, fébrile, les yeux rougis par les larmes.

Comme dans toutes les familles, il y a certains membres qui nous font parfois un peu honte. Je suis sûr que, vous aussi, vous connaissez ça. Les fins de repas arrosées et la conversation qui part en vrille… Sur TikTok, comme dans la vie, certains n'ont pas de filtres et sont susceptibles d'être très embarrassants. Les « rageux » comme je les appelle, qui passent leur temps à critiquer et à dire du mal. Les haters aussi, volontairement provocateurs. Ceux-là, il faut rapidement les identifier, afin qu'ils ne propagent pas leurs messages de haine. J'ai la chance d'en avoir très peu, et quand j'en repère un, je reste toujours poli, jusqu'à un certain point bien sûr. Je ne peux pas tolérer de messages humiliants ou racistes par exemple. J'ai remarqué que certains sont des perturbateurs professionnels. Ils s'abonnent et viennent sur le live juste pour foutre le bordel, si vous me passez l'expression. Un peu comme les casseurs dans les manifs. Je les mets en sourdine, afin de les empêcher d'intervenir publiquement sur le live. Et quand vraiment ils dépassent les bornes, je les bloque. Heureusement, il y en a très peu, un pourcentage infime par rapport aux tonnes d'abonnés bienveillants.

Je me suis entouré de modérateurs, des abonnés qui sont chargés de vérifier, justement, que des messages inappropriés ne passent à travers le filtre de la conversation. Ils ont, eux aussi, la capacité de mettre en sourdine ou de bloquer les auteurs de propos déplacés. Je les ai moi-même choisis. Il s'agit d'abonnés assidus et fiables. En règle générale, je préfère ne pas bloquer les gens. J'estime que je dois être plus intelligent qu'eux, car certains ne cherchent que ça. J'essaye de prendre de la hauteur sur la connerie humaine. Sauf quand ils dépassent les bornes.

J'ai également préétabli une liste de mots qui sont interdits sur mes lives. Il faut savoir en effet que si TikTok repère des insultes, qu'elles soient à caractère raciste, antisémite ou homophobe, ou des mots évoquant la pornographie ou la pédophilie, vous êtes immédiatement banni. C'est ce que je veux éviter à tout prix. Pour cela, il faut être particulièrement vigilant. En effet, certains, qui se croient malins, vont écrire des mots avec une orthographe qui n'a rien à voir avec le mot d'origine, mais qui, quand vous le lisez à haute voix s'avère être une horreur. On essaye de me faire dire des choses que je ne veux surtout pas dire. Si je répète ce qui est écrit, c'est terminé. Les internautes eux-mêmes risquent de me dénoncer. Et certains s'en sont fait une spécialité. C'est la raison pour laquelle ces directs sont éprouvants. Il faut tout le temps lire dans sa tête les messages avant de les lire à voix haute. C'est le mauvais côté des réseaux sociaux. Heureusement que j'ai été mis en garde par mes amis et collègues David et Kevin. Pour éviter le pire, j'ai ainsi banni par exemple les mots : Hitler, nazis, bite, fellation, pédophile, homosexuel, pédé, sexe, terrorisme, Allah Akbar, Ben Laden, arabe, juif, nègre, zigounette, et je dois même être plus futé qu'eux dans ce cas, en bannissant : zig et ounette ou encore KCDQ. Je vous laisse deviner pourquoi… Certains maîtrisent très bien ce genre de choses et font tout pour essayer de me piéger. Ils n'écrivent pas, par exemple : « Vive Hitler », mais « Viv-hit-laire ». Si je ne suis pas attentif, et que je déchiffre à voix haute, c'est terrible…

Il arrive aussi parfois qu'une de mes vidéos soit interdite. Par exemple, le jour où j'ai posté un petit film montrant un homme que j'avais pris en flagrant délit en train de faire pipi contre un mur. Il a été censuré. Pourtant, bien évidemment, j'avais flouté son visage et son sexe. On n'apercevait qu'un jet d'urine. Malgré tout, cette vidéo a été retirée, au prétexte qu'elle présentait une « scène de nudité et une activité sexuelle adulte ». Je l'ai finalement postée une nouvelle fois en floutant, cette fois, l'urine. Je ne fais qu'illustrer une incivilité malheureusement trop fréquente.

Autre sujet sensible : il peut arriver que l'on m'interpelle sur la politique. Je réponds à chaque fois que ce n'est absolument pas l'endroit pour parler de ce genre de choses. Ce n'est pas un lieu de débat, sur tel ou tel parti, ou telle ou telle opinion. Je refuse d'entrer dans ce piège et veille à ne jamais me laisser entraîner dans ces conversations.

Si je suis discret sur mes opinions politiques, je le suis également sur ma vie privée. Cela ne regarde que moi. On me demande parfois si j'ai des enfants, ou une femme. À chaque fois, je botte en touche. Ce n'est pas faute d'avoir envie, certains jours, de dire que j'aime les hommes. Jusqu'à présent je n'en ai pas eu le courage. Ce livre va, je l'espère, me permettre d'être plus spontané, même si je trouve qu'il n'est pas nécessaire d'afficher sa sexualité sur la place publique. On ne devrait pas non plus avoir besoin de la cacher. J'espère que mes confidences n'auront pas une incidence directe sur le nombre de mes abonnés. Ce serait à désespérer de l'espèce humaine.

Jusqu'ici, j'ai toujours veillé à me protéger des malveillants en tout genre. Vous remarquerez que si j'ai des centaines de milliers d'abonnés, je n'ai en revanche que très peu d'abonnements. Je me contente de suivre ma famille, mes amis proches, mes collègues de boulot et les comptes de certains médias par exemple. Je me méfie des faux comptes, les trolls. Je n'ai pas le temps, malheureusement, de consulter le profil de tous ceux qui me suivent, mais je sais qu'il y a énormément de jeunes, et ça me touche beaucoup. Je reçois de plus en plus de témoignages d'internautes qui me disent que, grâce à mes vidéos, ils ont décidé de devenir éboueurs. Plusieurs ont déjà contacté la Ville de Paris pour s'inscrire au concours. Vous ne pouvez pas savoir combien ça me touche. Je n'imaginais pas un jour être capable de transmettre l'envie de nettoyer et de faire ce métier.

On parle souvent du concept du pollueur-payeur. Avec moi, c'est plutôt : pollueur-nettoyeur. Certains abonnés m'écrivent pour me dire qu'ils ont bien intégré le message : c'est moi qui salis, donc c'est à moi de dépolluer. Contrairement à la plupart des influenceurs qui orientent leurs abonnés vers tel ou tel produit, avec moi, il n'y a rien à acheter. Tout est gratuit, et sans contrepartie.

Je me souviens de la toute première fois que l'on m'a demandé une photo dédicacée. Je n'arrivais pas à y croire. Une photo de moi ? Et puis j'ai compris que ça faisait partie du « jeu », que ça faisait plaisir, alors j'ai décidé d'envoyer un cliché que j'aime bien, sur lequel on me voit dans ma tenue d'éboueur, devant un mur de graffitis. À ceux qui veulent m'écrire, je donne l'adresse d'une connaissance, qui accepte de réceptionner mon courrier. Je préfère en effet ne pas donner mes coordonnées personnelles. Cet ami a un immeuble sécurisé avec un code, ce qui n'est pas le cas de mon domicile. C'est peut-être une précaution inutile, mais je veux m'assurer, là encore, de préserver ma vie privée.

Figurez-vous que certains ont la gentillesse de me faire parvenir des cadeaux. J'ai par exemple reçu une coque Avengers pour mon téléphone portable ou encore un magnet à mettre sur le frigo. Il y a même eu un colis avec des pâtes, des lentilles et autres douceurs. Il n'a échappé à personne que je suis gourmand. Je suis à chaque fois extrêmement touché. J'ai également reçu un cadeau personnalisé : une statuette me représentant avec ma tenue d'éboueur et mes lunettes de soleil, avec ce message gravé : « Merci Ludo ». Le tout réalisé grâce à une imprimante 3D.

Si je reçois beaucoup d'amour, j'essaye d'en donner au moins autant. J'ai besoin de rendre les gens heureux. Il n'y a rien qui me fait davantage plaisir qu'offrir un peu de bonheur ou de douceur dans ce monde souvent tellement ingrat. C'est la raison pour laquelle j'ai décidé, régulièrement, de proposer des directs un peu particuliers : des lives culinaires. J'adore en effet, je vous l'ai dit, pâtisser. C'est ma passion. J'ai toujours aimé ça. Quand je ne travaille pas, je me mets aux fourneaux pour réaliser des gâteaux, que j'apporte ensuite à mes collègues de travail. J'ai conscience que j'ai un peu plus de temps que la plupart d'entre eux, qui sont des pères de famille. Dès que je le peux, je leur concocte donc l'une de mes spécialités et ils se régalent. C'est ce qu'ils me disent en tout cas, et je les crois volontiers ! À mes débuts sur TikTok, j'étais un peu débordé, et j'avais perdu cette habitude. Gentiment, ils m'ont fait comprendre que ça leur manquait. Certains m'ont même dit : « Tu ne veux pas te calmer un peu avec tes vidéos et recommencer à nous faire des gâteaux ? »

C'est là que m'est venue l'idée de partager ma passion pour la pâtisserie avec mes abonnés sur TikTok, et de faire d'une pierre deux coups, puisque les gâteaux confectionnés en direct viennent ensuite régaler mes camarades de travail. Il s'agit de lives qui sont très différents de ceux que je fais au quotidien, puisque là, je viens face à mes abonnés avec une recette, et tous les ingrédients pour la réaliser. Cela peut parfois durer trois, quatre ou cinq heures, en fonction du temps de préparation et de cuisson. Je ne m'arrête qu'une fois le plat sorti du four. C'est un exercice complexe. Je dois toujours veiller à animer le live. Il ne doit pas y avoir de temps mort. Je ne peux pas rester dix minutes sans parler, sinon tout le monde s'en irait voir ailleurs s'il s'y passe quelque chose de plus intéressant. Pour meubler les temps morts, lors de la cuisson par exemple, je danse avec mes balais, devant la caméra. J'essaye de faire le show. Je suis capable également de danser avec des casseroles ou des spaghettis.

Pour ma première expérience, j'ai eu 1 000 personnes en direct ! Je n'en revenais pas. Avec le recul, j'ai compris pourquoi ces lives attirent autant de monde. Mes abonnés se régalent, dans tous les sens du terme. Ils participent, me posent des questions, me donnent aussi parfois leurs astuces sur telle ou telle partie de la recette. C'est un vrai partage et c'est ça aussi que j'aime. J'ai déjà cuisiné en direct des meringues, des madeleines, des financiers, des gâteaux à l'ananas ou au yaourt et à la pomme, de la tarte Bourdalou (aux poires et aux amandes), des crêpes pour la Chandeleur bien sûr, du pain d'épices (ma grande spécialité) et même des galettes des rois au spéculos. À ce propos, comme je n'avais pas de fève sous la main, j'ai mis un euro dans chaque galette, non sans avoir au préalable lavé les pièces, bien entendu ! C'était la première fois que je blanchissais de l'argent…

Je suis vraiment heureux d'avoir eu l'idée de ces lives culinaires, qui me permettent de régaler à la fois mes coéquipiers et mes abonnés. En plus, je m'amuse comme un fou ! Ceux qui y ont déjà assisté comprennent un peu mieux la folie qui m'habite. J'adore ces moments de partage et de joie. N'hésitez pas, d'ailleurs, à nous rejoindre, et à me suggérer de nouvelles recettes. Je suis prêt à toutes les expériences.

Mais ce n'est pas tout. En plus de tous ces rendez-vous, j'ai également instauré, une fois tous les deux mois, des lives de sensibilisation. Vingt-quatre heures non-stop ! De 4 heures du matin à 4 heures le lendemain, je suis en direct. L'idée, c'est de rappeler les gestes importants : jeter à la poubelle bien sûr, mais pas seulement. Je sensibilise au tri sélectif, en m'appuyant sur des exemples concrets. Toutes les demi-heures, je propose des flashs informatifs, avec à chaque fois un message spécifique. J'explique que la Ville de Paris recrute régulièrement des éboueurs, je détaille les modalités du concours d'entrée, je parle de mon métier, des différentes poubelles, du recyclage, etc.

Là encore, il est important de se renouveler en permanence. Il m'est arrivé d'instaurer, à l'occasion de ces lives de vingt-quatre heures, un partenariat avec ZeLoop. Il s'agit d'une application mobile qui motive, qui guide et qui récompense les consommateurs dans la collecte des bouteilles en plastique. Je trouve leur concept vraiment intéressant. Cela rejoint complètement mon combat. En résumé, ZeLoop propose de récompenser les gestes écoresponsables, en rémunérant, avec des Token (de la monnaie virtuelle), les personnes qui déposent des emballages ou des bouteilles en plastique dans des containers dédiés. Ces derniers sont géolocalisés dans l'application, qui utilise l'intelligence artificielle pour déterminer la quantité d'emballages. Chaque utilisateur, une fois au point de collecte, photographie les bouteilles qu'il s'apprête à déposer, il en déclare la quantité, et dès que cela a été validé, il est crédité de la somme correspondant sur son application. On est donc rétribué en fonction de ce que l'on dépose.

Ce qui est intéressant dans ce concept, c'est qu'il y a plusieurs dimensions : on fait du bien à la planète et en plus on a des cadeaux ! C'est gagnant-gagnant !

En adhérant à ZeLoop, vous rejoignez en quelque sorte une communauté de héros, tout en jouant à un jeu gratifiant. Et franchement, c'est très simple. L'application vous guide vers les points de dépôt que la communauté a déjà identifié et qu'elle a validés. On peut aussi, soi-même, si on le souhaite, référencer de nouveaux points : des poubelles de tri, des conteneurs à bouteilles, des déchetteries. On a également la possibilité d'inviter ses amis à rejoindre la communauté pour obtenir encore plus de récompenses écologiques. Le tout est vraiment ludique. Par exemple, il y a des défis, des écomissions, limitées dans le temps. On gagne de super prix. J'ajoute qu'il y a une vraie interaction entre les consommateurs et les parties prenantes de l'économie circulaire des bouteilles en plastique, aussi bien les municipalités que les producteurs de bouteilles. Au bout de la chaîne, il y a du recyclage. Je précise, pour ceux qui ne sont pas familiers du sujet, que les Token en question ont une valeur qui correspond à des bons d'achat ou des coupons de réduction.

Faites un essai, vous verrez que ce n'est pas si compliqué de faire du bien à la planète. Je dis souvent qu'il suffit parfois d'un petit coup de pouce pour inciter les gens à passer de l'intention à l'action. S'engager pour la planète devrait être une motivation suffisante, mais, comme pour tout dans la vie, on a besoin d'un déclic. Je trouve que l'idée d'associer une bonne action à un jeu est formidable. Il y a aussi cette idée d'appartenir à une communauté qui est stimulante dans notre société individualiste. Les jeunes, notamment, y sont très sensibles. ZeLoop n'est pas la seule application à le faire, il y en a d'autres, que je vous invite à télécharger. J'aimerais tellement que ce genre d'action se multiplie à l'avenir, que des entrepreneurs mettent davantage encore leur ingéniosité et leur talent au service de l'écologie. Il y en a déjà beaucoup. Qu'ils soient ici remerciés chaleureusement.

Outre ces flashs info, nécessaires pour la sensibilisation, je propose des séquences plus ludiques pendant mes lives de vingt-quatre heures. Je m'inspire d'un jeu en vogue sur TikTok : l'émoji game. Le principe est simplissime : d'abord je choisis un émoji (comme une poubelle ou un sens interdit). Puis, je récompense de 3 points celui qui me renvoie le plus rapidement possible ce même émoji. Le deuxième, lui, obtient 2 points, et le troisième, 1 point. Ça dure un quart d'heure environ. C'est vraiment basique comme jeu, mais ça fonctionne. Sans doute aussi parce que j'y mets du cœur et du sourire. Je note tout très sérieusement sur mon grand cahier. J'inscris le nom des joueurs et j'ajoute des petits bâtons à chaque fois qu'ils affichent le bon émoji. Pour qu'il y ait un enjeu, je fais gagner des lots. Ils sont différents à chaque fois et personne ne les connaît par avance.

J'ai déjà offert un ballon de foot du PSG, un masseur de tête, une cible de fléchettes, des porte-clés rigolos avec des petites poupées, etc. Ce sont de petites choses, mais qui font très plaisir. Il arrive aussi que certains tombent sur un lot un peu moins convoité, comme du papier toilette ! Mais attention, du beau papier, avec des cœurs dessinés dessus ! Les plus chanceux se voient aussi offrir un billet de 50 euros et parfois même jusqu'à 100 euros. Il m'est arrivé également d'offrir une magnifique tête de dinosaure, que j'avais repérée dans une boutique. La dame qui l'a gagnée était ravie, car son petit garçon, justement collectionne les dinosaures. Il les adore ! Le hasard fait parfois bien les choses. Tous ces cadeaux, je dois ensuite les envoyer à leurs destinataires, à mes frais évidemment. J'investis pour cet événement parce que j'estime que ça en vaut la peine. Je ne peux pas le faire trop souvent malheureusement, car ça me coûte un peu cher. Je préfère espacer ces rendez-vous et proposer des lots sympas.

On me demande parfois si je gagne ma vie grâce à TikTok. La réponse est non, vraiment pas ! Il m'arrive néanmoins de toucher un peu d'argent quand une vidéo cartonne. Mais attention, quand je dis un peu, c'est vraiment un peu. Pour vous donner une idée, une vidéo vue par un million de personnes est susceptible de me rapporter entre 1 ou 2 euros par jour. Alors oui, c'est mieux que rien, mais ce n'est pas la fortune, vous en conviendrez ! Quand vous entendez dire que tel ou tel influenceur TikTokeur est très riche, c'est parce qu'il, ou elle, a noué un partenariat avec une marque. Pour cela, il faut non seulement avoir un nombre vraiment important d'abonnés, mais il faut aussi que votre partenaire y trouve son compte. En publiant des vidéos sponsorisées par des marques, certains influenceurs perçoivent des rémunérations à quatre chiffres. Ce n'est pas mon cas vous l'aurez compris. TikTok ne fera jamais de moi un bon parti !

Mais, franchement, est-ce que vous m'imaginez faire de la pub pour une marque de poubelles ou de balais, uniquement pour gagner de l'argent ? Peut-être suis-je trop honnête pour ça ? Ou trop idiot ? J'ai le sentiment que cela brouillerait mon message, que les abonnés s'en rendraient compte, que je perdrais toute légitimité. Et ça, je ne le veux pas. C'est peut-être une erreur. Il n'y a que les idiots qui ne changent pas d'avis. En tout cas, pour l'instant, je préfère tracer ma route sans avoir à rendre des comptes. Le seul « partenariat » que j'aie noué, hormis celui avec ZeLoop, c'est avec l'association Gestes propres. Cela fait cinquante ans qu'elle se bat contre les déchets abandonnés. Par le biais de campagnes de communication, de programmes de sensibilisation, et d'outils proposés aux collectivités territoriales, elle lutte autour de trois grands axes : jeter dans la poubelle ; trier les emballages recyclables ; ramasser les déchets abandonnés.

Autant dire que nos combats se rejoignent. J'ai été surpris et flatté quand ils m'ont contacté et demandé de devenir le parrain de l'association. Ambassadeur des gestes propres ! Sacrée responsabilité ! Je succédais à des personnalités comme Jean-Louis Étienne, Catherine Chabot, la navigatrice, Jean-Michel Cousteau ou encore à Rémi Camus, l'aventurier des temps modernes qui défend l'environnement. Des femmes et des hommes engagés, connus et reconnus.

Mon profil est bien sûr très différent. Je n'ai pas la même notoriété, je ne m'exprime pas comme eux, mais je défends les mêmes valeurs et je suis un expert du terrain. Reprendre le flambeau, devenir à mon tour un messager, est un immense honneur. Ma personnalité atypique permet, je l'espère, de toucher davantage de monde encore. Gestes propres m'a découvert, comme beaucoup, sur les réseaux sociaux. Nous nous sommes rencontrés et le courant est passé immédiatement. Concrètement, dès qu'ils me le demandent, je participe à des conférences de presse. Je viens y témoigner de mon combat contre les incivilités du quotidien. De leur côté, ils me soutiennent et relayent mes vidéos. Ils m'envoient aussi de temps en temps des cartons de sacs-poubelles, des gants ou des pinces, qui me sont très utiles lors de mes séances de dépollution.

Outre ces partenariats, figurez-vous que j'ai découvert que mon nom constituait la solution d'un mot fléché sur un magazine d'actualité française à destination des germanophones. Qui l'eût cru ? Ce magazine s'appelle *Écoute* et il m'a donc choisi pour un de ses numéros comme personnalité à découvrir, avec cette définition pour le moins flatteuse : « Un vrai héros du quotidien, éboueur passionné à Paris et star des réseaux sociaux ». Vous n'imaginez pas combien je suis touché. Et extrêmement surpris de me retrouver là !

J'ai aussi découvert avec émotion qu'une bande dessinée consacrée au travail des éboueurs était sortie au printemps dernier. Elle s'appelle *La Tournée de Gaspard*, d'Arnaud Nebbache[1], et retrace le travail quotidien d'un ripeur. Je trouve formidable qu'un auteur décide d'écrire sur notre profession, surtout dans ce format réservé aux enfants. Et par certains côtés, je me retrouve complètement dans ce Gaspard. Comme dans mon anecdote du petit garçon qui était chaque jour à sa fenêtre, Gaspard croise régulièrement le même petit garçon lors de sa tournée. Un enfant avec un ciré jaune et une trottinette. Un jour, le petit garçon, si joyeux en temps normal, est tout penaud dans un coin. Il est triste, car il a cassé une roue de sa trottinette. Gaspard, qui a plus d'un tour dans son sac, lui trouve une roue de rechange dans une poubelle et la répare. C'est une bande dessinée qui est également

1. Paris, L'Étagère du bas, 2022.

informative. On y apprend par exemple quels sont les différents engins utiles pour le nettoyage des rues. Je trouve l'idée vraiment exceptionnelle.

Pour en revenir à mon compte en banque (pas très garni, vous l'avez compris…), il m'arrive de gagner un peu de sous grâce aux cadeaux envoyés par les abonnés. C'est une spécificité de ce réseau social : la possibilité d'offrir des pièces aux TikTokeurs que l'on apprécie particulièrement. Il y a un code bien défini pour ces dons : une rose correspond à une pièce, un panda à 5, un parfum à 30, un missile, c'est carrément 20 000 pièces. Le tout est ensuite converti en dollars, puis en euros. Tous les dons que je reçois, je les investis pour acheter des gants, des sacs plastiques recyclables, ou des pinces que je prête à ceux qui m'accompagnent dans mes exercices de dépollution. Ils peuvent aussi me servir à payer l'essence ou un billet de train, quand je me déplace dans une autre ville pour dépolluer.

Pour conclure sur l'exercice des lives, je dirais que c'est humainement très gratifiant. Recevoir des centaines de milliers de likes (j'ai déjà dépassé le million de J'aime), ça fait vraiment chaud au cœur. Je suis à chaque fois surpris de constater qu'il y a en permanence au moins 100 personnes devant leur écran, que ce soit à 4 heures du matin, à midi ou à 23 heures. Pendant ces directs, je suis bien évidemment obligé de faire des pauses, pour aller aux toilettes par exemple, et bien entendu, pour manger. Je suis toujours transparent avec mes abonnés, je leur dis que je les abandonne quelques minutes, et ils comprennent. Je leur mets de la musique pour patienter. Et à chaque pause je décompte le temps sur le chrono, car je tiens vraiment à faire vingt-quatre heures, pas une minute de moins. Ce n'est pas toujours facile de meubler pendant tout ce temps. Au début, je suis plein d'énergie, mais parfois, j'ai des petits coups de barre. Heureusement que le café existe ! Le café, mais surtout l'énergie que m'envoient mes abonnés.

Quand je vois qu'à 4 heures du matin, au lancement du live, ils sont déjà des dizaines, connectés pour me donner de la force et m'encourager, je suis bouleversé. Certains mettent carrément le réveil pour ne pas rater le début. Vous imaginez ? Mettre le réveil pour regarder un gugusse parler de propreté ! Il faut le faire ! Si on m'avait dit un jour que quelqu'un ferait sonner le réveil au beau milieu de la nuit pour moi. C'est tellement touchant !

Avant ces lives, je prends soin de décorer mon appartement. J'achète des petits objets que j'accroche au mur ou que je suspends avec du fil de pêche. Une fois, j'ai fait toute une déco à l'aide de M&M's. Il y en avait partout, c'était vraiment très chouette. Ça m'a coûté un peu cher, mais ça valait vraiment le coup. J'aime surprendre et je pense que mes abonnés attendent aussi de moi que je les surprenne. Oui, tout cela m'enthousiasme. J'aime ma vie. Il était temps ! Ne croyez pas pour autant que je sois naïf. Je connais les dangers des réseaux sociaux. Je sais que, du jour au lendemain, tout peut s'écrouler comme un château de cartes. J'ai aussi conscience que je ne suis qu'un tout petit moustique par rapport aux mammouths qui peuvent se targuer de millions d'abonnés. Je sais également qu'il faut veiller à ne pas perdre son âme, à ne pas se brûler les ailes. C'est tellement tentant de se prendre pour ce qu'on n'est pas. Or, qui sommes-nous en réalité ? Personne ! Pas mieux, ni moins bien qu'un autre. Juste de bons communicants. C'est déjà pas mal, me direz-vous. Certains Français peuvent d'ailleurs être déstabilisés par cette nouvelle forme de communication. Les aînés, en particulier. Quelle crédibilité nous accorder ? Je comprends ces réticences, dues avant tout à une méconnaissance, comme souvent. Ce que l'on ne maîtrise pas bien peut inquiéter.

Moi-même, j'ai progressivement découvert ce milieu avec circonspection. À plusieurs reprises, j'ai été convié à des événements, où se retrouvent les influenceurs les plus en vue du moment, tous réseaux sociaux confondus. Ce sont des soirées dans lesquelles on débat des process, des nouveautés, etc. avant de boire un verre tous ensemble. C'est l'occasion d'obtenir quelques conseils, mais surtout de créer des liens et de se sentir un peu moins seul peut-être. J'y ai fait des rencontres dans des univers très éloignés du mien, comme cet artiste contemporain, brillant, qui fait des lignes sur le sol. Il s'appelle Jordane Saget et il a réalisé près de 2 000 œuvres éphémères ou permanentes dans les rues de Paris. J'ai aussi discuté avec Eva, la fille de Narcos, qui cartonne avec son chien cane corso (l'un des plus gros comptes qui se soient abonnés au mien). J'ai également croisé Monsieur Astuces que j'adore, avec sa coupe au bol, ou encore Foudecakes, qui a été très sensible à mes vidéos, ce qui m'a beaucoup touché. C'est vraiment un garçon adorable. Pour participer à ces événements, il faut avoir plus de 100 000 abonnés et, surtout, être parrainé. En l'occurrence c'est mon ami Dylan qui m'y a convié pour la première fois. Je peux aujourd'hui, à mon tour, inviter un + 1. C'est ainsi que j'ai demandé à Azad l'Arménien de m'accompagner. Azad est un chouette garçon, boulanger de profession et star des réseaux sociaux, avec lequel j'ai sympathisé. C'est lui qui, un jour, m'a contacté pour me demander des conseils. Kombini voulait en effet réaliser une vidéo sur lui, comme il l'avait fait pour moi, mais il hésitait. Je l'ai rassuré sur le sérieux de la démarche. Au final, ça ne s'est pas fait, mais cela nous a permis de nous rencontrer.

Si vous êtes un habitué de TikTok, vous connaissez forcément les « pour toi », ces vidéos qui cartonnent et qui vous sont suggérées personnellement, en fonction de vos centres d'intérêt. Eh bien, lors de ces soirées, j'ai eu la surprise de me retrouver entouré de mes « pour toi ». C'était absolument surréaliste. Ils étaient tous là, comme si je venais de pénétrer dans un monde parallèle. J'ai été flatté de constater que certains me connaissaient. Ça fait plaisir, forcément. Tous sont des créateurs de contenu, chacun dans son domaine. C'est ce qui fait la richesse de ces soirées. Bien que nous évoluions dans le même « milieu », nous sommes tous différents. Certains sont des artistes, d'autres vantent des produits divers et variés. Moi, je crée du contenu sur la merde… Les réseaux sociaux on le sait, permettent de « capter » des consommateurs, souvent jeunes, de moins en moins présents devant la télévision. L'influence, c'est le nouveau *prime time* ! Les grandes marques ont toutes un œil sur Instagram, TikTok et consorts. Ils sont devenus incontournables, et même vecteurs de reconquête pour certaines enseignes en perte de vitesse. Un produit « ringard » peut être relancé en quelques clics, c'est assez fascinant, même si, je le redis, ce n'est pas un univers qui, personnellement, m'intéresse. Je n'ai rien à vendre, si ce n'est le respect de notre planète, et ça, ça ne se monnaye pas. Certains veulent nous faire passer pour des gens futiles, des héros de pacotille. Je leur réponds d'abord que nous ne sommes certainement pas des héros, en tout cas pas moi, et que si autant de monde nous suit, c'est sans doute parce que nous répondons à des attentes.

Chacun vient chercher ce dont il a besoin. J'espère pour ma part que ceux qui me suivent comprennent, grâce à mes messages, qu'ils n'ont plus à subir, mais qu'ils peuvent être des acteurs engagés, en faveur de leur planète. On m'a déjà mis en garde sur la chute inéluctable. Désaffection des abonnés, difficulté à se renouveler, routine, ennui, nouveaux héros. Il faudra ce jour-là avoir les reins solides... Et ça peut aller très vite. Le compteur qui dégringole et le retour à l'anonymat. *Next !* Je sais que le jour où je retournerai dans l'ombre risque d'être très difficile. Mais j'assume. Et en attendant, je m'éclate et je donne tout, pour ne rien regretter. La vie est trop courte.

L'envers du décor de toute cette énergie que je fournis, c'est qu'il reste bien peu de place pour ma vie personnelle. Chaque minute, chaque seconde de mon quotidien est consacrée à ce combat. Dès que je me lève, mon cerveau est en ébullition. En permanence, dans les transports, en me lavant, en mangeant, en marchant, en travaillant, je pense à ma prochaine vidéo ou à mon prochain live, avec cette obsession de ne pas décevoir, de me renouveler. Je voudrais tellement que mon message soit entendu par le plus grand nombre. C'est tellement vital que nous prenions conscience de tout ce que nous pouvons faire individuellement pour la planète. Alors oui, je me demande parfois si quelqu'un pourrait supporter de partager son quotidien avec moi, de voir son salon envahi de gadgets et son homme passer tout son temps libre avec ses abonnés devant son écran…

Bien entendu, cette solitude affective me pèse certains jours. Je suis comme tout le monde, j'aimerais bien que quelqu'un me prenne dans ses bras et me prépare un bon repas le soir ou qu'on aille au cinéma, pouvoir chérir quelqu'un, faire des surprises, voyager, mais je sais qu'aujourd'hui c'est difficilement compatible avec mon engagement. Quoique… Un jour peut-être… J'aimerais tellement dire je t'aime. Et l'entendre aussi. Mais je ne suis pas à plaindre. Cet amour que je ne reçois pas, mes abonnés me le donnent chaque jour. C'est une forme d'affection virtuelle qui, pour l'instant, me suffit. J'essaye de prendre la vie au jour le jour, mais c'est vrai que moi qui suis au fond un grand sensible et un grand romantique dans l'âme, je ne serais pas contre un vrai câlin de temps en temps. Quand je coupe le live, mes abonnés me manquent déjà.

Heureusement, matin et soir, j'ai ma maman au téléphone, qui me dit qu'elle m'aime. Et là, c'est tout sauf virtuel. J'ai la chance aussi d'avoir des amis fidèles. Et ça, c'est capital pour mon équilibre. Je pense en particulier à Kevin. Nous avons travaillé ensemble dans le même atelier, avant qu'il ne change de secteur. Il a été d'un grand soutien pendant ma première année et m'a fait découvrir les ficelles du métier. Kevin est un garçon formidable, que je vois régulièrement en dehors du travail. Nous allons souvent nous balader à Paris ensemble. C'est quelqu'un sur qui je peux me reposer. Il est très à l'écoute. Nous échangeons sans fard et sans pudeur. Il me soutient à fond dans ma démarche. Kevin, si tu me lis, sache que tu es mon meilleur ami. Je ne sais pas si je te l'ai déjà dit.

Dans ce cercle amical, je voudrais aussi remercier Norbert, dont je vous ai déjà longuement parlé : mon « papa ». Comme vous le savez, nous nous sommes rencontrés à une période sombre de ma vie. J'avais 18 ans. Il ne m'a jamais jugé. Il a toujours veillé sur moi, tel un ange gardien, discret, mais solide. C'est l'homme le plus généreux que je connaisse. Aujourd'hui encore, je sais que je peux l'appeler à n'importe quel moment et qu'il sera là. Je lui ai promis que je serais, moi aussi, toujours là pour lui. Norbert a cet amour du prochain chevillé au corps. Il déteste les injustices, c'est un homme au grand cœur. Norbert n'est pas quelqu'un de très connecté. Les réseaux sociaux, ça le dépasse un peu. Il découvre tout juste WhatsApp, c'est dire ! Il a dû me regarder une ou deux fois sur TikTok, mais franchement, ça n'est pas son truc. Ça ne l'intéresse pas trop. Même les émissions télé dans lesquelles je suis passé, il ne les a pas regardées. Je sais qu'il est fier de moi, parce qu'il me l'a dit. Que de chemin parcouru depuis notre rencontre… Il sait combien son soutien, qui a jalonné ma vie, a été précieux. Il veille, au loin, et gare à ceux qui voudraient me faire du mal ! Norbert a plus de 60 ans aujourd'hui, mais pour défendre ses petits, il est encore tout à fait capable de sortir les griffes. Si Mimi était encore de ce monde, il lui dirait : « Regarde notre petit poussin, il a bien grandi. Il vole aujourd'hui de ses propres ailes. » J'imagine combien elle serait contente, elle aussi. Paix à son âme.

Quentin figure également dans le noyau dur des fidèles. Je l'ai connu à peu près à la même époque que Norbert, quand, grâce à Mimi, je travaillais dans un bar à Pigalle et commençais ma reprise en main. Nous nous retrouvions tôt le matin pour boire un verre et refaire le monde, à la fin de nos services respectifs. J'en suis tombé follement amoureux et, il le sait, je l'aimerai toute ma vie. Nous en parlons parfois. Ça le fait sourire, lui, l'hétéro. Ça aurait pu le repousser, mais non car, comme Norbert, Quentin est un homme bien, un homme bon, qui ne se fie pas aux apparences. J'ai pour lui un immense respect et une amitié indéfectible.

Je n'oublie pas non plus mes deux copains, Mesut et Mehmet, deux frères turcs que j'ai rencontrés à l'époque où j'habitais à Morigny-Champigny. Ils tiennent un bar PMU, L'Hôtel de l'Essonne, à Étampes, dans lequel je venais chaque matin boire un café avant de prendre mon train pour me rendre au FAM. C'était mon petit rituel. Au fil des mois, une amitié est née entre nous. Ils m'ont même aidé, plus tard, à trouver un nouvel appartement, dont leur oncle est le propriétaire, et ont toujours été là dans les périodes de galère. Ce sont des personnes extrêmement généreuses. Quand je suis avec eux, j'ai l'impression d'être en famille, comme si j'étais un de leurs frères.

Je dois ici faire un *mea culpa*. Mon activité sur TikTok me prend tellement de temps, en plus de mon boulot, que je ne donne pas assez de nouvelles aux personnes qui, pourtant, comptent pour moi. J'ai tellement l'impression, ces dernières années, que ma vie va à cent à l'heure, et que je ne maîtrise pas toujours ce temps qui passe. Pourtant, il y a beaucoup de gens qui ont toujours été là pour moi. Alors que moi… pas toujours… Je tiens à m'en excuser auprès d'eux. Je rêve parfois de passer des soirées à discuter de tout et de rien, jusqu'au bout de la nuit, comme autrefois, avec Norbert ou Quentin, sans avoir à me préoccuper de ma story du lendemain. Si vous saviez comme j'aimerais ça ! J'ai conscience que le virtuel ne doit jamais prendre le pas sur le réel. Il est important de toujours garder les pieds sur Terre.

9

Il y a des événements qui marquent un tournant dans la vie. Des tournants, vous avez pu le constater, j'en ai eu pas mal, et j'espère en avoir encore. Celui-là a commencé par un message sur Instagram, peu de temps après mes débuts sur les réseaux sociaux, message auquel j'ai bien failli ne pas répondre. Une personne, dont je n'avais jamais entendu parler, m'écrivait pour me proposer de la rencontrer pour Kombini. Kombini, kezako ?...

Là encore, heureusement que mes amis David et Kevin étaient là, sinon j'aurais sûrement effacé ce message aussi sec. « Surtout pas, m'ont-ils dit ! Mais enfin Ludo, c'est Kombini ! Tu dois accepter ! » J'ai alors fait des recherches, et découvert que c'est un média en ligne, très suivi, par les jeunes notamment, et j'ai accepté de les rencontrer. Avec l'accord de ma hiérarchie, un journaliste m'a suivi dans la rue et je lui ai parlé de mon métier. Je lui ai dit combien je suis fier de l'exercer et combien j'ai envie que ma petite existence puisse contribuer à rendre notre planète un peu plus propre. Je lui ai aussi expliqué le but de mes lives sur TikTok, mon envie de changer les choses. Dans cette vidéo J'étais moi, sans fioritures. J'ai raconté qu'il arrive que des passants jettent des choses par terre en me disant : « T'es payé pour ramasser ! » Et pour la première fois, j'ai eu cette formule choc que j'utilise régulièrement depuis : « Je ramasse la merde, mais ce que je fais, c'est pas de la merde. »

Je ne me souviens pas avoir été stressé lors de cette interview. J'étais avant tout concentré sur mon message. Je voulais vraiment donner le meilleur de moi-même. Et franchement, je n'imaginais pas l'impact que ça aurait. Cette vidéo a été vue des centaines de milliers de fois et a déclenché une réaction en chaîne. Radios, télés, j'ai subitement été sollicité de toutes parts. Les interviews se sont enchaînées. D'abord à Europe 1, dans l'émission de la journaliste Wendy Bouchard, qui m'a tout de suite mis à l'aise. Elle a été adorable. Pourtant j'avais un trac fou, les mains moites, le souffle coupé, et la peur de perdre le fil. Pour ne rien oublier, ce jour-là, j'avais même pris des notes. Aujourd'hui encore, bien que je n'aie plus le trac comme la première fois, je me mets une pression de malade lors de ce genre d'exercice. C'est mon côté perfectionniste. En tout cas, je garde un très bon souvenir de cette interview radio, même si ce jour-là, j'ai fait une petite boulette ! Il y avait en effet, en même temps que moi un chroniqueur, manifestement connu, Fabien Lecœuvre. Moi, comme un idiot, je l'ai regardé et lui ai dit : « Il me semble que je vous connais. » J'aurais mieux fait de me taire...

Quelque temps après, ce sont les équipes de Laurent Ruquier qui m'ont sollicité pour passer dans l'émission *On est en direct* le samedi soir sur France 2. Je ne savais pas trop à quoi m'attendre. Passer à la télé ! Figurez-vous que j'ai acheté un costume, spécialement pour l'occasion. Je n'avais aucune idée des codes de ce genre d'émissions et je pensais qu'il fallait que je sois chic. Un peu naïvement, je m'étais dit que, peut-être, comme j'allais « passer dans le poste », on me prêterait ce costume. Tu parles ! Dans mes rêves... J'ai dû passer à la caisse, comme tout le monde ! Moi qui suis un auditeur fidèle des *Grosses Têtes* sur RTL, j'étais impressionné de rencontrer Laurent Ruquier. J'étais même, on peut le dire, absolument terrorisé, avec des bouffées de chaleur, et tout et tout. La pression est montée *crescendo* quand on m'a installé dans la loge VIP, avec petits fours et boissons à volonté. Tout ça pour moi ! Je n'en méritais pas tant. D'ailleurs, je n'en ai même pas profité. J'avais le ventre noué. J'ai juste bu un verre de Coca. Dans la loge d'à côté, il y avait Élie Semoun. C'était pour moi un autre monde. On est alors venu me chercher pour me maquiller. C'est bien la première fois que l'on prenait soin de moi de cette façon. J'avoue que c'est très agréable, et que ça permet de se détendre un peu en discutant avec les maquilleuses et les coiffeuses. J'en ai profité pour faire la pub de mon compte TikTok. Il ne perd pas le nord, le Ludo !

Après cette pause détente, il a fallu entrer sur le plateau. On m'avait auparavant expliqué comment ça allait se passer. Pourtant, je ne pensais pas que ce serait aussi grand ! C'était gigantesque, avec des caméras partout sur les côtés et au plafond, qui bougeaient dans tous les sens. À certains moments, elles vous frôlent ! Il faut faire attention. Je suis allé discuter avec les cameramen, j'ai fait des photos des coulisses. Je suis toujours fasciné par toutes ces choses qu'on ne voit pas, par l'envers du décor. Ces travailleurs de l'ombre méritent que l'on parle d'eux, car sans eux, la télé n'existerait pas. Et puis, finalement, on m'a conduit jusqu'à un grand fauteuil, et Laurent Ruquier a fait son entrée sur le plateau. La première chose qu'il a dite c'est : « Il est là, Ludovic ? » On lui a répondu que oui, il est venu vers moi, et m'a demandé si c'était la première fois que je faisais de la télé. J'ai trouvé ça sympa. Et puis l'émission a commencé. Plus le temps passait, plus la pression montait. Je n'étais en effet pas le premier intervenant. J'étais entouré de personnes brillantes et j'appréhendais le moment où mon tour viendrait. J'avais l'impression d'être invité chez Louis XIV !

Des gens intelligents succédaient à des gens intelligents, me laissant de plus en plus perplexe quant à ma capacité à intégrer ce cercle d'initiés…

Lors d'une coupure pub, on m'a conduit jusqu'à un piano, où se trouvait la chanteuse Suzanne, elle aussi très engagée, puisqu'elle a tourné un clip dénonçant la pollution de la planète. Dans un état un peu second, j'ai répondu le mieux possible aux questions que l'on me posait. Je pense que tout s'est bien passé. J'ai juste été mis un peu en porte-à-faux, quand Laurent Ruquier m'a demandé mon salaire et s'il était suffisant pour vivre correctement. J'ai expliqué que, dans la mesure où j'étais célibataire, ça allait, mais que pour les éboueurs qui ont une famille à charge, c'est beaucoup plus compliqué. Je sais que certains collègues auraient aimé que je dise que nous ne sommes pas assez bien payés pour le travail que nous faisons. Je les comprends. Mais je parlais en mon nom, pas en tant que porte-parole. Je refuse de dire que je suis l'ambassadeur des éboueurs. Je suis l'ambassadeur de la propreté. C'est déjà pas mal. Laurent Ruquier m'a aussi un peu titillé en me disant qu'Anne Hidalgo retweetait mes posts. Je ne sais pas ce qu'il cherchait à me faire dire. Je suis très heureux que la maire me retweete, mais ça s'arrête là. Je veille en permanence à ne pas être « récupéré » politiquement. Ce n'est pas toujours simple, il faut être vigilant. De toute façon, j'estime personnellement que l'écologie et la défense de notre planète devraient figurer dans tous les programmes politiques. En tout cas, l'émission est passée très vite. J'étais épuisé en sortant.

Un autre média en ligne, Brut, a alors demandé à faire un tournage avec moi. Cette vidéo, là aussi, a fait le buzz. Encore plus vite que celle de Kombini. Ça a été un tsunami ! Il faut dire que le jour où ils m'ont accompagné sur le terrain, une personne a jeté une bouteille dans notre direction. La scène a été filmée et diffusée. Nous n'avons heureusement pas été touchés par ce tir, mais la journaliste qui m'accompagnait a été profondément choquée. Il y a de quoi. Suite à cette vidéo, les réactions ont été incroyables. Il y en avait tellement que je n'arrivais pas à lire tous les commentaires qui me parvenaient *via* les réseaux sociaux. Et puis les sollicitations sont arrivées en cascade. Le téléphone s'est mis à sonner dès 9 heures du matin. « Bonjour monsieur Franceschet, on voudrait que vous veniez demain soir sur le plateau de *Quotidien*, le programme présenté par Yann Barthès, sur TMC, mais à condition, que vous ne fassiez pas d'apparition d'ici là dans une autre émission. » Je m'engage à être présent.

Mais un quart d'heure plus tard, nouvel appel. Cette fois, c'est l'équipe de Cyril Hanouna qui me demande d'être présent le soir même sur le plateau de *Touche pas à mon poste*. Me voilà bien embarrassé. Avant de donner une réponse, je respecte la procédure habituelle : j'appelle le service de communication et le service de presse de la Ville de Paris et les informe de mon intention d'intervenir dans un média. Tous les deux tentent alors de me dissuader d'accepter l'invitation de Cyril Hanouna. La Ville n'avait sans doute pas envie que l'on remette encore une fois sur le tapis le sujet sensible de « Saccage Paris ». J'ai passé plus d'une heure à garantir à mes interlocuteurs qu'il n'était pas question de casser du sucre sur le dos de la politique municipale, et que je ne parlerais que de mon travail. Je vous avoue que ça n'a pas été évident. De l'autre côté du téléphone, tout le monde freinait des quatre fers. Moi je demandais juste qu'on me fasse confiance. J'ai fini par rappeler les équipes d'Hanouna pour leur dire que ma situation était compliquée, et que je devais réfléchir. Le gars au bout du fil a insisté, insisté… J'ai alors décidé d'éteindre mon téléphone pour réfléchir seul, quelques minutes, sans pression, et j'ai fini par rappeler C8 et leur dire que je viendrais. J'étais droit dans mes bottes, je savais que je ne mettrais jamais mon employeur en porte-à-faux. Dans les minutes qui ont suivi, Cyril Hanouna a tweeté pour annoncer ma venue sur son plateau. Ça a été tellement rapide que je n'avais même pas eu le temps de rappeler mes interlocuteurs à la Ville de Paris pour les informer de ma réponse positive. Le service de presse était furieux. J'ai tenu bon, tout en réitérant mes promesses.

Que d'énergie dépensée pour une émission qui s'est finalement très bien déroulée ! Cette fois, j'avais laissé le costume au placard et opté pour une tenue qui me ressemble davantage : une salopette rouge que j'adore, et un sweat à capuche Mickey. Certains m'ont dit après coup que je leur avais fait penser à Coluche et je n'ai eu que des commentaires positifs. Là encore, on m'a guidé jusqu'à une loge, avant de me conduire au maquillage, puis sur le plateau, beaucoup plus petit que celui de France 2 d'ailleurs. Bien que ce ne soit pas ma première expérience télé, j'avais davantage de pression que chez Laurent Ruquier, car je savais que je ne devais pas décevoir mon employeur. J'avais un énorme mal de tête, l'impression qu'elle allait exploser. Mais tout s'est très bien passé.

Avant de commencer, j'avais un peu peur, car je sais que les chroniqueurs de cette émission ont souvent la mauvaise habitude d'interrompre leurs invités. Moi, je voulais absolument passer mon message et je n'avais pas envie qu'on me coupe la parole. Je ne souhaitais pas non plus être instrumentalisé et j'étais sur mes gardes. Eh bien j'ai pu dire absolument tout ce que j'avais à dire ! On ne m'a pas interrompu une seule fois. Tous m'ont écouté religieusement. Les mots sortaient de ma bouche le plus simplement possible. Je suis toujours resté moi-même. L'émotion était palpable sur le plateau. On était loin de la gaudriole habituelle. Cyril Hanouna a été très bienveillant. Il m'a tout de suite mis à l'aise. Ils ont repassé l'extrait de Brut avec le jet de bouteille. Je n'ai pu m'empêcher d'avoir les larmes aux yeux. J'aurais aimé échanger davantage, malheureusement, le temps est toujours compté. Mon message mérite tellement plus que quelques minutes ! Il faudrait des émissions entières et beaucoup plus de visibilité. Je peux tenir des heures, la preuve, dans mes lives, je tiens vingt-quatre heures ! Le lendemain de cette émission, j'ai reçu des remerciements de la part de la Ville de Paris, y compris des personnes qui ne voulaient pas, la veille, que je participe à ce programme.

Sans me vanter, je commence à avoir un peu l'habitude des médias. En général, les journalistes posent tous les mêmes questions, sur mon travail, mon engagement. Je suis désormais rodé à l'exercice et de moins en moins stressé. Je n'ai encore jamais eu de mauvaise expérience. Tous ont été bienveillants, à la radio comme à la télé. Je commence à y prendre goût. J'en redemande, même ! Malgré tout, aujourd'hui encore, je n'aime pas me voir à la télé. Je me trouve bouffi. Comme je dis souvent : « Je suis le plus beau des moches. » Je pense que ce manque de confiance vient du fait que je vis seul. Je n'ai personne qui me dit le matin : « Tu es beau. » J'ai un problème avec mon physique. Il ne me plaît pas. Mon passé ne m'a sans doute pas aidé à m'accepter. J'essaye en tout cas de rester modeste face à cette médiatisation. Je ne voudrais surtout pas qu'on croie que « je me la pète ». Je n'oublie jamais d'où je viens et par où je suis passé. Et même s'ils sont assez fréquents, je ne m'habitue toujours pas à ces coups de téléphone de radios ou de télés qui me proposent des invitations.

Mais le coup de fil qui m'a le plus scotché, c'est celui d'un membre du service de communication du gouvernement. Je vous laisse imaginer ma tête quand j'ai décroché : « Bonjour monsieur Franceschet, c'est le gouvernement, nous voudrions faire une vidéo pour communiquer sur vous et votre métier. On trouve que ce que vous faites est formidable. » Je ne sais pas si c'est le mot « gouvernement » qui a produit cet effet. Je suis quelqu'un de très respectueux des institutions. Cette vidéo, en tout cas, s'est très bien passée. Là encore, j'ai été moi-même, et ça... je sais faire ! J'ai conscience que je porte un message universel et apolitique. J'estime que l'écologie ne devrait appartenir à aucun parti, ou plutôt à tous les partis. Je dois dire néanmoins que, dans ma démarche de sensibilisation, j'ai toujours eu le soutien de la Ville de Paris. Je tiens ici à remercier l'équipe municipale. Bien sûr, je ne suis pas dupe et je sais que je suis quelqu'un qui porte un message positif. Par les temps qui courent, il y a tellement peu de *feel good news* qu'il est important de les relayer. J'ai toujours auprès de la mairie une oreille attentive, notamment de la part de Mme Colombe Brossel, l'adjointe en charge de la propreté de l'espace public, du tri et de réduction des déchets, mais aussi du recyclage et du réemploi. C'est une personne qui est très à l'écoute et très humaine. Après ma vidéo sur Kombini, elle avait fait le déplacement pour me rencontrer sur le terrain, en compagnie d'Emmanuel Grégoire, premier adjoint à la maire de Paris. Ils ont observé le fonctionnement du Glutton et m'ont posé quelques questions, notamment sur le Bigbelly.

J'ai également été très touché le jour où j'ai reçu un courrier d'Anne Hidalgo, me disant qu'elle soutenait mon combat en faveur de la propreté et m'encourageait à continuer. Elle me félicitait pour mes vidéos. Ça m'a fait chaud au cœur de constater que la maire en personne était au courant de mon initiative et qu'elle l'approuvait. Je suis forcément sensible aux compliments venant de la plus haute représentante de la capitale.

L'une de mes grandes fiertés est d'avoir reçu, à la fin de l'année 2021, la médaille de la Ville de Paris. Elle récompense les personnes qui ont accompli un « acte remarquable concernant la capitale ». Elle est aussi décernée aux Parisiens centenaires et aux couples célébrant leurs noces d'or, de diamant, ou de platine. Je ne sais pas si j'accomplis un acte remarquable en nettoyant les rues, mais vous n'imaginez pas combien j'ai été touché quand j'ai reçu le mail m'indiquant que j'allais recevoir cette médaille. Je n'y croyais pas ! Attention, il s'agit d'une récompense, pas une décoration. On peut la garder, mais pas la porter. Ce n'est pas non plus la Légion d'honneur, mais pour moi, c'est presque pareil. La remise de cette médaille a donné lieu à une cérémonie à l'Hôtel de Ville. J'étais extrêmement flatté d'être reçu dans ces lieux. Covid oblige, nous étions en petit comité, mais j'avais quand même la possibilité d'inviter l'un de mes proches. J'ai choisi de convier mon chef Hicham, qui est l'une des personnes qui me soutient le plus.

Nous voilà donc tous les deux à la mairie, un peu stressés. J'ai longtemps hésité pour savoir comment j'allais m'habiller. J'ai finalement choisi un jean et une veste, sobre. Je n'ai pas fait de fantaisie vestimentaire ce jour-là comme sur certains plateaux télé. Nous avons été accueillis très chaleureusement par Colombe Brossel, la maire adjointe et les membres de son cabinet, qui avaient prévu une collation avec des chouquettes, les meilleures de Paris, nous ont-ils dit. J'avoue qu'elles étaient délicieuses. J'ai vraiment apprécié ce moment. J'avais imaginé que, peut-être, nous serions plusieurs, le même jour à recevoir cette récompense, mais non. C'était rien que pour moi ! J'étais le centre de l'attention, c'était un peu gênant, mais tellement émouvant. À un moment, on m'a demandé de me lever. La maire adjointe a alors prononcé un discours qui m'a beaucoup ému, dans lequel elle me félicitait pour mon engagement en faveur de la propreté. Elle m'a ensuite décerné la médaille, le fameux Sceau des Nautes, l'emblème de la capitale.

J'ouvre, à ce propos, une petite parenthèse historique : sur le blason de la ville figure un bateau à voile. En effet, Paris est depuis toujours étroitement lié à la mer, grâce à la Seine. La communauté des Nautes était des marchands marins. Ce sont eux qui dirigèrent la municipalité jusqu'à la Révolution française. Mais ce n'est qu'en 1853 que fut ajouté sur ce blason la célèbre devise « *Fluctuat Nec Mergitur* », qui signifie en latin « Il est battu par les flots mais ne sombre pas », une devise tristement remise au goût du jour au moment des attentats de 2015. Au fait, savez-vous qui fut le premier maire de Paris ? Il s'appelait Jean-Sylvain Bailly. C'était un mathématicien et astronome. Il fut désigné le 15 juillet 1789, après l'assassinat du dernier prévôt des marchands de Paris. Le pauvre homme finit lui-même guillotiné… Ne me remerciez pas pour cette page d'histoire. Vous pourrez maintenant frimer en société !

Cette médaille n'est pas le seul souvenir que je garde de cette journée. On m'avait en effet prévu une incroyable surprise après la cérémonie : une visite privée de l'Hôtel de Ville. Ça a été un moment inoubliable. Une dame charmante, Pascale, m'a conduit dans des endroits somptueux, généralement fermés au public. C'est ainsi que j'ai pu visiter les salons, mais aussi deux bibliothèques superbes. Je me croyais dans Harry Potter. Moi qui n'ai pas beaucoup lu dans ma vie, j'ai été émerveillé par ces livres. On peut en effet compter le nombre de mes lectures sur les doigts d'une main, ou deux, tout au plus. Du plus loin de ma mémoire, je me souviens du *Petit Prince*, de *Cyrano de Bergerac*, et de *Marius* de Pagnol. Celui-là, je m'en souviens bien car c'est le prénom de mon beau-père. Et j'ai dévoré les Harry Potter. C'est à peu près tout. Ah si ! j'oubliais : le tout premier livre que j'aie reçu, c'était pour Noël, en 1992. Ma mère, qui s'inquiétait pour mon avenir (déjà), m'avait offert une encyclopédie jeunesse dont le titre m'a marqué : *Que ferai-je plus tard* ? C'est dingue quand on y pense, non ? Il y avait 200 métiers présentés succinctement, mais, devinez quoi… celui d'éboueur n'y figurait pas ! Trente ans plus tard, le petit Ludovic, fraîchement médaillé, s'émerveillait donc devant une bibliothèque.

Ce jour-là, j'ai également eu le privilège de visiter le clocher de l'Hôtel de Ville. J'ai emprunté le petit escalier en colimaçon. C'était magique. J'ai aussi visité le bureau de Mme Hidalgo. Un de ses conseillers m'a reconnu et m'a laissé entrer. J'étais sacrément impressionné. C'est un très beau bureau avec la vue d'un côté sur la Seine, de l'autre sur le parvis, ce qui veut dire que quand nous balayons dans ce secteur, elle est susceptible de nous observer par sa fenêtre. Ça m'a fait tout drôle d'imaginer cela. Bon, en vrai, je pense qu'elle a bien autre chose à faire, mais quand même, je pense que la prochaine fois, je lèverai les yeux pour tenter de l'apercevoir, au cas où…

Pendant ces deux heures de visite j'étais aux anges, avec les yeux remplis d'étoiles. J'avais pleinement conscience du privilège qui m'était octroyé.

Quand j'ai commencé ma carrière d'éboueur, j'ai connu un vrai choc. Je ne m'attendais pas, en effet, à ce que les trottoirs et les rues soient aussi sales. Et pourtant, comme vous le savez, je ne débarquais pas à Paris pour la première fois. Je peux même dire que je connaissais mieux la capitale que la plupart de ses habitants. Son centre névralgique, en tout cas. Mais, que l'on soit riverain, touriste ou SDF, quand on se déplace pour aller d'un point A à un point B, on ne fait pas toujours attention à ce genre de choses. Évidemment, s'il y a un gros amas d'ordures qui nous bloque le passage, ou si on a la malchance de marcher dans une crotte de chien, on s'en rend compte. Mais la saleté du quotidien, ces petits déchets qui sont négligemment jetés chaque jour, on finit par ne même plus les voir. Cette pollution insidieuse est pourtant, à mes yeux, la plus préoccupante. Quand vous passez votre journée à balayer les rues, rien ne vous échappe. Vous scannez le moindre mégot, le moindre Kleenex, sans parler désormais… des masques ! La première fois que je me suis rendu, dans le cadre de mon travail, à la fontaine des Innocents, lieu emblématique du quartier des Halles, classée monument historique, chef-d'œuvre de la Renaissance, j'en suis resté sans voix ! C'était un cloaque. Il n'y a pas d'autres mots. Les gens n'ont vraiment aucun respect et ça me désole profondément.

Je cherche, depuis, à comprendre ce qui peut pousser des individus à manquer autant de respect. Pour moi, le problème est générationnel. Il vient du manque d'éducation. Je sais que je fais un peu vieux con quand je dis ça, mais je suis persuadé que j'ai raison. Il n'y a plus d'autorité, plus de respect. Croyez-moi, il y a des baffes qui se perdent, même si, évidemment je suis contre toute forme de violence. Un enfant, même tout petit, dans sa poussette, qui jette quelque chose par terre, doit être sermonné par ses parents. On doit lui expliquer, tranquillement, que cet emballage de bonbon qu'il vient de jeter va se retrouver dans le caniveau, puis dans les égouts, et un jour dans les océans. Et que le petit Nemo dont il regarde la vidéo en boucle va peut-être mourir car il va manger le petit bout de plastique jeté par l'enfant. Il faut trouver le moyen d'éduquer à la propreté dès le berceau quasiment ! J'ai conscience que je suis un peu dur quand je dis qu'il faut parler du pauvre Nemo qui s'étouffe en mangeant un papier de bonbon, mais il faut des images qui marquent, sinon, on n'y arrivera pas. Loin de moi l'idée de dire qu'être parent, c'est facile. Je n'ai pas d'enfant, qui suis-je pour dire ce qu'il faut faire ? Je suis juste un observateur qui s'inquiète, et qui veut sauver Nemo…

Certains me rétorquent que notre génération est beaucoup plus écolo que celle de nos parents. Vous y croyez sincèrement, vous ? Eh bien pas moi… Non, vraiment, je n'en suis pas sûr. C'est vrai qu'il y a de beaux discours et que tout le monde s'empare de la « cause écolo » mais franchement, dans les faits, nous sommes encore majoritairement des « porcs », pardonnez-moi l'expression. J'en suis le témoin quotidien. Je vais vous donner un nouvel exemple : les Parisiens savent que régulièrement, la nuit, des portions du boulevard périphérique, le Périph, sont fermées pour entretien. Les services de la voirie s'emploient alors à nettoyer les bas-côtés. Il faut le voir pour le croire. Vous n'imaginez pas ce qu'on y trouve. Certains s'arrêtent carrément sur les bandes d'arrêt d'urgence pour y déposer leurs ordures, leurs vieux matelas, leurs frigos ! Qu'on ne me dise pas que les mentalités ont changé. En tout cas, y'a encore du boulot, je peux vous l'assurer. Un travail colossal de sensibilisation.

C'est la raison pour laquelle je m'investis depuis quelque temps auprès des jeunes. Régulièrement, je vais dans des écoles tenter de porter la bonne parole. J'ai commencé au début de l'année 2022, grâce à l'association Like ton job. C'est une association formidable qui fait intervenir des professionnels, dans les collèges. Son objectif : permettre à ces jeunes de développer leur curiosité et d'étendre leur champ des possibles. Car pour se projeter dans la vie, il est important de s'autoriser à rêver. Son postulat : que chaque élève puisse ainsi découvrir au moins dix métiers par an. Quelle bonne idée ! Like ton job sollicite des femmes et des hommes qui viennent parler de leur travail, en expliquer les coulisses, les difficultés comme les joies. Ça permet aux jeunes de découvrir toutes sortes de professions, qu'elles soient intellectuelles ou manuelles. Ça va du menuisier au directeur marketing, en passant par des attachés de presse, des coachs sportifs, et donc, un éboueur : moi ! La première fois, j'avais un trac fou. Se retrouver avec une dizaine de paires d'yeux qui vous scrutent, c'est impressionnant. Sur TikTok, même s'il y en a beaucoup plus, la grande différence, c'est que je ne les vois pas.

Je commence toujours par demander aux collégiens de se présenter et de me parler de leurs passions. Sans surprise reviennent souvent : le foot et regarder des séries. Beaucoup me disent aussi que ce qu'ils préfèrent au monde, c'est dormir… La vérité sort de la bouche des enfants ! À mon tour je me présente alors, mais sans dire ma profession. Pour détendre l'atmosphère, je leur dis que je suis fan de Disney et plus particulièrement de Marvel. Je suis incollable sur les Quatre Fantastiques, les X-Men, Avengers, Captain America, l'incroyable Hulk, Spiderman… J'ai même entamé une collection de figurines. Les élèves me demandent toujours qui est mon personnage préféré. Je leur réponds que j'adore Wanda, alias la sorcière rouge. C'est une mutante, qui a des pouvoirs magiques. Ce que j'aime dans les Marvel, c'est leur côté invincible. Car il faut que je vous avoue quelque chose : j'ai très peur de la mort. Sa seule évocation me donne envie de pleurer. Les super-héros, eux, sont pratiquement immortels, en tout cas invincibles. Je voudrais bien que l'on soit tous des super-héros, mais c'est impossible, car il n'y aurait pas assez de place sur la planète pour tout le monde. Il m'arrive de fondre en sanglots, seul, devant mon écran de télé. Je pleure toutes les larmes de mon corps, tellement je suis bouleversé. Les jeunes sont parfois surpris de voir un gaillard comme moi craquer pour cet univers. C'est sans doute parce que je suis resté un grand enfant !

Avec l'association, j'ai mis au point une petite mise en scène pour rendre l'exercice plus vivant. L'idée, c'est que ces jeunes puissent découvrir eux-mêmes, grâce à des indices, la profession que j'exerce.

Pour cela, je leur montre trois objets mystères, en relation avec mon activité. Le premier est pratiquement impossible à trouver. Il s'agit de la fameuse clé de BL, qui nous sert à ouvrir les bouches de lavage pour nettoyer les caniveaux. Je la fais passer de main en main, afin qu'ils puissent l'observer de près. Et là, les hypothèses fusent : mécanicien, plombier, garagiste, serrurier, forgeron, jardinier… Il y en a même un qui a voulu convaincre ses camarades que j'étais illusionniste ou prestidigitateur et que cette clé me servait pour mes tours de magie. Ça m'a bien fait marrer ! Quoique, finalement je suis une sorte de magicien, puisque je fais disparaître la saleté ! Le deuxième indice est un peu moins compliqué : je leur montre la pince qui me sert à ramasser les déchets. C'est à ce stade que certains évoquent éboueur ou égoutier. Mais j'ai aussi des propositions plus farfelues. On m'a dit une fois que c'était une pince pour nourrir des animaux dans les zoos ! Je trouve drôle qu'ils puissent m'imaginer soigneur pour lions ou dompteur. Comme je viens souvent avec ma salopette rouge fétiche, certains pensent que je suis clown. Je m'amuse énormément à les voir se prendre ainsi au jeu. Les choses, en général, commencent à s'éclaircir quand je leur présente mon balai, ou plus précisément un balai en plastique vert, mais sans le manche, sinon, ce serait vraiment trop simple. Même avec cet indice, il y a parfois des propositions incongrues. Je me souviens d'un garçon qui croyait qu'il s'agissait d'une plante que l'on met pour garnir le fond des aquariums ! À y regarder de plus près, c'est vrai que ça y ressemble un peu. Toutes ces suggestions de professions sont inscrites par l'un des élèves au tableau (parfois avec une craie, ça rappelle des souvenirs…) et on passe alors au vote à mains levées. Les métiers qui ne sont pas retenus sont successivement effacés de la liste, jusqu'à ce qu'il n'en reste plus qu'un. En général, éboueur arrive en tête, mais pas systématiquement.

Une fois le suspense levé, je commence à expliquer mon travail. Je note toujours une fascination toute particulière pour la fonction de ripeur. Garçons et filles m'avouent avoir rêvé de faire un tour à l'arrière du camion ! Ils m'interrogent sur le poids des bennes, sur les dangers de la profession. Certains font même des suggestions pour améliorer la sécurité, comme mettre des barrières ou des ceintures pour protéger les ripeurs et éviter les chutes. Le balai, forcément, fait un peu moins rêver. Mais je prends le temps de leur expliquer la nécessité de nettoyer nos rues quotidiennement et je remarque qu'ils m'écoutent attentivement. Je leur dis qu'ils sont l'avenir de notre planète, que je ne suis pas éternel, et que ce sont eux qui devront prendre la relève. Je les sermonne aussi parfois gentiment sur l'état des couloirs de leur collège ou de la cour de récréation. Toujours avec bienveillance, évidemment.

Ils reconnaissent d'ailleurs volontiers qu'ils ne sont pas exemplaires en la matière.

Il y a une question qui revient à chaque séance : « Combien ça gagne, un éboueur ? » Question importante bien sûr ! Quand je leur réponds : entre 1 500 et 1 700 euros nets (un peu moins ou un peu plus en fonction des échelons), je constate à chaque fois que ces enfants ont une notion assez précise de l'argent. Ils savent, pour la plupart, à combien s'élève le Smic. Je ne suis pas sûr d'avoir eu moi-même cette information à leur âge. Je leur explique que je m'en sors financièrement parce que je suis seul, sans famille, et que j'habite en banlieue, mais que pour les couples avec enfants, c'est beaucoup plus compliqué. Dans un collège du 17e arrondissement, une jeune fille d'une classe de quatrième m'a beaucoup touché en me disant qu'elle trouvait que je ne gagnais pas suffisamment : « S'il n'y avait pas de personne comme vous, monsieur, on marcherait sur des déchets toute la journée. » L'ensemble du groupe m'a alors applaudi. J'ai su, à cet instant, que ma démarche n'était pas inutile.

La question des études est également abordée. Quelle formation pour devenir éboueur ? Les jeunes sont toujours extrêmement surpris quand je leur raconte que j'avais trois ans de retard à l'école et que ça ne m'a pas empêché de faire le métier de mes rêves. Je leur dis qu'il vaut mieux ne pas suivre mon exemple, évidemment, et que mener à bien des études est la meilleure façon de s'en sortir dans la vie. Mais j'ajoute toujours qu'il n'y a pas de cas désespérés. On peut avoir des difficultés à l'école et réussir quand même à s'en sortir, avec de la volonté et du courage. Ah, le courage ! Voilà une valeur universelle, une clé qui ouvre pratiquement toutes les portes. Ils sont également étonnés qu'il faille passer un concours pour balayer les rues. Je leur explique qu'on ne s'improvise pas éboueur, qu'il y a des règles à respecter. Je leur dis aussi qu'il y a une vraie carrière à faire, avec des évolutions, qu'on peut gravir les échelons, devenir chef et donc gagner davantage.

À la fin de chaque séance, je propose un petit exercice pratique aux enfants. Je leur demande, en dix minutes maximum, par petits groupes, d'imaginer une affiche de sensibilisation à la propreté avec un slogan illustré. Je leur donne des feuilles et des feutres de couleur et ils peuvent laisser libre cours à leur imagination. C'est là que je vois si j'ai réussi à faire passer mon message. Et je peux vous dire que oui, ça marche ! Il est impressionnant de constater à quel point, malgré leur jeune âge, ils intègrent l'essentiel. Quand je récupère leurs dessins, je suis à chaque fois bluffé. Je pense notamment à cette affiche sur laquelle était écrit : « Respectez les éboueurs, ce sont nos sauveurs » ou encore celle-ci : « Même si vous avez mal au dos, ramassez vos mégots. » Un autre groupe avait dessiné une poubelle avec ce slogan : « Vos déchets dans la poubelle et la vie est plus belle »... Un autre : « Recycler, c'est trop stylé » et plus radical : « Faites un effort, ou on vous met dehors ! »

Pour ne pas brouiller le message, je ne parle jamais d'emblée de mes activités sur TikTok. Sinon, je sais que les élèves passeraient la fin de la séance sur leurs téléphones. Quand je leur dis, avant de les quitter, qu'ils peuvent jeter un coup d'œil et s'abonner à mon compte, je vois leurs regards qui s'illuminent. « Ah bon monsieur vous êtes sur TikTok ? Vous avez combien d'abonnés ? » Je sais que je fais toujours mon petit effet quand je leur dis combien de personnes me suivent. Je quitte d'un seul coup mon costume d'éboueur pour endosser celui d'influenceur. Un modeste influenceur, mais quand même... Le pouvoir des réseaux sociaux est décidément démesuré.

J'adore ces moments d'échanges et de partage. Je suis vraiment touché que Like ton job ait pensé à moi. J'aime beaucoup le slogan de cette association : « Les envies, ça se construit, la passion, ça se transmet. » Moi, ça tombe bien, la passion, j'en ai à revendre ! Face à ces collégiens, je me sens investi d'une mission. Je repense à ces enseignants, de moins en moins nombreux heureusement, qui disent qu'éboueur est le métier réservé à ceux qui ont échoué dans leurs études, voire dans leur vie. Ma présence auprès de ces élèves est une forme de revanche et la preuve du contraire. Je vois bien qu'ils m'écoutent, et je veux croire que, pendant quelque temps au moins, ils seront plus attentifs à leur environnement. J'imagine parfois la tête de leurs parents le soir à la maison : « Papa, maman, aujourd'hui à l'école on a rencontré un éboueur. C'est ça que je veux faire dans la vie ! » C'est tellement important de donner de la visibilité à mon métier et de changer les mentalités.

Ce que j'apprécie également, c'est d'avoir des retours sur cet exercice de pédagogie. Like ton job remet toujours un petit questionnaire aux élèves en fin de séance, pour leur demander ce qu'ils ont pensé de cette découverte du métier d'éboueur. Ça permet de constater si le message est bien passé. Quand je vois que dans une classe de quatrième par exemple, 44 % des élèves affirment, après mon passage, qu'ils aimeraient faire mon métier, ça me bouleverse. Bien sûr, ils ont le temps de changer d'avis en grandissant, mais quand même, c'est très encourageant ! Sans me vanter, je récolte plutôt de bonnes notes après ces interventions. Car oui, pour une fois ce sont les élèves qui notent les adultes ! 2,8 sur 3, vous en pensez quoi ? En plus de cette note, chaque enfant doit écrire un commentaire sur ce qu'il a retenu de ma prestation. Je vous en livre ici quelques-uns qui m'ont touché :

KRISTINA : Ce métier peut sauver
la planète et les générations à venir.

MOHAMMED : Respecter les éboueurs
et les aider en recyclant.

MANON : C'est un métier qui est indispensable
au quotidien et qui propage la bonne humeur.

PAUL : Les éboueurs sont nos sauveurs.

WILLEM : J'ai découvert une autre facette de ce
métier, et j'ai beaucoup aimé cette séance.

DANIELLA : Nettoyer, pour
que la planète soit plus nette.

POL : Il faut aider la planète
pour les générations futures.

YASSINE : J'ai retenu qu'être éboueur,
c'est permettre aux autres de vivre dans la propreté.

Les messages les plus simples sont souvent les plus percutants. Ça fait chaud au cœur et je tiens ici à remercier ces jeunes qui ont pris le temps de m'écouter et qui, je l'espère, penseront à moi la prochaine fois avant de jeter un papier par terre.

Je dis bravo aux établissements scolaires qui jouent le jeu et font appel à Like ton job pour ouvrir les horizons. Je me demande même s'il ne faudrait pas commencer encore plus jeune. L'initiation au respect de l'environnement, ne devrait-elle pas faire partie du programme scolaire ? Bien sûr que si ! Je sais que la municipalité envisage de former les animateurs de la

Ville, afin qu'ils puissent, dans les écoles, construire des projets pédagogiques auprès des enfants, autour de la problématique de la réduction des déchets, du tri, du recyclage, de la propreté. Des ateliers ludiques pourraient être proposés. Je trouve que c'est une excellente idée. Plus les enfants sont jeunes, plus ils sont réceptifs. Ils sont prescripteurs et capables d'être les meilleurs ambassadeurs auprès de leurs parents. C'est un levier formidable.

J'aime discuter avec les jeunes, mais j'aimerais aussi pouvoir parler avec leurs enseignants. Je dis souvent que les enfants ont besoin de sensibilisation, alors que les adultes ont besoin d'une mise à jour. Nous avons tous appris à jeter dans une poubelle, mais nous avons tendance à l'oublier. Une petite piqûre de rappel est toujours la bienvenue. Voici un exemple frappant. L'un de mes collègues éboueur est fumeur. Récemment, il est venu me voir et m'a dit : « Ludo, je te remercie, car grâce à tes vidéos, désormais, je ne jette plus mes mégots par terre. » Je suis tombé des nues ! Lui, qui ramasse quotidiennement les mégots des autres, jetait les siens par terre ! J'ai halluciné, mais je l'ai remercié pour sa franchise. Ce jour-là, je me suis dit que mon combat n'était pas vain. Il n'y a pas de petites victoires.

Ce combat, je ne le mène pas uniquement dans le cadre de mon métier. Je consacre également une grande partie de mes jours de congé à la dépollution, bénévolement. Mes amis me demandent souvent si je n'ai pas envie de me reposer plutôt que de prendre mon sac-poubelle et d'aller nettoyer les bas-côtés ou les ruisseaux. Je leur réponds que non. C'est plus fort que moi. Même quand je suis en vacances, je « scanne » instinctivement les lieux dans lesquels je passe pour repérer les déchets, et je ne peux pas m'empêcher de les ramasser. C'est la même chose quand je rentre du travail. Si, à l'arrêt de bus ou sur les quais du RER, je vois des objets hors de la poubelle, j'enfile mes gants (que j'ai toujours avec moi), pour les déposer là où ils devraient être… Les gens me regardent parfois bizarrement, mais je m'en fiche. J'espère même que mon comportement les interpelle et qu'ils s'en souviendront la prochaine fois que l'envie leur viendra de balancer leur canette par terre. Parfois certains me voient me filmer et m'interpellent : « Pourquoi faites-vous cela monsieur, qu'est-ce que vous filmez ? » Je leur explique, et en général, ils me félicitent. C'est vrai que je dois passer pour un doux dingue avec mon téléphone posé par terre, pendant que je fais des allers-retours jusqu'à la poubelle…

Il arrive aussi que je fasse des live dépollution, le soir en sortant de mon travail. Je sais, je suis incorrigible ! Le gars, il balaie pendant huit heures et il remet ça dans la foulée, au lieu d'aller s'avachir sur son canapé devant une série, comme tout le monde. Eh bien oui, je suis comme ça ! Dans ces cas-là, j'enlève mon costume d'éboueur. C'est en effet une démarche personnelle. J'essaye, toujours pour marquer les esprits, de choisir des lieux emblématiques de Paris : les Champs-Élysées ou la tour Eiffel par exemple. Avec mon collègue, Guillaume, nous passons une partie de la soirée à nettoyer ces secteurs très fréquentés, vitrines de Paris. Guillaume me filme pendant que je désespère face à cette fichue incivilité, qui donne une si mauvaise image de notre magnifique capitale. Prenons les Champs-Élysées. En théorie, ils devraient être impeccables, avec des trottoirs à l'image des vitrines de luxe et des grandes enseignes : rutilants. Eh bien non ! Devant le Fouquet's, Louis Vuitton, Yves Saint Laurent, Dior et consorts trônent, provocateurs, des emballages de fast-food et des papiers gras… Cela me met à chaque fois tellement en colère ! Comment l'être humain peut-il manquer autant de respect pour son environnement ?

J'ai également fait le constat que l'espace entre les voies de circulation était particulièrement souillé. Ce même terre-plein sur lequel des millions de visiteurs, chaque année, prennent fièrement la pose, avec l'Arc de Triomphe en arrière-plan. Si la photo est belle, en revanche, mieux vaut ne pas baisser les yeux. Poussière, mégots, papiers, masques, et j'en passe, s'agglutinent. Imaginez les jours où il y a du vent ! Tous ces déchets volent partout, c'est insupportable.

Pour le coup, la photo est vraiment foutue. Il y a ainsi ce que j'appelle des « angles morts », des endroits qui échappent au nettoyage. Nous, éboueurs, sommes en effet chargés de l'entretien des trottoirs et des caniveaux, mais il n'est pas dans nos affectations de traverser la rue pour balayer ces espaces. De la même façon, nous ne pouvons pas nettoyer les pistes cyclables. Ce sont de petites machines qui s'en chargent. Pour des raisons évidentes de sécurité, il y a des règles très strictes que nous devons respecter. Impossible de slalomer au milieu de la chaussée, entre les vélos ou les voitures. Mais rien ne m'empêche, sur mon temps personnel, de traverser les Champs-Élysées avec ma pince. En quelques heures, avec Guillaume, ce soir-là, sur la plus belle avenue du monde, nous avons ramassé six sacs de déchets !

Un peu plus bas, en descendant vers la place de la Concorde, j'ai été choqué de découvrir, le long des allées, plusieurs cartouches de protoxyde d'azote, bien connues des amateurs de pâtisserie, puisqu'elles servent à recharger les siphons pour fabriquer de la chantilly. Ce gaz est détourné pour en faire une drogue bon marché : le fameux gaz hilarant. C'est un vrai problème de santé publique, mais c'est aussi très préoccupant pour la pollution. Ces aérosols ne sont pas recyclés. Ils finissent à la poubelle, ou pire, sur le sol…

Du côté de la tour Eiffel, ce n'était pas franchement mieux. Beaucoup de masques, là encore, mais également des mouchoirs et des canettes. J'ai également été consterné par le nombre de rats, aux abords du Champ-de-Mars. J'imagine la réaction des touristes... Quant au pont d'Iéna, qui se trouve en face de la dame de fer, il était carrément recouvert d'un tapis de déchets. Certes, le lieu était bondé, mais cela n'explique pas une telle incivilité. Quelle honte ! Et je ne parle pas du Trocadéro. Les abords du musée de l'Homme étaient tapissés de bouteilles et de canettes. Mais j'ai aussi été heureusement surpris de voir que de nombreux visiteurs, français ou étrangers, nous voyant en train de nettoyer, s'approchaient pour nous féliciter. Certains voulaient même nous aider. Comme quoi, y a de l'espoir, et l'espoir fait vivre...

Je ne crois pas vous avoir encore parlé d'une de mes bêtes noires : les chewing-gums ! Un cauchemar absolu... Après les mégots, il s'agit du deuxième déchet qui souille le plus la planète. J'ai lu une enquête qui disait que le marché international du chewing-gum devrait peser près de 40 milliards de dollars à l'horizon 2027. C'est colossal. On estime que 374 milliards de chewing-gums sont consommés à travers le monde, et tenez-vous bien, que 7 sur 10 ne terminent pas à la poubelle. Au passage, je rappelle qu'un chewing-gum met cinq à six ans pour se dégrader. Ce qui me rend dingue, c'est qu'une fois qu'ils sont installés, il est impossible de les déloger. Il n'y a rien à faire. Ils sont partout, squattent toutes les surfaces, les trottoirs, les parvis, les jardins, les quais de métro, recouvrant le sol, inexorablement, de petites taches grises ou blanches, en fonction de leur ancienneté. Et je ne parle même pas de ceux qui restent collés sous les semelles de nos chaussures et qui sont susceptibles de nous gâcher la journée. Il faut savoir que pour déloger un chewing-gum, il faut utiliser un jet d'eau chaude à très haute pression, et gratter énergiquement. Cela coûte une fortune et gaspille beaucoup d'énergie et d'eau, mais aussi du temps : il faut en moyenne une demi-heure pour nettoyer 50 cm^2 ! Vous imaginez ! Je me souviens que des expérimentations ont été menées il y a plusieurs années sur les Champs-Élysées, avant d'être abandonnées. Quant au pouvoir des amendes, là encore, je suis sceptique. Les policiers passeraient leur temps à verbaliser, au détriment de leurs autres missions.

Moi-même, comme 65 % des Français, je suis un grand amateur de chewing-gum, mais jamais, au grand jamais, ne me viendrait l'idée de les jeter par terre. Outre ceux qui sont balancés sans aucun respect à même le sol, il y a ceux que l'on « tente » de jeter à la poubelle, dans un sursaut de civisme. Sauf que n'est pas Tony Parker qui veut ! Les paniers, ça ne marche manifestement pas à tous les coups... Résultat : les abords des RDP (les réceptacles de propreté, dans notre jargon, autrement dit les poubelles), sont constellés de paniers ratés. Si le lancer est récent et que l'objet est encore dur, je tente de le récupérer avec ma pince, sinon, c'est foutu. Il y a aussi les petits malins qui collent leur « offrande » sur la poubelle, comme quand ils étaient à l'école et qu'ils la collaient sous la table... Mais il faut grandir, les amis ! Ce n'est tout simplement pas possible ! À quel moment vous vient ce genre d'idée ? Là encore, essayez de penser à nous désormais. Et à la planète également ! Savez-vous que les chewing-gums sont recyclables ? On peut, paraît-il, en faire des semelles de chaussures. Je trouve l'idée formidable. Pourquoi, alors, ne pas installer des poubelles rien que pour les chewing-gums ? Il y a tellement d'idées simples qui pourraient participer à un monde meilleur... Encore faut-il s'en donner les moyens, et encore faut-il que les citoyens jouent le jeu.

On m'a déjà dit – et ça m'a blessé – qu'avec mes vidéos, j'apportais la preuve que les éboueurs ne font pas leur boulot. Quelle honte ! Ce que je démontre, à l'inverse, c'est que les éboueurs – qui font leur boulot – ne sont pas respectés et épaulés ! Dieu merci, je ne suis pas seul à mener ce combat. Même si je me bats contre des moulins à vent, tel Don Quichotte, j'ai une armée de Sancho Panza à mes côtés. Je suis heureux d'avoir réussi à sensibiliser un petit groupe de TikTokeurs qui me suit, des hommes et des femmes particulièrement engagés dans le respect de l'environnement. Il n'est pas rare qu'ils me demandent de les accompagner dans un secteur particulièrement pollué qu'ils ont repéré. Dans la mesure du possible, je réponds favorablement. Non seulement ça me permet de faire connaissance avec mes abonnés, mais je trouve que c'est merveilleux de se retrouver pour faire une chose utile ensemble. J'ai notamment sympathisé avec Dylan, dont je vous ai déjà parlé, qui m'accompagne parfois dans mes séances de dépollution. Il est influenceur lui aussi. C'est lui qui est venu spontanément vers moi un jour où je nettoyais les rues dans le quartier de Châtelet. Il m'a reconnu, interpellé, nous avons discuté et nous sommes devenus amis. Il me suit depuis que j'ai 20 000 abonnés. De temps en temps, avec son frère, Enzo, et des copains, nous nous retrouvons pour des opérations de nettoyage. Julien et Angy nous accompagnent aussi parfois. Je suis touché de voir que je ne suis pas le seul à avoir cette conscience écologique, et surtout à agir. Car parler, c'est facile, mais passer son week-end à ramasser des ordures, c'est autre chose. Il y a même un TikTokeur qui vient de Bourges pour nous aider à dépolluer. Il m'arrive aussi d'être invité en week-end chez des internautes qui réunissent leurs amis avec lesquels nous partons à la chasse aux déchets. Et je vous assure qu'on passe d'excellents moments de convivialité avec le sentiment d'être utiles.

Je ne m'habitue pas à tout ce que l'on peut trouver dans la nature. Une fois, nous sommes tombés sur une cuisine au milieu d'un bois. Oui, vous avez bien lu : une cuisine ! Sans doute ses propriétaires ont-ils fait des travaux et décidé de s'en débarrasser. Mais plutôt que de la porter dans une décharge, ils l'ont déposée là, au beau milieu de la nature. C'est insensé ! Je n'arrive pas à comprendre ce qui a pu se passer dans leur tête ce jour-là. Il faut qu'on m'explique comment l'être humain est programmé, parfois. J'ai constaté, lors de ces opérations de dépollution, que les abords des supermarchés sont souvent des dépotoirs. À croire que les clients vont acheter leurs bouteilles et leurs sandwichs, les mangent à toute vitesse, à peine sortis du magasin, et balancent ensuite les déchets dans le fossé le plus proche.

Le pire, ce sont peut-être les rivières. Nos concitoyens n'ont aucun état d'âme à les prendre pour des dépotoirs. Quelle tristesse ! Personne ne pense donc aux crapauds, aux insectes, aux oiseaux, aux poissons ? J'ai parfois envie de pleurer quand j'arrive dans certains endroits. Je me suis carrément acheté des cuissardes pour pouvoir atteindre des secteurs un peu trop profonds. Un jour, j'aimerais bien aussi essayer de pêcher à l'aimant. C'est très efficace pour dépolluer le fond des cours d'eau. Il suffit d'un aimant très lourd et d'une corde. À Paris, certains remontent des vélos, des frigos, ou même des armes blanches qui n'ont rien à faire sous l'eau. Le côté immergé de la pollution est invisible mais tout aussi terrible. Quand j'aurai un peu d'économies, je m'en achèterai un. On appelle ça un bouledogue. Pour l'instant, je me contente de ramasser à la main, et c'est déjà pas mal.

Pour en revenir à Paris, je sais que la municipalité œuvre beaucoup pour la propreté, contrairement à ce que disent ses détracteurs. Et attention, je ne fais pas de politique. Je laisse ça aux autres. Je ne fais que constater, et je suis pour cela au plus près du terrain. 3 000 tonnes de déchets sont collectées quotidiennement, 12 000 chaque semaine. C'est colossal ! La Ville investit chaque année, je le disais 600 millions d'euros. Mais je reconnais, évidemment, qu'il y a encore des choses qui peuvent être améliorées. Des idées, j'en ai plein ! Comme celle de mettre des couvercles sur les poubelles. Cela éviterait aux corneilles de déchiqueter les sacs et les déchets, dans l'espoir de trouver de la nourriture.

Dans 18 % des immeubles parisiens, c'est-à-dire près d'un sur cinq, il n'y a pas suffisamment de place pour installer une poubelle jaune. Pas de local, pas d'espace dédié. Les habitants doivent donc descendre leurs déchets et les déposer un peu plus loin, dans des containers spécifiques disposés sur le trottoir, appelés des Trilib'. Accessibles vingt-quatre heures sur vingt-quatre, ils permettent de collecter les différents emballages, qu'ils soient en carton, en plastique, en métal, en papier ou en verre. Chaque bac est équipé d'un capteur de remplissage, afin d'optimiser la fréquence de collecte. Il est important que ces stations soient installées au bon endroit. Sur le chemin de l'école par exemple, pour ceux qui vont conduire leurs enfants, ou sur le trajet qui mène au métro, afin que cela devienne un réflexe : je sors, je prends mes poubelles. Ces stations de tri se multiplient un peu partout. Il y en a plus de 250 dans la capitale et des centaines d'autres en projet.

Les Parisiens, dans l'ensemble, ne sont pas de très bons élèves au niveau du tri. Ce n'est pas moi qui le dis. Des études ont été réalisées sur le sujet. Quand on compare au niveau national, Paris est en dessous de la moyenne, mais il faut dire aussi que la capitale est particulièrement dense. Avec 2,2 millions d'habitants, la collecte des déchets alimentaires, notamment, est un défi. À partir du 1er janvier 2024, toutes les villes de France devront la proposer. Ces déchets constituent 25 % du contenu de nos poubelles. Aujourd'hui, ils sont déposés dans les bacs verts et envoyés à l'incinération, ce qui est une aberration, alors qu'ils pourraient être utilisés pour faire du fertilisant pour les sols ou du biogaz pour faire rouler les bus, par exemple. Composter ses biodéchets permet de recycler ses rebuts de cuisine et de jardin, et de diminuer les déchets de 80 kilos par an et par habitant !

Petite précision pour ceux qui l'ignorent : le compostage reproduit, en accéléré, le processus naturel de fabrication de l'humus de nos forêts. Il existe des bacs à compost dans plus de 500 immeubles parisiens, mais pour cela, il faut que les habitants en fassent la demande expresse auprès de la mairie. Cette dernière finance alors le matériel et la formation. Elle distribue aussi gratuitement des lombri-composteurs à ceux qui veulent en installer directement dans leurs cuisines ou sur leurs balcons. 4 000 foyers parisiens en sont équipés. C'est évidemment insuffisant. Il existe également sur tous les marchés (qui, on le sait, ont une place importante dans la vie des Parisiens), des poubelles spécifiques dans lesquelles on peut apporter ses déchets alimentaires. Pourtant, il est fort possible que vous découvriez cette information en me lisant.

Tiens, on va faire un nouveau quizz ensemble. Savez-vous quels sont les déchets susceptibles d'être compostés ? Les épluchures de fruits et légumes, bien entendu, mais aussi le marc de café, les sachets de thé, les coquilles d'œuf, ou encore l'essuie-tout alimentaire, et bien sûr les feuilles mortes et les résidus végétaux. Franchement, ce n'est pas très compliqué. Il suffit, là encore, d'avoir envie de prendre soin de la planète, car, comme je le répète en permanence, nous n'en avons qu'une. Nous n'aurons pas de seconde chance.

Malheureusement, dans la gestion des déchets, c'est souvent du côté de l'humain qu'il faut aller chercher les failles. Dans la communication également. Certains mettent leurs ordures n'importe où, tout simplement parce qu'ils ne savent pas quoi en faire. Ça veut donc dire que les messages ne passent pas. Pour tenter d'y remédier, la Ville de Paris expérimente depuis quelque temps la présence de responsables de quartiers. Il s'agit d'éboueurs ou de responsables de la direction territoriale, spécialement formés, qui sont là pour faire le tour d'un secteur, constater les éventuels dysfonctionnements et tenter de proposer des solutions. Je vais vous donner un exemple simple mais parlant : en bas de chez vous se trouve peut-être ce qu'on appelle une colonne à verre, pour vos pots, bouteilles et bocaux (en verre, comme son nom l'indique). Il y en a plus d'un millier dans la capitale. Chaque matin, en conduisant votre enfant à l'école, vous constatez peut-être que des dizaines, voire des centaines de bouteilles sont posées à même le sol, tout autour de ce container. L'effet est évidemment regrettable. Pourtant ce container est vidé quotidiennement.

Pourquoi donc ces bouteilles sont-elles donc sur le trottoir et pas dans la colonne qui, manifestement, est loin d'être pleine ? Eh bien parce que des restaurants ou des cafés du quartier les déposent là, tard le soir, pour ne pas vous réveiller. C'est vrai que le fracas d'une bouteille qui se brise à 3 heures du matin est insupportable ! Cela part donc d'un bon sentiment. Sauf que le matin, vous ne vous dites pas : « Ah dis donc, ils sont sympas les restaurateurs, ils ne nous ont pas réveillés. » Vous vous dites plutôt : « La mairie n'a pas fait son boulot ! » Or, il suffirait qu'un agent aille discuter avec ces propriétaires de restos ou de bars et leur demande s'ils ont besoin d'une poubelle supplémentaire pour stocker ce verre en soirée. Il y a toujours une solution, même quand les intéressés n'ont pas la place dans leurs locaux. Et c'est la même chose pour les commerçants qui, parfois, déposent un peu n'importe où leurs cartons, faute d'informations. Parlons-nous, et écoutons-nous, surtout ! Fichue communication. On n'a jamais été aussi connectés, et aussi incapables de se parler…

Il est indéniable que les modes de consommation des Parisiens ont évolué à la faveur des différents confinements. On a assisté à une baisse globale du volume des déchets, surtout lors du premier, les bars, les restaurants et la plupart des commerces et des bureaux étant fermés. Dans le 8e arrondissement en particulier, du côté des Champs-Élysées, cette baisse a été spectaculaire. Néanmoins, le volume de nos poubelles jaunes augmente jour après jour, pour une bonne raison : on trie de plus en plus, et pour une mauvaise : les Parisiens se font de plus en plus livrer à domicile, avec notamment le boom de la restauration à emporter. À nous, éboueurs, d'adapter la collecte.

Évidemment, sur les 2,2 millions d'habitants à Paris, tous ne vivent pas de la même façon, ni au même rythme. Pour autant, tous doivent pouvoir bénéficier de facilités pour la gestion de leurs déchets. Il est donc nécessaire de mieux cibler les besoins. Il y a des quartiers résidentiels, des quartiers de bureaux, des lieux touristiques, des endroits où l'on se retrouve pour faire la fête le soir. Chaque spécificité est étudiée afin de coller au plus près à la réalité. Tout ça pour dire qu'il est impossible d'avoir un plan d'action unique. C'est bien plus compliqué que cela. On ne bâtit pas une politique de ramassage des déchets de façon uniforme, il faut tenir compte des particularités. On doit par exemple insister le week-end sur les lieux où les fêtards aiment se réunir, parfois jusqu'au bout de la nuit. On sait que le samedi et le dimanche matin, il va y avoir davantage de boulot, et qu'il faut donc davantage de bras.

On a toujours tendance à pointer du doigt ce qui ne va pas, mais rarement ce qui va. C'est classique. On fait davantage le buzz avec les bonnes qu'avec les mauvaises nouvelles, et on parle rarement des trains qui arrivent à l'heure. Je lis et j'entends toutes les critiques, relayées notamment par le hashtag « Saccage Paris ». Je ne commenterai pas ici. Encore une fois, je ne suis pas là pour faire de la pub à qui que ce soit, mais je voudrais quand même signaler aux Parisiens qui ne la connaissent pas cette application plutôt efficace qui s'appelle « Dans ma rue », et qui facilite grandement notre travail. Lancée il y a quelques années, elle permet aux riverains de signaler eux-mêmes les dysfonctionnements qu'ils constatent : une poubelle renversée en bas de chez eux, une tache d'huile sur leur piste cyclable. Cela permet, dans les plus brefs délais, de géolocaliser la poubelle en question et de faire intervenir rapidement les services concernés. Même chose si un riverain constate une anomalie sur un équipement municipal : nid-de-poule dans la chaussée, jeu d'enfants abîmé, signalisation routière défectueuse. Il y a même un onglet « Graffitis » qui permet de signaler les éventuelles inscriptions haineuses, afin qu'elles soient effacées au plus vite. Si vous êtes Parisien, franchement, n'hésitez pas à la télécharger, c'est gratuit, et ça nous permet à nous, éboueurs, d'être plus efficaces. Plutôt que râler, soyons proactifs !

On m'interroge parfois sur l'avenir de mon métier. Je ne suis pas Mme Irma ni Mme Soleil, mais je sais que les nouvelles technologies vont forcément modifier quelque peu notre fonctionnement. Néanmoins le robot ne remplacera jamais l'humain, ça, j'en suis persuadé. En revanche, il pourra nous simplifier la tâche. C'est déjà le cas actuellement avec le Glutton, dont je vous ai déjà parlé, qui permet d'aspirer les déchets sur le trottoir. C'est vrai qu'on en ramasse beaucoup plus qu'avec une pince. Personnellement je n'en suis pas un grand fan. Je préfère mon bon vieux balai et ma pince entre lesquels j'alterne afin de ménager mes bras. Le Glutton, lui, vous oblige à faire le même mouvement de façon répétitive et entraîne à terme des douleurs. Le mieux est parfois l'ennemi du bien, mais… c'est juste mon avis.

L'intelligence artificielle devrait, à terme, aider par exemple les ripeurs à adapter leurs itinéraires, afin de « coller » aux situations en temps réel. Par exemple, si l'on sait que dans un arrondissement en particulier, il y a fréquemment des déménagements, donc beaucoup de turn-over, on peut imaginer aussi qu'il y a aussi davantage de dépôts sauvages qu'ailleurs. C'est malheureusement un grand classique : on déménage, on laisse son vieux canapé sur le trottoir… On sait aussi, du coup, que dans cet arrondissement, des bennes de ramassage d'ordures risquent plus fréquemment de rester coincées derrière des camions de déménagement, ce qui implique des itinéraires perturbés et donc des retards. À terme, on pourrait imaginer une sorte de Waze des éboueurs, qui prendrait en compte tous ces facteurs et proposerait le bon trajet pour éviter ces perturbations.

Je suis persuadé d'une chose : pour améliorer l'état des rues de notre belle capitale, la priorité numéro 1, ce n'est pas d'inventer de nouveaux engins, c'est d'embaucher. Nous avons besoin de bras, de beaucoup de bras. Si j'étais maire adjoint en charge de la propreté, je ferais en sorte que Paris soit sillonné jour et nuit par des agents de la propreté. Vingt-quatre heures sur vingt-quatre, sept jours sur sept, en particulier les quartiers réputés pour leur vie nocturne. Bien entendu, on va me rétorquer qu'il y a une question de sécurité. C'est vrai, mais il suffirait de constituer des équipes de deux ou trois personnes par secteur, toujours avec un téléphone pour pouvoir joindre leur responsable ou les forces de l'ordre à tout moment. Et proposer, cela va sans dire, les rémunérations qui vont avec. Aujourd'hui, à partir d'une certaine heure, il n'y a plus d'équipes, alors que les déchets, eux, s'accumulent. Il faudrait aussi multiplier les passages pour vider les poubelles. Sans doute faudrait-il instaurer un service de nuit dans certains quartiers particulièrement festifs. Je suis de la vieille école. Je pense qu'un bon vieux balai sera toujours plus efficace que la plus performante des machines. Certes, pour la communication ça fait toujours bien de dire qu'on a investi dans du matériel révolutionnaire, mais à titre personnel, je ne suis jamais aussi performant qu'avec mon balai et ma pelle. Eux seuls me permettent d'aller dans les coins. Si j'avais une baguette magique, j'augmenterais de façon colossale le budget actuel. Je mettrais aussi le paquet sur l'éducation. C'est capital, je l'ai déjà évoqué plus haut.

Ce que je sais, c'est qu'il y a une échéance qui approche et qui va conduire Paris et la région parisienne à se retrouver sous les projecteurs du monde entier : les prochains JO d'été, en 2024. Il ne va pas falloir se rater sur ce coup-là. C'est notre image qui en dépend. Moi qui aime tellement ma ville, je voudrais qu'elle soit rutilante, resplendissante ! Une cérémonie d'ouverture en plein cœur de la capitale, c'est un défi de sécurité publique inédit, mais aussi un défi de propreté. Ce sera la première fois de l'histoire des JO que cette cérémonie ne se déroulera pas dans un stade, mais le long des berges de la Seine. 600 000 spectateurs attendus. Une marée humaine, en plein été, qui boit, qui mange et qui s'amuse.

La Seine, parlons-en… Chaque année, les services dédiés ramassent au moins 360 tonnes de déchets dans le fleuve. La plaie, ces derniers temps, ce sont les vélos et les trottinettes, mais on y trouve aussi des caddies de supermarchés et même des coffres-forts dont les malfaiteurs se débarrassent. La ville s'est lancée dans une grande opération de nettoyage. Sera-t-on prêts pour organiser des épreuves de nage libre ou de triathlon dans une Seine limpide ? Je l'espère, mais, permettez-moi d'en douter. Et si c'est le cas, j'espère que nos champions ne boiront pas la tasse ! L'idée de se baigner dans la Seine ne date pas d'hier. Je me souviens que Jacques Chirac déjà avait fait la promesse, en 1990, de rendre le fleuve propre. Il avait même dit qu'il serait le premier à piquer une tête, devant témoins. Il ne l'a jamais fait, on comprend pourquoi. Il faut savoir qu'il est interdit de s'y baigner depuis 1923, depuis un siècle !

Perso, je passe mon tour… Aujourd'hui, demain, et même après-demain ! Pas question d'y mettre ne serait-ce qu'un orteil ! Je dois en effet vous faire une confidence : je ne suis pas un grand amateur de baignade. Pourtant, dans ma jeunesse, j'ai fait de la natation. J'ai même eu un diplôme en colonie de vacances : j'avais, ce jour-là, parcouru 2,5 kilomètres en pleine mer. Avec le recul, je trouve que c'est un exploit. Depuis, je ne supporte pas l'idée de ne pas voir ce qu'il y a sous mes pieds. J'imagine les pires choses visqueuses, agressives, tranchantes. Je visualise tout un tas d'ennemis invisibles, qui gigotent sous mes pieds, prêts à m'engloutir ! Je sais, c'est ridicule, mais vous ne me ferez jamais entrer dans une eau dont je ne distingue pas le fond. Et, même si elle est claire, il me faut minimum 31 degrés. Autant dire que la Seine… très peu pour moi. Cela dit, je vais peut-être vous surprendre, mais quand il s'agit de dépolluer, je n'ai aucune difficulté à enfiler des cuissardes en caoutchouc et à plonger dans les rivières ou les lacs. Dans ces moments-là, je me sens investi d'une mission et je n'ai pas peur d'aller dans l'eau. Sus aux poissons-chats ! Même pas peur ! Allez comprendre pourquoi…

En tout cas, malgré ce défi colossal de rendre la Seine propre, je trouve génial que l'on accueille les JO. Paris n'a pas accueilli les Jeux depuis 1924 ! Je suis fier de voir le drapeau olympique flotter sur le parvis de l'Hôtel de Ville. Et je peux vous dire que mes compagnons et moi, en véritables athlètes du balai, allons tout faire pour que vous soyez fiers, vous aussi, de présenter votre ville au monde entier.

À vous de jouer !

D'abord, je voudrais vous adresser un immense merci. Merci de m'avoir lu. Je vous en suis extrêmement reconnaissant. Ça me fait tout drôle, vous savez, de me dire que moi, le petit éboueur, l'homme invisible, je me suis invité, l'espace de quelques heures, dans votre salon, dans votre chambre, sur votre transat à la plage ou au bord de la piscine. Je me sens presque comme un héros de Marvel sur ce coup-là ! Je vous ai souvent imaginé en train de tourner ces pages. Est-ce que je ne vous ai pas trop soûlé avec mes mégots et mes poubelles ? Pas trop donneur de leçons, j'espère ? Un peu trop passionné peut-être ? Mais peut-on vraiment se battre pour un monde meilleur sans passion ?

On n'écrit pas une biographie comme on écrit un manuel d'éducation à la propreté. Je savais dès le départ que j'allais devoir me livrer. Mais à ce point, je ne m'y attendais pas… Vous savez combien j'ai pu souffrir du regard des autres quand j'étais gamin, et même plus tard. Me mettre à nu n'était donc pas une entreprise aisée. Plonger dans l'intime et dans les abîmes a rouvert des blessures, mais a aussi permis d'en refermer d'autres. Je voudrais ici remercier Isabelle Millet, qui m'a accompagné avec empathie dans la rédaction de cet ouvrage. Elle a su m'écouter sans me juger et me guider dans le récit de ma vie. Son aide a été précieuse.

J'ai longuement hésité à évoquer mon homosexualité. Pas du tout par honte, loin de là, plutôt par peur de brouiller le message. Et puis, en remontant le fil de ma vie, je me suis dit qu'il était impossible de m'inventer un autre personnage, qu'il ne s'agissait pas d'un roman, et que je devais être moi, du début à la fin, sans rougir. Puisque ma mère a été capable de m'accepter, vous devriez l'être aussi. Sinon… tant pis pour vous. Dans mon équipe, à la Ville de Paris, je n'ai jamais senti le moindre jugement, je n'ai jamais souffert de moqueries. Nous sommes tous très solidaires. J'ai mis du temps et beaucoup hésité à leur dire que j'étais homosexuel. Je pense qu'au fond d'eux, ils étaient déjà au courant, mais je redoutais, encore une fois, d'être mis à l'écart et rejeté. Je ne voulais pas être « l'éboueur pédé ». Je me suis d'abord confié à un collègue que j'apprécie particulièrement. Cela a fini par se savoir et j'ai été soulagé de constater que, finalement, c'était un non-événement. Vous n'imaginez pas le poids dont se sont libérées mes épaules. Les choses se sont faites naturellement. Jeunes et moins jeunes, tous m'ont accepté sans aucun problème. Merci à eux d'en avoir fait un non-sujet. Le fait de le verbaliser m'a donné de l'assurance. Oui, je peux désormais être moi et l'assumer. Je ne brandis pas mon homosexualité comme étendard. Je suis comme ça, un point c'est tout. Je ne suis pas Ludovic l'éboueur homo, je suis Ludovic, l'éboueur qui veut vous sensibiliser sur le respect de notre environnement. Pour le reste, circulez, y'a rien à voir.

Je pense que vous l'avez remarqué, je suis quelqu'un de très sensible. D'assez susceptible aussi. J'en ai conscience et je travaille beaucoup sur moi pour l'être de moins en moins. Quand j'étais plus jeune, je prenais trop les choses au premier degré. Quand quelqu'un me faisait une remarque pour me taquiner, j'étais capable de le vivre très mal. Heureusement, plus on mûrit, plus on a conscience de ses défauts, et plus on parvient à les corriger. J'arrive aujourd'hui à faire la part des choses.

Je sais que beaucoup de gens consultent des psys, pour tenter de trouver des réponses à leur mal-être ou pour essayer de soigner des fêlures ou des blessures. Tant mieux si ça leur fait du bien. J'en ai vu un une fois, quand j'étais enfant et que je me trouvais dans ma famille d'accueil. L'expérience a tourné court.

Je n'avais rien demandé. Je me suis retrouvé face à une dame à qui je n'avais strictement rien à dire. Je ne comprenais pas ce que je faisais là. J'étais mutique et elle aussi, ce qui n'aidait pas, vous en conviendrez. Au bout d'une demi-heure de silence total, elle m'a demandé 5 francs. « Pourquoi devrais-je vous payer alors que nous ne nous sommes rien dit ? ai-je rétorqué. Je préfère garder mes 5 francs pour m'acheter des bonbons. » Avec le recul, cette scène était surréaliste. Je pense que je suis tombé sur un spécimen.

Attention, je ne critique absolument pas les psychologues et les psychiatres. J'ai pu constater leur utilité lors de mes années à l'hôpital et au foyer pour personnes handicapées. Ils ont un rôle majeur et sont d'un grand soutien pour beaucoup de gens. Mais je pense, sans aucune prétention, être aujourd'hui mon propre psy. La vie est un formidable terrain de réflexion. Encore une fois, je n'ai pas fait de hautes études, je n'ai pas lu beaucoup de livres, mais j'ai un sens de l'observation et de l'analyse qui me permet de donner des coups de barre à gauche, et puis à droite, pour tenter de maintenir mon cap. Oui, j'ai souvent tangué dangereusement. Comme je l'ai dit, j'aurais pu sombrer, mais j'ai toujours trouvé les ressources pour m'en sortir.

Il faut dire aussi que je suis un amoureux fou de la vie. Malgré toutes les épreuves qu'elle a dressées sur mon chemin, je l'aime inconditionnellement. J'aimerais pouvoir vivre suffisamment d'années pour que l'on puisse trouver la clé de l'existence éternelle. Je crains malheureusement que ce soit utopique et cela me rend triste. Il me reste tellement de choses à faire sur cette planète, tellement d'endroits à visiter, tellement de messages à passer. Et puisqu'on en est aux confidences, en tant qu'amoureux de la vie, je suis quelqu'un qui a très peur de la mort. Pourtant, quand j'étais jeune, je ne comprenais pas vraiment l'utilité de l'existence. À quoi bon ? Je manquais terriblement de confiance en moi, je ne voyais pas plus loin que le bout de mes chaussures. Et surtout, je me dégoûtais. Je sais, ce sont des mots très forts, mais c'est vrai. Encore maintenant, j'ai un gros manque de confiance en moi. Je ne me trouve pas beau, mais j'essaye de faire avec.

Vous allez me dire que c'est paradoxal, un homme qui se trouve moche et qui affiche sa bobine sur les réseaux sociaux et à la télé. Vous avez raison, complètement raison. Cela fait peut-être partie, qui sait, d'une certaine forme de thérapie ? Les internautes qui me suivent me reboostent chaque jour. Je leur dois tellement ! Je pense qu'ils n'imaginent même pas combien ils me portent et me poussent à donner le meilleur de moi-même. Avant, je n'étais rien. Aujourd'hui, je commence à devenir quelqu'un.

J'espère que, grâce à ce livre, mon message me survivra. C'est rassurant de se dire qu'on laisse une trace, que tout n'est pas vain, pas éphémère. Depuis que je me suis engagé dans ce combat en faveur de notre planète, je me sens utile et je ne veux pas que ça s'arrête ! Je veux me battre, encore et encore, jusqu'au bout de mes forces. Avec vous, si vous acceptez de m'accompagner. Pendant les longs mois de rédaction de ce livre, je me disais souvent : « Franchement Ludo, qui va acheter ce bouquin ? » C'était donc vous ! Enchanté, cher inconnu ! Alors, ce combat, êtes-vous prêt à le mener avec moi ?

Retrouvez-moi sur
TikTok, Instagram, Twitter.
ludovicf_off

Homosexuality and Religion

Homosexuality and Religion

AN ENCYCLOPEDIA

Edited by

JEFFREY S. SIKER

GREENWOOD PRESS
Westport, Connecticut • London

Library of Congress Cataloging-in-Publication Data

Homosexuality and religion : an encyclopedia / edited by Jeffrey S. Siker.
p. cm.
Includes bibliographical references and index.
ISBN 0–313–33088–3 (alk. paper)
1. Homosexuality—Religious aspects—Encyclopedias. I. Siker, Jeffrey S.
BL65.H64H63 2007
200.86′64–dc22 2006026203

British Library Cataloguing in Publication Data is available.

Library of Congress Catalog Card Number: 2006026203
ISBN: 0–313–33088–3

First published in 2007

Greenwood Press, 88 Post Road West, Westport, CT 06881
An imprint of Greenwood Publishing Group, Inc.
www.greenwood.com

Printed in the United States of America

The paper used in this book complies with the Permanent Paper Standard issued by the National Information Standards Organization (Z39.48–1984).

10 9 8 7 6 5 4 3 2 1

Contents

SECTION 3
BIBLIOGRAPHY

Preface

Jeffrey S. Siker

If the three traditional taboos for polite conversation include sex, politics, and religion, then the topic of homosexuality and religion is guaranteed to provoke strong reactions, polarizing rhetoric, and a series of conflicting claims that draw variously upon peoples' experience, sacred texts, established traditions, and human reason. The public and private debates over homosexuality have grown so heated in recent years that some religious groups have declared a moratorium on even discussing the topic, in order to let things cool down a bit. Others have thrown up their hands in utter frustration at the seeming impossibility of moving the discussion anywhere beyond a rigid impasse. This has led some Christian denominations to have serious discussions about simply dividing over the question of whether or not to include individuals committed to same-sex relationships (e.g., the **Presbyterian Church USA**, the **United Methodist Church**, and the **Episcopal Church USA**). While some have argued that the fight over inclusion of gay, lesbian, bisexual, and transgender people is just like prior fights over the status of African Americans and women in religion and society, others argue that the comparison is fundamentally different, and that the issue is different. Further, some religious traditions have long expressed a certain openness toward same-sex relations (e.g., **Native American** Spirituality, **Hinduism**), while other religious traditions have apparently always viewed same-sex relations as utterly sinful and against the will of God, especially in the Christian world (e.g., **Southern Baptist**s, official statements of the **Roman Catholic Church**).

On the political scene the situation is much the same, particularly in the United States. On the one hand the populace elects a very conservative President who makes no apologies about his intention to pass a constitutional amendment banning same-sex marriages in order to protect the sanctity of heterosexual marriages. But on the other hand this same populace thrives on popular culture that often treats gay and lesbian people as the latest "cool" thing to come along. Such television shows as *Queer Eye for the Straight Guy*, *The Ellen DeGeneres Show*, or *Queer as Folk* glamorize gay and lesbian individuals as acceptably different and more entertaining than traditional heterosexual relational models.

Thus, Western culture in particular is deeply divided over how to understand and to assess the status of people whose sexual orientation or gender identity is other than the heterosexual traditional norm. The role of religion in this divide is impossible to exaggerate. By and large most religious organizations oppose same-sex relations because they violate traditional understandings of scripture and centuries of teaching. Still, within virtually every religious tradition there is a vocal group (sometimes the majority) calling the rest of the tradition to wake up and see that these "otherly oriented/gendered" persons are also people of faith who have experienced significant suffering and persecution at the very hands of the people who claim to be reaching out in the name of a loving God. This internal divide within religious traditions is perhaps what has most shaken the social fabric of different faith communities at the beginning of the twenty-first century.

For all of these reasons it is imperative that people become more educated about the issues surrounding the presence of homosexual persons, queers, gays, lesbians, bisexuals, transgenders (and more) within and without the many religious communities that comprise our world. Only by having greater understanding will people be able to engage one another in constructive dialogue and respectful interaction. Perhaps the time for polite conversation is over, but the time for engaged understanding could not be more urgent. My hope is that this volume will contribute to a deepening of that understanding.

This volume is organized in three blocks of material. The first part contains several larger synthetic essays on homosexuality and religion. The topics addressed here include homosexuality, religion, . . . and the law, the social sciences, the biological sciences, and spirituality. These general treatments should help to orient the reader to some of the larger issues that transcend particular religious traditions. The second part contains an A–Z series of entries in encyclopedia format. This section is far from exhaustive, but the goal has been to have articles on representative aspects of religion and homosexuality from a variety of traditions. The large majority of the articles address one or another aspect of responses to homosexuality within the Christian tradition. This is because the situation in the United States provides the most immediate context for this volume. Each entry in this section concludes with a few bibliographic references for further reading. The third part of the volume contains a complete listing of all "Further Readings" that appear in the book. Included here are various Web sites that can be quite helpful to the reader—typically for quick reference. Please note that boldfaced terms indicate cross-references to articles in the A–Z portion of the encyclopedia.

Acknowledgments

Let me conclude with a few words of thanks. My deep thanks and appreciation to Matthew Gaudet, my able editorial assistant without whose help this work would not have been completed. My thanks also to the very patient editor at Greenwood Press, Kevin Downing. I would also like to acknowledge the many individuals in the gay, lesbian, bisexual, transgender (GLBTQ) community who have been so gracious with their comments that have improved this volume significantly. It is more than humbling, I confess, to be a white, male, heterosexual, Protestant who has sought to enable constructive dialog and conversation between other straight people like myself and the many different people within the gay, lesbian, bisexual, transgender community. How queer indeed. And what a privilege. Finally, my deepest gratitude to my wife and partner in all of life, Judy Yates Siker—

"My working week and my Sunday rest,
My noon, my midnight, my talk, my song."
W. H. Auden

SECTION 1

Homosexuality and Religion: Synthetic Essays

Homosexuality, Religion, and the Law

Kathleen M. Sands

To approach this topic, it is first necessary to clarify key terms and concepts. Foremost among these is the term "homosexuality" itself, a word of late nineteenth-century European provenance, bearing connotations that never were universal and that now are contested even in the West. One problem is that "active" and "passive" male homoeroticism have been distinguished in many places and times, with only the latter classified as true homosexuality. Another difficulty is that the word homosexuality applies indiscriminately to male and female expressions. However, in virtually all existing societies, the situations of men and women differ, and so do the social meanings of their sexualities. Where homoeroticism is legally punished, the sanctions for men are usually more severe, with lighter or even no legal punishments for women. But these disparities do not indicate that female homoeroticism is accepted, for where the sexes occupy separate spheres, existing female homoeroticism may be unknown to men. Moreover, patriarchal societies often prefer that female sexuality be controlled directly by male authority in the home, where it may be subject to as much coercion and violence as is male homoeroticism under law. When we speak of "homosexuality, religion, and the law," then, we are speaking more of male experience than of female, and more of "passive" than of "active" male homoeroticism.

As a modern Western concept, homosexuality also elides alternative cultural interpretations of homoeroticism, which, according to anthropologist Gilbert Herdt, include transgenerational, transgenderal, and role-structured homoeroticism. Transgenerational homoeroticism is employed in some cultures to initiate adolescent males into adulthood, but is not expected to be a lifelong orientation. Transgenderal homoeroticism involves individuals who belong to a "third sex" or who carry both sexes within themselves. Sexual exchange between these individuals and partners who are genitally alike is not regarded as homoerotic, for the transgendered woman or man in some sense truly belongs to the opposite sex. Role-structural homoeroticism occurs when an individual is called to enact homoerotic relations as part of his or her specific cultural role. It is not simply an orientation, but a vocation, which, like transgenerational and transgenderal homoeroticism, may carry spiritual power and significance.

For these reasons, it is in many cases better to speak of homoeroticism (a practice) than of homosexuality (an identity). However, laws protecting sexual minorities usually rely on identity categories such as lesbian, gay, bisexual, or transgender (LGBT), or on the broad notion of "sexual orientation." In these contexts precision requires the continued use of identity terms.

A second clarification concerns the relation between norms and social reality. Although a function of norms is to deny the existence of the prohibited, reality is more often the opposite: the prohibition of a particular behavior should be taken as prima facie evidence of its existence. Religious norms, when they are understood to delineate the highest ideals, are particularly counterfactual. Celibacy, the limitation of sex to procreative purposes, or the limitation of sex to heteroerotic forms—these are common religious norms that effectively prohibit homoeroticism. Yet (as in **Buddhism**), such sexual norms may be seen as ideals that apply only to the most spiritually advanced individuals or (as in Orthodox **Judaism**) that apply to the religious community but not necessarily to humans as such. In some cases, the common violation of the ideal actually may highlight the extraordinary character of total obedience. And, just as total obedience may seem extraordinary and therefore sacred, so can extreme transgression or deviation. Most religious traditions include, particularly among their mystics, practices that are sacred precisely because they are unusual or even transgressive. Homoeroticism often has a place in this category.

The religious meanings and realities of homoeroticism therefore are rarely if ever fully visible. What is relatively clear, cross-culturally, is that homoeroticism, like celibacy, is extraordinary and as such partakes in spiritual power, whether of the positive or negative kind. Homoeroticism is especially susceptible to negative interpretation, because as nonprocreative sex it stimulates what are sometimes termed "excessive" forms of pleasure, play, and intensity that are as dangerous as they are powerful. Homoeroticism also challenges the patriarchal order, in which maleness and femaleness are constructed through heteroerotic relations. So while most religions subject homoeroticism to disapproval and punishment, ranging in degree from quite mild to very severe, homoeroticism in any case is a topic of unusual spiritual significance. Whether felt to be supernatural or demonic, miraculous or monstrous, whether evoking fascination, abhorrence or both, it partakes in both the ambiguity and the overflowing power of the sacred.

A third clarification concerns the relation of religion and law. Mediating the relation of religion and law is a third, usually unnoticed term, "secularism"—also a product of the modern West. In traditional societies, which typically lack exact equivalents of the word "religion," the community is bound by a single body of norms that regulate both human and spiritual relations. Most contemporary Muslim societies are closer to this than to the modern Western model. For them, **Islam** is a form of social as well as spiritual life, and civil law therefore should overlap with, if not be entirely determined by, religious law (*Shariah*). In contrast, in the most secularized parts of the West—for example, in France or among American separationists—religious and civil law may be conceived so distinctly that religious origins or motivations are thought to count against validity of a law. We should not presume, therefore, that religion and law always are related in the manner of Western secularism. It is better to imagine a spectrum of relations—at one end, societies that tend to identify religious and civil law, and at the other end, societies that strongly distinguish the behavioral requirements of the religious community from those of the state.

The relations among religions, homoeroticism, and law also have been complicated by intercultural conflict, especially colonialism and its aftermath. European colonizers, in what was intended as an insult, often labeled colonized men as effeminate or homosexual. Early Spanish colonialists extended the Inquisition against sodomites in the Americas, and later British colonialists in Asia and Africa imposed harsh antisodomy laws. In postcolonial periods, when former colonies reasserted their national identity, patriarchalism added an additional dynamic, for colonized men then construed their oppression not simply as dehumanization but as emasculation. Consequently, the postcolonial construction of a nation often involves a reactive traditionalism more patriarchal and authoritarian than was the actual historical tradition. Opponents of gay rights can discredit this movement by associating it with the West; while proponents contend that prior to colonization, the regulation of gender and sexuality were less severe. On both sides, the argument about homoeroticism in postcolonial contexts typically is made in anti-Western terms.

In recent decades, developing international law has exerted a progressive influence on the rights of sexual minorities. In 1994, the International Human Rights Committee of the United Nations ruled that antisodomy laws violate the International Covenant on Political and Civil Rights, the world's primary treaty on international human rights. In 1998, the European Human Rights Court ruled that antisodomy laws violate the European Convention on Human Rights and Fundamental Freedoms. In 2003, Brazil went before the United Nations Human Rights Committee to sponsor a resolution guaranteeing human rights to sexual minorities. As of this writing, the resolution remains blocked, partly through the influence of the Vatican and the Organization of the Islamic Conference.

JUDAISM

Jewish religious law (*halakhah*) prohibits male homoeroticism, based on passages from the Hebrew **Bible** (Leviticus 18:22 and 20:13) in which it is classed as a particularly egregious sin (an "abomination") and made punishable by separation from the people or even by capital punishment. Proscriptions against female homoeroticism were a product of rabbinical Judaism and carried lighter penalties.

Contemporary Judaism is divided on the question of homoeroticism. One point of disagreement concerns whether *halakhah* (binding legal rulings) can change. If *halakhah* cannot change, as traditionalist Jews hold, then homoeroticism remains forbidden, at least for Jews. But if *halakhah* can change, as modernist Jews believe, then it sometimes should develop in response to new knowledge and situations. The mutability of sexuality is another point of contention, because it is agreed that *halakhah* only can bind people to what is possible for them. The rabbinical tradition assumed that Jews could not be immutably homosexual and that all Jews therefore can and must obey the proscriptions against homoeroticism. Some contemporary rabbinical scholars, in contrast, embrace the newer view that homosexuality is a fixed and involuntary condition. Since Judaism does not encourage or expect celibacy, it follows for these rabbis that homoerotic sex cannot be sinful for homosexual persons.

Moreover, whether living in Israel or in Diaspora, Jews distinguish religious law from civil law. Constitutionally, Israel is defined as a secular state founded on Jewish principles.

Therefore, *halakhah* is distinct from civil law in Israel, although the degree to which they should be separated remains controverted between ultraorthodox and more secular Israelis. In Diaspora Judaism, the distinction between *halakhah* and civil law is a practical inevitability for Jews as a religious minority. More significant than this practical restraint has been a religious one, for the covenant code in its fullness represents a higher calling to which not all are prepared to respond and to which, in any case, humans can respond only in freedom.

A wide range of Jewish views therefore exists on the rights of homosexuals within society. The orthodox Rabbinical Council of America continues to regard male homoeroticism as an "abomination" and in 1999 also opposed same-sex civil unions. Even among Orthodox Jews, however, very progressive views can be found. Among the religiously liberal, including Reconstructionist, Reform, and Renewalist Jews, most view homoeroticism as morally acceptable and vigorously support LGBT civil rights. Other Jews occupy a complex position in which a degree of moral discomfort with homoeroticism coexists with a commitment to eradicating social discrimination and violence against homosexuals. In these cases, gay and lesbian Jews are welcomed into congregations yet denied certain religious privileges such as **ordination** or weddings, while at the same time gay civil rights are strongly endorsed. These mixed viewpoints have been expressed by official organs of Conservative Judaism (such as the Committee on Jewish Law and Standards), though Conservative positions continue to evolve.

In the state of Israel, a number of gains for LGBT rights have been made in recent years, over the strong and continuing opposition of ultraorthodox Jews. In 1988, the Knesset decriminalized homoeroticism and in 1992 workplace discrimination based on sexual orientation was outlawed. In response to a Supreme Court decision of 1994 and a District Court decision of 2004, the Israeli government will soon propose legislation granting marital rights to same-sex couples.

ISLAM

In the context of Islam, it is especially appropriate to speak of homoeroticism rather than of homosexuality, since the notion of a fixed and permanent homoerotic orientation is virtually absent. Homoeroticism traditionally has been seen as the sin for which Sodom was destroyed, and those who commit it are called "qaum Lot" or "Luti" (Lot's People). Homoerotic acts also are condemned in sayings (*Hadith*) attributed to the Prophet. According to most Sunni schools, Muslim religious law (*Shariah*) sets a fixed punishment upon homoerotic activities. This punishment has been interpreted variously as a fine, flogging, imprisonment, or death. Although the Qur'an sets a high standard for religious freedom (2:256: "there is no compulsion in religion"), most Muslims understand Islam as a way of life encompassing culture and politics. In the Muslim world, few are persuaded by the argument, common in the West, that gay rights must be guaranteed as civil liberties regardless of religious prohibitions.

In many parts of the Muslim world attitudes toward homoeroticism have become more negative due to the legacy of European and American domination. Christian culture stereotyped Muslim men as homosexual, and later Christian colonialists imposed anti-sodomy laws in Muslim lands. In the wake of Euro-Christian colonialism have come waves of reactive traditionalism. *Shariah* law has been instituted in a number of Muslim nations, including Saudi Arabia, Pakistan, Bangladesh, Iran, Chechnya, Libya, Algeria, and parts of Nigeria, and pressure to institute *Shariah* exists in other Muslim nations as well. In some countries (e.g., Saudi Arabia, Iran, Chechnya, Nigeria, Pakistan) homoeroticism is punishable by death, and this penalty has been enforced in Iran, Saudi Arabia, and Afghanistan under the Taliban. Moreover, Islamic condemnation of homoeroticism can effect criminal law in Muslim countries even where *Shariah* is not the law of the land, as in Malaysia where it is punishable by up to twenty years imprisonment, Mauritania where it is punishable by death, or Egypt where, classed among "offenses against public decency," it is punishable by up to five years imprisonment.

In the Muslim world as elsewhere, prescriptions of homoeroticism belie its actual frequency. Prominent historical figures in Islam, including Sultans and Sufi mystics, are known to have enjoyed homoerotic sex, and particular parts of the Muslim world, for example, Iran, have long been associated with male homoeroticism. In Pakistan, despite the threat of the death penalty, male homoeroticism is common and, unless publicly displayed, is rarely punished. In Africa, homosexuals are beginning to be publicly visible, but in the popular view homosexuality continues to be attributed to the corrupting influence of the West, and gay rights advocacy is advancing more in southern Africa than in the Muslim north. In Uganda, legislation banning same-sex unions was signed by Ugandan President Yoweri Museveni on September 29, 2005. Penalties for gay marriage were to be established in 2006. Under current Ugandan law, homosexual acts are punishable by imprisonment from five years to life.

Shariah law is subject to a range of interpretations that may mitigate the punishment of homoeroticism. In most Sunni schools of thought, homoerotic sodomy belongs to a class of crime (*zina*), for which evidentiary standards are so high that, if done in private, is effectively impossible to prove. Based on this fact, some Islamic scholars conclude that the Muslim tradition is at heart not interested in the regulation of private homoerotic behavior but only in the preservation of heteronormativity as a public moral standard. This interpretation of *Shariah*, if correct, does create more latitude for the private lives of gay and lesbian people. However, from the perspective of LGBT activism internationally, it must be added that sexual privacy, although valuable in itself, does not redress the exclusion of sexual minorities from public and political life. Indeed, the consignment of LGBT expression to the private sphere only, a condition referred to in the West as "the closet," is there understood as a chief form of LGBT oppression.

Although it might be framed most successfully as a struggle for pluralism and modernization within Islam, the battle over gay rights in the Muslim world usually is construed as a battle over how Islam shall relate to the West. As in other postcolonial settings, it is equally possible to argue that homophobia (manifest, for example, in colonial antisodomy laws) is a product of the West, and to argue that the acceptance of homosexuality (e.g., movements for LGBT civil rights) is a product of the West. Traditionalists typically reject the notion of the modern West of a fixed homosexual orientation; for them, homoeroticism is a willful expression of sin and crime. LGBT activity, and particularly its open advocacy, then is perceived as a particularly pernicious influence of the West. Muslim advocates of gay rights, on the other hand, often are located in the West or are positively influenced by the Western ideas about secularism, cultural pluralism, and variant sexual orientations. Over the past decade, pro-gay Muslim groups have begun to arise in the West and to establish international chapters, for example, the Gay and Lesbian Arabic Society, established in 1988, and Al-Fatiha, established in 1998.

BUDDHISM

Buddhism affects laws about homoeroticism through its influence on historically Buddhist cultures in Asia and, increasingly, through its influence on developing Buddhist communities in the West. Buddhist teachings are less interested in homoeroticism than in the contrast between celibacy, a monastic practice that is highly valued, and the active sexuality that characterizes most lay Buddhist lives. All Buddhists, lay or monastic, are encouraged to adhere to certain moral precepts, among them the prohibition of "sexual misconduct." This precept is intended, on the one side, to avoid harming others, and on the other side, to minimize and ultimately eliminate all desire. For monks and nuns, sexual misconduct pertains to sexual activity as such, whether homoerotic or heteroerotic. For lay people this precept, interpreted conservatively, permits only procreative sex. In effect, then, this precept has promoted in Buddhism a certain suspicion of sexual pleasure.

Nonetheless, a number of qualifiers mitigate potentially negative Buddhist attitudes about homoeroticism. One is that in Buddhism the subject of spiritual concern is more eroticism as such than homoeroticism specifically. Another is the common recognition that lay Buddhists, unless they are particularly advanced in devotion or age, may not comply vigorously with all moral precepts. In the new Buddhist communities (as distinct from immigrant Buddhist communities) of North America, the precept against sexual misconduct is itself interpreted differently, so that homoeroticism and nonprocreative sex in general rarely are viewed as harmful.

Even within the monastic-celibate tradition, the proscription of homoeroticism as such is not very distinct. The *Vinaya* (book of monastic discipline) notes the occurrence of homoeroticism between monks and between nuns, but objects to this mainly as a breach of celibacy. With regard to male homoeroticism, the monastic literature also is concerned with *pandaka*, men who, because they assume "passive" homoerotic roles, are attributed the supposed liabilities of women, such as indecision and a lack of discipline. But, while indicative of sexism and of an ascetical suspicion of sexuality, this may not indicate a strong Buddhist negativity about homoeroticism as such. *Jataka* literature, which narrates past lives of the Buddha, describes the love between Buddha and Ananda in homoerotic tones. Homoerotic "working monks" were found in Tibetan Buddhism, and the Japanese Mahayana tradition contains an entire body of literature commending homoerotic relations between elder and younger monks as a support to or reward for the spiritual life. Buddhism also contains notions of gender duality and fluidity that may have conferred moral sympathy upon homoeroticism. In its discussion of violations of celibacy the *Vinaya* speaks of monks and nuns in whom "the sign" of the other sex appears (*ubhatobyanjanaka*). Buddha is said simply to have reassigned such monks and nuns, without penalty or critique, to the monasteries of the other sex.

Since Buddhism historically has adapted to the cultures and circumstances in which it finds itself, these variables may be more influential than Buddhist teachings as such. Cambodia, although overwhelmingly Theravadan Buddhist, constitutionally guarantees religious freedom; in 2004 its nominal head of state, King Norodom Sihanouk, called for the legalization of same-sex marriage, citing among other things the Buddhist principle of compassion. Thailand and Sri Lanka both combine the constitutional establishment of Buddhism with the guarantee of religious freedom, but Thailand historically has been the more permissive society and only Sri Lanka was subject to European colonialism. These differences shape the status of sexual minorities in the two nations today.

In Thailand, there are no laws against homosexuality and in 2002 the national Department of Mental Health declared that homosexuality is not a disease. There exists in Thailand a third sex, male to female persons known as *kathoey*, and the connection of *kathoey* to Buddhist traditions is indicated by its use as a translation of both the *pandaka* and the *ubhatobyanjanaka* who appear in Buddhist monastic texts. However, discrimination does exist, particularly against "passive" homosexuals and *kathoey* (often conflated in the mind of the public) and is not prohibited by law. Moreover, the government itself periodically launches discriminatory campaigns against homosexuals. Nonetheless, the situation in Sri Lanka is considerably worse. Male homoeroticism, classed as "gross indecency," is criminalized under Sections 365 and 365a of the penal code. Since the code was introduced by the British in 1883, gay rights advocates can argue with some justice that antihomosexual attitudes are a product of colonialism, but antigay traditionalists make the opposite case. In 1995, in response to attempts to overturn Section 365, the Sri Lankan MPs instead extended the law to include women. In 1999, a Sri Lankan newspaper called for lesbians to be raped and the government's Press Council supported this editorial decision, labeling lesbianism "sadistic" and "salacious."

In contemporary Western Buddhism, sympathy for the gay rights movement is exhibited by the two most influential teachers, the Dalai Lama of Tibet and Thich Nhat Hanh of Vietnam. The Dalai Lama has taken a more ambiguous stance, sometimes reiterating Buddhist prohibitions of nonprocreative sex, but at other points observing that homoerotic sex may be nonharmful. He has voiced support for gay civil marriages, but nonacceptance of gay marriage within the Tibetan Buddhist community. Thich Nhat Hanh and his community have gone further, not only supporting civil same-sex marriage but also ceremonializing Buddhist same-sex marriages and proposing for gays and lesbians only the same moral rules that apply to heterosexuals.

HINDUISM

Hindu traditions include proscriptions of homoeroticism, but these proscriptions are ambiguous and inconsistent. The *Arthaśāstra*, a text devoted to material success and a basis for secular law, forbids anal intercourse in general. Homoerotic forms also are specified, with male homoeroticism punished more than female. But neither male nor female homoeroticism is penalized as strictly in the *Arthaśāstra* as they are in sacred (*Dharma*) texts. The sacred Law of Manu, a central dharma text, is an important example. While tougher on homoeroticism than is the *Arthaśāstra*, the Law of Manu nonetheless punishes heterosexual anal sex more than homosexual. Also in contrast to the *Arthaśāstra*, the Law of Manu punishes female homoeroticism more severely than male. Caste considerations play a role as well. High caste men who have intercourse with other men are punished more than lower caste men who do the same; yet for women the opposite order applies. Hindu disapproval of homoeroticism is thus difficult to distinguish from the several other concerns with which it is mingled, including ceremonial purity, the perceived unnaturalness of anal sex, the maintenance of gender and caste hierarchies, and the pursuit of distinct aims in life (e.g., moral duty or material prosperity).

As a generally sex-positive tradition, Hinduism also contains traditions highly suggestive or sometimes clearly supportive of homoeroticism. The *Kāmasūtra*, devoted to the aesthetic pursuits, fully accepts oral-genital homoeroticism as a variety of sexual pleasure. Homoeroticism in Indian tradition sometimes is associated with a fullness or fluidity of gender that carries spiritual power or cosmogenic wholeness. Such associations are evident in deities who include both genders or who shift genders and in these alternate forms engage in what would otherwise be homoerotic relations. In the contemporary Hindu world, *Hijras* are a striking example of a still-existing third sex tradition with spiritual significance. Born male, or in some cases hermaphrodite, *Hijras* choose to be ritually castrated and in this role become servants of the Mother Goddess, able to issue blessings (and sometimes curses) related to sex and reproduction. Although ideally celibate, many *Hijras* link their spiritual calling to previous experiences of "passive" homoeroticism and many today earn their living as sex workers for men. However, the *Hijras* today are denigrated as a sexual minority and self-identified gay men are, correctly or incorrectly, popularly identified with them.

In the predominantly Hindu cultures of Nepal and India, homoeroticism is illegal. In Nepal, where Hinduism is constitutionally established, homoeroticism is punishable by up to life imprisonment, and widespread abuses of sexual minorities are reported, including beatings and arrests of gay rights activists. In India, which constitutionally requires a secular government, homoeroticism is punishable by fines and imprisonment of up to ten year under Chapter XVI, Section 377 of the penal code, which was imposed by British colonialists in 1860. Nonetheless, the Indian government in its defense of Section 377 cast homosexuality as a "new behavior" tolerated by the West, but alien to Indian culture. The Delhi High Court has effectively agreed; in November 2004, it upheld Section 377 for the second time. Although the law is often not enforced, it is employed opportunistically by police for purposes of blackmail and bribery, and encourages abuse and violence against gay men and *Hijras*. Since the mid-1980s, the rights of sexual minorities have become further endangered by the nationalist, masculinist ideology of Hindutva, which inverts the constitutional meaning of secularism to require particular government support for Hinduism, and which is hostile to sexual minorities.

CHRISTIANITY

Historically, Christianity's response to homoeroticism has been entangled in its dual treatment of sexuality. From its early centuries, the Church attempted to limit sex to procreation as its natural purpose. Yet it also idealized celibacy, a sexual ethos felt to be supernatural in its reliance on grace and its connection with an elite spirituality. Nonprocreative sex, defined as unnatural, was classed with bestiality and masturbation in penitential manuals, and both its homosexual and heterosexual forms were forbidden. But in Christianity, as in some other traditions, the spiritual dangers of nonprocreative desires also might be experienced as special spiritual powers, perhaps complementing rather than contradicting spiritual celibacy. Historian John Boswell argued that homoerotic relationships existed, and even were ceremonialized, for long periods in Christian monasticism. And when the eleventh century theologian Peter Damien coined the term "sodomy," he was referring especially to his fellow clerics, among whom in his view this sin was prevalent and virtually intractable.

Only in the latter half of the twelfth century did the Christian church systematically begin to persecute sodomites. Whether carried out under the auspices of the Crusades or (more frequently) those of the Inquisition, persecution was a collaboration of religious and secular authorities. The Papal Inquisition enlisted the secular arm to suspend the ordinary rights of citizens and to carry out its most terrible punishments, such as execution by burning. The Spanish Inquisition continued the persecution of sodomites as heretics, and extended this persecution to sodomy among indigenous peoples in the New World. The thirteenth century Crusade against the Cathars involved the accusation, if not the reality, of homoeroticism. The Cathars were a sect dating back to the Manichaean Gnostics, which had survived in Eastern Christianity, especially Bulgaria, and then found its way into Italy and Southern France. Because they rejected the body and the natural world, the Cathars encouraged nonprocreative sex among ordinary believers, and among the elite, celibacy. Hence the term "bugger" (a vulgarized form of Boulger) came to refer at once to heresy and sodomy. This view of sodomites is well illustrated in the case of the Order of the Knights Templar. In 1307 the Inquisition accused the Knights of sodomy, heresy, and witchcraft, consequently inflicting upon them torture and execution by burning.

The Protestant Reformers insisted on procreative marriage and disapproved of Catholic celibacy, which they linked with homosexuality. With the eventual breakup of Christendom, and the rise of democracies in Europe and the United States, doctrinal differences among Christians became less politically significant. But sexual deviance, now distinct from religious deviance, became a matter of even more political concern. Rather than through the violent collaboration of church and state, sexuality in the modern West would be regulated through social formation of personal desires, identity, and sexual practices (Foucault, 1980). By the late nineteenth century, "the sodomite"—a type of moral corruption and contagion—had been replaced in the West with "the homosexual," construed as a medical and then psychological type. While this new sexual type was regarded as pathological ("inverted"), and in many places still is so regarded, it also can lend itself to the liberation of sexual minorities. Once homosexuality was construed as a fixed personal identity, the gay rights movements could present its constituents not simply as people who freely commit homoerotic acts, but as members of an identity group entitled to equal protection under the law.

In the Christian and post-Christian world today, the struggle over gay rights depends in part over whether homosexuality is placed within this newer psychological typology, or within the older religious-moral typology. When positioned within a religious typology, as Christian conservatives typically do, homosexuality is seen as a voluntarily sinful behavior, which if openly espoused assaults the very foundations of society. The homosexual, in particular the homosexual activist, becomes something akin to the medieval sodomite—at once a sinner, heretic, and contagious disease of the body politic. Liberal Christians, in contrast, typically cast homosexuality as a fixed and involuntary psychological type and homosexuals as an identity group in need of civil rights protection. Also in contrast with conservative Christians, liberal Christians and secularists insist that citizenship must not depend on religious conviction.

Europe for the most part embraces the more liberal and psychological model, despite some form of Christian establishment in many countries. No European nation criminalizes homoeroticism between consenting adults, and many have laws protecting the civil rights of homosexuals. Same-sex marriage became legal in the Netherlands in 2001, in Belgium in 2002, and in Spain in 2005. Civil union laws providing gay and lesbian couples some rights of marriage now exist in the United Kingdom, Germany, France, Switzerland, Denmark, Finland, Norway, Croatia, Iceland, and Sweden. In Hungary and Portugal, same-sex couples have common law rights. In Latvia, however, the constitution was amended in December 2005 to define marriage in exclusively heterosexual terms. In Spain, despite majority support for same-sex marriage, conservative political forces and the leadership of the Catholic Church will continue to exert strong opposition.

In the majority of the Christian nations outside Europe the picture is more mixed. In New Zealand, where the majority population is nominally Christian but religious adherence is low, a civil union law was passed in 2004. Australia's Federal Marriage Act of 2004 defined marriage as between a man and a woman, but efforts continue to create civil unions for same-sex couples. South Africa's 1994 Bill of Rights prohibits discrimination based on sexual orientation; in 2005, its High Court interpreted this to mean that marriage may not be denied to same-sex marriage and it ordered parliament to create corresponding legislation. In contrast, Uganda punishes homosexual acts by imprisonment from five years to life, and in September 2005 passed a legislation specifically banning same-sex unions.

In Latin America, despite constitutional guarantees of religious freedom, Catholicism remains established in some nations and even where not established it retains substantial political power, as do conservative forms of Protestantism. Most countries, except Nicaragua, have decriminalized consensual adult homoeroticism, but LGBT people are not legally protected against the discrimination and violence to which they are subject and often carried out by the police. In Brazil, same-sex couples have limited legal rights, but conservative Catholic and Protestant legislators continue to block full civil partnership and antidiscrimination bills. In March 2005, the constitution of Honduras was amended to ban same-sex marriage and adoption. Nonetheless, since the 1980s LGBT groups have organized in most Latin American countries and in the city of Buenos Aires, and antidiscrimination laws and same-sex civil unions have been instituted.

HOMOSEXUALITY, RELIGION, AND LAW IN CANADA

In contrast to the United States, Canada is closer to Europe, both in its model of Church and State and in its growing liberality concerning gay rights. A strong majority of Canadian citizens support civil rights for homosexuals, and a smaller majority support same-sex marriage. The Canadian Constitution of 1982 guarantees religious freedom, but does not provide explicitly for the separation of religion and government. The Constitution also includes a Charter of Rights and Freedom that guarantees equality for all citizens (Section 15). In 1992, federal restrictions on gays in the military were lifted. In a 1995 decision (Egan v. Canada), the Supreme Court interpreted Section 15 to prohibit discriminations based on sexual orientation and in the same year crimes based on sexual orientation were included in Canada's Hate Crimes legislation. In response to the Egan v. Canada decision, Parliament in 1996 amended Canada's Human Rights Act to admit sexual orientation as a protected ground, and all provinces and territories now have equivalent legislation. In 2001 and 2002, the High Courts of British Columbia and Ontario ruled in favor of same-sex marriage, and since the summer of 2003, same-sex marriage has been legal in those provinces. In a 1999 case (M. v. H) the Canadian Supreme Court found unconstitutional the denial of marriage to same-sex couples, and on July 20, 2005, Bill C-38 was signed into law, revising the legal subjects of marriage from "a man and a woman to the exclusion of all others" to "two persons."

The majority of Canadians belong to one of four mainline Christian denominations—**Roman Catholicism** (about 45%), **Anglican** (about8%), and **Methodist** or **Presbyterian**, since 1925 combined in the **United Church of Canada** (11.5%). The United Church of Canada strongly endorses gay civil rights, including marriage, and has ordained openly gay and lesbian ministers since 1988. Since the 1960s, moreover, traditional forms of religious participation have declined in Canada; although most Canadians identify themselves with a Christian denomination, only about a third attend church regularly. Among Canadian Catholics, the decline in doctrinal adherence and church attendance has been especially extreme. In Quebec, the most predominantly Catholic of Canada's provinces, only 20 percent of Catholics attend Mass regularly, and few Canadian Catholics feel bound to accept their Church's teachings on all matters. Indeed, Quebec was the first of Canada's provinces to include sexual orientation in its Human Rights Law (1977), and it was a statement of (Quebecois) Prime Minister Pierre Trudeau ("there is no room for the State in the bedrooms of the nation.") that prompted the decriminalization of sodomy in 1969.

Progressive religious groups have become involved on behalf of the rights of LGBT people and couples. For example, the Metropolitan Community Church in Toronto was part of the 2002 case in which Ontario's High Court ruled in favor of same-sex marriage. More often, however, religion appears in Canadian court cases as an opponent of gay civil rights. Conservative religious groups—including the Ontario Conference of Catholic Bishops, the Catholic Civil Rights League, the Islamic Society of North America, the Evangelical Fellowship of Canada, the Church of Jesus Christ of the **Latter-day Saints**, the **Seventh Day Adventists**, and various alliances among conservative religious groups—have intervened against gay rights in court cases. Focus on the Family, a U.S.-based organization, has been a leader in the religious struggle against LGBT civil rights, and promotes the argument that homosexuality is a (bad) lifestyle choice, not an immutable condition.

Religious opposition has figured in two prominent gay rights issues—the controversy over the legalization of same-sex marriage, and a recent conflict over the use of gay-positive books in Canadian schools. In relation to same-sex marriage, the only religious problem considered legally pertinent was the assertion, raised by some conservative religious groups, that the legalization of same-sex marriage would force them to perform such marriages in violation of their religious freedom. This was one of four questions addressed to the Canadian Supreme Court in December 2004 concerning the federal government's proposed same-sex marriage legislation. The Court discerned that no religious group could be forced by law to perform a same-sex marriage, and therefore ruled that the proposed legislation would not be invalidated by this objection.

The conflict over gay-positive schoolbooks, to which some parents objected on religious grounds, resulted in a 2002 Supreme Court case (Chamberlain v. Surrey School District). The case, which originated in British Columbia, arose from the refusal of a school board to include three books about gay families as supplemental texts in its K-1 curriculum. The school board operates under the mandate of the School Act, which requires that public schools must "inculcate the highest morality" but also that school boards must base their decisions on "strictly secular and nonsectarian principles" and not promote any "religious creed or dogma." The Supreme Court of British Columbia had ruled, quite controversially, that the school board's decision was invalid because it was "significantly influenced by religious considerations." The highest British Columbia court (the Court of Appeals) overturned that decision, contending that "secular" could not mean that religious beliefs as such were to be uniquely excluded from the school board's deliberations. The Canadian Supreme Court decided that while the word "secular" does not preclude religious considerations from the school board's deliberations, it does preclude the school board's adhering to any "exclusionary philosophy" that would prevent its meeting the needs of the groups serves—for example, the children of gay families.

Religion figured in the Chamberlain case only as a force opposing books about gay families, while those favoring the "three books" relied largely on Equal Protection arguments. The Supreme Court's construal of the Chamberlain case suggests that gay rights in the Canadian judiciary, like in the United States, continue to be viewed mainly as protections based on group identity. Freedom of belief, on the other hand, only has been applied to religious opponents of gay rights, not to those who hold dissident views of sexuality. Further, the absence of a constitutional provision for the separation of religion and state renders impossible the argument (possible in the United States) that the denial of gay rights amounts to an impermissible establishment of a particular religious viewpoint. In Canada, then, the advancement of gay rights appears to rest on the declining influence of conservative religion, rather than on an increased public presence of religious and moral diversity.

HOMOSEXUALITY, RELIGION, AND LAW IN THE UNITED STATES

In addition to guaranteeing religious freedom, the U.S. Constitution was historically the first to disestablish religion. However, in comparison to Europe with its many national churches, the American situation demonstrates that the separation of religion and government are neither necessary nor intrinsically advantageous for LGBT civil rights. Homosexual sodomy was decriminalized only by the Supreme Court's Lawrence v. Texas decision of 2003. The federal government has yet to pass the Employment Non-Discrimination Act (ENDA), which would protect homosexuals from workplace discrimination. In 1996, a federal of Defense of Marriage Act (DOMA) was enacted, and over half the states so far have followed suit with their own DOMAs. A number of states even have amended their constitutions to prohibit same-sex marriage, and a federal constitutional amendment of the same kind has been proposed. Fewer than half the states provide various legal protections against sexual orientation discrimination, and many of these do not protect against discrimination based on gender identity. As of this writing, same-sex couples are accorded some or all legal aspects of marriage in only six states, and only in one state (Massachusetts) are same-sex couples permitted to marry. However, as in other parts of the world, the battle for and against gay rights is by no means over in the United States, and it is premature to predict its lasting outcome.

Conservative religiosity is the main source of opposition to gay civil rights in the United States, and it strongly influences voting patterns, political contributions, and other forms of social activism. Mainline liberal Protestantism now comprises only about 16 percent of the population. In contrast, Roman Catholicism now claims 20–25 percent of the

American population, and another 23 percent of Americans are traditionalist or centrist **Evangelicals** (Pew Forum, 2003 and 2004). Although individual members may dissent, these groups officially and actively oppose same-sex marriage and most other civil rights for LGBT people.

Conservative Evangelicals lead the opposition to gay civil rights in the United States. As noted above (see Canada), these groups advance the view that homosexuality is a (wrong) lifestyle choice—a view that in the U.S as elsewhere is a popular rationale for denying gay civil rights. Characteristically, these groups also assert that American identity is essentially Christian, and that the **Bible** (conservatively interpreted) is the appropriate basis for law and public policy. The official Catholic position, while also opposing most gay civil rights, differs on these points. The Catholic magisterium perceives homosexuality as a possibly immutable "disorder" that as such cannot justify violence or cruelty. However, the Catholic hierarchy insists that the acts expressing this disorder are in no way to be condoned. Rather than resting on specifically religious authority, the Catholic argument against gay rights bases itself on **natural law**, and therefore does not appear to require religious adherence as a condition of citizenship. Nonetheless the Catholic Church does intervene directly in American politics concerning homosexuality. For example, in an initially secret 1992 communication, the Vatican ordered the American Catholic bishops to oppose gay civil rights legislation. Since the 2003 decision, Goodridge v. Department of Public Health, in which the Massachusetts Supreme Court ruled in favor of same-sex marriage, Catholic priests have been directed to preach opposition to same-sex civil marriage as a tenet of Catholic faith.

However, new developments and longstanding conflicts point to a significant, though still minority, trend toward religious support for LGBT rights. A number of mainline Protestant denominations (including the **United Church of Christ**, the **United Methodists**, the **Presbyterian Church USA**, the **Episcopal Church**, and the **Evangelical Lutheran Church**) in America support gay civil rights despite the fact that some of these disapprove of homoeroticism morally. The **Metropolitan Community Church** was founded in 1968 specifically to advocate for LBGT rights in church and society. Several mainline denominations have not yet reached consensus on the religious side of the question, but the strength of support for LGBT rights is indicated by the fact that these denominations have been torn to near schism over the issue. Vigorous support for gay civil rights has been voiced by official bodies of liberal Judaism, by minority traditions such as the **Unitarian Universalism Association**, and by progressive alliances such as the Religious Coalition for the Freedom to Marry. Organized groups for the promotion of gay civil and religious rights exist within Catholicism, within every Protestant denomination, even the most conservative, and within **Orthodox Christianity**. The same is true of Islam, Buddhism, and many other minority traditions in the United States.

Most instructively, progressive reconceptions of the relationship between religion and gay civil rights are emerging. Until recently, the debate over LGBT rights was framed as a conflict between an identity and a belief. On the conservative side was the religious belief that homosexuality is an immoral choice; on the liberal side was the assertion that homosexuality is an innate, involuntary, and morally neutral identity, like race. This belief/identity impasse, however, is challenged by religious groups and individuals who are morally opposed to homosexuality but, nonetheless, support civil rights protection for homosexuals. Moreover, given the obvious divisions between and within religious groups on the question of LGBT rights, the expression of dissident views is clearly a matter of religious freedom. In view of these religious and moral differences, the gay rights debate can be recast as a conflict among conscientiously held beliefs. Constitutionally, this shifts the argument from its usual Fourteenth Amendment grounds (Equal Protection and Due Process) to First Amendment grounds (specifically, the religion clauses). The Free Exercise clause can read to guarantee a right to sexual dissent, while the Establishment clause can be read to preclude any moral viewpoint on homoeroticism from being enforced by law or public policy. In recent years, these arguments have been developed in detail by some religious and legal scholars.

In the American judiciary, religion is implicated in the two main types of constitutional argument now deployed in relation to gay rights. One type of argument concerns fundamental rights. When a law appears to compromise a fundamental constitutional right, it triggers the most severe judicial scrutiny (strict scrutiny). The Free Exercise of religion is such a fundamental, enumerated right and its invocation on behalf of LBGT rights therefore is potentially very powerful. Moreover, the Constitution (especially its Ninth Amendment) recognizes that fundamental rights are not limited to those that happen to be enumerated. Judicial decisions have identified certain such unenumerated fundamental rights, including the rights to sexual privacy and to marriage, and the recognition of these rights inevitably raises the question of whether they apply to homosexuals. As a general rule, the answers should be determined by judicial precedents, and one such precedent declares that fundamental rights must be "objectively, deeply rooted in this nation's history and tradition" (Moore v. East Cleveland, 1977). Thus framed, the precedent privileges conservative forms of religion and disfavors religious or moral change. This conservative reading of fundamental rights was illustrated by Justice Warren Burger's invocation of "the Judeo-Christian tradition" in concurrence with the Supreme Court decision of 1986 that there is no fundamental right to homosexual privacy (Bowers v. Hardwick). Although the Bowers decision was overruled in Lawrence v. Texas (2003), the Lawrence court never used the precise language of "fundamental rights," nor employed strict scrutiny in its support of homosexual privacy, perhaps due to the precedential association between unenumerated fundamental rights and conservative views.

The other avenue through which religion comes to bear on the constitutional status of gay rights is through the rational basis criterion to which all laws are subject. Rational basis review requires that laws must advance a legitimate state interest and must use means that are rationally related to that interest. Rather than apply strict scrutiny to the Texas antisodomy statute, the Lawrence court argued that the Texas law, based as it was on moral disapproval of homoeroticism, did not represent a legitimate state interest. Religion is implicated in this judicial reasoning, because antisodomy laws (like all other morals legislation) traditionally were based on majoritarian religious authorities, such as the Christian Bible. The Lawrence majority rejected the claim that majority morality is a legitimate basis for law, citing a 1992 case (Casey v. Planned Parenthood) in which the Court had declared that "our obligation is to define the liberty of all, not to mandate our own moral code." The Massachusetts Supreme Judicial Court used similar reasoning when it ruled that the Massachusetts constitution disallows the denial of marriage licenses to same-sex couples (Goodridge v. Department of Public Health, 2003). Legislation based only on the moral perspective of the majority, in the absence of any threat to concrete and recognized public interests, could not even meet the lowest level of scrutiny according to the Lawrence majority. Unsurprisingly, this point is contested by judicial and social conservatives.

For those who oppose gay rights, then, an explicit reliance on religion in their judicial battles soon may become counterproductive. In the battle for gay rights, the opposite may be the case. Since the Lawrence and Goodridge cases, the argument for LBGT rights based on the Establishment clause has gathered strength. Both cases reject morals legislation as such, and a number of scholars now contend that all morals legislation, whether religiously based or not, runs afoul of the Establishment clause. Just as the Free Exercise clause now is used as an argument for the free expression of all views on homosexuality, so the Establishment clause too can be invoked, and is being invoked, on the side of gay civil rights.

FURTHER READINGS

Alpert, Rebecca. *Like Bread on the Seder Plate: Jewish Lesbians and the Transformation of the Tradition.* New York: Columbia University Press, 1997.

American Civil Liberties Union. *Where We Are Now: Annual Report of the National Lesbian and Gay Rights Project.* New York: American Civil Liberties Union, 2004.

Amnesty International. *Report on Torture and Ill-Treatment Based on Sexual Identity.* New York: Amnesty International, 2001.

Boswell, John. *Christianity, Social Tolerance, and Homosexuality: Gay People in Western Europe from the Beginning of the Christian Era to the Fourteenth Century.* Chicago: University of Chicago Press, 1980.

Cabezón, José Ignazio. "Homosexuality and Buddhism." In Arlene Swidler, ed., *Homosexuality and World Religions.* Valley Forge, PA: Trinity Press International, 1993, pp. 81–102.

Cabezón, José Ignazio, ed. *Buddhism, Sexuality, and Gender.* Albany, NY: State University of New York Press, 1992.

Congregation for the Doctrine of the Faith. *Declaration Regarding Certain Questions of Sexual Ethics.* Rome: Congregation for the Doctrine of the Faith, 1975.

———. *Letter to all Catholic Bishops on the Pastoral Care of Homosexual Persons.* Rome: Congregation for the Doctrine of the Faith, 1986.

———. *Some Considerations Concerning the Response to Legislative Proposals on the Non-Discrimination of Homosexual Persons.* Rome: Congregation for the Doctrine of the Faith, 1992.

Doniger O'Flaherty, Wendy. *Splitting the Difference: Gender and Myth in Ancient Greece and India.* Chicago: University of Chicago Press, 1999.

Dorf, Elliot and the Commission of Human Sexuality of the Rabbinical Assembly. *This is My Beloved, This is My Friend: A Rabbinic Letter on Intimate Relations.* New York: Rabbinical Assembly, 1996.

Duran, Khalid. "Homosexuality in Islam." In Arlene Swidler, ed., *Homosexuality and World Religions.* Valley Forge, PA: Trinity Press International, 1993, pp. 181–198.

Fisher, John. *Outlaws and Inlaws: Your Guide to LGBT Rights, Same-Sex Relationships and Canadian Law.* Ottawa, ON: Egale Canada Human Rights Trust, 2004.

Foucault, Michel. *The History of Sexuality: An Introduction.* New York: Vintage, 1990.

Green, John. *Religious Belief Underpins Opposition to Homosexuality.* Washington, DC: The Pew Forum on Religion & Public Life, 2003.

———. *The American Religious Landscape and Political Attitudes.* Washington, DC: The Pew Forum on Religion & Public Life, 2004.

Greenberg, Steven. *Wrestling with God and Men: Homosexuality in the Jewish Tradition.* Madison, WI: University of Wisconsin Press, 2004.

Herdt, Gilbert. *Same Sex, Different Cultures: Exploring Gays and Lesbians Across Cultures.* Boulder, CO: Westview Press, 1997.

Jakobsen, Janet and Ann Pellegrini. *Love the Sin: Sexual Regulation and the Limits of Tolerance.* New York: New York University Press, 2003.

Jamal, Amreen. "The Story of Lot and the Qur'an's Perception of the Morality of Same-Sex Sexuality." *Journal of Homosexuality*, 41 (2001): 1–88.
Jordan, Mark. *The Invention of Sodomy in Christian Theology*. Chicago: University of Chicago Press, 1997.
Kennedy, Miranda. "Gays in Pakistan Risk Harsh Islamic Retribution." *Day to Day*. National Public Radio, August 3, 2004.
Loewy, Arnold. "Morals Legislation and the Establishment Clause." *55 Ala. L. Rev. 159* (2003).
Nanda, Serena. *Neither Man nor Woman*. Belmont, CA: Wadsworth, 1990.
O'Toole, Roger. "Religion in Canada: Its Development and Contemporary Situation." *Social Compass*, 43 (1996): 1.
Saifee, Seema. "Penumbras, Privacy and the Death of Morals-Based Legislation: Comparing U.S. Constitutional Law with the Inherent Right of Privacy in Islamic Jurisprudence." *27 Fordham Int'l L. J.* 370 (2003).
Sands, Kathleen. "Public, Pubic, and Private: Religion in American Political Discourse." In Kathleen Sands, ed., *God Forbid: Religion and Sex in American Public Life*. New York: Oxford University Press, 2000, pp. 60–90.
Sharma, Arvind. "Homosexuality and Hinduism." In Arlene Swidler, ed., *Homosexuality and World Religions*. Valley Forge, PA: Trinity Press International, 1993, pp. 39–80.

Homosexuality, Religion, and the Social Sciences

Wendy Cadge

As religious groups across the United States continue their processes of study and reflection about homosexuality, it is helpful to consider what the social sciences have documented about the causes of homosexuality and lives of gay, lesbian, and bisexual people in the United States. This short overview first briefly outlines the history of the concept of homosexuality before describing how many gay, lesbian, and bisexual people there are in the United States, how people come to view themselves as such, and how gay, lesbian, and bisexual people form relationships and families.

HISTORY OF THE CONCEPT

The word homosexuality was first published in a German pamphlet in 1869 and appeared in English a few years later (Mondimore 1996). Before the word and concept of homosexuality existed, however, people had sexual relations with others of the same sex in a wide range of time periods and historical locations. In Ancient Greece, for example, historical evidence shows that men had wives and children and also courted and had sex with younger men as described in Plato's *Symposium* (Halperin 1999). French missionaries in North America in the mid-eighteenth century observed some Native American men dressing as women and taking men as sexual partners (Williams 1988). And in parts of New Guinea, twentieth century anthropologists documented sexual experiences between boys that were an important part of family and tribal relationships (Herdt 1987). None of these people were called homosexuals, however, because people in these different time periods and geographical locations conceptualized sexuality differently than most Americans do today (Greenberg 1988; Halperin 1999; Herdt 1996).

In the contemporary United States, most people think about homosexuality as a concept that describes people who have sexual relations with others of the same sex. The idea of homosexuality is contrasted with heterosexuality; people who have sexual relations with people of the opposite sex are called straight or heterosexual, people who have sexual relations with people of the same sex are called homosexual or gay men or lesbians, and people who have sexual relationships with people of the same and opposite sex are called bisexual. Most Americans believe that people are either heterosexual or homosexual, and increasing numbers of people believe sexual orientation is something people are born with and cannot change (Saad 1996).

The ways people in the United States have thought about homosexuality have changed significantly over time. Before the mid-twentieth century, people generally thought that sexual activities between people of the same sex were a sin or a disease (D'Emilio and Freedman 1998; Silverstein 1996). In the 1970s, thinking about homosexuality in the United States began to change as the American Psychiatric Association (in 1973) and the American Psychological Association (in 1975) declared that they no longer considered homosexuality to be a mental disease or disorder (D'Emilio 1983; D'Emilio and Freedman 1998). Between the early 1970s and the present, and particularly in the past ten years, public opinion about homosexuality in the United States has shifted. National public opinion data show that between the early 1970s and the early 1990s, close to 70 percent of the American public thought that sexual relations between two adults of the same sex were always wrong. Since 1990, this percentage has decreased as Americans have gradually become more tolerant of homosexuality. In 1998, 56 percent of respondents in the General Social Survey, a national study, felt that homosexuality was always wrong and 31 percent thought it was not wrong at all (Loftus 2001). Aside from their opinions about the morality of homosexual behavior, increasing numbers of people support the civil rights and liberties of homosexual people. In a 2000 Los Angeles Times poll, for example, 65 percent of Americans supported protection from job and housing discrimination based on sexual orientation (2003).

Social scientists have tended to think about sexuality in general, and homosexuality in specific, slightly differently than most Americans. In contrast to American public opinion, natural and social science research suggests that people's sexual experiences and sexual identities are much more complicated than the three categories of heterosexual, homosexual, and bisexual describe. Current researchers view sexual identity as a combination of people's sexual desires, sexual behaviors, and sexual identities. Much of this research began with the pioneering research of Alfred Kinsey, an evolutionary biologist, in the 1940s. Viewing sexuality as a combination of sexual desire, behavior, and identity, Kinsey conducted large-scale studies of men and women, which led him to think about sexuality as a continuum. Rather than thinking about people as either heterosexual or homosexual, Kinsey developed a seven-point continuum of sexual orientation and believed that people fall in many different places along the scale. At one end are people who have exclusive contact with and erotic attraction to people of the opposite sex and at the other end are people who have exclusive contact with and erotic attraction to people of the same sex. The five categories in between describe people with varying degrees of erotic attraction to and contact with people of the same and the opposite sex. Rather than thinking about people as either heterosexual, homosexual or bisexual, Kinsey and later social scientists have found that people fall in many places along this continuum at different points in their lives (Kinsey, Pomeroy, and Martin 1948; Kinsey, Pomeroy, Martin, and Gebhard 1953).

THE LIVES OF GAY, LESBIAN, AND BISEXUAL PEOPLE

No one knows exactly how many gay, lesbian, and bisexual people there are in the United States. National surveys rarely ask questions about sexuality, many people are hesitant to answer them honestly, and the number of homosexual people vary tremendously depending on whether homosexuality is defined in terms of desires, behaviors, or identities (Michaels 1996). When Kinsey did his research in the 1940s, he found that 2 percent of women and 4 percent of men fell exclusively in the homosexual category of his continuum. Thirty-seven percent of men and 13 percent of women in his study, however, reported having a homosexual experience at some point in their lives (Kinsey et al. 1948). More recent data collected by Edward O. Laumann, John H. Gagnon, and colleagues in 1992 found that 9 percent of men and just over 4 percent of women had engaged in some sexual practice with someone of the same sex since puberty. In an adult population of close to 290 million in the United States, this is 26.1 million men and 11.6 million women. Just about 2.8 percent of men (8.1 million) and 1.4 percent of women (4.1 million) in Laumann and Gagnon's study self-identified as homosexual (Laumann, Gagnon, Michael, and Michaels 1994).

Accurate information about how homosexual people, defined in terms of behaviors or identities, are distributed in the population also has not been systematically gathered. The 2000 Census recorded 5.5 million couples who were living together but not married. About one in nine of these households (549,000 households) had partners of the same sex. Of these households, 301,000 households had male partners and 293,000 households had female partners. Households that included unmarried same-sex couples existed in every state in the United States and in nearly every country. In the year 2000 and in previous years, gay men and lesbians were more likely to be found in urban rather than rural areas and particularly in cities like San Francisco, Seattle, Washington, DC, Atlanta, Oakland, and Minneapolis (Black, Gates, Sanders, and Taylor 2000; Laumann et al. 1994).

People who have had sexual experiences with others of the same sex and / or identify as gay, lesbian, or bisexual today include people of all social classes, occupations, races, religions, and political persuasions (Black et al. 2000). Gay, lesbian, and bisexual people are as varied in their backgrounds and interests as are heterosexual people; the only thing they share, by definition, is a sexual and emotional attraction to people of the same sex.

"COMING OUT"

People come to recognize their attraction to people of the same sex and to develop (or not develop) identities as gay men, lesbians, or bisexuals along many paths (Troiden 1989; Cass 1996; D'Augelli 1996). This process is often described as the "coming out" process, which includes stages of **coming out** both to self and to others. People who are attracted to or have sexual relations with people of the same sex but are secretive about them are often described as being "in the closet." The process by which gay, lesbian, and bisexual people come out to themselves includes both self-acknowledgement and self-acceptance. People often begin by realizing that they do not fit the heterosexual models in which most people in the United States are raised. Some people realize this as children, others during puberty, and others only after having relationships with people of the opposite sex. A significant number of gay men and lesbians were married before they came out, as many as 25 percent of gay men and 40 percent of lesbians (Black et al. 2000). For some people the process of self-acknowledgement includes sexual experiences with people of the same sex and for others it does not. After self-acknowledgment comes the process of self-acceptance. For many people this acceptance is very difficult because of negative societal views about homosexuality prevalent in families and communities across the United States.

After coming out to themselves, most gay men, lesbians, and bisexuals decide to come out to other people. Generally people come out to a few trusted friends or family members first and gradually expand the scope of people to whom they are out. Reactions of family members and friend vary considerably. Some youth who come out to their families are embraced and others are kicked out of their homes. About half of the parents initially have negative reactions when a child reveals that she or he is gay or lesbian, with about one quarter intolerant or rejecting (D'Augelli 1996). Many parents experience guilt when they learn that their child is gay or lesbian and feel that they did something wrong as a parent. Some parents and friends encourage their loved ones to seek counseling about their sexuality in the hope that it will change. The majority of doctors, therapists, and counselors, however, do not believe it is possible for a person to change his or her sexual orientation. In December of 1998, the American Psychiatric Association joined the American Academy of Pediatrics, the American Medical Association, the American Psychological Association, the American Counseling Association, and the National Association of Social Workers in opposing any psychiatric treatment based on the assumption that homosexual people can become heterosexual.

RELATIONSHIPS, FAMILIES, AND CHILDREN

Like heterosexual people, many gay, lesbian, and bisexual people want to and do have short and long-term intimate relationships. They form relationships for many of the same reasons that heterosexual people do, for companionship, love, and support. Stereotypes that suggest that gay men and lesbians lack desire or are unable to have enduring romantic relationships are false just as are ideas that lesbians and gay men adhere to particular male or female gender roles in order to have relationships.

Existing research describes many aspects of gay men and lesbians' intimate relationships. Evidence shows that these relationships last from a few days to more than thirty years and that two-thirds of gay men and more than 90 percent of lesbians have lived with a same sex partner at some point in their lives (Black et al. 2000). Studies that compare the length of lesbians' and gay men's relationships reach different conclusions, though most researchers generally agree that lesbians and gay men have shorter intimate relationships than heterosexual couples, possibly because of the challenges of living in social contexts that are not always accepting (McWhirter and Mattison 1996; Klinger 1996). Research on relationship satisfaction shows that gay men and lesbians are just as satisfied with their relationships as are heterosexuals and that many of the difficulties and challenges people face in relationships are shared by heterosexual and homosexual couples, though are often dealt with in different ways by different couples (Blumstein and Schwartz 1985; Kurdek 1994, 1998).

Gay and lesbian people form families in a wide range of ways. In *Families We Choose: Lesbians, Gays, Kinship*, Kath Weston argues that gay men and lesbians understand the word family to include networks of friends, lovers, former lovers, adopted children, children from previous heterosexual relationships, etc. In short, networks of people may include blood relations but certainly are not limited to them (Weston 1991). The state of Vermont was the first to allow same-sex couples to obtain a civil union license, which made them eligible for the same protections as married people within the state. And Massachusetts was the first state to allow same-sex people to be married, as decided by the Supreme Court in the 2004 *Goodridge v. Department of Public Health* decision. The 1996 Defense of Marriage Act, however, states that the federal government does not recognize the marriages of same-sex couples in the United States and such couples are not eligible for the federal benefits granted heterosexual married couples.

Gay men and lesbians have and raise children in their families, alone and in the context of their relationships (Patterson 2002). Credible estimates of the number of children currently being raised by a gay, lesbian, or bisexual parent range from 1 million to 9 million (between 1and 12 percent of all children aged nineteen and under in the United States) (Stacey and Biblarz 2001). Some homosexual people had their own biological children before they came out as gay or lesbians. Others have children, by birth, foster parenting or adoption, in the context of homosexual relationships (Kirkpatrick 1996; Patterson and Chan 1996). The laws and practices governing foster parenting, adoption, and other aspects of parenthood for gay and lesbian people vary by state. In some states, like Florida and Mississippi for example, gay men and lesbians are prohibited from adopting children. In other states gay people can adopt only as individuals and in other states as couples (Brodzinsky, Patterson, and Mahoush 2002).

A great deal of research by psychologists and other social scientists compares how children raised by gay and lesbian parents compare to children raised by heterosexual parents. Much of this research is limited, however, because large-scale nationally representative studies have not been completed. The vast majority of existing research, however, finds homosexual people to be just as competent and responsible as parents as are heterosexual people. The children of homosexual parents are found to have relationships with their peers, parents, and other adults that are quite similar to the kinds of relationships that the children of heterosexual parents have (Allen and Burrell 1996; Patterson 1995). Not all researchers agree, however, and critics of this research argue that children raised by gay parents are more likely to experience confusion about their sexual identities, depression, and a range of other ailments (Wardle 1997; Cameron and Cameron 1996; Cameron, Cameron, and Landess 1996). A recent study by Judith Stacey and Timothy Biblarz at the University of Southern California systematically examined a great deal of previous research about how the sexual orientation of parents influences children. They concluded that, among other things, there is no relationship between the sexual orientation of parents and the self-esteem, psychological well-being, and cognitive abilities of their children; and that the children of lesbian and gay parents often have more flexible ideas about how to behave as women and men and appear to be more open to same-sex sexual experiences than are the children of heterosexual parents (Stacey and Biblarz 2001).

Overall, gay men and lesbians form relationships in ways quite similar to how heterosexuals form relationships, and heterosexual and homosexual couples have quite similar degrees of satisfaction with their relationships. Gay, lesbian, and bisexual individuals and couples define their families in a range of ways, including and not including children. The overwhelming evidence suggests that homosexuals and heterosexuals make equally good parents and that children raised by heterosexual and homosexual parents do have some differences, particularly around issues related to gender and sexuality.

FURTHER READINGS

Allen, Mike and Nancy Burrell. "Comparing the Impact of Homosexual and Heterosexual Parents on Children: Meta-Analysis of Existing Research." *Journal of Homosexuality*, 32 (1996): 19–35.

Black, Dan A., Gary Gates, Seth Sanders, and Lowell Taylor. "Demographics of the Gay and Lesbian Population in the United States: Evidence From Available Systematic Data Sources." *Demography*, 37 (2000): 139–154.

Blumstein, Philip and Pepper Schwartz. *American Couples: Money, Work, Sex*. New York: Pocket Books, 1985.

Brodzinsky, David M., Charlotte J. Patterson, and Vaziri Mahoush. "Adoption Agency Perspectives on Lesbian and Gay Prospective Parents: A National Study." *Adoption Quarterly*, 5(3) (2002): 5–23.

Cameron, Paul and Kirk Cameron. "Homosexual Parents." *Adolescence*, 31 (1996): 757–767.

Cameron, Paul, Kirk Cameron, and Thomas Landess. "Errors by the American Psychiatric Association, the American Psychological Association, and the National Educational Association in Representing Homosexuality in Amicus Briefs About Amendment 2 to the U.S. Supreme Court." *Psychological Reports*, 79 (1996): 383–404.

Cass, Vivienne. "Sexual Orientation Identity Formation: A Western Phenomenon." In Robert P. Cabaj and Terry S. Stein, eds., *Textbook of Homosexuality and Mental Health*. Washington, DC: American Psychiatric Press, 1996, pp. 227–251.

D'Augelli, Anthony R. "Lesbian, Gay, and Bisexual Development During Adolescence and Young Adulthood." In Robert P. Cabaj and Terry S. Stein, eds., *Textbook of Homosexuality and Mental Health*. Washington, DC: American Psychiatric Press, 1996, pp. 267–288.

D'Emilio, John. *Sexual Politics, Sexual Communities*. Chicago: University of Chicago Press, 1983.

D'Emilio, John and Estelle Freedman. *Intimate Matters: A History of Sexuality in America*. Chicago: University of Chicago Press, 1998.

Greenberg, David F. *The Social Construction of Homosexuality*. Chicago: University of Chicago Press, 1988.

Halperin, David M. "Sex Before Sexuality: Pederasty, Politics, and Power in Classical Athens." In John Corvino, ed., *Same Sex: Debating the Ethics, Science, and Culture of Homosexuality*. Lanham, MD: Rowman & Littlefield, 1999, pp. 203–219.

Herdt, Gilbert. *Guardians of the Flutes, Idioms of Masculinity*. New York: Columbia University Press, 1987.

———. "Issues in the Cross-Cultural Study of Homosexuality." In Robert P. Cabaj and Terry S. Stein, eds., *Textbook of Homosexuality and Mental Health*. Washington, DC: American Psychiatric Press, 1996, pp. 65–82.

Homosexuality. *Contexts: Understanding People in Their Social Worlds*, 2(2) (Spring 2003): 58.

Kinsey, Alfred C., Wardell B. Pomeroy, and Clyde E. Martin. *Sexual Behavior in the Human Male*. Philadelphia, PA: W.B. Saunders, 1948.

Kinsey, Alfred C., Wardell B. Pomeroy, Clyde E. Martin, and Paul H. Gebhard. *Sexual Behavior in the Human Female*. Philadelphia, PA: W.B. Saunders, 1953.

Kirkpatrick, Martha. "Lesbians As Parents." In Robert P. Cabaj and Terry S. Stein, eds., *Textbook of Homosexuality and Mental Health*. Washington, DC: American Psychiatric Press, 1996, pp. 353–370.

Klinger, Rochelle L. "Lesbian Couples." In Robert P. Cabaj and Terry S. Stein, eds., *Textbook of Homosexuality and Mental Health*. Washington, DC: American Psychiatric Press, 1996, pp. 339–352.

Kurdek, Lawrence A. "Areas of Conflict for Gay, Lesbian, and Heterosexual Couples: What Couples Argue About Influences Relationship Satisfaction." *Journal of Marriage and the Family*, 56(4) (1994): 923–934.

———. "Relationship Outcomes and Their Predictors: Longitudinal Evidence From Heterosexual, Married, Gay Cohabiting, and Lesbian Cohabiting Couples." *Journal of Marriage and the Family*, 60(3) (1998): 553–568.

Laumann, Edward O., John H. Gagnon, Robert T. Michael, and Stuart Michaels. *The Social Organization of Sexuality: Sexual Practices in the United States*. Chicago: University of Chicago Press, 1994.

Loftus, Jeni. "America's Liberalization in Attitudes Toward Homosexuality 1973 to 1998." *American Sociological Review*, 66(5) (2001): 762–782.

McWhirter, David P. and Andrew M. Mattison. "Male Couples." In Robert P. Cabaj and Terry S. Stein, eds., *Textbook of Homosexuality and Mental Health*. Washington, DC: American Psychiatric Press, 1996, pp. 319–337.

Michaels, Stuart. "The Prevalence of Homosexuality in the United States." In Robert P. Cabaj and Terry S. Stein, eds., *Textbook of Homosexuality and Mental Health*. Washington, DC: American Psychiatric Press, 1996, pp. 43–63.

Mondimore, Francis M. *A Natural History of Homosexuality*. Baltimore, MD: Johns Hopkins Press, 1996.

Patterson, Charlotte. "Lesbian and Gay Parenting." American Psychological Association Web site: www.apa.orgpi/parent.html.

Patterson, Charlotte J. "Lesbian and Gay Parenthood." In Marc H. Bornstein, ed., *Handbook of Parenting: Vol. 3: Being and Becoming a Parent*, 2nd ed. Mahawah, NJ: Lawrence Erlbaum Associates, 2002, pp. 317–338.

Patterson, Charlotte J. and Raymond W. Chan. "Gay Fathers and Their Children." In Robert P. Cabaj and Terry S. Stein, eds., *Textbook of Homosexuality and Mental Health*. Washington, DC: American Psychiatric Press, 1996, pp. 371–393.

Saad, Lydia. "Americans Growing More Tolerant of Gays." *The Gallup Poll Monthly*, 375 (1996): 12–14.

Silverstein, Charles. "History of Treatment." In Robert P. Cabaj and Terry S. Stein, eds., *Textbook of Homosexuality and Mental Health*. Washington, DC: American Psychiatric Press, 1996, pp. 3–16.

Stacey, Judith and Timothy J. Biblarz. " (How) Does the Sexual Orientation of Parents Matter." *American Sociological Review*, 66 (2001): 159–183.

Troiden, Richard R. "The Formation of Homosexual Identities." *Journal of Homosexuality*, 17(1–2) (1989): 43–73.

Wardle, Lynn D. "The Potential Impact of Homosexual Parenting on Children." *University of Illinois Law Review* (1997): 833–919.

Weston, Kath. *Families We Choose: Lesbians, Gays, Kinship*. New York: Columbia University Press, 1991.

Williams, Walter L. *The Spirit and the Flesh: Sexual Diversity in American Indian Culture*. Boston, MA: Beacon Press, 1988.

Homosexuality, Religion, and the Biological Sciences

Chandler Burr

The history of science has been anything but tranquil. In 1859, when Charles Darwin proposed to the world the theory of evolution, the world was repelled. It was aghast that a former Christian cleric would propose it. Most of the preeminent scientists of the day renounced both what Darwin had observed and the conclusions he had drawn from it. Adam Sedgwick, Darwin's old geology teacher and friend, denounced evolution and the biological mechanism of natural selection. Thomas Carlyle called it "a Gospel of dirt." Along with his personal integrity and his motives, Darwin's science was attacked.

People rejected Darwin's theory not because the evidence was against him. What troubled the world was a science that dragged human beings down from their position of primacy to the level of the other animal species. What bothered the world was the apparent diminishment of humanity, which was no longer and would never be again, as Darwin would one day rather brutally put it, a separate act of creation.

The world has again been disturbed by the science on homosexuality. The first major biological investigation of sexual orientation was published in 1991, neuroanatomical research that jumped from the pages of the periodical *Science* to the popular media and to public conversation. Within a relatively short time, it was followed by several genetics forays and heightened interest in the hormonal evidence. In early 2005 a team of scientists led by Dr. Brian Mustanski of the University of Illinois at Chicago published their findings in the highly respected biomedical journal *Human Genetics*. They identified three chromosomal regions linked to sexual orientation in men, mapped on the human genome as 7q36, 8p12, and 10q26. The various scientists pursuing this biological mystery—neuroanatomists Simon LeVay and Laura Allen, human geneticists Richard Pillard and Michael Bailey, molecular geneticists Dean Hamer, Angela Pattatucci, and Brian Mustanski, and endocrinologists Heino Meyer-Bahlburg and Anka Erhardt—proposed that homosexuals were, in fact, the work of a separate act of creation, in this case biological creation. Gay people, they argued, are biologically distinct human beings from "straight" (heterosexual) people.

A storm of protest erupted, some of it criticism aimed ostensibly at the validity of the science. The turmoil was caused by the impact of the research on humanity's perception of itself. Where evolution had threatened to bring human beings down from a separate pinnacle to the level of the animals, this latest science on the biology of homosexuality threatened to raise homosexuals up from the level of the subhuman or aberrant and place them on the fully human plan. The implications were and are of tremendous consequence, not only for science, but also for religion. What would it mean for religious views of sexuality and reproduction if there were a subgroup of human beings genetically directed to have nonreproductive sex? The consequences of the scientific studies have resulted in a profound equalizing effect, a leveling of political, social, and even theological hierarchies. The research said that in the important ways heterosexuals and homosexuals were the same, and yet different.

Thus the biological science on homosexuality has caused a tremendous stir in the popular media, which did not always report the science with sufficient understanding. When the media reported on the biological research of homosexuality, they typically did so under the ubiquitous headline: "Homosexuality: Genes or Choice?" The headline is short and appears moderate. The headline suggests the following conclusion: if we find a gene for homosexuality, then people don't choose to be gay, but if we *do not* find a gene, people *do* choose to be gay. We need to find a gene to know things about the trait. But this interpretation is an inaccurate analysis of the scientific findings.

Scientists know from looking at the human animal the almost unending list of traits that we seek to understand, all the mysteries that make us who we are waiting to be biologically revealed: eye color, height, cystic fibrosis, cancer, intelligence, Tay Sachs, baldness, athletic ability, resistance to some viruses and susceptibility to others, skin tone, muscle mass, allergies, and sexual orientation, to name a few. Some traits can be defined simply by looking at the person, like hair color or height. Some cannot, like cancer or blood type (A, B, or O). Some human traits are behavioral, like manual dexterity, sexual orientation, hand-eye coordination, and schizophrenia, and some are not, like blood type, race, or the hardness of tooth enamel. Some are disease traits: hemophilia, schizophrenia, cancer, color blindness. Some are politically and religiously charged, given by society and organized religions a moral significance.

One such trait has been the object of decades of scientific empirical observation, and researchers have compiled in the scientific literature a fairly complete external description of the trait, what is sometimes called a "trait portrait," what scientists know about it from looking at it.

The particular trait in question has the following characteristics:

1. The trait is referred to by biologists as a "stable bimorphism, expressed behaviorally."
2. It exists in the form of two basic internal, invisible orientations; over 90 percent of the population account for the majority orientation and under 10 percent (one reliable study puts the figure at 7.89%) for the minority orientation, although there is still debate about the exact percentages.
3. Only a very small number of people are truly equally oriented both ways.
4. Evidence from art and history suggests the incidence of the two different orientations has been constant for five millennia.

5. A person's orientation cannot be identified simply by looking at him or her; those with the minority orientation are just as diverse in appearance, race, religion, and all other characteristics as those with the majority orientation.
6. Since the trait itself is internal and invisible, the only way to identify an orientation in someone else is by observing in them the behavior or reflex that express it.
7. The trait itself is not a "behavior." It is the neurological orientation expressed, at times, behaviorally. But the behavior can mislead. A person with the minority orientation can engage, usually due to coercion or social pressure, in behavior that seems to express the majority orientation. Several decades ago, due to religious pressure, those with the minority orientation were frequently forced to mask behavior to make it appear as if they had the majority orientation—but internally the orientation remains the same. As social pressures have lifted, the minority orientation has become more commonly and openly expressed in society.
8. Neither orientation is a disease or mental illness. Neither is pathological.
9. Neither orientation is chosen.
10. Signs of one's orientation are detectable very early in children, often, researchers have established, by age two or three, and one's orientation has probably been defined at the latest by age two, and quite possibly before birth. These first intriguing trait portraits began to catch the attention of researchers. The trait looked biological in origin. Scientists began to press ahead systematically with their inspection, fleshing out the answer to the first question biologists always ask of a trait: "What is it?" It is a question in the chronology of research that must be answered before a scientist can pursue the second, quite different question, "Where does it come from?" The data that began flowing back to them indicated that the trait might well have a genetic source.
11. Adoption studies show that the orientation of adopted children is unrelated to the orientation of their parents, demonstrating that the trait is not environmentally rooted.
12. Twin studies show that pairs of identical (monozygotic) twins, with their identical genes, have a higher-than-average chance of sharing the same orientation compared to pairs of randomly selected individuals; the average (or "background") rate of the trait in any given population is just under 8 percent, while the twin rate is just over 12 percent, over 30 percent higher. But the most startling and intriguing clues came from studies that began to reveal the faint outlines of the genetic plans that underlay the trait.
13. The incidence of the minority orientation is strikingly higher in the male population—about 27 percent higher—than it is in the female population, a piece of information that gives indications to the biological conditions creating the trait.
14. Like the trait eye color, familial studies show no direct parent-offspring correlation for the two versions of the trait, but the minority orientation clearly "runs in families," handed down from parent to child in a loose but genetically characteristic pattern.
15. This pattern shows a "maternal effect," a classic telltale of a genetically loaded trait. The minority orientation, when it is expressed in men, appears to be passed down through the mother.

While the reader might presume that the foregoing has been a description of the trait portrait for sexual orientation, in fact all of the above observations are the scientific results of the study of what is called "handedness" (whether one is right-handed, left-handed, or ambidextrous), a stable, behavioral bimodal polymorphism with the majority orientation, right-handedness, expressed in over 90 percent of the population and the minority orientation, left-handedness, in around 8 percent. There are very few truly ambidextrous people, and the art history evidence suggests these ratios or right-, left-, and ambidexterity have been constant for five millennia. Handedness is interesting in relation to another trait, sexual orientation, because of the striking similarities between their clinical profiles. Those who know the literature would know immediately that the trait profile above is not for sexual orientation, which differs from handedness in several ways: the population ratios for each trait's two orientations vary somewhat (while left-handed people comprise 8% of the population, the current figures for homosexuals is thought to be around 5–6%), and identical twin (MZ) concordance figures are quite different. Twin concordance for left-handedness is 12 percent against a background rate of 8 percent whereas for homosexuality, MZ concordance is 25 percent against a background of only around 5 percent, indicating that homosexuality has a much higher purely genetic component than left-handedness. (Also, and more subtly, the telltale "maternal effects" which both traits display are expressed somewhat differently.)

But these are the exceptions highlighting the fact that the trait profiles of the two are extraordinarily alike, and virtually everything we know about the one, we know about the other. Neither left and right-handedness nor hetero and homosexual orientation can be identified simply by looking at a person. Since both are internal orientations, the only way to identify them is by the respective behaviors that express them, motor reflex and sexual response. Handedness shows up in children starting at age two or before, and John Money of Johns Hopkins University puts the age of the first signs of sexual orientation at the same age. Neither left-handedness nor homosexuality correlates with any disease or mental illness (although there are studies showing a higher correlation between left-handedness and, for example, schizophrenia). The grammar school coercion of left-handed children to use their right hands was ended years ago.

Both orientations (handedness and sexuality) also function well as working analogies. If a person is right-handed, takes a pen in the left-hand and tries to write his or her name, with some effort he or she can probably write semi legibly, but the fact that one has engaged in left-handed behavior does not make one left-handed. Behavior is irrelevant; the orientation one has is what counts. And a person is just as right-handed sitting still watching a movie as when swinging a tennis racquet with one's right-hand. One does not choose to be right-handed. Similarly, an interiorly heterosexual person is not homosexual even in the midst of homosexual intercourse; behavior, when it does not reflect the interior orientation, is not relevant, and a homosexual is equally a homosexual whether during a sexual act or driving a car.

Another biologically significant similarity between handedness and sexual orientation is their ubiquitous and consistent presence across populations. Regarding handedness, researcher I.C. McManus noted in particular the absence of geographical differences, so that handedness appears to be a balanced polymorphism present in all cultures. (In many Arab cultures, due to cultural strictures against using the left hand, there appear to be no left-handed people at all. But cultural pressures have functionally closeted left-handed people in these societies.) There is only one way to determine if a person is left-handed: he or she states it and has behaviors consistent with the claim. The same is true of persons with a homosexual orientation.

Two Trait Profiles—Human Handedness and Human Sexual Orientation

	Human Handedness	Human Sexual Orientation
Distribution	Stable bimodalism, behaviorally expressed Majority and Minority orientations	Stable bimodalism, behaviorally expressed Majority and Minority orientations
Population distribution:	Majority orientation: 92% Minority orientation: 8%	Majority orientation: 95% Minority orientation: 5%
Population distribution of orientations according to sex:	Male: 9% Female: 7%	Male: 6% Female: 3%
Male: Female ratio for minority orientations	1.3:1 Minority orientation 30% higher in men than women	2:1 Minority orientation 100% higher in men than women
Does minority orientation correlate with race?	No	No
. . .geography?	No	No
. . .culture?	No	No
. . .mental or physical pathology?	No	No
Age of first behavioral appearance of trait:	Around age 2	Around age 2
Is either orientation chosen?	No	No
Is either orientation pathological?	No	No
Can external expression be altered?	Yes	Yes
Can interior orientation be altered clinically?	No	No
Is trait familial/does trait run in families?	Yes	Yes
Pattern of familiality:	"Maternal effect" implies X-chromosome linkage.	"Maternal effect" implies X-chromosome linkage.
Parent-to-child segregation?	Little to none. Handedness of adopted (i.e., nonbiological) children shows no relationship to that of adoptive parents, indicating a genetic influence.	Little to none. Sexual orientation of adopted (i.e., nonbiological) children shows no relationship to that of adoptive parents, indicating a genetic influence.
Do siblings of those with minority orientation have increased rates of minority orientation?	Yes. Elevated rate of left-handedness in families with other left-handed children.	Yes. Elevated rate of homosexuality in families with other homosexual children.
Are monozygotic (identical) twins more likely to share minority orientation?	Yes	Yes
MZ concordance for minority orientation (vs. background rate):	12% (vs. 8%, so MZ rate is 1.5 times higher)	25% (vs. 5%, so MZ rate is 5 times higher)

There is one interesting difference between handedness and sexual orientation: currently scientists actually know less about the biological origins of handedness than about those of sexual orientation. Clinicians do not doubt that handedness is a nonchosen orientation. But this conclusion is not due to finding a gene; scientists know nothing about the genes that make a small minority of the population left-handed. Rather, people self-report that they do not choose to be left-handed or right-handed. Similarly, clinicians systematically question homosexuals and heterosexuals according to strict protocols, and their findings are much the same as in the case of handedness. People simply report that they found themselves instinctively sexually and romantically attracted to people of the same/opposite sex.

Religious traditions are in a particularly difficult position in relation to the debate over the origins of sexual orientation because the clinical facts stand in significant tension with many official religious teachings regarding human sexuality. For example, the **Roman Catholic Church** holds that homosexuals are "intrinsically disordered." Empirically, this is not an observation drawn from science or biology. There is no objective, empirically measurable disorder in homosexuals using any scientific standards of biological science. So from a scientific perspective the Catholic teaching on homosexuality, which follows **natural law** theory, is problematic. Many church traditions teach that homosexual persons may not choose their orientation, but still to engage in any homosexual activities runs counter to human biology. This approach has often been cast as "love the sinner, hate the sin." But this approach to what is biologically natural does not find support in the scientific literature. There is no objective pathology associated with the trait of homosexuality, so from a biological perspective it is in fact natural for persons with a homosexual orientation to act in a homosexual manner (i.e., engage in same-sex relations), just as it is biologically natural for persons with a heterosexual orientation to act in a heterosexual manner.

While many people with firm religious convictions have used the scientific discussions of sexual orientation to argue for a religious view of homosexual orientation as natural and part of the given identity of a minority of persons (akin to handedness or eye color), many others with equally firm religious convictions dispute that science should be a moral guide in this regard. The role of biological research into the genetics of homosexual orientation thus continues to be a matter of significant debate in religious circles, and consequently in wider societies at large.

FURTHER READINGS

Bailey, J. Michael and Richard Pillard. "A Genetic Study of Male Sexual Orientation." *Archives of General Psychiatry*, 48 (December 1991): 1089–1096.

Ellis, L., and L. Ebertz, eds. *Sexual Orientation: Toward Biological Understanding*. Westport, CN: Praeger, 1997.

Hamer, Dean. *The Science of Desire: The Search For the Gay Gene and the Biology of Behavior*. New York: Simon & Schuster, 1994.

Hamer, Dean et al. "A Linkage Between DNA Markers on the X Chromosome and Male Sexual Orientation." *Science*, 261 (July 16, 1993): 321–327.

LeVay, Simon. *The Sexual Brain*. Boston, MA: MIT Press, 1993.

———. *Queer Science: The Use and Abuse of Research into Homosexuality*. Cambridge, MA: MIT Press, 1996.

McManus, I.C. "The Inheritance of Left-Handedness." In Ciba Foundation Symposium, No. 162, *Biological Asymmetry and Handedness*. Chichester: John Wiley & Sons, 1991, pp. 251–267.

Homosexuality and Spirituality

Donald Boisvert

The topic of homosexuality and spirituality raises a number of significantly interconnected questions. First, and most conspicuously, what are the meanings of the two terms? For homosexuality, the response may perhaps be obvious at first glance. Homosexuality means same-sex desire. The explanation appears simple, though undoubtedly a bit simplistic. For spirituality, the word in our day and age has overtones of some individualistic religious quest, most often associated with an alternative spiritual path. Spirituality is, in fact, a highly ambiguous and loaded term. A second question centers on the two forms of human behavior: religious belief on the one hand, and sexuality on the other. In what ways can persons claim to be, or be said to be, "religious" or "sexual," and how do they choose to express this? Is there a certain normative pattern to either? Finally, how are sex and spirit, or sex and faith, related? Established religions do have a great deal to say about this issue, but so do queer people themselves. Very often, the two perspectives are not compatible in terms of some level of mutual understanding or even respect.

The intersections between homosexuality and spirituality are not generally explicit. Most often, the basic issue is framed in terms of the relationship between institutionalized religion and homosexuality, that is, the position or policy of a given denomination or religious group on same-sex relations, its theological stance on this topic (often viewed as an ethical concern), and its formal sanctions against those who may choose to engage in same-sex behavior, in defiance of established religious norms. An added difficulty has to do with the fact that many persons today choose to avoid the word "religion" altogether, opting rather for the far more inclusive and amorphous term "spirituality." Individuals claiming to be irreligious may still view themselves as spiritual persons in some legitimate way. To speak of homosexuality and spirituality therefore means that one must be sensitive to the ways in which queer persons themselves understand their religious lives and choices. It also means a willingness to accept a certain measure of healthy ambiguity with respect to both terminology and theoretical content. In fact, the questions asked earlier may not be fully answered or answerable, but that does not imply a refusal on the part of LGBTQ persons to attempt doing so. Spirituality is really not so much about hard-and-fast solutions, as it is about the path followed.

Yet there exist gay, lesbian, and queer theologies and forms of spirituality, as well as groups within same-sex communities advocating a variety of spiritual paths, some tied to more established religious traditions and others not. Generally, they share common values with respect to formal religion and, perhaps more importantly, human sexuality, specifically same-sex desire. Institutionalized religion tends to be viewed with suspicion by these groups, primarily because of its long-standing historical animosity, at least in the West, toward homosexuality. It is seen as a real source of ostracism, hatred, and violence against queer people. Consequently, same-sex desire and activity are positively valued, precisely because religion has for so long condemned them outright as unnatural, sinful, or morally wrong. It is important, therefore, to understand gay, lesbian, or queer forms of spirituality as legitimate and significant ways of reappropriating and neutralizing homophobic religious discourse.

The process of reappropriation takes diverse forms. It can involve a major intellectual or scholarly effort, such as the groundbreaking work done by theologians, historians, social scientists, and other academics in reclaiming or uncovering gay and lesbian religious history. Generally, and though contrary opinions can and do arise, the work of such scholars is marked simultaneously by a high degree of rigor and a certain unorthodox flair. Their intent is one of correcting and challenging an exclusively heteronormative reading of history or of religious teaching. In so doing, they seek to legitimize the experiences of lesbians, gay men, and other marginal persons that are too often "written out" of history, demonized, or obfuscated by homophobic discourse. These works frequently use the life-experiences of their authors as sources of theological or spiritual reflection, thereby affirming the honored and long-standing feminist principle of "the personal is political."

A second type of reappropriation is the elaboration of new and eclectic forms of spirituality geared specifically to the needs and concerns of queer people. Most often, this is done through a process of syncretism, borrowing teachings, beliefs, and rituals from a variety of disparate religious traditions. Among the more prevalent or popular of these "borrowed" traditions are those of **Asian**, aboriginal, and New Age origin. In the area of gay men's spirituality, for example, several practitioners and writers, though they may emerge from a Christian (most often Catholic) intellectual environment, attempt to elaborate a comprehensive spiritual framework marked by a strong and persistently Asian (generally Buddhist) flavor. As well, sexuality fulfills a central and critically positive function in these forms of gay spirituality. The male body is highly valued as a site of almost boundless erotic possibilities, and it occupies a dominant and strategic position in the writings and practices of their adherents. At times, it is male energy, as embodied in the phallus that receives religious respect and worship. This is notably the case for the eclectic and marginal Temple of Priapus.

A third and final attempt at reclaiming religion as an appropriately queer venue is the variety of spiritual groups and therapeutic practices that have emerged in recent years, among both gay men and lesbians. These can range from such high-profile groups as the Radical Faeries—whether they be structured in terms of semi permanent communal living arrangements or simply weekend getaways—to the erotic therapies of Joe Kramer, or similar activities among any number of lesbian self-help groups. One of their more interesting and significant aspects is the proliferation of uniquely religious or spiritual rituals designed for and by queer people, often inspired by similar customs found in the men's or the feminist movements. This is important because the creation of rituals can mark the attainment of a level of spiritual maturity for such groups. For example, at a Gay Spirituality Summit held in Garrison, New York in April 2004, ritual was a prominent area of reflection and experimentation for the participants. Though it took diverse forms over the four days, ritual was at the very heart of the gathering. Queer rituals are certainly a powerful means of rehabilitating old religious rites, but they can also serve as significant reminders of the spiritual potentialities of queer gatherings.

As mentioned earlier, any discussion of the issues that homosexuality and spirituality needs to include some consideration of what is meant by sexuality. The issue is material precisely because the question of sexuality is such an important variable in the lives of gay, lesbian, and queer people, and, in the eyes of some, the very source of who they are: their identity. In this debate, one must acknowledge the great debt owed to the influential theoretical work of French philosopher Michel Foucault (1926–1984), whose unfinished writings on human sexuality pioneered an entire field of study. Foucault considered religion a highly significant, if not a determinant, variable in the deployment of discourses and strategies around sexuality, and he placed Christianity at the center of this process in the West. Through the practice of individual confession, the Christian religion made possible the emergence of the notion of "sexuality as truth," the belief that it is in declaiming (listing, confessing) my sexual acts that I arrive at an understanding of who I am. Power was therefore diffused; it belonged to both the institution and to the individual. Eventually, in the modern age, this religious act gave way to parallel forms of therapeutic control, whether judicial, educational, or psychiatric. Foucault's insights (much of which he owed to Freud) gives queer theorists and activists an empowering model in their attempts at redefining and reappropriating traditional religious paradigms.

The intersection of homosexuality and spirituality can be viewed in terms of three related aspects: 1. As a critical religious discourse; 2. As an affirmation of sexuality; and 3. As a form of political analysis and engagement. In many ways, these reflect broader ongoing debates within LGBTQ communities.

A CRITICAL RELIGIOUS DISCOURSE

To even hint at spirituality and homosexuality being somehow related or connected implies a significant critique of much of the worldviews of traditional religions. In part, this is because almost all these religious traditions (with the possible exception of **Hinduism**) maintain an intensely negative view of same-sex relations, so that any suggestion of some form of compatibility, whether overt or not, raises concerns and even a certain measure of antipathy. But the critique runs deeper. In confronting such entrenched views, those advocating for a more positive perspective on homosexuality undermine and subvert the very foundation and credibility of religious institutions. They ask the one question that most directly challenges any implied spiritual authenticity: how can a religious teaching of hostility and exclusion directed against a given group of individuals—in this case, LGBTQ persons—be reconciled with one pleading for love and inclusion? The challenge is straightforward; the response, most often sadly insufficient or theologically unsatisfactory.

How might the assertion of some compatibility between same-sex desire and spirituality constitute a form of critical religious discourse? What are the core elements of the critique, its predominant themes, and in what significant ways are these related to, or different from, dominant models of religiosity? In other words, what is unique or different about queer spirituality, enough so that it can be said to constitute a novel or alternative religious path in its own right? We will outline four such aspects: (1) Ethics, (2) Myth or narrative, (3) Imagery, and (4) Ritual.

In the Christian tradition—and in a parallel way, in the Jewish and Muslim traditions—procreation remains the all-important end of sexual intercourse, which is why opposite-sex relations are considered normative and same-sex relations non-normative, because these do not, in a strictly biological sense, produce life. In Catholic teaching, for example, such beliefs are argued in terms of the dictates of natural law. From this standard of absolute procreativity flow all the teachings of these (and some other) religious traditions with respect to a wide spectrum of very important issues: human sexuality, sexual diversity, sexual reproduction, marriage and the family, women. Such matters are often framed in terms of pressing ethical questions or concerns; though doing so is more often a way of creating a problem or labeling a behavior than a means of informing theologically what humans do. This type of procreative discourse tends to be rigid, exclusionary, dismissive, and ultimately demeaning to the life experiences of LGBTQ persons.

A queer spirituality opposes a view of procreation as the sole legitimate and proper end of human sexuality, and it proudly affirms the centrality of desire and pleasure in both its expression and its shaping. In essence, this means that a queer spirituality advocates a decidedly nonutilitarian view of human sexuality, thereby effectively undermining the exclusive claims of religious orthodoxy in defining, circumscribing, and ultimately manipulating sexual behavior. A queer spirituality reverses the traditional ethical equation of sex = procreation to a more inclusive formula of sex = desire = pleasure. From a notion of the end justifying the means, it moves to a diffuse end, with dynamic and conditional means. Though some of the other so-called ethical questions—the meaning of marriage, the role of women, the moral parameters of certain types of sexual diversity—may not become totally moot, they do find themselves considerably elucidated, and certainly brought into question. A queer spirituality proposes a new religious discourse in the guise of a critical ethic that subverts orthodoxy.

A second discursive aspect centers on the stories or narratives queer people tell themselves and others about who they are, where they come from, what their role might be in culture and society: in a word, their myths. Here again, this must be done by opposition to those dominant religious worldviews, which presuppose and favor a heterosexual perspective: the "natural" affinity of opposites, male and female, with the male often occupying an ascendant position in the hierarchy. A good example of this is the biblical story of the creation of Adam and Eve in the Book of Genesis. Queer myths and historical narratives cannot readily lay claim to such stories—as paradigmatic as they might be culturally—as being in any way reflective of the reality of the queer experience, nor would they want to. Queer mythologies would rather choose marginality as a constituent of, and very much central to, the meaning of the queer presence in the world.

Marginality can be of different sorts: existential, spiritual, political, cultural, or social. The important thing is that it be seen in terms of power. In other words, being in a state of marginality can be a source of incredibly liberating power. It can empower in all kinds of ways. For example, the shamanic power of the two-spirited persons in native North American traditions flows, in part, from their abilities to transcend fixed genders. Equally, the power of the transgendered person in calling into question rigid sexual constructs disturbs social and cultural expectations. The collective power of gays and lesbians when celebrating their foundational modern myth, the Stonewall events of 1969, makes public the notion of a queer history, a queer presence in time and space. The power of queer theologians who place the erotic at the very heart of an experience of the sacred subverts traditional religious categories of procreative normalcy and fixed gender roles. The power of all queer people who come out frees and empowers closeted others to claim and honor their marginality.

Imagery plays an equally significant role for queer people in undermining traditional canons of religious meaning. Whether it be porn and male beauty as legitimate sites of gay transcendence, or Catholic saints as carriers of male desire, or the figure of Christ himself as the focus of nascent same-sex erotic cravings, images of masculinity, whether religious or not, provide powerful means for gay men to delineate and to voice their sense of the sacred in their lives. For lesbians, a reappropriation of goddess traditions and imagery and of the centrality of Mary as a pivotal feminine principle in the Christian context—or, as well, a reaffirmation and reclaiming of the continued relevance of sacred androgynous figures in the case of transgendered individuals—all these serve to subvert religious orthodoxy and to validate queer alternative spiritual paths.

These different roads to the sacred employ two basic strategies: revivalism and expropriation. The first brings back ancient—often pre-Christian and queer-positive—beliefs, legends, and imagery; the second sets about to challenge and ultimately to destabilize religious orthodoxy by a process of "reading" dominant religious imagery and symbols through queer eyes. These tasks frame the critical discourse of queer spirituality. Most importantly, they open up and free new ways of making sense of the transcendent in individual and collective queer lives, but they also validate perspectives and understandings outside of, or in opposition to, the religious mainstream. Given the dominant power and continued relevance of traditional religious imagery, this double subversion also makes possible an enduring queer ritual praxis.

Ritual is the embodiment of spirituality, its staging, its expression in time and space. Many significant aspects of queer culture—from the sense of festivity, to the rites of coming out and sexual play, to the renewed definitions of family and friendship—contain religious and spiritual dimensions. Some writers have further argued that these developments (and others like them) in gay culture are having a powerfully beneficial and noticeable impact on the broader North American culture, particularly with respect to hegemonic understandings of masculinity. There are also some singularly gay male rituals, whether pride celebrations, or phallic worship, or cruising, or the "adoration" of the body beautiful. And soon there will no doubt be a uniquely queer way of getting married. Rituals make possible the emergence of counterdiscourses, ways of engaging and struggling with both authority and tradition, and of proposing alternative spiritual scripts. In its multiplicity of designs, queer ritual tests the limits of the religiously normative. In its staging of what might appear sacrilegious or mundane, it ultimately builds queer hope.

AN AFFIRMATION OF SEXUALITY

If most major religious traditions emphasize procreation as the prime end of sexual intercourse, a queer spirituality looks rather to desire as its one overarching and compelling dynamic. There are no inhibitions or hidden agendas about this. If it were not for this affirmation of the erotic as both necessary and central to the spiritual life and to any genuine experience of the sacred, then queer spirituality would really have no reason to exist. There could not be a gay spirituality, or a lesbian one, nor one for transgendered people. Bodies like ours, our responses to them, and our desire for them: these are the real and vital components of a queer spirituality. In fact, queer spirituality could be said to be sexual, or sexed, well before it is religious. It understands the erotic as a privileged path to the divine.

For Christians, the positive affirmation of sexuality generally, and of same-sex desire specifically, as constituent of the religious experience may appear somewhat unusual, if not highly problematic. There are two basic reasons for this. On the one hand, there has been a long tradition of suspicion—if not outright hostility—toward the human body and its urges and needs, going all the way back to St. Augustine, one of the earliest and certainly the most influential of Church Fathers. This is grounded in a dualistic view of spirit and matter, where the former represents goodness and light, and the latter, above all sex, is equated with evil and corruption. Sex is perceived as an animal instinct, something that distracts humans from their inherently rational nature, and ultimately from God.

A second reason has to do with the quality of sexual desire itself, which tends to be heterogeneous, changeable, diffused, and multifaceted. In other words, human erotic desire is not always easily controllable or even predictable. There invariably is an element of anarchy about it. Human bodies are inherently messy and volatile. They want and do things that flaunt established moral canons and subvert institutional exigencies. Michel Foucault explores the ways in which Christianity and classical cultures tried to contain and channel these urges. For institutionalized religions—most notably Christianity, with its view of an "embodied" god—human sexuality remains unusually problematic and suspected, in large part because it invariably defies attempts at its own normalization.

Not only does queer spirituality affirm the centrality of human sexuality to an experience of the sacred, it also proposes alternative models to how the sacred itself should be understood, and ultimately related to. For many LGBTQ persons, particularly those who may have turned to more esoteric or New Age practices and beliefs, the notion of a personalized sacred, as in the figures of Christ, the Buddha, or Krishna, does not ring true. For them, the sacred, though very much real, is more often a form of energy, a force, or a consciousness. On the other hand, some individuals choose to remain with the more established traditions in which they were raised, or to which they may have converted. In this case, while the sacred may well be a personal entity, they can and do choose to relate to it in "gendered" terms (God the Father, the Mother) and with those forms of devotion which best characterize their sexual needs and desires (homoerotic, woman-centered).

Queer spirituality must often deal with irrational fears on the part of those unable or unwilling to accept the simple fact that LGBTQ people can have a fully satisfying and legitimate religious life. One of the unfortunate side effects of dogmatic religious belief is too often the inability to accept a diversity of lifestyles and to allow their full and open expression, all in the name of theological or moral rectitude. Overt displays of sexuality or, worse, of same-sex erotic desire and play can often make orthodox believers very nervous. One need only consider, in this regard, the beliefs of some American **Southern Baptists** or the official positions of the **Mormon** Church, to say nothing of those of the Roman Catholic hierarchy. In large measure, this is due to implicit or explicit homophobia—the irrational fear and hatred of gays and lesbians—on the part of these religious institutions and their adherents.

There is another form of irrational fear and dislike, however, which seems to account for such responses: the fear of the erotic, or fear of the sexualized body: erotophobia. This goes far beyond simply feeling uncomfortable or anxious with public displays of sexuality (which, curiously, is seldom, if ever, a problem in the case of heterosexual demonstrations of affection, such as kissing or holding hands). The unfounded dread of the erotic often stems from the particular teachings of a tradition, as in the case of Christianity. As with homophobia, it has no basis in fact, though excessive public displays of what is most feared will often and regrettably provoke a violent reaction. Erotophobia can be reflected in strong feelings of sinfulness, disgust, or prudery, and it always implies a severe religious judgment against those perceived to be breaking God's so-called moral law.

Queer spirituality affirms the value and worth of the sexual experience in a variety of ways. First, most obviously and as mentioned previously, it does so in opposition to mainstream theological or ethical traditions that may denigrate or frown upon nonprocreative erotic activity. In doing so, it proposes an alternative perspective on the inherent worth and dignity of human sexuality, one far less tied up (or not at all) with its procreative function and more open to the inherent satisfaction and fulfillment of desire itself. Sex is not a means to some other end, but an act inherently valuable. It is self-sufficient; its meaning, self-contained. For many traditional religions, such an outlook is dangerous on several counts. Not only is it a rejection of long-standing heterosexual privilege, it also denotes critical judgment of fixed notions of patriarchy and the family, and ultimately of male hegemony. The notion, for example, of gay male sexual receptivity as a site of spiritual awareness radically disturbs both religious and masculine expectations about what constitutes proper erotic behavior. Implied in all this is a sense of individual freedom, a concept of ultimate self-determination, that runs counter to the inherent needs of institutions, whether religious or not, to control and to set the ever-shifting, unstable boundaries of human behavior, particularly its gendered or sexual aspects.

But a far more positive valuing has to do with the types of relationships that can begin to emerge in a context where nonnormative erotic desire is not spurned or disdained. They can cover the gamut from one-time sexual encounters, to very intense and sustained friendships, to open polyamorous relationships, to stable and monogamous unions or marriages. In other words, there is not simply one way of relating sexually, and what often begins as an isolated sexual act can also give way to a large spectrum of very legitimate and caring relationships. So much religious rhetoric shrilly decries the abhorrence of the nonmonogamous, nonheterosexual lifestyle. LGBTQ persons, in their everyday lives, give lie to such bloated oratory. They will proudly assert the rich diversity of their relationship choices, and they point to the vitality and creativity of the myriad of ways in which they are able to embrace and sustain them. Given the acrimony of the current debate with respect to same-sex marriages and queer families—the families "of choice"—it behooves queer spirituality to reaffirm these positive sexual and relationship values, and to contribute to the increasingly polarized conversation from a position of erotic- and life-affirming diversity.

Finally, there are particular types of erotic choices and sexual behaviors that intentionally transgress normative limits, and that are therefore more problematic than others for the guardians of the moral order. Whether it is polyamory, S/M (sadomasochism) or bondage, androgyny, intergenerational sex, or sex work, these issues often tend to be shrouded in ignorance and suspicion, and their stigmatization can easily lead to their being used as instruments of blame in moments of social or cultural panic. A queer spirituality, while recognizing the prime importance and need for consensual sexual activity, does not shy from exploring the spiritual possibilities of marginal forms of erotic expression.

For example, some practitioners have written about the various levels of spiritual insight that they and their partners have successfully reached through their experiences of S/M, leather, and bondage, and others have noted how masturbation or solo-sex can provide similar moments of spiritual ecstasy. All are expressions of human sexual need, and they evoke possibilities of spiritual enlightenment. As such, they can indeed be windows onto the sacred.

A POLITICAL ANALYSIS AND ENGAGEMENT

It is fair to say that the modern lesbian and gay consciousness was formed in the crucible of politics. As a minority cultural and social force, homosexuals have had to engage in political activity to secure their rights, and, as with other groups, such as women and people of color, this has sometimes required direct confrontation with established interests and powers. As apolitical as queers of today may sometimes appear, they owe much to the political struggles of prior generations, whose battles with discrimination, prejudice, and outright hatred were often conducted at great and lasting personal risk. There is thus a sacrifice to be remembered and a debt to be paid, and history still records the deeds of those who remain true to this "sacred" duty. A queer spirituality looks to this activist history as a lasting source of inspiration, for truly human liberation necessitates incisive political analysis and compelling political engagement.

Spirituality and politics are not always natural allies. One or the other (or both) is often viewed with suspicion—as either too worldly, or too ephemeral—and both can give rise to extreme and exclusive forms of action. Politics can bring one too much *into* the world; spirituality can take one too far *out* of it. For many queer activists, frequently suspicious of religion, political combat provides the one valid and lasting venue for the emancipation of gay and lesbian persons, while, for some others, it is more a question of attitude and consciousness-raising. The Christian model of the theology of liberation therefore provides a powerful tool for the fusing of these two tendencies: a theological or spiritual reflection grounded in the exigencies of everyday life, the purpose of which is to bring about critical political awareness and action. The theology of liberation, as its name implies, focuses on freedom from injustice, which can begin to happen through a process of "reading" everyday oppression through the critical lens of the gospels. This is a politicized spirituality, and activists and scholars have taken inspiration from this vibrant theological legacy.

Throughout queer history, the necessary merging of politics and spirituality has been a recurring strategy, whether deliberate or not. Without a doubt, one of the most notable examples is that of activist Harry Hay, founder of the Mattachine Society, the first American gay rights organization, and of the Radical Faeries, a network of gay men dedicated to the celebration of gay spiritual consciousness in all its forms. Hay's philosophy was founded on a belief in the unique cultural role of queer persons who, because of their inherently marginal positions in society, could be forerunners and creators of new forms of spiritual awareness. His early efforts, however, were in direct political action through the work of the Mattachine Society, which aimed to bring awareness of the "plight" of homosexual persons to the general American public through a series of public, if somewhat tame, initiatives such as picketing and the distribution of tracts and flyers. For Hay, the two forms of activity were not incompatible, and they were both political. In some important ways, each flowed from the other. The unique spiritual role of queer people made them want to engage in politics and also want to fight for respect.

For gay men, this mingling of spirit and politics often expresses itself most eloquently through their sexual interactions. In *Out on Holy Ground: Meditations on Gay Men's Spirituality*, I wrote:

> As always, the political defiance of gay men—and their many strategic successes in this regard—have empowered them to name their experience "religious." The discourse of gay spirituality has emerged directly from the praxis of gay activism. . . . One cannot fully understand the contemporary gay sensibility without the gay community itself as a reference point, just as one cannot divorce the gay religious experience from the history of gay oppression. Gay spirituality is a deliberately political and politicized act. Through a dual, dynamic process of subversion and affirmation, it creates a new paradigm for gay men. Grounded in the hard political reality of gay exclusion and ostracism, it asserts the positive healing force of the gay spirit. It does this through the medium of what is most problematic and worrisome to organized religion: sexuality and the human body—problematic because it is the source of pleasure, and worrisome because it cannot be controlled. (Boisvert 2000, 15–16)

If, as feminists have long maintained, the personal is indeed political, then what queer people do with their bodies is an intensely politicized act. Bodies are like a script or a book on which are written the fears and the dangers, real or imagined, of the Social Body. The symbolic prohibitions and boundaries encasing the individual body mirror almost perfectly the threats which society collectively views as dangerous or risky. Of these, the transgression of so-called normalized sexuality is the most hazardous, which is why queer sexuality, with its deliberate flaunting of fixed physical limits and possibilities, can be an act loaded with such subversive political potential. In the early years of gay liberation in the 1970s, this was a common understanding of the meaning of gay sexuality. With the onslaught of the **AIDS** pandemic in the 1980s, and the suspicions and fears that uninhibited sexuality brought to the fore—very often quite irrationally—a different perception arose. Flaunting profligate sexuality was no longer political; the preservation of life was. Paradoxically, a sexual Puritanism did emerge, one that too often forgot the sex-life-spirit bond.

A queer presence in the world is affirmed in the face of, and in defiance to, the homophobia that permeates our culture. Such homophobia, despite a growing formal legal tolerance of homosexuality and of gay and lesbian persons, is almost endemic, and its face is more often hidden than blatant. There are its more public manifestations: discrimination and name-calling, the snicker of the joke and the anonymity of the graffiti, the jeers in the schoolyard and the insulting innuendos from a work colleague. At times, the offence is subtle: the unexplained inability to secure employment or housing, the polite ostracism from acquaintances or family, the lack of support or understanding in times of personal difficulty. There is also the systemic, institutional type of homophobia: the glaring absence of positive queer images in the media, the lack of formal recognition for queer relationships, the unspoken expectations around opposite-sex attraction and dating, the easy and uncomfortable disdain of feminized traits and mannerisms. In responding to these—and queer people have to every day, in different ways, at various points in their lives—one can find strength and resiliency in the knowledge that the battle is a spiritual one: a reclaiming of the gift and pride of being queer.

The queer struggle with homophobia can only be fully spiritual to the extent that it understands and appreciates power as something ubiquitous, continuously available to all, and not an immovable force found only in the formal institutions and mechanisms of authority. Spirituality is above all an empowering experience, an affirmation of worth and dignity in the face of those who would deny them. And as Michel Foucault reminds us, power is a diffused quality, a form of energy found not in the power holder, but in the ways that relationships and alliances are constantly being questioned and rearranged, including religious and spiritual ones. Power is a commodity available to all, and one's own exercise of power conditions how others will play out theirs. In this claim on power, queer people can find for themselves a spiritual force and energy that binds them one to the other, but also to those others who have engaged in the struggle before them. The powerful queer activist response to the AIDS tragedy has demonstrated this quite eloquently.

In the final analysis, it should be queer spiritual culture as a whole that aims to transform the foundations of normalized heterosexual culture. This can happen in many ways, not only at the level of institutions and values, but, more significantly, in terms of consciousness. One of the last bastions of true homogeneity is institutionalized Christianity, and it is perhaps here, more than anywhere else, that a truly politicized queer spirituality can have the most resounding and lasting impact. In challenging and hopefully dismantling the homophobic, heterosexist pretensions of Christian churches, queer people can forge for all of us different ways of reclaiming the name of Christian.

VOICES WITHIN THE TRADITION

Queer people have often had to stand outside their religious institutions in order to forge and live out forms of spirituality responsive to their particular needs and concerns. Generally, this has led to the creative explosion of a variety of groups, beliefs, and rituals that have staked out new and exciting vistas for queer spirituality. There are those, however, for whom the path to spiritual fulfillment is not found outside, but rather inside, their religious traditions—and this, despite the negative stance of these same traditions on homosexuality. One can therefore find, in most large urban centers, a variety of groups such as, among others, gay and lesbian Muslims, Catholics, Anglicans, and Jews. Members of such groups seek to reconcile their sexual preferences with their religious heritage. This mingling is not always obvious or easy, and it often requires a certain measure of selectivity with respect to scriptural injunctions or formal institutional teachings. As a rule, groups such as these tend to adopt liberal or inclusive strategies for interpreting the tradition, something which more orthodox elucidations strictly and carefully avoid.

One of the strategies consists in reclaiming and reaffirming the hidden or suppressed homoerotic dimensions of the tradition in question, which can be based on historical fact or, more often, on some form of extrapolation. From the Roman Catholic perspective, for example, the groundbreaking work of theologian Mark Jordan in uncovering the homoerotic hallmarks of an oppressively clerical culture, and in challenging its perverted dominance, goes a long way in reasserting a more positive and generous view of Catholic same-sex desire (Jordan 2000). As the subtitle of a recent book suggests, gay Catholic autobiographical writings can even be understood as types of "sacred texts" (McGinley 2004). Analogous efforts have been made for the Muslim (Murray and Roscoe 1997) and other (Swidler 1993) religious traditions. Among the traits common to such initiatives are a need to transcend hetero-centered interpretations of religious stories, myths, and values, an interest in reviving ancient patterns of same-sex desire and valuing them, and a desire to endow the contemporary queer experience with historical legitimacy.

Some groups, such as the Catholic **Dignity**, the Anglican **Integrity**, and the Mormon **Affirmation**, are even more integrated into their home churches. Though they may not be formally recognized by their churches, these groups operate from the premise that they have to work "from within" them in order to effect change in a more positive and beneficial way for queer people. These groups also perform a vitally necessary and important role as support for those who try to accommodate their sexuality with their religious tradition, an all-too-often painful and alienating process. As might be expected, the major difficulty which they encounter is a lack of response from their churches—and even, as in the case of Dignity, hostility, and outright condemnation. Many have asked whether it is strategic or even necessary to try and change institutions that are so inherently and vehemently homophobic.

Efforts at redefining and appropriating traditional religious imagery, rituals, and devotional strategies are particularly noteworthy. By far, the most significant and meaningful attempt at doing this is the Universal Fellowship of Metropolitan Community Churches (MCC), founded by the Reverend Troy Perry, a defrocked Pentecostal minister, in 1968 (Perry and Swicegood 1990). Though MCC claims to be a church ministering to all people, regardless of sexual orientation, its primary focus has always been the lesbian and gay community, and it still works almost exclusively in this field. An eclectic mix of doctrine and ritual, MCC's structure is Baptist in orientation; its ceremony is Catholic and High Anglican; and its sexual theology is surprisingly mainstream for a religious institution catering to gays and lesbians. In large part this is because it draws its membership base from mostly lapsed or disenchanted members of the Catholic and Baptist traditions. It does, however, represent a momentous experiment in queer denominational life.

There is both a positive and a negative side to efforts at trying to raise queer voices of acceptance and worth "from within" the religious traditions. On the plus side, it opens up and hopefully creates spaces for dialogue and conversation, and it ensures a queer public presence at the very center of the religious institution. In some important ways, simply witnessing to the existence and dignity of gays and lesbians is in itself a courageous spiritual act. On the down side—and here the critique is a significant one—the question can be asked whether the effort is worth it at all. Is this not simply another form of self-hatred and self-oppression, a type of collaboration with the enemy? Why stay in when you are endlessly and quite vehemently pushed out?

CONCLUSION

This last question, in its severity and its relevancy, goes to the very heart of the matter when exploring the ties that bind homosexuality to spirituality, and vice versa. It is, of course, quite possible to find spiritual enlightenment and fulfillment within all religious traditions. Several of them, in fact, propose a wide spectrum of different spiritual paths and exemplars to the individual seeker. In general, due in large measure to their longevity, these have proven themselves to be worthwhile and meritorious, and people of all sexual tastes and preferences have long availed themselves of their beneficial effects. One can be gay, lesbian, queer, or whatever, and yet still find in formal, institutionalized religion much that is satisfying and of great spiritual value. Homosexuality and conventional spirituality can and do coexist, as they have in every culture and at every epoch.

But what happens when an essential part of your person—your sexuality, whom you are attracted to, whom you desire—is constantly branded as "sinful" or "unnatural," and condemned by this religious tradition? What happens when the religious discourse of love and acceptance is tainted with words of biting hate and ostracism? What might a religious queer person do? The choices are often stark, not because they have to be, but rather because that is how the religious institution prefers to structure them. The religious queer person is all too often regrettably confronted with an either/or proposition. Do I stay and continue to be humiliated, or do I leave now and find my own way?

Some stay; some leave. There is no right or wrong answer, only the search. But for those who choose to leave and explore other religious options, the way is not closed. Any numbers of rich and exciting possibilities do open up, whether the creation of novel forms of spiritual and communal life, the experimentation with ritual and symbol, or even the adoption of a new institutional religious family. In many ways, queer people are really no different from other people. If the need for spiritual fulfillment is the perennial human quest we think it to be, then there can be no reason for queer people not to be there in the forefront. More importantly, there is no reason for queer people to leave their sexual selves behind, to deny who and what they are, or to condemn themselves to a position of spiritual marginality. In fact, the sex nourishes the spirit, and the spirit enflames the sex. Spirituality is nothing if it is not about human wholeness and integrity.

FURTHER READINGS

Boisvert, Donald L. *Out on Holy Ground: Meditations on Gay Men's Spirituality*. Cleveland, OH: The Pilgrim Press, 2000.

———. *Sanctity and Male Desire: A Gay Reading of Saints*. Cleveland, OH: The Pilgrim Press, 2004.

Boswell, John. *Christianity, Social Tolerance, and Homosexuality: Gay People in Western Europe from the Beginning of the Christian Era to the Fourteenth Century*. Chicago: University of Chicago Press, 1980.

———. *Same-Sex Unions in Premodern Europe*. New York: Villard Books, 1994.

de la Huerta, Christian. *Coming Out Spiritually: The Next Step*. New York: Penguin Putnam, 1999.

Dinshaw, Carolyn. *Getting Medieval: Sexualities and Communities, Pre- and Postmodern*. Durham, NC: Duke University Press, 1999.

Goss, Robert. *Jesus Acted Up: A Gay and Lesbian Manifesto*. San Francisco, CA: HarperCollins, 1993.

———. *Queering Christ: Beyond Jesus Acted Up*. Cleveland, OH: The Pilgrim Press, 2002.

Johnson, Toby. *Gay Spirituality: The Role of Gay Identity in the Transformation of Human Consciousness*. Los Angeles, CA: Alyson Publications, 2000.

———. *Gay Perspective: Things Our Homosexuality Tells Us about the Nature of God and the Universe*. Los Angeles, CA: Alyson Publications, 2003.

Jordan, Mark D. *The Invention of Sodomy in Christian Theology*. Chicago: University of Chicago Press, 1997.

———. *The Silence of Sodom: Homosexuality in Modern Catholicism*. Chicago: University of Chicago Press, 2000.

———. *The Ethics of Sex*. Oxford, UK: Blackwell Publishers, 2002.

Long, Ronald E. "The Sacrality of Male Beauty and Homosex: A Neglected Factor in the Understanding of Contemporary Gay Reality." In Gary David Comstock and Susan E. Henking, eds., *Que(e)rying Religion: A Critical Anthology*. New York: Continuum, 1997.

Mains, Geoff. "Urban Aboriginals and the Celebration of Leather Magic." In Mark Thompson, ed., *Gay Spirit*. New York: St. Martin's Press, 1987.
McGinley, Dugan. *Acts of Faith, Acts of Love: Gay Catholic Autobiographies as Sacred Texts*. New York: Continuum, 2004.
McNeill, John J. *The Church and the Homosexual*. Kansas City, MO: Sheed Andrews and McMeel, 1976.
Murray, Stephen O. and Will Roscoe. *Islamic Homosexualities: Culture, History, and Literature*. New York: New York University Press, 1997.
Nimmons, David. *The Soul Beneath the Skin: The Unseen Hearts and Habits of Gay Men*. New York: St. Martin's Press, 2002.
Perry, Troy D. and Thomas L. P. Swicegood. *Don't Be Afraid Anymore: The Story of Reverend Troy Perry and the Metropolitan Community Churches*. New York: St. Martin's Press, 1990.
Rambuss, Richard. *Closet Devotions*. Durham, NC: Duke University Press, 1998.
Roscoe, Will, ed. *Radically Gay: Gay Liberation in the Words of Its Founder*. Boston, MA: Beacon Press, 1996.
Stuart, Elizabeth. *Gay and Lesbian Theologies: Repetitions with Critical Difference*. Burlington, VT: Ashgate, 2003.
Swidler, Arlene, ed. *Homosexuality and World Religions*. Valley Forge, PA: Trinity Press International, 1993.
Thumma, Scott and Edward R.Gray,eds. *Gay Religion*. Walnut Creek, CA: AltaMira Press, 2005.

SECTION 2

The Encyclopedia

AFFIRMATION: GAY AND LESBIAN MORMONS. Affirmation: Gay and Lesbian Mormons is an organization that brings together gay, lesbian, bisexual, and transgendered individuals who have been connected with the Church of Jesus Christ of Latter-day Saints (hereafter LDS Church). Though not the only gay **Mormon** organization, it is the longest functioning and the most politically engaged.

Affirmation began in 1977 as Gay Mormons United, which had groups meeting sporadically in Salt Lake City, Denver, and Dallas. Stability came to the organization when Paul Mortensen established its Los Angeles chapter, which functioned for many years as Affirmation's center. Chapters quickly developed in other major cities such as San Francisco and Washington, DC after Mortensen advertised in the national gay magazine, *The Advocate* (whose editor, Robert McQueen, was himself a gay Mormon). Today the organization has chapters or smaller groups functioning in cities across the United States, albeit mostly in the West, as well as in Mexico and Chile. In addition, the organization maintains contacts in Europe, Australia, and Africa. Affirmation's participants are overwhelmingly male, a phenomenon witnessed in other gay Mormon organizations.

Affirmation's chief function has been to create a sense of community among gay Mormons, who often experience isolation as they struggle to make sense of their sexuality and are likely to have weakened ties to their families and congregations. Community is created through local social gatherings, an annual conference, and increasingly via the Internet. Affirmation also distributes literature countering LDS Church teachings on homosexuality, preserves GLBTQ Mormon voices and history, participates in gay rights demonstrations, and, especially since the 1990s, has publicized and criticized LDS politicking around gay issues. The March 2000 suicides of three gay Mormons in connection with the LDS Church's support of a California defense-of-marriage campaign prompted Affirmation to catalogue and memorialize gay Mormon suicides from the 1960s to the present. Affirmation also maintains its own AIDS memorial quilt.

Though Affirmation professes to promote spirituality, many of its participants claim Mormonism as a cultural, not religious, identity, and the organization's activities do not replicate LDS church life. Other gay Mormon organizations have developed with more overtly religious orientations. Bad feelings were created in the mid-1980s when a number of Affirmation members joined the fledgling **Restoration Church of Jesus Christ**, a gay sect that offered the full range of LDS rituals. Another gay Mormon organization created in the 1980s, Reconciliation, does not function as a church but provides scripture study in the fashion of an LDS Sunday School.

Because LDS Church leaders used to counsel gay men to marry, many of the men who participate in Affirmation are fathers. This fact led in 1991 to the creation of a separate yet closely related organization called Gamofites (an abbreviation for "gay Mormon fathers" that plays on the names of tribes in the Book of Mormon). In 2001, Affirmation initiated the creation of the Mormon Network for GLBTI Interests, to promote greater cooperation among several gay LDS organizations: Affirmation, Gamofites, Reconciliation, Restoration Church, Gay LDS Young Adults, and Family Fellowship (for families of gay Mormons).

See also Mormonism

JOHN-CHARLES DUFFY

WEB SITE

Affirmation, www.affirmation.org.

AFRICAN AMERICAN CHURCH TRADITIONS. C. Eric Lincoln and Lawrence Mamiya refer to the Black Church in two senses. The Black Church in a general sense designates any religious fellowship whose majority membership is African Americans regardless of denominations. They also define the Black Church sociologically as the seven major historically black denominations. According to Lincoln and Mamiya, the Black Church makes up more than 80 percent of all African American Christians. Robert M. Franklin reports the opinions of black **clergy** on sexuality from the 1992 research data of six hundred black respondents. Of sermons preached on sexuality, 79 percent taught about or preached on sexuality. Seventy percent preached on homosexuality. Of sermons preached on homosexuality, 79 percent were categorically opposed.

Scholars and cultural critics on the Black Church are often perplexed by the conservatism of the Black Church on homosexuality. They understand the Black Church historically to be a refuge for the marginal and oppressed and an advocate for the civil rights of all Americans. However, for many same-sex loving people the Black Church is a source of their marginalization and victimization by homophobic church leaders and practices. Many are stereotyped and relegated to their usually accepted place in the church as musicians, choir directors, and gospel singers. Many are subjected routinely to homophobic sermons and many remain within the Black Church bound by silence. Keith Boykin, a prominent black gay activist and writer notes that "despite the widespread awareness of homosexuality in the Black Church, we still find ministers, deacons, ushers, choir members, music directors, organists, congregations, and homosexual themselves participating in an elaborate conspiracy of silence and denial" (Boykin 1996).

According to a 2003 Pew Forum survey data, black protestant respondents were 62 percent unfavorable toward gay men. Of sermons preached in black congregations, 42 percent have heard sermons on homosexuality. Seventy-four percent regard homosexual conduct as sinful and 61 percent hold the opinion that homosexual orientation can be changed. Sixty percent opposed legal marriage and 51 percent opposed civil unions. Topping the reason many respondents offered for opposing gay marriage is that it is morally wrong, a sin, and against biblical teachings. Marriage was defined as between a man and a woman. The purpose of marriage is procreation. Homosexuality was perceived by respondents to open the door to other kinds of perversities, and as undermining traditional family values. Among Black church members, community leaders, and **clergy**, it is not uncommon to find all or a combination of these reasons for opposing gay marriage and homosexuality.

Perhaps no issue has motivated many Black church leaders to activism more than the same-sex marriage debate. The debate has forged new coalitions between Black church leaders, white conservative evangelicals, and other constituencies of the Religious Right. About one hundred black church leaders joined in solidarity with the Bush administration in Washington, DC May 16, 2004 to denounce legalized same-sex marriages. "Not on My Watch," a Texas based coalition, organized to mobilize the Black churches against same-sex marriage. This coalition was also offended that the gay marriage issue has been compared to blacks' struggle for civil rights in the 1950s and 60s. A spokesman for the California based Zoe Christian Fellowship says that such comparisons "are offensive and belittle the cause of freedom and racial justice" (Lattin). "As African American pastors, teachers, counselors, and leaders, we see and live with the horrors of a declining society ... Same-sex marriage would serve to advance the decline of marriage and ... family values in the African American community," said Bishop Green of the Traditional Values coalition (Lattin). In December of 2004, Bishop Eddie Long and Reverend Bernise King, the daughter of the slain civil rights leader, led thousands of marchers in Atlanta from the tomb of the Reverend Martin Luther King Jr. in the "Reigniting the Legacy" march. Among the main objectives of this march was the denunciation of same-sex marriages and the negative impact of such marriages on the moral development of the black community.

While many black church leaders combat same-sex marriage and homosexuality, others are advocates and seek to provide a refuge for same-sex loving members. Operation: Rebirth is the first Web site dedicated to "ending the religious and spiritual abuse against black gays and lesbians inflicted by black churches." It lists thirty-one churches throughout the United States that are places of empowerment for same-sex loving African Americans. Prevalent among the list is The Unity Fellowship Church Movement (UFCM). The church was founded in 1982 by the Reverend Carl Bean for primarily openly same-sex loving African Americans. The mission of the UFCM is to proclaim the sacredness of all life, focusing on empowering those who have been oppressed and made to feel shame. Through an emerging international network, the UFCM works to facilitate social change and improve the lives of those who have been rejected by society's institutions and systems. Although its primary work focuses on the urban weak and powerless, it seeks to extend its work beyond only urban settings.

The Black Church is the greatest social and moral resource for the empowerment of the black community. At present the Black Church is divided over the presence of gay and lesbian persons in its midst. The degree to which the Black Church will serve as a refuge and place of empowerment for all in the black community, including its same-sex loving members, remains one of its most significant challenges.

VICTOR ANDERSON

FURTHER READINGS

Bagby, Dyana and Laura Douglas-Brown. "Atlanta 'Mega-church' Leads March Against Gay Marriage." Available at http://www.sovo.com/2004/12/10/news/localnews.

Boykin, Keith. *One More River to Cross: Being Black and Gay in America.* New York: Anchor Books, 1996.

Franklin, Robert M. *Another Day's Journey: Black Churches Confronting the American Crisis.* Minneapolis, MN: Fortress Press, 1997.

Green, John. *Religious Belief Underpins Opposition to Homosexuality.* Washington, DC: The Pew Forum on Religion & Public Life, 2003.

hooks, bell. *Salvation: Black People and Love.* New York: Harper/Collins Publishers, 2000.

Lattin, Don. "Black Clergy Gather to Fight Gay Matrimony." *San Francisco Chronicle.* May 15, 2004. Available at http://www.sfgate.com/cgi-bin/article.

Lincoln, C. Eric and Lawrence Mamiya. *The Black Church in African American Experience.* Durham, NC: Duke University Press, 1990.

WEB SITE

Affirming Churches available at *Operation Rebirth,* www.operationrebirth.com.

AFRICAN TRADITIONAL RELIGION. The term African Traditional Religion (ATR) is a way of referring to the beliefs and practices of peoples indigenous to Africa, especially as these traditions have been handed down over generations for centuries. Thus ATR stands in contrast to the two other dominant religious traditions, Christianity and **Islam**, which were brought to the African continent by Christians and Muslims from outside of Africa. Over the centuries, of course, there has been significant blending of the beliefs and practices from African Traditional Religion with Islam and especially Christianity. This essay focuses on the place of sexuality and homosexual practices within the context of ATR.

The geographic locus of African Traditional Religion is sub-Saharan Africa, as most of North Africa finds an overwhelmingly Muslim population. There is significant debate about the degree to which it is appropriate to make general claims for African Traditional Religion across tribal and geographic divides, but many scholars argue that there are sufficient commonalities to make the term a useful heuristic device for addressing a wide array of beliefs and practices that are cohesive across such divides.

African Traditional Religion does not consist primarily of a set of beliefs or doctrines to which one must adhere. Instead, ATR is better understood as an integrated set of practices that seek to attend to the well-being of individuals and communities in this life in light of the transcendent realities of the divine and of agents of the divine, particularly in terms of the natural world and ancestors. There are a variety of deities who take a variety of forms. And while many deities are seen as being male or female, it is also the case that different deities transcend gender boundaries and traditional heterosexual gender roles. This phenomenon can be seen, for example, among some of the West African Yoruban deities, known as *orisha,* of which there are over 400. Among the Yaka people (Congo, Angola) the life spirit is described as both male and female. According to tradition, the deity Loogun-Ede spends half of each year as a hunter in the forest, and the other half of each year as a river nymph.

Unlike Western religious traditions, African Traditional Religion does not have a set of founders, but developed over the centuries often with very localized traditions based on the natural world. As these traditions developed there was a great deal of cross-fertilization between different groups—hence a kind of family resemblance across traditions. Further, although there are certainly leaders and holy persons in African Traditional Religion, there is no central authority that governs or oversees religious practices or education in the ways of traditional religiosity. And although there are many sacred stories, there are no scriptures or sacred texts for African Traditional Religion. Stories are told to address concrete and practical situations in life.

There are many misconceptions, especially in Western societies, regarding African Traditional Religion. These religious traditions do not engage in ancestor worship, though ancestors are certainly highly honored. Neither is it appropriate to describe African Traditional Religion as superstition. While in the traditional life of African peoples a strong emphasis is placed upon the dynamic power active in the universe, a power that can be accessed by those who know how to do so, African Religion does not concentrate on magic.

In African Traditional Religion there are various spirits at work in the world, though not all believe in such spirits. Nature Spirits refer to the powers that concern the natural world around us. Some Nature Spirits are of the sky (sun, moon, stars, rain, etc.), and some are of the earth (mountains, trees, rivers, animals, and the like). There are also Human Spirits that transcend this life. These include ancestor spirits (those who died long ago) and the so-called living dead (those who died recently). These spirits are thought to interact with people in the present life, sometimes seen and sometimes unseen.

African Traditional Religion provides people with rituals for navigating the many transitions of life. Such transitions include childbirth, the naming of a child, initiation into the life of the community, marriage, death, and the afterlife. There are also rituals associated with the home, health, and agriculture. Priests steeped in the traditions conduct some of the rituals, and here the crossing of gender boundaries is notable. Among the Lugbara people (primarily in Uganda) are the *Agules*, female-born priests who live as males. Among the Yoruba people the practice of spirit-possession is primarily the role of women priests. But there are also male priests, the *mugawe*, who then dress as women, complete with women's coiffures, in preparation for being possessed by spirits. This practice has been observed among the Meru of Kenya (Murray and Roscoe, 1998).

Malidoma Patrice Some, a shaman from the Dagara tribe in Burkina Faso (West Africa), has described the tribal religious role of certain individuals who would be identified in the West as "gay." But this identity has less to do with sexual activity than it does with a certain sensitivity to the connections between the spirits of this world and the spirits of the other world. Such individuals are viewed as "gatekeepers" between these two spiritual realms, helping to negotiate the continuity between these worlds so that the door between them remains open. This understanding of gays as spiritual gatekeepers is an important aspect of the religious role of homosexual people in some African Traditional Religion.

There are other cultures among African Traditional Religion where male-male intimacy also has connections to the sacred. In Cameroon, Guinea, and Gabon, the Fang peoples engage in male-male intimacy as a way to promote prosperity. Among the Buissi people (the Congo) women encourage premarital lesbian relations in the belief that this enhances fertile heterosexual marriages. In north-central Africa the Azande women have ritual ceremonies for entering into such relationships.

In summary, significant fluidity is often found in gender identity within African Traditional Religion. The worlds of this-worldly and other-worldly spirits involve crossing over traditional boundaries between male and female. Individuals who embody the transcendent connections between male and female spirituality and sexuality, especially in such seeming paradoxes as female-husbands or boy-wives, are viewed as being attuned to the fullness and wholeness of the spiritual realm as it impacts life in this-world and other-world realities. Women-identified men and male-identified women help in the negotiation of these different realms within African Traditional Religion.

JEFFREY S. SIKER

FURTHER READINGS

Amadiume, Ifi. *Male Daughters, Female Husbands: Gender and Sex in African Society*. London: Zed, 1987.

Conner, Randy P. "Sexuality and Gender in African Spiritual Traditions." In David W. Machacek and Melissa M. Wilcox, eds., *Sexuality and the World's Religions*. Santa Barbara, CA: ABC/CLIO, 2003, pp. 3–30.

Isichei, Elizabeth. *The Religious Traditions of Africa: A History*. Westport, CT: Praeger, 2004.

Mbiti, John S. *Introduction to African Religion*, 2nd rev. ed. Oxford; Portsmouth, NH: Heinemann Educational Books, 1991.

Murray, Stephen O. and Will Roscoe. *Boy-Wives and Female Husbands: Studies of African Homosexualities*. New York: St. Martin's Press, 1998.

Some, Malidoma Patrice. *Of Water and the Spirit: Ritual, Magic, and Initiation in the Life of an African Shaman*. New York: Putnam, 1994.

———. *The Healing Wisdom of Africa: Finding Life Purpose Through Nature, Ritual, and Community*. New York: Putnam, 1998.

AIDS AND HIV. AIDS (Acquired Immune Deficiency Syndrome) and HIV (Human Immunodeficiency Virus, the virus that can cause AIDS) have increasingly been at the forefront of religious reflection about human health since the outbreak of the AIDS epidemic in the early 1980s. In 2006 the Joint United Nations Programme on HIV/AIDS reported that over 40,000,000 people have HIV/AIDS worldwide. The concentration of HIV/AIDS populations is as follows: Sub-Saharan Africa (with 10% of the world's population) has more than 60 percent of all people living with HIV—nearly 26 million. In 2005 over 3 million people in the area were newly infected by the virus and over 2 million adults and children died of AIDS. In Asia over 8 million people were living with HIV and over one half-million people died of AIDS. In Eastern Europe and Central Asia over 1.6 million people were infected with HIV in 2005, and over 60,000 people have died of AIDS in this region. The Caribbean and Latin America have also seen nearly 100,000 deaths from AIDS and over 3 million people infected with HIV. The Middle East and North Africa have over a half-million people infected with HIV, with nearly 60,000 deaths from AIDS in 2005. In North America and in Western and Central Europe nearly 2 million people are infected with HIV, with a comparatively low 30,000 deaths in 2005 of AIDS (the lower number of deaths because of the wide availability of effective drug treatments for HIV). In the United States alone, the Center for Disease Control and Prevention (a United States agency) reported that nearly 1 million people had been diagnosed with HIV/AIDS through the end of 2004, with over 500,000 deaths from AIDS. The worldwide devastation of the HIV/AIDS epidemic has challenged all religious groups to respond to this international crisis from a variety of faith perspectives and beyond the epidemiological and biomedical understandings of HIV/AIDS. In particular the religious response to HIV/AIDS has had to address the complex of cultural and social/sexual values associated with acquisition of HIV/AIDS, especially among the gay male community.

The religious responses to the HIV/AIDS crisis have ranged widely, both across different religious traditions and across ethnic and geographic boundaries. For example, in the United States one end of the spectrum can be seen in the very conservative religious right, perhaps most clearly illustrated by the Rev. Jerry Falwell and the organization he established to affect social policy, the Moral Majority Coalition. In response to the outbreak of the HIV/AIDS epidemic Falwell stated in the early 1980s that AIDS is God's judgment against both people and a society that does live by God's rules. This approach to AIDS was echoed in remarks by President Ronald Reagan in 1987, when he wondered if God had brought the plague of AIDS as a response to illicit sex, which is against the Ten Commandments. In 1993 famed evangelist Billy Graham also initially made similar comments about AIDS being God's judgment on human sin, but later Graham retracted this statement, saying that AIDS was a disease and not part of God's judgment, and that to suggest it was God's judgment would be a very wrong and a very cruel thing to do. On the other end of the spectrum are gay, lesbian, and straight Christians who see the HIV/AIDS pandemic as a particular call for the exercise of the church's healing ministry, not just in terms of physical illness but also in terms of reconciliation between gay and lesbian people and the church. This would mean more positive attention to the GLBT community and a far more inclusive approach to same-sex relations within the church.

In most corners of Christianity official church statements recognize the tragedy and the scope of the HIV/AIDS epidemic, and church leaders have called upon their organizational structures and local congregations to attend actively to the needs of people living with HIV/AIDS, whether they are members of a church community or not. For example, the United Methodist Church's Board of Global Ministries has a dedicated program on HIV/AIDS Ministries that seeks to provide growing awareness through education, direct care, and support for people suffering worldwide with HIV/AIDS (see gbgm-umc.orghealth/aids/). Similarly, the International Health Ministries Office of the Presbyterian Church (USA) has both an AIDS Home-Based Care Program and a special international focus on AIDS prevention in Africa. The Evangelical Lutheran Church in America (ELCA) has an extensive Ministry of Caring program addressed to people suffering with HIV/AIDS and the caregivers who help them (www.elca.orgaids.). The National Catholic AIDS Network (not an official office of the church) seeks to assist the **Roman Catholic Church** in recognizing the pain and the unique challenges inherent in the HIV/AIDS pandemic, as well as helping the Church to respond faithfully to the crisis by offering compassionate support, education, referral, and technical assistance (www.ncan.org.). Catholic Charities USA (which is an official ministry of the Roman Catholic Church) has also been very involved in caring for people with HIV/AIDS, as well as at lobbying legislators to spend more funds to address the crisis. Almost every

Christian denomination has similar constructive ministry programs to help those dealing with HIV/AIDS, both in the United States and throughout the world. The **United Church of Canada** has a Beads of Hope program designed to address the HIV/AIDS pandemic, especially in Africa. Religious leaders have encouraged church members in Western democracies in particular to lobby their elected officials to provide more public support and funding to address the HIV/AIDS pandemic both domestically and abroad. Along the same lines, the Interfaith Center on Corporate Responsibility (a consortium of religious investors; www.iccr.org) has introduced shareholder resolutions targeted at various pharmaceutical companies, calling on drug makers to pay more attention to charity programs that have been established in response to the HIV/AIDS epidemic.

The Roman Catholic tradition has an uneasy relationship with the HIV/AIDS crisis. On the one hand, Catholic Charities (USA) and the National Catholic AIDS Network, among a number of other organizations, are deeply involved in outreach and direct ministry to people suffering with HIV/AIDS and their families. On the other hand, however, official Roman Catholic teaching on homosexuality has at times been viewed as blaming the victims of HIV/AIDS. The church's "*Letter to the Bishops of the Catholic Church on the Pastoral Care of Homosexual Persons*" (1986; written by then Cardinal Joseph Ratzinger, now Pope Benedict XVI) states that homosexuality is a "strong tendency ordered toward an intrinsic moral evil; and thus the inclination itself must be seen as an objective disorder." This equation of homosexuality with an intrinsic moral evil has led some to the conclusion that HIV/AIDS is God's punishment of homosexual persons whose practice of same-sex relations is a morally evil and disordered act.

Still, a later statement by the US Catholic Bishops' Conference offered a far more compassionate approach to people with HIV/AIDS. In a 1989 pastoral letter, "*Called to Compassion and Responsibility: A Response to the HIV/AIDS Crisis*," the bishops called upon the church to be engaged in active ministry to those suffering with *HIV/AIDS*. This was followed several years later by a 1997 pastoral letter, "Always Our Children: A Pastoral Message to Parents of Homosexual Children," in which the American bishops stated: "The Church recognizes the importance and urgency of ministering to persons with HIV/AIDS. Though HIV/AIDS is an epidemic affecting the whole human race, not just homosexual persons, it has had a devastating effect upon them and has brought great sorrow to many parents, families and friends. . . . We reject the idea that HIV/AIDS is a direct punishment from God. Furthermore, persons with AIDS are not distant, unfamiliar people, the objects of our mingled pity and aversion. We must . . . embrace them with unconditional love."

In 1998 the first major "Convocation on AIDS and Religion in America" was held at the Carter Presidential Center in Atlanta, Georgia. It marked the first time since the beginning of the epidemic that religious leaders from many different faith traditions joined together both to learn about HIV/AIDS and to make specific recommendations on the prevention of and education about HIV/AIDS within their respective faith communities. Though there were significant disagreements on some prevention strategies (e.g., the use of condoms), there was also a broad consensus about the need to develop educational materials as well as for different faith communities to work in cooperation to address the medical and pastoral needs of persons suffering from HIV/AIDS.

The Christian tradition is, of course, far from the only religious faith community addressing the HIV/AIDS crisis. Within the Jewish tradition a 1991 United Synagogue resolution was passed calling on all Jews to reach out with care and compassion to those suffering with

HIV/AIDS. This emphasis fits squarely within the Jewish tradition of *Hatzalat Nefashot* and *Shmirat Ha-Guf*—Saving Lives and Preventing Bodily Harm, as well as *Bikkur Holim*—Visiting the Sick. HIV/AIDS is not viewed as a divine punishment of sin. The Jewish community strongly supports educational efforts to make sure people are well informed about HIV/AIDS and its transmission. Across Orthodox, Conservative, Reform, and Reconstructionist boundaries within Judaism, the Jewish community as a whole seeks to be supportive of people with HIV/AIDS and their families. This is especially the case since so often individuals with HIV/AIDS have found themselves stigmatized and ostracized from family and religious communities. Synagogue involvement in HIV/AIDS activities is encouraged in order to send the message that people living with HIV/AIDS have not been abandoned by the Jewish community, and that the Jewish community seeks to provide care and support, both medical and spiritual.

The universal character of human suffering is the first of the Four Truths that makes up basic Buddhist teaching. In light of this teaching the suffering caused by the HIV/AIDS epidemic is of great concern to Buddhists. The Buddhist AIDS Project provides free information and referrals to local, national, and international HIV/AIDS resources, complementary/alternative medical services, and information on Buddhist practices. Their affiliate, Buddhist Peace Fellowship, serves anyone living with HIV/AIDS.

In responding to the AIDS epidemic Islam has adopted various approaches. While there is a relatively low incidence of AIDS in predominantly Muslim countries, due perhaps to the more conservative and restrained attitude toward human sexuality, AIDS is still a significant issue both in terms of public health and religious teachings. Some Muslim leaders have, like their Christian and Jewish counterparts, advocated celibacy as the best way to stop the spread of AIDS through sexual transmission. And while the World Health Organization and the United Nations AIDS program have stressed mass distribution of condoms in order to counter the spread of AIDS, many Muslim clerics have expressed significant discomfort with this approach, because it is viewed as condoning a more casual view of sex (this criticism is shared by many in the Christian and Jewish communities as well). One common strategy for dealing with the prevention of AIDS is to emphasize traditional Muslim teachings, for example, about the importance of prayer. The Qur'an states, "Recite what is revealed of the Book to you and establish regular prayer: for prayer restrains from shameful and unjust deeds." Many clerics believe that this kind of prayer will reinforce self-constraint against unsanctioned temptations of the flesh, and thereby protects against AIDS. Beyond this, it is important to note that, like other religious traditions, Islam advocates mercy, unconditional love, and care for people who suffer illness or catastrophe, even if they suffer as a result of sin or crime. The clearest common ground among various and often conflicting Muslim interpretations of Allah's will regarding AIDS is the understanding that the most important task for a faithful Muslim is to care for the afflicted.

JEFFREY S. SIKER

FURTHER READINGS

Almond, Brenda, ed. *AIDS, a Moral Issue: The Ethical, Legal, and Social Aspects*, 2nd ed. New York: St. Martin's Press, 1996.

Flynn, Eileen P. *AIDS: A Catholic Call for Compassion*. Kansas City, MO: Sheed & Ward, 1985.

Shelp, E. E. and R. H. Sunderland. *AIDS and the Church: The Second Decade*. Louisville, KY: Westminster/John Knox Press, 1992.
Smith, James M. *AIDS and Society*. Upper Saddle River, NJ: Prentice Hall, 1996.
Smith, Richard L. *AIDS, Gays, and the American Catholic Church*. Cleveland, OH: Pilgrim Press, 1994.

AMERICAN BAPTIST CHURCHES USA. American Baptist Churches USA (ABC/USA), with its 1.5 million members, ranks fifth in size among Baptist denominations in the United States. With a history rich in mission and outreach to all, ABC/USA is the most racially inclusive among American Protestant churches. Originally part of the Triennial Convention (a general foreign missionary board of Baptists established by Luther Rice in 1814), this group emerged out of dissent over the issue of slavery in the US, dissent resulting in the formation of separate northern and southern conventions. Founded as the Northern Baptist Convention in 1907, the group was renamed the American Baptist Convention in 1950 and in 1972 took the current name, American Baptist Churches USA.

The promotion of free will and attention to justice and freedom issues have long been earmarks of this Baptist denomination. Throughout their history they have worked directly in society to bring healing and wholeness to all, never shying away from bringing their understanding of the guidance of the scriptures to contemporary issues. Among the most challenging issues for ABC/USA in the past thirty years are those surrounding the issue of homosexuality.

In the 1970s and 1980s, reflecting general trends in American society, groups were formed within Baptist circles to affirm the place of sexual minorities within the church. One such group, American Baptists Concerned for Sexual Minorities (ABConcerned) was established in 1972 to fill the need for an association of Baptist churches inclusive of gay, lesbian, bisexual, and transgender (GLBT) Baptists. Since its formation in the 1970s this group has worked with other organizations (both within and outside Baptist denominations) to provide education, support, and understanding to members of the GLBT community seeking a place in the life of the church. The work of this and other groups inclusive of the GLBT community has been met with opposition, and the issue of homosexuality has become an ongoing subject of debate within the denomination.

Not only do the churches not agree on the stance on homosexuality and the church, but they also disagree on the roots of the problem. Biblically, both groups argue from the same Old and New Testament texts that are generally cited in discussions of homosexuality (e.g., Gen. 2:18–2:25; Lev. 18:22; 20:13; Rom. 1:26–1:32; 1 Cor. 6:9; and 1 Tim. 1:10) but, obviously, with opposing interpretations. Conservatives argue that the fundamental issue surrounding homosexuality and the church is one of biblical authority and accountability; they see themselves as reformers who are calling church leaders to action. Those welcoming and affirming churches argue that the fundamental issue is a matter of the autonomy of the local church and that the strong objections of the conservatives are part of an attempt to take over the denomination.

Because of the emphasis inherent in Baptist life on the autonomy of the local church, for many years the issue of homosexuality was dealt with largely at local and regional levels. The resolution passed in 1980 by the region that includes Indiana and Kentucky

(ABC/IN-KY) provides a good example. This resolution not only clearly states the incompatibility of homosexuality and Christianity, but also makes clear the refusal to affiliate with any church or group that affirms such a lifestyle. Discussion and dissent did not, however, remain a matter of only local and regional concern. It also took place on the national level, at the ABC/USA biennial meetings. In 1984 the General Board of ABC/USA published a policy statement on the understanding of marriage as the union between one man and one woman. In October of 1992 the ABC/USA General Board passed a resolution declaring the practice of homosexuality to be incompatible with Christian teaching.

Dissent continued and in June of 1993 the General Board of the ABC/USA adopted a resolution calling for ABC/USA churches, Regions, National Boards, and the General Board to consider the issue of human sexuality. The resolution adopted recognized the diversity of opinion with the ABC/USA family regarding issues of human sexuality and advocated respectful dialogue on such issues. This resolution was in keeping with the historical emphases of Baptists as well as the church policies of the 1970s (mentioned above) concerning freedom, human rights, and Christian unity–policies that clearly guard human dignity and denounce discrimination.

Not surprisingly, the issue remained a matter of great debate, and the division between conservative and liberal response was dramatic. Some churches, in disagreement with the statement of incompatibility, became affiliated with the Association of Welcoming and Affirming Baptists (AWAB), a group initiated by a group of pastors at the 1991 biennial meeting in West Virginia and officially organized at the 1993 biennial meeting in San Jose, California. In regions in which the local churches disagree, one solution to the division has been the transfer of churches that are welcoming and affirming of the gay community to another like-minded region.

The response of conservative churches and members of ABC/USA has been varied and strong. In opposition to groups such as ABConcerned (and later AWAB) conservative Baptists formed American Baptist Evangelicals. As ABC/USA churches have taken one side or another regarding this issue some regions chose to remove churches involved in such groups as AWAB from regional membership (ABC of the West and ABC of Ohio, for example, took such action.) The legal issues involved in such cases were complex and resulted in years of discussion, culminating in a 2002 ruling by the General Board. This ruling not only allowed regions the freedom to determine their own criteria for membership in that region but also allowed churches that were refused membership in their own geographical regions to apply for membership in another region.

As the dissension continues and the divisiveness grows, the issue of homosexuality and the church threatens to split the American Baptist Churches USA. The most recent development in this regard involves one of the largest regions in ABC/USA, the Pacific Southwest region (ABC/PSW), which, in September of 2005, began the process of withdrawal from the ABC/USA. The resolution drawn by ABC/PSW cited irreconcilable differences in the convictions of ABC/USA and their region and they put into motion an action that would result in the withdrawal of about 300 conservative churches in the PSW region from ABC/USA. Initially the break was to have occurred by December 31, 2005. On December 8, 2005 the Board of Directors of ABC/PSW recommended withdrawal from the Covenant of Relationships of ABC/USA. They called for a special meeting of the members of ABC/PSW to learn the will of the member delegates regarding withdrawal from the ABC/USA. At an April 2006 meeting the delegates of the Pacific Southwest region of the ABC voted overwhelmingly (roughly 1100–200) to support the recommendation of the Board to withdraw, largely over disputes regarding the status of GLBTQ persons within the church.

JUDY YATES SIKER

FURTHER READINGS

Leonard, Bill. *Baptists in America.* New York: Columbia University Press, 2005.
Stewart, Howard R. *American Baptists and the Church.* Lanham, MD: University Press of America, 1997.

ANGLICAN CHURCH OF CANADA. The Anglican Church of Canada has, like its counterpart **Episcopal Churches** in England and the United States, had a significant series of debates and decisions about homosexuality and same-sex relations in recent history. In 1976 the House of Bishops of the Anglican Church of Canada commissioned a Task Force report on homosexuality to advise the bishops. In 1978 the bishops issued a statement in which they affirmed that homosexual persons as children of God have a full and equal claim upon the love, acceptance, concern, and pastoral care of the Church. The bishops also affirmed that homosexual persons are entitled to equal protection under the law with all other Canadian citizens. Still, in regard to the Church's blessing of same-sex unions the bishops concluded that only male-female unions in marriage were to be blessed by Anglican priests. The Church continued to conduct various studies at national and local levels. In 1995 the General Synod discussed the recognition and blessing of same-sex unions. A resolution on the topic was tabled and no action was taken. In 1997 the Anglican Bishops of Canada issued a statement on human sexuality in which heterosexual marriage was again endorsed as the only appropriate form of marriage to receive blessing within the Church. But at the same time the bishops recognized that some homosexual persons live in committed relationships for mutual support, help, and comfort. The bishops expressed a desire to continue dialogue with those who believe that sexuality expressed in a committed homosexual relationship is God's call to them.

In 1998 the New Westminster Synod of the Anglican Church of Canada (comprising about eighty churches in the Vancouver area of British Columbia) passed a motion asking the bishop for permission for priests to bless same-sex unions (not marriage per se). The bishop deferred the request in order to consult with the Canadian House of Bishops as well as with bishops from the larger Anglican communion attending the Lambeth Conference in 1998. Following this conferral the bishop, Michael Ingham, refused the request. The same request was made again in 2001 and again denied. In 2002, however, under increasing pressure from the local church, the bishop agreed to the request (the Synod had voted by a 63% majority to endorse the request). This action resulted in significant controversy within the Anglican Church of Canada, as one third of the Canadian bishops issued a public statement condemning the decision and requesting that the New Westminster Diocese hold off on any priestly blessings of same-sex unions.

In 2003, a liturgical rite for the blessing of same-sex unions was approved by Bishop Ingham, at the request of six churches in the Diocese. The Bishop wrote a letter to the six congregations in which he made it clear that the rite was not to bless same-sex marriage.

Still, the letter stated: "The Church recognizes that homosexual couples face the same challenges and share the same responsibilities as other people living out the costly demands of love. Our purpose is to encourage and strengthen fidelity and mutual supportiveness in family life on which the stability of our wider society depends." The bishop articulated the purpose of the blessing as the encouragement of permanent and faithful commitments between persons of the same sex so that they would have the support of the Church in their lives under God.

Again there were worldwide repercussions in the Anglican communion in response to this action. The Anglican Church of Nigeria, for example, decried the action and severed communion with the Diocese of New Westminster and its bishop. Within the Diocese itself several dissenting congregations voted to withdraw from the Diocese and align themselves with other Anglican communions.

The 2004 General Synod saw the adoption of a resolution calling for the Faith, Worship and Ministry Committee to prepare resources for the church to use in addressing issues of human sexuality, including the drafting of liturgical rites to bless same-sex unions in light of the changing definition of marriage within the larger society.

JEFFREY S. SIKER

ASIAN AND ASIAN AMERICAN CHURCHES. The discussion of homosexuality in Asian and Asian American churches cannot be seen only as a debate on theological and religious matters, but must be placed within the wider contexts of culture, race, gender, sexuality, class, and colonialism. Because of the different social constructions of sexuality in Asian societies, Asian cultures in general do not understand homosexuality as sinful in a religious sense as Christianity traditionally has. Same-sex relationships were tolerated in Asian cultures and can be found documented in literature and historical records. In China, for example, homoerotic relationships of both men and women were tolerated, provided that the social hierarchy was not challenged. In India, classical and canonical texts contain stories of same-sex love and describe these unions as the wedding of two souls.

When Christian missionaries arrived in Asia they were surprised to find in some cultures a wide range of expression of sexual intimacy and relationships. Because of their cultural imperialistic attitudes, missionaries regarded some of the sexual practices of the natives as symptomatic of the inferior status of "heathen" cultures and propagated monogamous heterosexual marriage as the norm. Such attitudes were reinforced by British colonial rule, which treated male homosexuality as a criminal offense, forcing gay men to hide further in the closets. At the same time, colonial fantasy portrayed Asian men as soft and effeminate, and less masculine when compared to the colonizers. The consolidation of white heterosexual masculinity as normative reflects the deployment of gender and homophobia in the construction of empire and racist projections in the narratives of colonialism.

Because of the missionary legacy and the strong evangelical background of most Asian churches, homosexuality was generally condemned as abominable and against Christian teachings. In the Anglican Communion and other ecumenical circles, some conservative Asian church leaders accused Western churches as deviating from biblical teachings when these churches adopted more affirming attitudes toward gay men and lesbians. Yet, there are also signs of change, especially among Asian theologians and church leaders, who have been involved in the struggles for democracy, greater political participation, and human rights in society. In Hong Kong and Taiwan, for example, social movements for democracy and protection of basic human rights led to public discussions of human sexuality in the Christian communities, and some Christians began to see discrimination on the basis of sexual orientation as unjust.

A significant development since the 1980s has been the emergence of small gay and lesbian Christian fellowships and groups in various Asian cities. In Taipei, the independent Tong-Kwang Light House Presbyterian Church is open and affirming for gay, lesbian, bisexual, and transgendered (GLBT) persons. The **ordination** of their pastor Tseng Shu-min in May 2004 was hailed as a milestone by Taiwanese gay and lesbian groups. In November 2003, the first gay parade took place in Taiwan with more than 1,000 participants, who waived rainbow banners and campaigned for the legislation of same-sex marriage as part of the Human Rights Basic Law.

In Hong Kong, homosexuality first entered public debates in the mid-1980s, when the proposed legal amendment leading to decriminalization of homosexual behavior was discussed. Among those most outspoken against decriminalization were Christian groups, who saw the change as morally unacceptable and a threat to family life. Yet, the public debates also forced gay and lesbians to organize to protect their rights and later adopted the term *tongzhi* (meaning comrade) for self-identification. In 1992, the Blessed Minority Christian Fellowship was formed, which organizes alternative worship services and **Bible** studies for *tongzhi* Christians. In August 2003, gay activists in Hong Kong challenged the Vatican's stance on homosexuality and staged a protest during Sunday Mass at the cathedral.

In Singapore, Safehaven is a group of Christians of different age groups, backgrounds, and religious traditions who have been meeting for prayers and sharing since 1998. It has formed different subgroups and provided opportunities for gay, lesbian, and bisexual Christians to support one another and to discuss issues pertaining to faith and sexuality. In recent years, when conservative churches in Singapore carried out combative and homophobic actions against gays and lesbians, Safehaven campaigned for social change and gay rights and issued open letters to the Christian community, calling the churches to affirm the dignity and humanity of gay persons.

In the Philippines, the GLBT community sponsored events to celebrate pride and beauty in diversity during the June Pride Month and advocated for economic, social, and political rights for sexual minorities. Although the **Roman Catholic Church** remains firm in its mandate not to bless same-sex unions, there are reports that weddings of gay and lesbian couples have been performed. Filipino gay men and lesbians continue to seek wider recognition in the church and society. The Metropolitan Community Church in the Philippines has provided ministries to for GLBT community for more than a decade. In addition, fellowships and small groups for GLBT persons have also been formed in Korea and Japan to provide a place for networking and pastoral care.

When the Asian Christians immigrated to North America and formed their own churches, they had to negotiate a new identity as racial minorities in the white society. In the cultural passage to America, these immigrant churches provided a sense of belonging and communal identity for their members by preserving some of the more traditional church practices and ethos in their country of origin, such as a patriarchal church structure and strong antigay attitude. The issue of sexuality is a taboo subject, and some

Asian church leaders treat homosexuality as a white, middle-class phenomenon, which rarely exists in their community. During the debates on human sexuality in the mainline churches during the 1980s and 1990s, those opposing the ordination of gays and lesbians and their full inclusion in the church at times cited the antigay stance of the racial minority churches, thus pitting racial minorities against sexual minorities in church politics and the society at large.

But the attitude toward homosexuality among Asian Americans is far from monolithic. For example, the Japanese American Citizens League's Hawaii chapter worked to push for the recognition of gay marriage when the state supreme court debated the issue in 1993. The leaders of the group were able to make the connection between their own sufferings when their constitutional rights were stripped during WWII with the denial of rights to gay people. In major cities in North America, such as Boston, San Francisco, New York, Chicago, and Montreal, gay activism among Asian and Pacific Islanders is quite visible. Organizations such as the Gay Asian Pacific Support Network, Gay Asian Pacific Alliance, Gay Asian and Pacific Islander Men of New York, and South Asian Lesbian and Gay Asians of New York offer social support, foster self-empowerment, as well as provide resources for **coming out**, health issues, and **AIDS/HIV**.There are also some inroads made in Christian communities to address heterosexism and homophobia in an open way. The Institute for Leadership Development and Study of Pacific and Asian North American Religion has sponsored events to discuss pastoral care for Asian GLBT people and in support of gay and lesbian freedom to marry. The network of Pacific, Asian, and North American Asian Women in Theology and Ministry has devoted time in its annual meetings to discussing sexual diversity and embodiment. They have invited Christian and Jewish Asian women in America to share their coming out stories and their difficulty in finding a voice in seminaries, synagogues, and churches. The Queer Asian Spirit fellowship provides networking opportunities and resources for GLBT people of Asian descent, and raises awareness of their identities in the wider GLBT and queer community.

Although there are several books, articles, and Web sites that discuss theological and biblical reflections from Asian gay or *tongzhi* perspective, more work is being done to address the spiritual and pastoral issues of Asian GLBT people in specific cultural contexts. Resources to help parents of gay and lesbian children are being developed so that they will not feel isolated and ostracized in their community. The debate of same-sex marriage in 2004–2005 has mobilized Asian American Christians who are for and against it. These public debates continue to arouse the consciousness of the churches and educate the Asian American community on the diversity of human sexuality.

KWOK PUI-LAN

FURTHER READINGS

Cheng, Patrick S. "Multiplicity and Judges 19: Constructing a Queer Asian Pacific American Biblical Hermeneutic." *Semeia*, 90/91 (2002): 119–133.

Chou, Wah-Shan. *Tongzhi: Politics of Same-Sex Eroticism in Chinese Societies*. New York: Haworth Press, 2000.

———. *Tongzhi Shenxue* (*Tongzhi* Christian Theology). Hong Kong: Hong Kong Queer Studies Forum, 1994.

Lim, Leng Leroy. "'The Bible Tells Me to Hate Myself': The Crisis in Asian American Spiritual Leadership." *Semeia*, 90/91 (2002): 315–322.

Vanita, Ruth. *Love's Rite: Same-Sex Marriage in India and the West*. New York: Palgrave Macmillan, 2005.
Wu, Rose. *Liberating the Church from Fear: The Story of Hong Kong's Sexual Minorities*. Hong Kong: Hong Kong Women Christian Council, 2000.

ASSEMBLIES OF GOD. The Assemblies of God denomination began as part of the revival movement toward the end of the eighteenth century in the United States. Special emphasis was placed on the experience of the Holy Spirit, and the Assemblies of God developed into the largest Pentecostal denominations in the world. In 1914 about 300 Pentecostal leaders met in Hot Springs, Arkansas, and they organized a cooperative fellowship called the General Council of the Assemblies of God. In 1916 the General Council endorsed a Statement of Fundamental Truths that still guides the church to the present day. These Fundamental Truths include a belief that the **Bible** is the inspired Word of God, the deity of **Jesus**, and the conviction that speaking in tongues (as in Acts 2) is physical evidence of the baptism of the Holy Spirit. Worship, discipleship, Bible study, and evangelism are at the core of Assemblies of God activities. There are currently about 2.6 million members in the United States and over 50 million members worldwide, with an especially strong concentration of members in Latin America.

The official position of the Assemblies of God on homosexuality was adopted by the church's General Council in 1979 and revised and reaffirmed in 1991. The church's stance is grounded squarely on the biblical teachings and the view of the Bible as the infallible and unchanging guide to Christian faith and practice. The church saw the need to reaffirm its historic stance against homosexual practice particularly in light of the growing acceptance of homosexuality in popular culture. The church maintains that all homosexual behavior is a sin, as well as an unnatural and aberrant physical and psychological approach to human sexuality. The primary reason for labeling homosexuality a sin rests in the proscriptions found in the Bible. All homosexual activity disobeys scriptural teachings on the subject. Leviticus 18:22 and 20:13 expressly prohibit a man from lying with another man as with a woman. The New Testament witness concurs with and reaffirms the Old Testament prohibition. In Romans 1:25–1:27, 1 Corinthians 6:9, and 1 Timothy 1:9–1:10, all same-sex relations are prohibited as sinful and against the will of God.

The Assemblies of God also view homosexual behavior as a sin because it violates God's created order for families and human relationships. The church draws on the scriptural teachings regarding male-female relationships in the Genesis 1 creation story. By creating human beings male and female God has established the only appropriate relationship for humanity to progress and to multiply. Heterosexual and monogamous marriage is the exclusive norm for sexual relations. Those who choose to enter into homosexual relationships do so against God's natural order. It is neither psychologically nor physically healthy and only leads people further into sin and separation from God.

Homosexuality is also condemned because Scripture makes it clear that those persons engaging in homosexual behavior are liable to divine judgment. The Assemblies of God argues that Sodom and Gomorrah (Genesis 19) were destroyed in part because the men there were depraved individuals who sought to rape Lot's guests. Those who give themselves up to sexual perversion and adultery will reap the judgment of God and will suffer the punishment of eternal fire. The judgment against homosexual behavior in no way alleviates similar punishment of heterosexual persons who violate God's will regarding monogamous marriage. All who engage in sexual promiscuity are liable to the judgment and punishment of God (1 Corinthians 6:9).

Those who are guilty of homosexual behavior, like any other sin, can still find redemption and salvation with God if they repent of their behavior and live in either a committed marriage relationship or in celibacy if single. The Assemblies of God church emphasize that the regeneration of the Holy Spirit is available to all who truly repent and turn to God for forgiveness and reconciliation. Fellow believers are to provide emotional support for those who struggle with homosexual desires, encouraging them to resist such temptations. The moral purity of all Christians is an essential mark of genuine Christian faith, and Assemblies of God members call on believers to greater and greater degrees of faith and purity empowered by God's Holy Spirit.

Assemblies of God members have been among the most significant leaders on the national scene of the United States in opposing the normalization of homosexuality in popular culture. For example, the President of Exodus International, the largest Christian **ex-gay** movement, came from the Assemblies of God church. The chief sponsor of the Federal Marriage Amendment (Rep. Marilyn Musgrave) also comes from the Assemblies of God church.

JEFFREY S. SIKER

FURTHER READINGS

Blumhofer, E. W. *The Assemblies of God: A Popular History*. Springfield, MO: Radiant Books, 1985.

———. *The Assemblies of God: A Chapter in the History of American Pentecostalism*, 2 vols. Springfield, MO: Gospel, 1989.

BAHÁ'Í FAITH. The Bahá'í Faith was founded in nineteenth century Persia (modern day Iran) by a Shi'ite Muslim, Mirza Husayn Ali, who called himself *Baha'u'lláh*, which means "Glory of God" in Arabic. He believed that all religions shared the same basic truth, which had been revealed by successive great prophets from God, including Moses, Buddha, **Jesus**, and Mohammed. He taught that despite their apparent differences all religions derive from the same foundation and the same one true God. Bahá'ís believe that *Baha'u'lláh* is God's prophetic messenger for today. *Baha'u'llah* taught that humanity is finally reaching a sufficient level of maturity that a just and peaceful world can be envisioned and enacted. The purpose of life is to realize the ultimate oneness of all humanity, and with this realization to achieve ever greater understanding of and unity with God. There are currently between 4 and 5 million Bahá'í followers in the world.

The Bahá'í Faith envisions men and women as fully equal in all respects, teaches the need to eliminate both extreme poverty and extreme wealth, and emphasizes the traditional family (a heterosexual marriage with children) as the basic building block of societal unity and the fundamental sign of God's unifying intention for humanity. (The equality of men and women, however, does not extend to permitting women to become members of the Universal House of Justice—the ruling body of the Bahá'í faith.)

This relatively traditional approach to societal roles for men and women in a family unit has direct implications for Bahá'í teaching on homosexuality. Like many other religious traditions, the Bahá'í Universal House of Justice has ruled that homosexual persons can either overcome their orientation and enter into a heterosexual marriage, or they must remain single and celibate. In 1973 the Universal House of Justice stated that homosexuality is not a condition in which a person should be content, rather it is a distortion of one's nature to be controlled or overcome. This may be a hard struggle, but heterosexual people also struggle to control their desires.

Shoghi Effendi, the third leader of the Bahá'í faith (from 1921 to 1957) stated in 1950 that no matter how devoted to each other a same-sex couple may be it is wrong for that devotion to find expression in sexual acts. He further viewed homosexuality as a handicap that could be overcome with sufficient prayer and help from doctors. Still, Shoghi Effendi also taught that Bahá'ís have not yet reached a stage of sufficient moral perfection from which they can harshly scrutinize the private lives of others. Each person should be accepted on the basis of their faith, and/or their willingness to live up to divine standards. This slightly softer stance was reflected in a 1995 ruling by the Universal House of Justice, which stated that it should be against the spirit of the Bahá'í teaching to treat homosexuals with prejudice and disdain. To regard homosexuals "with prejudice and disdain would be entirely against the spirit of the Bahá'í teachings."

JEFFREY S. SIKER

FURTHER READINGS

Hartz, Paula. *Bahá'í Faith.* New York: Facts on File, 2002.
Smith, Peter. *The Bahá'í Faith: A Short History.* Oxford: One World, 1999.

BERDACHE. *See* **Native American Peoples**

THE BIBLE. The Bible comprises different sacred texts for different faith traditions. For **Judaism** and **Islam** it refers to the Hebrew Bible (also known as the Jewish Scriptures). For Christianity it refers to the Old Testament and the New Testament (and to the Apocrypha within the Catholic and Orthodox traditions). The Hebrew Bible is a shared sacred text among all three of the great so-called Western religious traditions, Judaism, Christianity, and Islam. Each of these faith traditions also has additional sacred texts in light of which they understand and interpret the Hebrew Bible. In the case of Judaism, the Mishnah (c. 200 CE) and the Talmud (c. 500 CE for the Babylonian Talmud) serve as authoritative interpretations of Jewish traditions arising from the Hebrew Bible. In the case of Christianity, the New Testament (c. 100 CE) is the collection of sacred writings that guide Christian interpretation of the Old Testament. And in the case of Islam, the Qur'an (c. 650 CE), as the revelation of Allah to the Prophet Mohammed, serves as the sacred scripture through which the Hebrew Bible is understood and interpreted. This essay will focus on the Hebrew Bible and the New Testament writings. For further information on the Jewish tradition, see Judaism; for further information on the Qur'an and Muslim tradition, see Islam.

The Jewish Scriptures survived in two major literary forms—the Hebrew Bible and the Septuagint (the Greek translation of the Hebrew Bible). It is important to be aware of both traditions, as issues of translation play a significant role in current discussions about what the Bible does and does not say about homosexuality. In addition to significant debates about translation, there are also important debates about what biblical texts count as direct or indirect references to same-sex relations. There are three classic texts in the Hebrew Bible that are typically viewed as directly addressing same-sex relations. They are: 1) the story of Sodom and Gomorrah in Genesis 19; 2) the prohibition against male same-sex relations in Leviticus 18; and 3) the prohibition and punishment for male same-sex relations articulated in Leviticus 20.

Genesis 19: Sodom and Gomorrah. In the story of Sodom and Gomorrah found in Genesis 19:1–19:11 the main character is Lot (a relative of Abraham), and his daughters, who lives in Sodom. God had already decided in Genesis 18 to destroy Sodom and Gomorrah because of the wickedness among the people there. Abraham had pleaded with God on behalf of any righteous people found in these cities, and God promised not to destroy the cities if even ten righteous people were found there. But the story of Sodom and Gomorrah serves to illustrate just how wicked the people of these cities were, and how justified God was to destroy them. The story begins with two angels coming in the form of two strangers traveling. Lot sees them and offers them hospitality in his home, as was the appropriate custom of the day. He encourages them to spend the night in his home and to resume their travels the next day. They agree to do so and enjoy Lot's hospitality. But that evening all the men of the city surrounded Lot's house and called on Lot to bring the two strangers out to them, "so that we may know [Hebrew, *yadah*] them." Lot's response to their request indicates that their desire was not an innocent curiosity about the visitors. Lot says: "I beg you, my brothers, do not act so wickedly" (Gen 19:7). The fact that Lot anticipates wicked actions on the part of the men of the city suggests that their desire to "know" the visitors indicates that the townsmen plan to rape Lot's two guests. The term "to know" in Hebrew can also mean to have sexual intercourse. This sexual meaning of the term is clear, for example, in the Genesis creation story about Adam "knowing" his wife Eve, so that Eve bore a son. The wicked desires of the townsmen is further clear from Lot's next statement, "Look, I have two daughters who have not known a man; let me bring them out to you, and do to them as you please; only do nothing to these men, for they have come under the shelter of my roof" (Gen 19:8). In order to protect his guests from the wicked men of the city of Sodom Lot offers his daughters to be raped instead. This certainly offends our modern sensibilities, but shows in the ancient times when this story originated that men were clearly more valued than women, and that Lot's obligations of hospitality to his guests outweighed even his obligations to his daughters. When the men of the city insist on breaking into Lot's home both to harm the two strangers and Lot himself, the two angels struck the men with blindness so they could not find the door. The two angels had been sent by God to destroy Sodom and Gomorrah because of the wickedness of the cities, but Lot and his daughters were spared. (Lot's wife looks back at the destruction of the city, disobeying the command of the angels, and so is famously turned into a pillar of salt.)

It is difficult to exaggerate the significance that this story of Sodom and Gomorrah has had in the history of biblical interpretation and in society at large when it comes to how to understand and evaluate same-sex relations, especially between men. The traditional interpretation of the story is that homosexuality was the ultimate sign of how depraved the men of the city were, and that God destroyed the cities of Sodom and Gomorrah precisely because such immoral behavior was both rampant and tolerated by the people. Thus the very name of the city Sodom entered into the English language to describe same-sex relations between men, especially anal intercourse, whether as a consensual act or not. The terms "sodomy," "sodomize," and "sodomite" all refer in a quite negative way to homosexual sex between men. The terms also make a very clear connection between such activity and God's judgment against it for its exemplary status as an action of particular wickedness against God's will.

Over the last generation this traditional interpretation has been challenged in significant ways. First, it is often pointed out that the men of Sodom sought to engage in sexual violence against the two visiting strangers under Lot's care. In revised interpretations many scholars argue that to say God condemned the sexual violence of the men of the city should not be equated with a general condemnation of God against all consensual same-sex relations. Second, the men of Sodom violated a strong cultural value of offering hospitality to strangers who travel through a town. That Lot saw offering his daughters to be raped as a lesser evil than turning over the two strangers indicates just how strong the sense of obligation was for Lot to protect his guests from harm. Thus in revised interpretation the story of Sodom and Gomorrah appears to be more about same-sex rape and inhospitality than about homosexuality per se. Even most conservative Christians who oppose homosexual practices agree that the story of Sodom is not really about homosexuality, but addresses the wickedness of the people of the city because of their desire to commit sexual violence against two strangers who should be shown hospitality.

A parallel story to the Sodom and Gomorrah account from Genesis 19 can be found in Judges 19:14–19:29, where an unnamed Levite man visits the town of Gibeah with his concubine. An old man who lived there extended hospitality to him and invited him to stay the night. The men of the city then come and demand that the old man send out the Levite that they might harm him, implicitly with sexual violence (again, the term *yadah* comes into play here—the men of the city want to "know" him). But the old man refuses to hand over the Levite because he is under his protection. Instead, the old man offers to give the men the Levite's concubine and his own virgin daughter to be raped. The townsmen took the concubine and raped her all night long. She was able to return to the house, but collapsed and died at the front door. Like the story of Sodom and Gomorrah, this story from Judges 19 features townsmen who seek to commit sexual violence against the Levite man. Traditional interpretation views this as another condemnation of homosexuality. But revised interpretations view this passage as another clear condemnation not of homosexuality, but of sexual violence and inhospitality.

Leviticus 18 and 20. The two passages on same-sex relations found in Leviticus 18:22 and 20:13 have been perhaps the most classic biblical texts used to argue against homosexuality. Leviticus 18:22 states "You shall not lie with a male as with a woman; it is an abomination." And Leviticus 20:13 states "If a man lies with a male as with a woman, both of them have committed an abomination; they shall be put to death; their blood is upon them." Both of these prohibitions appear to be quite clear and direct condemnations of homosexuality. The first statement simply gives the prohibition, while the second statement gives not only the prohibition but also the death penalty for the violation of this prohibition. No rationale is given in either statement that explains why same-sex relations between men is an abomination before God. Neither is there a prohibition here against same-sex relations between women. Some have argued that a reason for the prohibition rests in the immediate context of Leviticus 18:21 which prohibits the sacrifice of children to Molech, perhaps the name of a god worshipped by non-Israelites. Thus Molech-worship could also have associations with same-sex relations between men, perhaps cultic same-sex acts. But this rationale is much debated. Suffice it to say that traditional interpretations of these passages in Leviticus take them both as clear blanket condemnations of homosexuality.

More recently, however, a variety of questions have been posed about the prohibitions in Leviticus 18 and 20 and their applicability to modern understandings of homosexuality. The questions arise primarily from looking at the larger contexts of the Levitical prohibitions. The section of Leviticus in which these passages are found is known as the Holiness Code (Leviticus 18–25). The Holiness Code seeks to differentiate the Israelites from the Canaanites as the Israelites prepare to enter the holy land that God has given them. Thus the focus of the Holiness Code is on separating Israelite practice from all the practices of the Canaanites. While the Holiness Code makes sense on its own terms as a collection of prohibitions, the difficulty arises of how to decide which prohibitions still apply across the centuries and the rationale for such prohibitions. For example, in addition to prohibiting same-sex relations between men the Holiness Code also prohibits the crossbreeding of animals, sowing two kinds of seed in one field, wearing garments made of two different fabrics, rounding off the hair of one's temples, marring the edges of one's beard, and receiving a tattoo (cf. Lev. 19:19, 27–28; 21:5). It appears that all of these practices were perhaps markers for the previous inhabitants of the land. None of these practices, however, is interpreted in the modern context as prohibited by God. By extension, many argue that there is no clear rationale for condemning consensual same-sex relations between individuals on the basis of the passages in Leviticus. Thus, while on the surface these passages appear to be straightforward prohibitions, a contextual reading of the texts raises significant questions regarding their applicability to a modern setting.

Beyond the passages from Genesis, Leviticus, and Judges, there are other biblical texts that are often used in appeals to prohibit or endorse same-sex relations. Perhaps the most significant of these is the creation story from Genesis 1–2, in which God creates human beings—male and female, and creates them in a sexually complimentary way for the purpose of procreation. Though nothing is said in the creation story about same-sex relations, the traditional interpretation of this passage that condemns homosexuality is often summed up in the slogan that God created Adam and Eve, not Adam and Steve. Thus one main argument drawn from the creation story is that homosexuality is wrong because same-sex relations does not result in procreation. Indeed, this is perhaps the primary objection to same-sex relations, for example, in the **Roman Catholic tradition**. Those arguing against this interpretation of the creation story point out that there is no explicit prohibition of same-sex relations and that procreation is not the only or even the most important reason for sexual intimacy between couples. Thus while heterosexual coupling is necessary for procreation, procreation itself is not the only reason for sexual expression.

Another passage that is sometimes used to argue in favor of same-sex relations in the Bible is the statement in 1 Samuel 18:1 that "the soul of Jonathan was bound to the soul of David, and Jonathan loved him as his own soul." Some advocates of the legitimacy of same-sex relations point to this passage as an example of a loving homosexual relationship in the Bible. The more traditional interpretation of this passage argues that it simply indicates that David and Jonathan were extremely close friends and that sexual overtones should not be read back into the passage in order to justify contemporary same-sex relationships.

The New Testament. Within the New Testament the topic of same-sex relations is about as infrequently mentioned as it is in the Hebrew Bible. One finds no record of Jesus having ever addressed the subject directly, and there is significant debate over whether he in fact makes indirect statements that either condemn or support homosexuality. This debate revolves around various statements attributed to Jesus regarding the observance of the Jewish law. For example, in Matthew 5:17–20 Jesus stated, "Do not think that I have come to abolish the law or the prophets. . . . until heaven and hearth pass away, not one letter, not one stroke of a letter, will pass from the law until all is accomplished." Advocates who maintain that Jesus would condemn homosexuality appeal to this passage to show that Jesus in many respects was a traditionalist when it came to the Jewish law, and that he here affirms the observance of Jewish law, presumably including the prohibitions against same-sex relations in Leviticus 18 and 20. Further, Jesus appeals to the creation story from Genesis regarding the joining together of man and woman in marriage. In the Gospel of Mark (10:6–9) Jesus states, "From the beginning of creation 'God made them male and female.' For this reason a man shall leave his father and mother and be joined to his wife, and the two shall become one flesh. So they are no longer two, but one flesh. Therefore what God joined together, let no one separate." Again, those who maintain that Jesus opposes homosexuality cite this passage as an indication that Jesus endorsed monogamous heterosexual marriage to the exclusion of all other relationships as the only appropriate context for sexual relations.

Those who advocate, on the contrary, that Jesus' direct silence on the topic of homosexuality indicates that he did not oppose same-sex relations argue that Jesus was clearly not a social conservative on the issue of family values, as he called people to leave their families and to follow him, essentially forming a new family. And while in Matthew's Gospel Jesus may indeed say that the Jewish law should not be relaxed, at the same time elsewhere throughout the Gospels Jesus is portrayed as challenging traditional interpretations of the law (e.g., regarding Sabbath observance, fasting, ritual cleanliness, Temple worship, etc.). Jesus calls on people to love those least esteemed by the traditional powers that be, and Jesus challenges the status quo regarding who is included and who is excluded from the coming kingdom of God. And as for Jesus appealing to the creation story regarding marriage, to say that this passage prohibits homosexual relations is an argument from silence–since the passage endorses heterosexual marriage but says nothing of homosexuality. Further, some interpreters call attention to the story of Jesus and the Capernaum centurion, who loved his slave and brought him to Jesus to be healed. The suggestion has been made that this centurion held a special love for his slave as for a male lover. There is, however, no evidence in the text to support this interpretation in any way. Thus perhaps the safest thing to say regarding Jesus and homosexuality is that he says nothing directly about it, and that even his indirect statements do not result in a clear and cogent position on same-sex relations.

The only explicit passages in the New Testament that directly address same-sex relations occur in letters associated with the apostle **Paul**. Three passages in particular are pertinent in this regard: Romans 1:26–1:27; 1 Corinthians 6:9; and 1Timothy 1:10.

The passage in Romans 1 is perhaps the most significant in the entire Bible regarding same-sex relations. Here the Apostle Paul states: "For this reason God gave them up to degrading passions. Their women exchanged natural intercourse for unnatural, and in the same way also the men, giving up natural intercourse with women, were consumed with passion for one another. Men committed shameless acts with men and received in their own persons the due penalty for their error." Several things stand out in this passage. First, this is the only instance in the Bible where same-sex relations between women are condemned along with same-sex relations between men. Second, homoerotic relations are viewed as unnatural. Third, same-sex relations are viewed as excessively lustful. Fourth, homoerotic sex is seen as leading to just punishment (on this basis some conservative Christians in particular have argued that **AIDS** is God's punishment upon homosexual persons). In all of these ways same-sex relations are treated by Paul as a distortion of the natural order created by God.

The larger context in which this passage appears in Romans 1 is also very important to take into consideration. From Romans 1:18–1:25 Paul addresses the problem of Gentile idolatry, and how Gentiles (non-Jews) are guilty of sin before God because they should have perceived God in the created natural order, but instead they worshipped creation rather than the Creator. For this reason, as Romans 1:26 states, "God gave them up to degrading passions." In this view same-sex relations are seen as a consequence of the Gentile sin of idolatry, which has led to distorted understandings of appropriate human sexual expression. Another important context to bear in mind involves what Paul's understanding of same-sex relations would have been as a Hellenistic Jewish-Christian in a first century Greco-Roman context. Most scholars agree that Paul's primary understanding of homoerotic relationships would have included basically three forms of sexual activity: male prostitution, slave prostitution, and pederasty. In male prostitution the individual would have sold his services to be the passive partner in a sexual act. In slave prostitution a master would sell his slave's services, also to play the role of a passive sexual partner. In pederasty an older male would take on a pre-pubescent boy, who would in turn be the passive sexual partner (sometimes in the context of a relationship that extended well beyond sexuality). Since the concept of homosexuality as it is understood and constructed in the twenty-first century was not current in Paul's day, most scholars agree that Paul would not have known of long-term consensual relationships between adult males who partnered as couples in a monogamous relationship that included sex. This is not to say that such relationships never occurred, but that there is no evidence that Paul knew of them. Paul's knowledge of same-sex relationships was, in his view and from a modern perspective, exploitative because they all involved one sexual partner playing the role of the submissive inferior "woman" to the active superior male. Thus same-sex relations between men in antiquity had more to do with power relations between male-female gender roles than between men who self-identified as homosexual. Paul's understanding also involves particular static notions of what is natural and unnatural in the created order. For example, in 1 Corinthians 11 Paul describes long hair as "natural" for women and short hair as "natural" for men. The social construction of what counts as natural or unnatural comes significantly into play in this regard.

The second passage from the Pauline letters that deals with same-sex relations comes from 1 Corinthians 6:9–6:10. In this passage Paul states: "Do you not know that wrongdoers will not inherit the kingdom of God? Do not be deceived! Fornicators, idolaters, adulterers, male prostitutes, sodomites, thieves, the greedy, drunkards, revilers, robbers—none of these will inherit the kingdom of God." This passage is known as a "vice list," for obvious reasons; such vice lists (as well as virtue lists) were a common feature of Greco-Roman rhetoric in antiquity. The list is somewhat generic, though it does highlight sexual vices and so appears to be aimed at stemming sexual immorality within the congregation at Corinth. The primary issue in any modern understanding of this passage has to do with how the original Greek terms are translated into contemporary English (or any other language for that matter). The terms translated above as "male prostitutes" and "sodomites" (the NRSV translation) are renderings of two Greek words, *arsenokoitai* and *malakoi*. There is much debate over how best to translate these words. The word *arsenokoitai* is a combination of two Greek words—"male" (*arsen*) and "bed" (*koitai*), hence meaning something about a male going to bed. The word *malakoi* literally means "soft ones." It appears, however, that the term is meant in a colloquial sense to refer to the passive partner in a sexual relationship—that is, the soft one is the one being penetrated. The male going to bed could be either another term for a male prostitute or for the active partner who employs the services of a passive sexual partner. The translation of *malakoi* as "sodomite" is particularly unfortunate since it suggests a conflation of the story of Sodom and Gomorrah with the vice list in 1 Corinthians 6, which introduces a connection that was not present in the original passage from Paul. Various modern translations render the terms in very different ways, which shows the difficulties associated with a clear understanding of the passage. For example, the New International Version translates the terms as "male prostitutes" and "homosexual offenders." The New American Standard Bible translates the terms as "effeminate" and "homosexuals." The problem with using the term "homosexual" to render either word from the original Greek into modern English is that it is anachronistic. Namely, the term "homosexual" has a rather different meaning and connotation in the twenty-first century than the terms *arsenokoitai* and *malakoi* had in the first century. The term "homosexual" was not coined until the nineteenth century. The ancient Greeks and Romans had no concept of sexual orientation as has emerged in the twentieth and twenty-first century. When the passage in 1 Corinthians 6 is translated as referring to "homosexuals," then, it reads the twenty-first century situation back onto the first century reality, and so precisely distorts the meaning of the terms in their original context.

The term *arsenokoitai* (male who goes to bed) is also the term that appears in 1 Timothy 1:10, again in another vice list: "fornicators, sodomites, slave traders, liars, perjurers . . ." The same issues that applied to understanding the term in 1 Corinthians apply to its occurrence in 1 Timothy 1 as well.

Does any of the above discussion mean that Paul endorsed same-sex relations? There is no evidence that Paul endorsed, or would have endorsed, such relationships given his understanding of the same-sex relations he knew, his view of **natural law**, and his approach to what he perceived as typical excessive Gentile lust and vice from a Jewish (Christian) perspective.

The difficulty, then, for those who use the Hebrew Bible and the New Testament scriptures as authoritative guides to faith and practice is how to translate these sacred texts into modern contexts and situations. This has been a very divisive issue in most religious traditions, especially within the Christian community. At stake is how one understands the Bible and its authority, how one interprets the tradition of the church, and how the church relates this tradition to scripture, human experience, and modern social and biological sciences. Those who advocate a traditional understanding of scripture as prohibiting same-sex relations must, on the one hand, struggle with the social and biological sciences which have increasingly argued for homosexuality as a normally and naturally occurring part of the human spectrum. Those who advocate a revised and inclusive understanding of same-sex relations in light of human experience and the social and biological sciences must struggle, on the other hand, with the traditional exclusive interpretations of the Bible. This debate and discussion has been ongoing for over a generation and shows every sign of continuing for some time to come.

See also Queer Biblical Interpretation

JEFFREY S. SIKER

FURTHER READINGS

Brawley, Robert. *Biblical Ethics and Homosexuality: Listening to Scripture*. Louisville, KY: Westminster/John Knox Press, 1996.

Brooten, Bernadette. *Love Between Women: Early Christian Responses to Female Homoeroticism*. Chicago: University of Chicago Press, 1996.

Dover, Kenneth James. *Greek Homosexuality*. Cambridge, MA: Harvard University Press, 1978.

Gagnon, Robert. *The Bible and Homosexual Practice: Texts and Hermeneutics*. Nashville, TN: Abingdon Press, 2001.

Horner, T. *Jonathan Loved David: Homosexuality in Bible Times*. Philadelphia, PA: Westminster Press, 1978.

Nissinen, Martti. *Homoeroticism in the Biblical World: A Historical Perspective*. Minneapolis, MN: Fortress Press, 1998.

Scroggs, Robin. *The New Testament and Homosexuality: Contextual Background for Contemporary Debate*. Philadelphia, PA: Fortress Press, 1983.

Seow, Choon Leong. *Homosexuality and Christian Community*. Louisville, KY: Westminster/John Knox Press, 1996.

Siker, Jeffrey S., ed. *Homosexuality in the Church: Both Sides of the Debate*. Louisville, KY: Westminster/John Knox Press, 1994.

Soards, Marion. *Scripture and Homosexuality: Biblical Authority and the Church Today*. Louisville, KY: Westminster/John Knox Press, 1995.

Via, Dan and Robert Gagnon. *Homosexuality and the Bible: Two Views*. Minneapolis, MN: Fortress Press, 2003.

BISEXUALITY. Bisexuality, like homosexuality and heterosexuality is an identity category describing one's capacity for relating intimately/romantically with others. Like homosexuality and heterosexuality one could look at behavior to determine one's identity. For example, those who have sexual relations *only* with someone of the other sex are heterosexual, and those who have sex *only* with those of the same sex are homosexual. When one applies this mechanical definition, however, one finds that many persons do not qualify for the identity they claim in both the hetero and homosexual worlds, and that there is a much wider prevalence of behavioral bisexuality than at first perceived. In fact, the research of the Kinsey Institute showed that human behavior and romantic inclination span a bell curve. A small percentage are totally straight, a small percentage are totally gay, and the majority of people dwell somewhere in the middle.

That being said, strict behavioral definitions are extremely limited and limiting. They do not reflect the complex array of factors that combine to create an emotionally mature and honest social and psychological identity.

A more complete assessment of sexual orientation identity for all orientations would look at *attraction* to one or more genders, not just at the actual sexual *behavior*. Attraction can be realized on at least four levels: the physical (heart racing, sweating, primary sexual organ engorgement); emotional (romantic feelings, yearning, missing when not around, day dreaming about someone, wanting a future life with someone); spiritual (feeling a mysterious connection, experiencing deep joy and contentment when with someone, having the sense of knowing someone forever, even if you just met); and intellectual (excitement about shared opinions or sparring around different opinions, creative exploration of ideas and projects). Attraction can then be expressed with another through physical intimacy, but it can also be expressed through fantasy, dreams, poetry, songwriting, music, chaste friendship, etc. As a result, one's sexual orientation identity could be totally divorced from one's sexual behavior. For example, one can be celibate and be heterosexual. One can be monogamous and bisexual. One can have sex with someone of the same gender in certain environments (e.g., prison) or for certain political reasons (e.g., lesbian separatism) and be heterosexual.

Bisexual identity is no more or less complicated than a heterosexual or homosexual identity. Those who claim it state that they recognize, honor, and appreciate their capacity to love beyond gender categories, whether they act upon it or not.

The Bisexual Movement. The movement for visibility and acceptance of bisexuality began in full force in the early 1970s, just as the gay movement was beginning to find its political legs. In many ways its trajectory tracks with that of the larger lesbian and gay movement. At first articles were published, local social and support groups were formed, and there was a visible presence of bisexual activists within the larger gay and lesbian movement. In 1972 the first national organization was formed, entitled the National Bisexual Liberation Front. The 1980s and 1990s saw a significant expansion of local social, support, and political groups throughout the United States and the world. The first edition of the *Bisexual Resource Guide*, with forty groups in a handful of countries, was published in the mid-1980s. By 2001 there were 352 bi-groups and 2129 bi-inclusive groups in sixty-six countries included in the directory.

In 1990 BiNet USA (then called the North American Multicultural Bisexual Network, or NAMBN) was formed at the First National Bisexual conference held in San Francisco. BiNet moved onto the national political scene, representing bisexual voices and views at the National Policy Roundtable, at Creating Change Conferences, at national strategy tables like the National Policy Roundtable, in national discussions, like those about the GLBT marches on Washington, and in many other venues. During this time BiNet trained the national staffs of NGLTF, HRC, GLSEN, PFLAG, and other organizations on bisexuality and on representing bisexual interests and agendas. It also lobbied Congress, worked with the press, and sponsored conferences at the regional and national level. BiNet's work peaked during this decade, and saw a diminution of activity in the 2000s as many national organizations did.

The organization that published the Bisexual Resource Guide, the Bisexual Resource Center also flourished during the 1990s and continues to serve till this day—educating the public, producing pamphlets, organizing conferences, facilitating support groups, and housing the bisexual archives.

Bisexuality and Religion. The relationship between bisexual identity and religion can be viewed through at least four lenses: 1) sacred texts on loving beyond gender, and bisexual approaches to the interpretation of sacred texts; 2) prayer, liturgy, and worship practices in relation to bisexuality; 3) particular communal issues raised by bisexual congregants for the worshipping community, including concerns related to **clergy**, ritual, pastoral care, and governance; and 4) the unique gifts and perspectives that bisexual people bring to their faith traditions by virtue of loving beyond the bounds of gender constraints.

The complexity of analyzing the relationship between bisexuality and religion is magnified by the number of faith traditions one explores. Each tradition obviously has its own texts, rituals, liturgies, and theologies. Disagreements over the meanings of each of these different resources abound within each religion, let alone between them.

There is only space here to explore a small sample of the four lenses articulated above. For example, **Hinduism**, with its panoply of deities (some changing gender, others intersexed) clearly embraces a bisexual spiritual consciousness in its spiritual imagery and language. Yet this does not necessarily translate into acceptance or appreciation of the spiritual gifts or teachings of individuals who come out as bisexual themselves.

The majority of the Christian tradition has long condemned both bisexuals and homosexuals. And yet, there is also a more welcoming side of the Christian tradition that grounds its position in the theological principle that beyond merely a teacher, healer, and prophet, Jesus was also one who shattered boundaries, destroyed margins, and dismantled status in the name of God's inclusive, boundless love. This sensibility perhaps realizes the heights of bisexual acceptance in the United Church of Christ, which has produced a positive educational welcoming video on bisexuality.

Judaism, with only a couple of Torah verses prohibiting homosexual behavior (regarding men) and several statements in the Talmud (most concerning men) also has its strict constructionist wing which rejects bisexuality and homosexuality. And yet, beyond the small ultraorthodox environment, bisexuality and homosexuality have found significant acceptance in various Jewish communities. Openly GLBT clergy are ordained and same-sex marriages are performed in the Reform, Reconstructionist and Renewal traditions, and Conservative congregations often choose to be welcoming. Perhaps the overt and repeatedly articulated belief that God is both male and female, and that all humans are created *b'tzelem Elohim*, in the image of God (and therefore also both male and female) has made the acceptance of bisexuality within a Jewish context simpler than in others.

Still, there are certain challenges faced by bisexuals in all religious traditions that transcend the struggles of gay and lesbian peoples. The most significant of these challenges is around the perception of a bisexual's capacity to choose the gender/sex of one's partner. Even the most tolerant and welcoming ally has been known to challenge the bisexual's decision to be in a same-sex relationship, knowing that they are capable of being in a heterosexual partnering. With education, dialogue and the increased number of people **coming out** in the 1990s and 2000s, however, greater acceptance of bisexual people of faith exists.

For the better part of the 1990s the national gay and lesbian movement decided that its best strategy for securing human and civil rights for GLBT peoples was to say that this orientation was immutable—it could not change, and one could certainly and would certainly not choose to be born this way. Bisexuality became a wedge issue in both secular and religious discourse. If the bisexual person could choose, then how could they be worthy of human and civil rights? Or so the argument went. If they *can* choose, they should, and they should choose to be heterosexual or suffer the consequences. In response, people of bisexual orientation have called attention to the ways that attraction flows from a complex interplay of physical, psychological, emotional, and spiritual components, all factors that come with many givens. A heterosexual or homosexual orientation implies different gender boundaries that affect how partners identify and choose one another. Similarly, a bisexual orientation simply implies another set of gender boundaries that affect choice.

As individuals make religious choices at a spiritual level in relation to spiritual orientations, whether Christian, Jew, Buddhist, Hindu, Pagan, Taoist, or Baha'i, so in the realm of gender identity do individuals make choices appropriate to their sexual orientations. As the number of bisexual congregants and religious leaders who come out continues to increase, across religious boundaries, religious tolerance and inclusion of bisexual persons will increase accordingly.

See also Bisexuality and Ritual

DEBRA KOLODNY

FURTHER READING

Udis-Kessler, Amanda. "The Holy Leper and The Bisexual Christian." In Debra Kolodny, ed., *Blessed Bi Spirit, Bisexual People of Faith*. New York: Continuum, 2000.

BISEXUALITY AND RITUAL. Ritual provides a pathway for manifesting devotion to God in the material realm. It brings holiness into life, often through the medium of food or drink, or the elements of water, earth, and fire. Sometimes incorporating prayer, other times silence, ritual can be a grand pageant or a single moment when a candle is lit. It helps to mark life cycle transitions (e.g., into adulthood, into marriage or holy union, into birth and into death.) It allows people to celebrate, integrate, mourn, and imagine more profoundly. It soothes, uplifts and however grand or simple, it can take people out of their exclusive and private world and into an overt declaration of relationship with the other—whether community or God or both.

Given its importance to religious community, tradition, and practice, several questions can be posed about the relationship between how ritual is used to welcome, embrace, and include, or in the alternative, to alienate, exclude, and hurt those who are not part of the majority culture. In relationship to **bisexuality**, the following observations can be made in regard to religious ritual. While many religious traditions do not have explicit rituals that honor, sanctify, or acknowledge bisexual identity, several religious traditions do address bisexuality directly. There are various **Native American**, **African**, and European based Pagan traditions and Hindu rituals that honor the Divine androgen—one who is both male and female. While these deities and their accompanying rituals may seem to speak more concretely to those who are transgendered or intersexed, they speak profoundly to the bisexual sensibility as well. A Godhead that explicitly blends or changes genders also lives in relationship to others across gender boundaries.

One example of a ritual that has been used for the purpose of honoring bisexuality is the Havdallah ceremony marking the end of the Jewish Sabbath. As the twenty-five hours of rest, prayer, and communion with the Holy One of Blessing come to an end, one lights a many-wicked candle as part of a short ceremony of separation between Shabbat and the rest of the week. Of all the ritual objects in **Judaism**, this one perhaps best holds the principle of blending different strands of possibility, going beyond oppositional dualisms and integrating a complex, brilliant whole. The final paradox of this ritual is that the object which holds the essence of blending is used explicitly to separate two different types of time—holy and secular. This integration of two different worlds reflects the same kind of reality experienced by bisexual persons.

In the absence of particular religious rituals, it is not uncommon for bisexual persons to create new rituals or to modify existing ones to insure that persons with a bisexual orientation are recognized and welcomed within the religious tradition. Some create altars with two candles and blend their flame to signify their dual nature. Others choreograph dances of intimacy that represent the possibility of loving beyond gender.

It is also important to note that many current religious ritual practices intentionally or unintentionally exclude and alienate bisexual persons. Perhaps the clearest example of this is the traditional wedding ceremony found across religious traditions. The traditional wedding ceremony is grounded in and depends upon the assumption that a man and a woman are committing themselves to each other. In many traditions, the purpose of this union is explicitly for the pair to complete one another, suggesting that only heterosexual unions can bring about such fulfillment. But many bisexual persons have developed additional theological and practical elements in order to help honor bisexual people in betrothal or wedding rituals, regardless of the sexual orientation of the individuals getting married. Some examples include the following practices: 1) affirmation in the unique verbal vows and the written marriage contracts (like the Jewish *Ketubah*) that people create for themselves that as two people come together they are not completing one another because they are "opposites"-male and female, two halves of a whole, or two sides of a coin. Rather, as two people coming together they are choosing to cultivate the masculine and feminine, the male and female wholeness within themselves, as well as in the other. Using a concept that both Christians and Jews find as an essential part of their theology, they are helping each other live fully into *tzelem Elohim*—the image of God, an image that includes both male and female; 2) the creation of language for vows and contracts reflecting that people who are choosing a path of partnership are making a holy contract to cultivate each other's individual wholeness, instead of making each other whole through their pairing; and 3) deliberate reflection on the principles of spiritual friendship and companionship over against the notion that one person completes the other.

See also Bisexuality

DEBRA KOLODNY

BUDDHISM. The ways in which Buddhism has responded to sexuality in general, and to homosexuality and related phenomena in particular, have been conditioned both by its core philosophy of renunciation and by the cultural beliefs and practices of the various societies in which it has taken root. Buddhism originated and first developed within the Indian cultural nexus which, at various times and under various circumstances, has embraced the entire gamut of attitudes toward sexuality. The positive side of the spectrum has included the sacralization of human, animal, and agricultural fertility found in the Vedas (1000–500 BCE) and in folk religious practices, the sexualized devotionalism of Krishna worship, and the positive valuation of eroticism as evidenced by the sculptures of Khajuraho, Konarak, and other medieval Hindu temples (see Hinduism). More salient to Buddhism has been the negative judgment of sexual desire and sexuality found among the numerous orders of world-renouncing ascetics, which have been a fixture of Indian civilization from its very beginnings. Like its kindred religion **Jainism**, Buddhism emerged in the sixth-fifth centuries BCE out of such groups, which rejected the traditional Vedic religion with its sacrifices, fertility magic, and worship of male potency. Buddhism repudiated conventional societal bonds and sensual enjoyment as impediments to the achievement of spiritual goals.

True to the ascetic milieu from which it sprang, belief in the spiritual value of renunciation is central to Buddhist doctrine, and the normative ideal for the Buddhist aspirant is the celibate monk and nun. Desire, especially sexual desire (*kàma, ràga lobha*) is, along with hatred and ignorance, one of the three main moral "poisons" which are to be eliminated by Buddhist practice, and it is sexuality which has always been regarded as posing the most dangerous threat to the world-renunciation which is considered the foundation for all progress toward the final objective of nirvana, spiritual enlightenment. The principal remedy which Buddhism has prescribed for this moral poison is its elimination through the direct mental cultivation of countervailing factors such as disgust with the human body, contemplation of the negative consequences of sexual entanglements, and the generation of a universalized nonsexual love. In the late Indian Vajrayana form of Buddhism which is still an important component of Tibetan and Newari Buddhism, sexual energies are not eliminated, but transformed through esoteric spiritual practices (*tantra*) which may appear highly erotic externally, but which sublimate and spiritualize eroticism to the point where it bears little relationship to sex as ordinarily understood.

For committed lay Buddhists (*upàsaka/upàsika*) who were expected in their ethics and morals to imitate the celibate monastic model as best they could while remaining householders living in the conventional social world, the strictures concerning sexual activity are of necessity less stringent than for monastics. As part of their religious practice it has been customary for committed lay Buddhists to take vows, including both temporary vows to abstain from all sexual activity, as well as vows of varying duration to avoid sexual misconduct (one of the five basic moral precepts). Sexual misconduct, which was conceived of from a strictly male perspective, is defined as sexual relations with any of various classes of unapproachable women (married, unmarried but under the protection of their family, prostitutes, nuns, etc.), any form of sexual union other than penile-vaginal intercourse, and sexual relations at improper times or places, for example, when the woman is pregnant or nursing, in open view, or near a shrine or monastery. Some later authorities have also included same-sex relations among the forbidden sexual relationships.

However, for ordinary lay Buddhists the precept against sexual misconduct, like that forbidding the use of alcohol and other intoxicants, has never been considered central to Buddhist ethical life, in the way that the injunctions against violence and theft have been. Just as alcohol consumption is found throughout the Buddhist world, so have Buddhists felt free to engage in many forms of noncoercive sexual expression without censure by religious authorities. Among the varieties of nonmonogamous sex, same-sex sexual relations have never been singled out for special opprobrium by any Buddhist society.

The most detailed Indian Buddhist treatment of same-sex sexuality and gender variance is found in the rules of monastic discipline (*Vinaya*) belonging to the various Indian Buddhist traditions, which date roughly from the beginning of the Common Era (or around 1 BCE). Given that celibacy defines the monastic life, it is not surprising that the *Vinaya* texts unanimously concur in condemning same-sex sexual relations along with every other form of sexual expression including heterosexual sex, masturbation, bestiality, and even intercourse with supernatural beings. Sexual offenses are ranked in a hierarchy of severity, with the most egregious involving intentional penetration and ejaculation, punishable by expulsion from the order.

While same-sex behavior was considered a possible temptation for any monk or nun, there was a special class of persons who were considered to be especially prone to initiating or participating in such behavior. As far back as the Vedic period, the Indian worldview has included the acceptance of a third sex (*tritiyàprakçtã*) described as "neither man nor woman" (*napuüsaka*) literally "non-male", existing alongside the female and the male. Most authorities understood this third sex as comprising persons of nonnormative gender behavior or sexual functioning, such as impotent males, cross-dressers and transgendered persons, hermaphrodites and eunuchs. Also included among the third sex are those men and women who engage in same-sex sexual relations when this behavior is found together with gender nonconformity, especially cross-dressing and gender atypical verbal and non-verbal expression. Normative males who had sexual relations with other normative males were not usually reckoned as members of the third sex. In the Kamasutra, for instance, male **bisexuality** is taken simply as the mark of the urban sophisticate.

There are a number of terms for the third-sex category in classical Indian literature; the one most commonly used in Buddhist texts is *paõóaka*, which one ancient authority etymologized as "one who over-exerts the testicles." In the Kamasutra and other non-Buddhist Indian literature such as the epics and dramas, third sex persons were usually portrayed as prostitutes, masseurs, dancers, and other entertainers, and were relegated to a despised status in the highly stratified Indian social world. Their stigmatization was reflected in their place in the Buddhist community, despite the theoretical rejection of caste and other social distinctions found in Buddhist literature. The *Vinaya* rule concerning the ordination of *paõóaka-s* is founded on the case of a *paõóaka* monk who sought out and engaged in anal intercourse as the passive partner of grooms and elephant keepers. As a result, the rumor spread that the Buddhist monks were either *paõóaka-s*, or had sex with *paõóaka-s*, and all were therefore unchaste. When this was reported to the Buddha, he ordered that *paõóaka-s* be barred from ordination, and that those who were already ordained should be expelled.

It may be said that this rule, promulgated as it was centuries after the historical Buddha, was established from a purely practical point of view, given the general disrepute in which third sexes were held by society at large. Monasteries have in almost all instances (with the exception of the contemporary West) been the central institutions of Buddhist societies and they have always depended on donations from laypersons for their existence. According to Buddhist doctrine, giving alms to virtuous monastics is a powerful source of merit for the donor, resulting in favorable consequences both in this and in future lives. Any hint that monks or nuns were engaging in forbidden sexual behavior, and thus were not worthy objects of lay generosity, would have been fatal to the continued existence of the monastic organization. Thus, along with the manifest motive of avoiding threats to chastity, forbidding monks to associate with third-sex persons, and barring such persons from ordination, was a highly pragmatic decision designed to prevent the possibility of causing a scandal among the faithful. Similarly, monks were also forbidden to associate with widows, common prostitutes, and other "bad" women, whose promiscuity and unquenchable lust third sex individuals were believed to share. The *Vinaya* texts prescribe detailed interrogation, and even surreptitious examination of the candidate's genitals, to ensure that third sex persons will not be ordained. According to some later sources, such persons were even barred from formal acceptance as lay members of the Buddhist community.

In contrast to the negative attitudes described in codes of monastic discipline, more positive and flexible views of homoeroticism, defined here in its psychological sense to broadly include any emotionally significant same-sex relationship without necessarily implying any sexual expression, are to be found in other canonical Buddhist texts. This is seen especially in the *Jàtaka-s* or tales of the Buddha's previous lives as a *bodhisattva*, that is, an aspirant to Enlightenment. These stories, which contain many folkloric elements, were the most popular vehicle for spreading Buddhist teachings among the common people, both through preaching as well as their representation in artistic media. In these tales the figure of the *bodhisattva*'s devoted friend is almost always identified as having been a previous birth of his cherished disciple and attendant, Ananda (*ànanda*). The friend is always depicted as faithful and loving in contrast to the often unfaithful and shrewish wives found in many of the stories. In some tales the *bodhisattva* and his friend are even born as animal companions, such as two deers who "... always went about together ... ruminating and cuddling together, very happy, head to head, muzzle to muzzle, horn to horn" (Jones 1979).

Ananda is a beloved figure in Buddhist cultures, noted for having been handsome and charismatic, emotionally sensitive, and sympathetic to women. Among Thai Buddhists he has long been regarded as having been a third sex person in a previous life, and also to have taken a number of births as a woman. One of the Jàtaka-s tells of a former birth in which Ananda was a solitary yogi who became passionately attached to a divine cobra king (a *nàga*, associated with fertility in Indian folklore) who appeared to him in the guise of a handsome Brahman youth; the yogi later greatly grieved the loss of the relationship which he broke off out of discomfort once he and the cobra king had become sexually involved. The message of this story and others like it appears to be that same-sex relationships can be highly beneficial as long as they are nonsexual and conducive to the pursuit of spiritual goals. The paradigmatic virtuous same-sex relationships are between peers who are spiritual friends (*kalyànamitra*) aiding each other in the pursuit of the religious life, and that between the guru and his disciple. However, such relationships are to be eschewed once they arouse a particular, especially sexual, attachment.

Buddhism virtually disappeared from India after the thirteenth century CE under the onslaught of Islam and the Hindu revival, but by then it had spread to China, Japan, Tibet, Nepal, Sri Lanka, Burma, and other areas of South and Southeast Asia, and later farther afield to Mongolia, Manchuria, and to parts of the Russian Empire (among the Buriat and Kalmuk Mongols), and by the early twentieth century to Western Europe and North and South America as well. Buddhism is a highly adaptable teaching, lacking any central rule-making authority such as bishops or a pontiff, and it was easily able to accommodate non-Indic cultural traditions, which were either neutral or positive toward same-sex sexuality. European Catholic missionaries such as Matteo Ricci and Francis Xavier noted with horror the prevalence and tolerance of homosexuality in Chinese and Japanese Buddhist monasteries. Japan, especially, has a long literary tradition exalting same-sex love among males (*nanshoku*), especially between older and younger samurai, kabuki actors and their patrons, and Buddhist monks or priests and their youthful acolytes (*chigo*). There is also the popular belief that male love was introduced into Japan from China by Kukai, the founder of the Japanese tantric Buddhist Shingon School, and there is a long tradition of Buddhist poetry and prose writings on this theme, as well as a sexual theology of male eroticism that is especially associated with the Shingon and Tendai schools.

In Tibet and Mongolia, however, there is no such literary or religious tradition concerning same-sex sexuality, although accounts by insiders as well as foreign travelers attest to its fairly widespread incidence between senior monks or monk officials and their younger servants who took the passive sexual role (*sgron po*). Noteworthy were the special fraternities of monks, the dopdop (*ldap ldop*) who lived in the vast Gelukpa monastic settlements in the Lhasa region, and who served in a variety of capacities; as policemen, musicians, and construction workers. The dopdop were notorious for seeking sexual partners among attractive adolescent boys from the city, even to the point of abducting them. These types of unequal or even coercive relationships may reflect the power dynamics of the former Tibetan and Mongolian theocratic systems. The obvious violation of monastic celibacy in these sexual relationships was sometimes rationalized as being less dangerous to the religious life than sex with women, because sex between males does not involve reproduction and the consequent creation of family obligations. In order to circumvent the *Vinaya* rule requiring expulsion from the order for engaging in penetrative sex with ejaculation, the preferred sexual practice in the Tibetan Buddhist cultural sphere was intercrural intercourse (between the thighs)—still an infringement of monastic discipline, but a lesser one than penetrative sex.

Thailand, like India, has a traditional third sex category, the *kathoey*, characterized as a biological male who has assumed the female gender role and serves as the passive sexual partner to a normative male. The *kathoey* is somewhat stigmatized in Thai society, although there is widespread acceptance of bisexuality among males who meet social expectations of the masculine role, and there has been a generally sympathetic attitude among Buddhists regarding sexual and gender nonconformity, at least before the rise of the **AIDS** epidemic in the 1980s.

Despite some controversy during the late 1990s over the Dalai Lama's remarks in response to questions about homosexuality in which he reiterated the orthodox position that people who had taken Buddhist vows should not engage in same-sex sexual behavior (although he was not otherwise condemnatory of gay people), there has been little overt homophobia among Buddhist groups in North America and Western Europe, and many lesbians and gay men have found a welcoming religious community in Western Buddhist centers and organizations both as lay members and as clergy. The Soka Gakkai movement has been particularly accepting of gays, as well as of racial and ethnic minorities, becoming one of the first religious denominations to perform same-sex marriage ceremonies. There are, as well, specific organizations of gay and lesbian Buddhists, such as the Gay Buddhist Fellowship and Maitri Dorji, and there are a number of prominent American Buddhists who have been openly gay: the poets Allen Ginsberg and John Giorno, the Zen teacher Issan Dorsey Roshi, the Buddhist scholars Jeffrey Hopkins, Rita Gross, and José Cabezón among many others. As in the earlier adaptations of Buddhism outside of India, attitudes and practices spring more from the cultural dynamics of the host county; in this case, the liberal attitudes of Western secularism and the antinomian counterculture from which most American and European converts have come, rather than from any inherently Buddhist position on same-sex sexuality or gender difference.

MICHAEL J. SWEET

FURTHER READINGS

Cabezón, José Ignazio. "Homosexuality and Buddhism." In Winston Leyland, ed., *Queer Dharma: Voices of Gay Buddhists Vol. 1*. San Francisco, CA: Gay Sunshine Press, 1998, pp. 29–44.
Faure, Bernard. *The Red Thread: Buddhist Approaches to Sexuality*. Princeton, NJ: Princeton University Press, 1998.
Goldstein, Melvyn C., "Study of the Ldab-Ldob." *Central Asian Journal*, 9 (1964): 123–141.
Jackson, Peter A., "Male Homosexuality and Transgenderism in the Thai Buddhist Tradition." In Winston Leyland, ed., *Queer Dharma: Voices of Gay Buddhists Vol. 1*. San Francisco, CA: Gay Sunshine Press, 1998, pp. 55–89.
Jones, John Garrett. *Tales and Teachings of the Buddha: The Jàtaka Stories in Relation to the Pàli Canon*. London: George Allen & Unwin, 1979.
Leyland, Winston, ed. *Queer Dharma: Voices of Gay Buddhists Vol 1*. San Francisco, CA: Gay Sunshine Press, 1998.
———. *Queer Dharma: Voices of Gay Buddhists Vol 2*. San Francisco, CA: Gay Sunshine Press, 2000.
Sweet, Michael J. "Pining Away for the Sight of the Handsome Cobra King: Ananda as Gay Ancestor and Role Model." In Winston Leyland, ed., *Queer Dharma: Voices of Gay Buddhists Vol. 2*. San Francisco, CA: Gay Sunshine Press, 2000, pp. 13–22.
Zwilling, Leonard, "Avoidance and Exclusion: Same-Sex Sexuality in Indian Buddhism," In Winston Leyland, ed., *Queer Dharma: Voices of Gay Buddhists Vol. 1*. San Francisco, CA: Gay Sunshine Press, 1998, pp. 45–54.

CATHOLIC. *See* **the Roman Catholic Tradition; Eastern Orthodox Christianity**

CHICAN@ CHURCH TRADITIONS. *See* **Latin@ Church Traditions**

CHRISTIAN SCIENCE. Christian Science demands a commitment to following **Jesus** in a way that values God's spiritual reality above all else. Its expectations for human sexuality emphasize the emulation of spiritual rather than material patterns. These expectations may look traditional on the surface, but they are not social proscriptions for the sake of conforming to conventional mores. They make full sense only within the context of a radical commitment to life in Spirit as Christian Science defines it. Its demands are for those who have "enlisted," as Christian Science founder Mary Baker Eddy puts it, to follow Christ Jesus in a very specific sense. In principle it respects the freedom of conscience and constitutional rights of those who choose not to "enlist," as well as those who do but find themselves struggling to apply its standard. The Christian Science view of sexuality in general, and same-sex sexuality in particular, can best be understood within this larger context.

Theological Views on Companionship. Mary Baker Eddy was committed to a deeply complementary view of the sexes. The chapter "Marriage" in the Christian Science textbook, *Science and Health with Key to the Scriptures*, assumes the framework of a man and a woman working together to aid the forward progress of one another and humanity, legally united as husband and wife. It builds its conception of companionship and marriage on a revealed, rather than historical or contextual, reading of **Jesus**' statement that "from the beginning of the creation God made them male and female. For this cause shall a man leave his father and mother, and cleave to his wife; And they twain shall be one flesh" (Mark 10:6–10:8).

Within this complementary framework, marriage does not confer a special spiritual advantage or status. Both married and single adherents are able to find their completeness, enjoy companionship, and express fathering and mothering qualities. Rather than being mandatory or sacramental, marriage in Christian Science is the human institution that provides adherents with the means to enter into a partnership that supports, but does not replace, their individual progress Spiritward. The companioning of a man and a woman in marriage patterns God's fatherhood and motherhood, helping humans to approximate their spiritual union with their Father-Mother God and their spiritual completeness as God's creation.

Eddy is emphatic that "[u]nion of the masculine and feminine qualities," not bodies, "constitutes completeness." Here, she urges couples in heterosexual marriages to "educat[e] the higher nature," to build their partnerships on terms that are increasingly spiritual and less sensual (Eddy 1994, 60). Given the Christian Science teaching that sex is an attribute belonging to the material body and not the immaterial soul, or spiritual identity, the passage might also be read as a rationale for same-sex unions in which a male partner expresses "femininity" or a female expresses "masculinity," except for two complications. First, Eddy's writings on marriage assume that until human experience becomes fully redeemed by Christ, uniting "in one person masculine wisdom and feminine love," masculinity most nearly belongs to male humans and femininity to female humans (Eddy 1994, 64). They assume that masculine and feminine qualities "conjoin naturally" in the overall context of a union between a male husband and female wife, giving heterosexual marriage the function of helping both partners grow into an expression of those qualities of character not historically intrinsic to their sex. Second, unlike the New Thought concept of "spiritual androgyny" or "a sexless soul" popular in her era, Eddy felt that the "male and female" of Genesis 1:27 constituted spiritually real and eternal categories of identity (for an example of Eddy's correspondence of the "ideal" male and female to eternal spiritual categories, rather than to sex, see *Science and Health*, 517). Eddy acknowledges the concept of a neuter gender in God's creation, the opposite of bisexual androgyny. Presumably, earthly men and women grow to grasp this aspect of God's creation as they become less sexual, not as they become less manly or womanly.

What relations between male and female might look like "in the resurrection," as Jesus stated, when "they neither marry, nor are given in marriage, but are as the angels of God in heaven," Eddy does not venture to outline (Matthew 22:30 KJV). "We look to future generations," she wrote, "for ability to comply with absolute Science, when marriage shall be found to be man's oneness with God—the unity of eternal Love" (Eddy 1994 [1906], 286). Until then, heterosexual marriage will play a special role in Christian Science as the context in which a man and a woman can partner to help one another grow into a fuller approximation, or lived understanding, of their spiritually complete nature as expressions of their Father-Mother God.

Theological Views on Sexuality. Christian Science views sexuality as a normal yet temporal aspect of human experience that serves the purpose of natural reproduction within marriage. "Marriage," wrote Eddy, "is the legal and moral provision for generation among human kind," and celibacy is its only alternative (Eddy 1994, 56). Expressions of sexuality that do not meet these criteria, including heterosexual sex outside marriage, masturbation, and homosexuality, are by implication roughly equivalent aspects of sensuality to be overcome, through Christ, by those who desire union with God and a consequent approximation of His nature in the Christian Science sense. (These are not "roughly equivalent" in their social dimensions or consequences, but in their noncompliance with the criteria Eddy outlines.)

Similarly, excessive sensuality within heterosexual marriage is considered an obstruction to feeling God's presence and is spiritually indefensible. Eddy refers to this as "legalized lust" and writes that ideally sexual intercourse should take place solely for the reason of procreation (for Eddy's views on intercourse and procreation, see *Science and Health*, 61–62). She realized most married couples would need to approach this ideal gradually, however, Eddy "explicitly rejected asceticism and warned Christian Scientists against trying to live beyond the level of their actual spiritual growth" (Gottschalk 1973, 241). Because heterosexual marriage regulates and contains sexuality ideally for the purposes of procreation, couples are encouraged to work out their "demonstration" of dominion over sensuality within its protective shelter.

Eddy was aware of the many definitions of sexuality in human experience. Although the majority of her students conformed to traditional Christian sexual standards, more than a few did not, and she responded to each case individually and with considerable shrewdness. In a paper drafted with a student she frankly mentions masturbation or unregulated intercourse as a possible factor the healer should consider in some cases of sickness, and in many letters and essays she addresses the topic of extramarital sex as a multidimensional problem needing moral and spiritual regeneration rather than simplistic moralizing. In light of such examples, it seems impossible to conclude that Eddy was either naïve or unnerved concerning issues of homosexuality. Although she was notable for the "high moral tone [she] demanded of her students, and her unequivocal condemnation of free love and marital infidelity" (Gill 1998, 341–342), she was "not at war against human sexuality" (Thomas 1994, 250). She was generally a realist when it came to all areas of the human condition. Rather than addressing each specific departure from the moral standard she held dear, however, she focused on delineating what she referred to as the "true model."

Although it would be correct in Christian Science to describe expressions of sexuality outside heterosexual marriage as "sinful," here the special Christian Science concept of sin must be engaged. Rather than being an innate mark of depravity, or a special personal affliction, all sin in Christian Science is "the image of the beast to be effaced by the sweat of agony," a terrible lie about God and His creation to be exposed and eradicated through Christ (Eddy 1994, 327). Rather than cruelly judging, shunning, or deprecating themselves or others when they sin, students of Christian Science work diligently to expose the lie—in themselves first and foremost—and to bear witness to the truth of God's sinless creation in redeemed and purified lives. Eddy understood this process in modified Calvinist terms similar to Jonathan Edwards, as a difficult (though not always lengthy) effort involving prayer and repentance made possible only by God's grace.

Homosexuality, then, cannot be singled out as a special "sexual sin" in Christian Science, but is one of many acute problems humans face as they strive to let their lives show an abiding unity with God. Heterosexuals who hope to achieve the apex of fulfillment and satisfaction via sexual expression will run into a basic conflict if they seriously pursue Christian Science, and in this sense they are subject to the same moral demands as those who self-identify as queer. "Christian Science doesn't promise [Christian Scientists] a busy sexual life, either within or without the traditional Christian standards of morality. But it does offer each one a life purified and enriched by an increasing recognition of his or her true spiritual being, with more and more freedom from the bondage of obsessive sensuality" (Peel 1988, 37).

Christian Science promises the possibility and even eventuality of healing to adherents struggling with any form of sin, any painful and ultimately illusive feeling of separation from God. In the case of those struggling with same-sex sexuality, this "healing" does not suggest mere outward conformity to heterosexual norms. Christian Science would prefer adherents to have an honest, active desire for compliance with its theological statement and attendant moral standards, even while temporarily grappling with questions of sexual orientation and conduct, to dishonest or thoughtless conformity with social norms. This is seen as complying with Jesus' teaching that interior spirituality must precede and give foundation to external morality.

Altering Christian Science Theology for LGBTQ Advocacy. Christian Science conceives itself as a *science*, explicating the spiritual laws of the universe and the ordered relationship of every element in God's creation. Its practice and implementation, or application to human needs, is flexible and individualized, while its principles and tenets remain fixed. In matters of companionship and sexuality, its complementary and regulative principles make it inhospitable to LGBTQ advocacy. Some students of the faith, however, do not agree or desire to comply with these principles, although they accept and love other aspects of Christian Science theology. However, rejecting or changing parts of a scientific statement renders the entire statement altered, and this is the case with "queering" parts of Christian Science theology by overlaying or substituting queer rubrics for those that are not. This could be considered a creative act by which an entirely new theology is produced.

The Web site of Emergence International (EI), a LGBTQ organization of Christian Science students, illustrates what such a project might look like. One testimonial refers to the Christian Science "emphasis on an androgynous Deity reflected in androgynous man," in contrast to Eddy's concept of a metaphorical Father-Mother God reflected in a distinctly male and female creation (McCullough 2005). Eddy uses "Father" and "Mother" as familiar and intimate terms that help worshipper draw closer to God. However, unlike her regular use of Deific "synonyms" such as Love and Soul, her gendered language for God is metaphorical or symbolic. It figuratively describes a God who is essentially "without body, parts, or passions" as in the Westminster creed, not an ontologically dual-sexed or androgynous Deity.

Another posting illustrates God in physical terms, though noting that this conflicts with the Christian Science concept of a wholly incorporeal God. It also alters Eddy's use of the word "man" to "woman," which introduces a theological framework quite different from Eddy's (Anonymous 2005). Following Genesis 1:27, Christian Science uses the term *man* as "the family name for all ideas—the sons and daughters of God" and refers to biblical figures representing the female ideal as "a species of the genera," man, and "symbol[izing] generic man." The term "man" in Eddy's self-contained, "scientific" lexicon identifies only the spiritual idea of God, not human beings approximating that idea. It stands in contrast to the sexist and inappropriate use of the generic term "man" to describe both male and female humans. The writer of this posting may have been searching for a different, and perhaps more woman-centered, lexicon than the one Christian Science employs.

A third article states that "our sexual nature is a role we play" and that "there are *all* degrees of masculinity and femininity within both sexes" (Suddaby 2005). The first statement aligns with feminist theorist Judith Butler's concept of gender as a performance, but it does not clearly fit Eddy's model. The second statement would agree with Eddy's if it read, "there is a complete range of masculine and feminine qualities within *God's ideal man*," and then added that this spiritual completeness would not fully appear in either sex until all sin and sensuality were redeemed. Just as the earthly institution of church helps humans to approximate "the structure of Truth and Love" until Christ's coming, often in love but sometimes only by facing much strife and confusion, the institution of heterosexual marriage is designed to help men and women approximate man's spiritual completeness until the marriage of the Lamb predominates.

Perspectives on Homohatred. Certainly gay groups often consider the notion that homosexuality can be healed to be in itself homophobic. This view sees Christian compassion extended in the name of healing gayness as patronizing; it disparages "separating the sinner from the sin" as a disingenuous way of invalidating the essential, intrinsic gay core of one's identity; it views LGBTQ testimonies of healing as inauthentic, stemming from a false understanding of one's selfhood. The 1980 pamphlet "Gay People in Christian Science?" distributed by the demographic it describes, embodies this viewpoint. It calls testimonies of LGBTQ healing "so-called 'healings'" and contends that "real" healing involves accepting and celebrating the genetic fact of gay sexuality.

Biologically speaking, this view is understandable and clearly defensible. In Christian Science, however, biological determinism is not a valid justification for any physical condition that does not pattern or approximate spiritual reality. From this perspective, it is biological determinism and not homosexuality per se that conflicts with Christian Science theology. In one self-disclosed healing experience of homosexuality, the writer says, "I began to see that homosexuality has its roots in the lie that man is a biological construct with certain responses conditioned or built into him. I saw that I really needed to be healed of a very mortal, carnal view of man" (Anonymous 1985). He felt that rather than covering up an intrinsic aspect of his identity, "throwing off homosexuality was a waking-up experience" that uncovered who he really was (Anonymous 1985).

There is no basis in Christian Science for outright hatred and disgust of any group of humans, including LGBTQ people, although culturally this species of homophobia has occurred among some church members. A handful of articles published in the Christian Science periodicals over the years shows an array of attitudes. A piece published in 1980 calls on the one hand for compassion, an "understanding" for gays and "their struggles with the harsh attitudes of the past toward them and history's rejection of them" (Bowles 1980, 85). On the other hand, the article itself has an almost punitive tone overall, mirroring the same "harsh attitudes" that have so often intensified fruitless self-loathing among queers and deflated their sincere attempts to unify with the Christian church. Technically, the article presents a correct picture of Christian Science theology, but its tone is in need of more balance and grace, rendering it of limited use. In a more helpful 1988 article, the author writes about overcoming a combination of fear, fascination, and disgust with a gay friend through prayerfully perceiving her "true" spiritual identity (Anonymous 1988a). A 1997 article titled "Homosexuality—how do I respond?" shows a tender spirit and clearly conveys the (heterosexual) author's important healing of "freedom from sensuality," including her conviction that "outside of legal marriage, chastity is the only lifestyle that supports spiritual growth and stability" (Matthews 1997, 26–27). It does not suggest what this might mean for a friend who "happens to be gay," however, focusing instead on the need to let others make spiritual progress at their own pace. While this approach is helpful in some ways, it also leaves gaps in the article's spiritual reasoning. It raises the question of whether "homosexuality ... needs healing," presumably from a Christian Science perspective, but does not answer it.

Some accounts in the Christian Science periodicals show a degree of homophobia and naiveté in characterizing LGBTQ experience as a "lifestyle." While this could be considered true in the case of some "cultural" lesbians, or women who consciously choose female partnership as an expression of the desire to fully live feminist political convictions, the term implies a level of casual choice that belies both the deeply felt nature of these politics and the experience of those who feel biologically "wired" for same-sex sexuality.

Organization and LGBTQ Experience. In 2004, a church official commented that LGBTQ sexuality is "just not an issue" and that "the church doesn't take stands" (Rodriguez 2004). However, the same year a queer teacher of Christian Science removed her name from the church's rolls following disciplinary action that coincided with her marriage to another woman. The probationary letter sent to the teacher does not mention homosexuality and even suggests that the teacher was disciplined for moral issues relating to honesty rather than sexuality. However, had she not withdrawn her membership her same-sex marriage would have certainly become an issue. Most of the church's statements have found "no support whatever for homosexuality in biblically based religion" (Christian Science Board of Directors 1980). Some LGBTQ people have worked at the Christian Science Center in Boston, although probably not openly. In 1985, the *Christian Science Monitor* won a widely publicized lawsuit concerning an employee it dismissed on the grounds of lesbianism (UPI 1985). Some openly gay students find "the Boston area churches and the Mother Church to be very welcoming," while at least a few have been excommunicated from local or "branch" churches (Rodriguez 2004). Several have left on their own; some align themselves with others who have left Eddy's church, disagreeing with its rules and at times feeling that they are upholding "true" Christian Science outside the Church structure (although it remains unclear how Eddy's vision for Church organization can be separated from her theology as a whole). Membership in The Mother Church and several branches is based on whether an applicant is "a believer in the doctrines of Christian Science, according to the platform and teaching contained in the Christian Science textbook," and those who argue against the centrality of heterosexual marriage in Eddy's theology (or for a strictly cultural, rather than revealed, reading of her views) feel that this description might apply to some LGBTQ people (Eddy 1895, 34). Some of these varied responses and attitudes are due, at least in part, to the fact that Christian Scientists are often driven by either conservative or liberal ideology rather than their own theology regarding matters of sexuality. Others are due to a tendency to avoid the LGBTQ issue for fear of controversy, an attitude one queer churchgoer calls "ambivalence" (Rodriguez 2004).

The most active group of LGBT Christian Science students is EI, and its most active chapter is the New York City Christian Science Group (NYCG). Attendance at meetings of both groups is more male than female, more mature than young. The NYCG meets weekly for discussion, which judging from its online transcripts are spirited, intellectually engaging, slightly mystical, and show little resonance with basic Christian Science concepts of sexual conduct (which they may somehow conceive as external or unimportant to Eddy's theology). The NYCG also maintains a poignant message board with posts detailing the psychological hurt of its participants, most of whom seek escape, pain, and isolation by meeting with those who are likeminded. EI holds annual meetings, when interest permits, that typically draw around 50 participants. Its site records some healings (though not of homosexuality) experienced by LGBTQ students of Christian Science, moments of grace and forward progress, although theologically it also shows some marked differences with Eddy's view of Christian Science. Alums of The Principia, the only school for Christian Scientists extending to the college level, have a marginally active LGBTQ alumni group (though the school itself does not accept openly LGBTQ students). All three groups have Web sites with resource links. A journalist associated with EI recently published *Christian Science: Its Encounter with Lesbian/Gay America*, an emotional account of how these groups formed as well as other LGBTQ-related events.

A final group consists of those who have found needed support within the Church while they pursued what they describe as healings of homosexuality. A small body of testimonials exists representing these individuals. Like testimonies regarding heterosexual departures from Christian Science practice, they show a remarkably constant emphasis on identifying one's self "rightly," coupled with discerning sensuality as a mesmeric, hypnotically acting influence pulling one away from one's innate purity and freedom as God's child. One testifier refers to this influence as a "foggy" feeling and says, "I saw quite vividly the great gulf between the way I was living and the purity of thought—the spiritual standard of thought and action" that Church represented (Anonymous 1991, 18). She reports that her love of Church, and the tangible support of its members, sustained her over several months as healing took place. Another testifier refers to the complementary principle of Christian Science theology, writing, "Mrs. Eddy states, 'Let the "male and female" of God's creating appear' (Eddy 1994, 249). Having been healed of preferring only the 'female and female' to appear, I have faced my fears and insecurities and begun to heal them . . . I have also grown to acknowledge my own completeness and competence as a child of God . . ." (Anonymous 1999, 15).

Conclusions. The complementary and regulative principles of Christian Science theology make it inhospitable to same-sex sexuality. Because students of Christian Science vary quite a bit in their comprehension of, agreement with, and application of these doctrines, there is wide variation in Christian Science life as it intersects with LGBTQ experience. The Church's theology suggests that ideally the Church would support LGBTQ people who desire to live in accord with its principles, even if they have not fully met their goal, and that all parties would communicate and exercise great discernment regarding when membership is helpful and appropriate.

"To the physical senses," wrote Mary Baker Eddy, "the strict demands of Christian Science seem peremptory; but mortals are hastening to learn that Life is God, good . . ." (Eddy 1994, 327). Christian Science does not judge who is "in" nor "out" of God's care based on sexual choices or conduct. It instead determines who is seriously interested in following Jesus in the way Eddy describes. For LGBTQ people who sincerely have this desire, like heterosexuals in the same category, there is a demand to live in accord with the spiritual principles the Science of Christianity reveals and describes. For those who do not have this desire, Christian Science doctrines will make little sense. The Church does not urge the acceptance or practice of these doctrines on those outside the church who offer neither their interest nor their consent. Its sense of evangelism involves making its teachings readily available to those who want them, through its Church structure and activities.

AMY BLACK VOORHEES

FURTHER READINGS

Anonymous. "Testimony." *Christian Science Sentinel*, 85(314) (April 4, 1983): 589–591.
Anonymous. "Homosexuality: How One Man Was Healed." *Christian Science Journal*, 103(4) (April 1985): 233–235.
Anonymous. "Testimony." *Christian Science Sentinel*, 90(39) (September 26,1988a): 33–35.
Anonymous. "We Are Not the Prey of Sensualism." *Christian Science Sentinel*, 90(39) (September 26, 1988b): 15–20.
Anonymous. "My Primary Struggle Was About My Identity as God's Child." *Christian Science Sentinel*, 93(32) (August 12, 1991): 15–21.
Anonymous. "A Perspective on Homosexuality." *Christiam Science Sentinel*, 101 (10) (March 8, 1999): 14–15.
Anonymous. "If God Is Really Mother and Loves Us." [Online, November 2005]. Available at http://www.emergence-international.orgcontent.php?page=les_mother&type=article.
Associated Press. "Christian Science Teacher Banned after Lesbian Marriage." *The Boston Globe*. June 25, 2004.
Bowles, Neil. "Only One Kind of Man." *Christian Science Journal*, 98(11) (November 1980): 591–593.
Eddy, Mary Baker. *Church Manual*. Boston, MA: The First Church of Christ, Scientist, 1895.
———. *First Church of Christ Scientist and Miscellany*. Boston, MA: Trustees under the Will of Mary Baker G. Eddy, 1913.
———. "Wedlock." *Miscellaneous Writings*. Boston, MA: Trustees under the Will of Mary Baker G. Eddy, 1925.
———. *Science and Health with Key to the Scriptures*. Boston, MA: The Writing of Mary Baker Eddy, 1994 [1906].
Eddy, Mary Baker and Sally Wentworth, undated and untitled, MBE Collection A11457. Courtesy the Mary Baker Eddy Library for the Betterment of Humanity.
Gill, Gillian. *Mary Baker Eddy*. Cambridge, MA: Perseus Books, 1998.
Gottschalk, Stephen. *The Emergence of Christian Science in American Religious Life*. Berkeley, CA: University of California Press, 1973.
Henniker-Heaton, Rose. "On Sex and Marriage." *Christian Science Journal*, 91(2) (February 1973): 74—76.
Hill, Calvin. "Some Precious Memories of Mary Baker Eddy." In *We Knew Mary Baker Eddy*. Boston, MA: The Christian Science Publishing Society, 1979, pp. 150–183.
Kern, Kathi. *Mrs. Stanton's Bible*. Ithaca, NY: Cornell University Press, 2001.
Letter from the Christian Science Board of Directors to Each Branch Church Executive Board in the United States and Canada. April 1980.
Matthews, Laura. "Homosexuality—How Do I Respond?" *Christian Science Sentinel*, 99(50) (December 15, 1997).
McCullough, Robert. "Testimony." [Online, November 2005]. Available at http://www.emergence-international.orgartlist.php.
Natale, Elaine. "Sexual Standards and Spiritual Commitment." *Christian Science Journal*, 108(11) (November 1990): 27–30.
Peel, Robert. *Mary Baker Eddy: The Years of Trial*. New York: Holt, Rinehart, and Winston, 1971.
———. "Sexuality and Spirituality." *Health and Medicine in the Christian Science Tradition*. New York: Crossroad, 1988, pp. 33–43.
Reinhardt, Madge. *The Year of the Silence*. St. Paul, MN: Back Row Press, 1979.
Rodriguez, Linda. "Gay Christian Scientists Seek a Warmer Welcome." *Bay Windows* (online ed.) October 21, 2004. The official Rodriguez mentions was Ethel Baker.

Stores, Bruce. *Christian Science: Its Encounter with Lesbian/Gay America.* New York: iUniverse, 2004.
Suddaby, William. "Neither Gay nor Straight." [Online, November 2005]. Available at http://www.emergence-international.orgcontent.php?page=neither_gay&type=article.
Thomas, Robert David. *With Bleeding Footsteps: Mary Baker Eddy's Path to Religious Leadership.* New York: Alfred A. Knopf, 1994.
UPI. "Court in Massachusetts Upholds Christian Science Monitor's Dismissal of a Lesbian." *The New York Times,* Section A (August 22, 1985): 16.

THE CHURCH OF ENGLAND. The Church of England was established in 1543 during the rule of King Henry VIII in England. King Henry wanted his marriage to Catherine of Aragon annulled, but Pope Clement VII refused the annulment. This led Henry to declare himself the Supreme Head of the Church of England, and so guaranteed the annulment of his marriage. Though the church maintained many of the liturgical forms and practices of the **Roman Catholic Church**, over time the Church of England developed theological perspectives and Episcopal structures that were increasingly distinct from the Roman church.

The ruling body of the Church of England is the General Synod, and the Archbishop of Canterbury presides over the Church. The Church of England is affiliated with the worldwide Anglican Communion, which consists of the **Episcopal Church** in the United States, the **Anglican Church of Canada**, and various other churches around the world. Every ten years bishops from the worldwide Anglican Communion gather at what is called the Lambeth Conference in order to formulate and coordinate church policies. The Lambeth Conference has been the scene of significant controversy around the issue of homosexuality in the Church, with some bishops pushing for a more inclusive stance on the part of the Church, and other bishops calling for the clear condemnation of same-sex relations in keeping with the historic stance of the Church. As a result, the Church of England, like its counterparts in the United States and Canada, has experienced serious internal divisions over the question of the status of homosexual persons. This division can be seen in the ruling Synod of the Church, where there are strong differences between the conservative **evangelical** wing and the liberal branch of the Church.

The more conservative wing of the Church argues that homosexuality is a chosen behavior that one can change. They argue, in keeping with traditional understandings of homosexuality, that same-sex relations are unnatural and prohibited by God in all times. In contrast stands the liberal wing of the Church, which argues that the Church needs to pay attention to modern psychological, sociological, and biological findings regarding homosexuality, and that such findings present homosexuality as an orientation that is not chosen but discovered as an individual matures. Thus homosexuality is not something that one can change; rather it is a naturally occurring and God-given orientation alongside of heterosexuality. The traditions and scriptures of the Church, from this vantage, need to be read in light of developments in the social and biological sciences, and that to do so is not forsaking tradition, but uses human reason as God intended.

In its 1991 statement "Issues in Human Sexuality," the House of Bishops of the Church of England tried to strike a balance between the conflicting views within the church regarding homosexuality. The Bishops affirmed previous teaching that same-sex genital acts fall short of the Christian ideal, and that such same-sex relations should be met by the Church with both a call to repentance and the exercise of compassion. They went on to declare, however, that the conscientious decision of those who chose to enter into same-sex relationships should be respected by Christians and that the Church must not reject those Christians who genuinely believe that God has called them into such relationships. Thus baptism, church membership, and participating in Eucharist are not to be withheld from actively gay or lesbian people. Still, the Bishops also decreed that because of the particular character of their calling the **clergy** cannot enter into sexually active homosexual relationships, since such relationships are still viewed as inferior to heterosexual marriages and not in keeping with God's call to the proper use of sexuality in marriage.

While there was significant ebb and flow in the debate, the Church of England maintained this basic tension between cautiously welcoming gay and lesbian Christians among the laity, but barring them from the clergy. In 2002, however, then Archbishop of Wales, Rowan Williams spoke out against the double standard between the laity and the clergy regarding the status of homosexuality. He opposed the ban that prevented sexually active gay and lesbian persons from pursuing **ordination** within the Church. Homosexuality is either intrinsically sinful for everybody, clergy and laity alike, or it is not intrinsically sinful for anybody, again clergy and laity alike. The Church couldn't have it both ways. He also espoused the view that the **Bible** does not necessarily ban committed same-sex relationships. In response the Archbishop of Canterbury, George Cary, stated that the church was dangerously close to a complete division over the issue, and that the liberal wing of the church should stop pushing so hard lest the church be divided. The situation grew even more heated in 2003 with the appointment of Bishop Williams as the new Archbishop of Canterbury, the leader of the Church of England. Conservative members of the Church met to protest the appointment of Williams. In June of 2003 Archbishop Williams appointed Rev. Jeffrey John, an openly gay man, as assistant bishop of Reading (near London). Although he was celibate there was tremendous controversy simply because Rev. John was open about his gay identity. He eventually withdrew his acceptance of the position. In 2004, however, in the face of strong opposition John was installed as Dean at the prominent St. Albans Cathedral.

In October of 2003 Archbishop Williams formed a Lambeth Commission to study ways to keep the worldwide Anglican communion from falling into even further division in the aftermath of the ordination of an openly gay bishop by the Episcopal Church USA, and the sanctioning of same-sex blessings by the New Westminster diocese of the Anglican Church of Canada. The issue was framed more in terms of how to maintain a united communion rather than trying to solve the deep divisions over the status of homosexuality in the Church. Over against the creation of liturgies for blessing same-sex unions in the Canadian Anglican scene, the Church of England expressly decided not to develop such liturgies since the church was so divided over the issue. Secular legislation in England in 2003 only added to the debate in the Church, as the British government passed the Civil Partnership Act, and the Adoption Act, which allows same-sex couples to register as civil partners with many of the same rights and privileges (including adoption of children) as heterosexual couples. While it was not called marriage, it was clearly a step in this direction. The bishops called upon the church to welcome those who chose to register as civil partners.

If there was great division in the Church of England over same-sex relations, the Anglican churches in **Africa** were of one voice in their strong and outspoken opposition to any tolerance of homosexuality in the Church. Several Anglican bishops in Africa strongly criticized the Church of England, and especially the Episcopal Church USA and the Anglican Church of Canada, for allowing same-sex partners to participate as active members in the church. The strong language on the part of the African bishops in turn drew a rebuke from Rowan Williams, Archbishop of Canterbury, who issued a statement in 2004 criticizing the bishops for making it easier for someone to attack or abuse homosexual persons. Williams called upon the bishops themselves to repent of using language that could lead to violence against homosexual people.

In 2004 the Lambeth Commission that had been established the year before issued its report on the issue of homosexuality and the Anglican communion. This report became known as the Windsor Report, and it took a very strong stance against all homosexual practice. The Commission also recommended that at present no further actively homosexual bishops be consecrated, and that there should be a moratorium on the blessing of same-sex unions. Both of these recommendations were clearly aimed at developments in the Episcopal Church USA and at the Anglican Church of Canada. While no sanctions were recommended against the US and Canadian churches for their previous actions (in contrast to the desire of the African bishops), the Windsor Report was a clear step toward a more conservative and traditional response to homosexuality in the church. In 2005, however, the Scottish Episcopal Church moved in the opposite direction by declaring that "practicing homosexuals" were not barred from seeking ordination to the priesthood in the church.

In 2005 the Primates of the Anglican Communion held a regularly scheduled meeting and discussed the issue of homosexuality at length. (The Primates are the head bishops of the various thirty-eight regional churches that comprise the Anglican Communion.) Of the thirty-five Primates who attended the meeting, fourteen of them refused to share Eucharist with the group as a whole in protest against the actions of the US and Canadian churches in accepting same-sex relations. The Primates as a whole issued a statement that endorsed the Windsor Report's recommendations. At the same time they asked the Episcopal Church USA and the Anglican Church of Canada to voluntarily withdraw from the Anglican Consultative Council, which is the primary international Anglican council between the meetings of the Lambeth Conference. The issue will be taken up again at the next Lambeth Conference in 2008.

JEFFREY S. SIKER

FURTHER READINGS

Bates, Stephen. *A Church at War: Anglicans and Homosexuality*. London: I. B. Tauris, 2004.

Bradshaw, Timothy, ed. *The Way Forward?: Christian Voices on Homosexuality and the Church*. Grand Rapids, MI.: Eerdmans, 2003.

Linzey, Andrew and Richard Kirker, eds. *Gays and the Future of Anglicanism: Responses to the Windsor Report*. Hants, UK: O Books, 2005.

Randall, Kelvin, ed. *Evangelicals Etcetera: Conflict and Conviction in The Church of England's Parties*. Burlington, VT: Ashgate, 2005.

THE CHURCH OF SCIENTOLOGY. The Church of Scientology was founded in 1954 by L. Ron Hubbard (1911–1986) for the purpose of enacting Hubbard's applied religious philosophy of Scientology. In 1950 Hubbard had published his *Dianetics: The Modern*

Science of Mental Health, which became a best-seller. In it Hubbard introduced the notion of "auditing," a question and answer therapy in which a trained "auditor" poses a set list of questions to the person seeking to address various issues in his or her life. The goal is to become more spiritually and psychologically whole. Auditing is the central practice of Scientology. Related to this process is the "Tone Scale," introduced by Hubbard in his 1951 book *Science of Survival: Prediction of Human Behavior*, used to describe human moods and behaviors. The scale goes from −40 (total failure) to +40 (total serenity). Hubbard located homosexual persons at 1.1 on his tone scale, rating such persons as sexual perverts. "At 1.1 on the tone scale, we enter the area of the most vicious reversal of the second dynamic. Here we have promiscuity, perversion, sadism and irregular practices" (Hubbard 1973, 116). Hubbard's solution to the homosexual problem was that homosexuals should be segregated from the rest of society and even institutionalized in order to stop its further spread among the human population. "Such people should be taken from the society as rapidly as possible and uniformly institutionalized; for here is the level of the contagion of immorality, and the destruction of ethics. . . . No social order which desires to survive dares overlook its stratum 1.1's. No social order will survive which does not remove these people from its midst" (Hubbard 1973, 89–90).

Hubbard's approach to the phenomenon of homosexuality, if somewhat more extreme than most, was at the time within the mainstream societal and psychological view of homosexuality. Homosexuality was deemed a mental illness in the Diagnostic and Statistical Manual used by psychologists and psychiatrists for diagnosing psychological pathologies. Homosexuality was officially considered such a pathology until the 1970s

While Hubbard's view of homosexual persons was rather clear in his early writings, there has been much debate in the scientology community about the extent to which his views changed in later years. One tragedy in Hubbard's life may well have contributed to a change in his understanding of homosexuality. Hubbard had groomed his son, Quentin Hubbard, to take over the leadership of the Church of Scientology. But in 1976 Quentin Hubbard committed suicide, apparently because of guilt over his own homosexual identity. There are a number of gay Scientologists who claim that in his later years Hubbard rejected his original understanding of homosexuality. They point in particular to a 1967 policy change instituted by Hubbard, which states: "It has never been any part of my plans to regulate or to attempt to regulate the private lives of individuals. Whenever this has occurred, it has not resulted in any improved condition. . . . Therefore all former rules, regulations and policies relating to the sexual activities of Scientologists are cancelled." This policy change is cited in a pamphlet that seeks to show the openness of Scientologists to gay and lesbian persons (*The Straight Dope About Scientology and Gays*; http://www.liveandgrow.orgscientology_and_the_gay_community.pdf). The official Web site of the Church of Scientology offers no statements about homosexuality, or about gay and lesbian persons in the Church.

JEFFREY S. SIKER

FURTHER READINGS

Hubbard, L. Ron. *Dianetics: The Modern Science of Mental Health*. Los Angeles, CA: Golden Era Productions, 2002.

———. *My Philosophy*. Los Angeles, CA: Golden Era Productions, 1987.

———. *Science of Survival: Prediction of Human Behavior*. Los Angeles, CA: The American Saint Hill Organization, 1973.

The Straight Dope About Scientology and Gays. Available at http://www.liveandgrow.orgscientology_and_the_gay_community.pdf.

CLERGY AND ORDINATION. The issue of homosexuality and Christian clergypersons has grown over the last generation into a heated argument that threatens to divide many Christian denominations. At issue is the question of whether or not openly gay or lesbian individuals can be ordained to ministry in the various Christian denominations. The answer to this question has been decidedly mixed across denominational boundaries. In general denominational hierarchies have made a clear distinction between homosexual orientation and homosexual practice. The orientation is not seen as sinful in and of itself, but same-sex practices are viewed typically as sinful and not in keeping with God's will for human beings. Individuals who have a homosexual orientation may be ordained to ministry if they pledge to remain celibate. Individuals who are openly gay or lesbian and plan on being in committed same-sex relationships may not be ordained in most Christian denominations. (The exceptions to this by way of policy include the **United Church of Christ**, the **United Church of Canada**, and the **Metropolitan Community Church**.)

Until recently the nature of the question about homosexuality and ordination revolved around slightly different matters when comparing the **Roman Catholic Church** to the **Protestant Church** tradition. In the Roman Catholic tradition, since all priests take a vow of celibacy upon ordination, the question about homosexuality has in some sense been a non-issue. Whether a priest had a heterosexual or a homosexual orientation made no substantive difference if in all cases the priest took a vow of celibacy. The issue in the Roman Catholic Church was not so much about ordination as it was about nonclergy homosexual Catholics in terms of procreation and sex outside of marriage.

In 2005, however, the nature of the discussion changed somewhat with the publication of the "Instruction on the Criteria of Vocational Discernment Regarding Persons with Homosexual Tendencies in View of Their Admission to the Priesthood and to Sacred Orders," by the Vatican's Congregation for Catholic Education. This document made it clear that men who have deep-seated homosexual tendencies, or who even support the so-called "gay culture," do not have the requisite affective maturity to be admitted to seminary for preparation for ordination to the priesthood. If a man experiences transitory homosexual tendencies as part of the process of maturation, such an individual may be admitted to a seminary to prepare for ordination as long as these tendencies have been overcome for at least three years prior to ordination to the deaconate. The Vatican also made it clear that it was not seeking to retroactively invalidate the ordinations of any gay man previously ordained to the priesthood. It appears that the primary reason for the development of this "Instruction" was the clergy scandal in the United States revolving around clergy sexual abuse, especially those cases dealing with same-sex relations and pedophilia. The timing of the release of the document was criticized for scapegoating the gay Catholic community and blaming them for the sinful actions of a small group of priests.

Whereas the debate in the Catholic Church did not until recently address the issue of ordination, in the Protestant tradition, by contrast, the entire debate revolved (and still revolves) around ordination. This is because in the Protestant tradition clergy are typically married. The marriage relationships of clergypersons then become exemplars of appropriate sexual relationships in the church. Just as the Protestant tradition has long upheld heterosexual marriage as the exclusive norm for sexual relations, so the denominations in the Protestant churches have for the most part ruled officially against the ordination of any gay or lesbian Christians who do not at the same time take a vow of celibacy as a prerequisite to ordained ministry. The goal is to preserve the role of ordained clergy as models of heterosexual marriage. Even though it is not uncommon for clergy to get divorced, the problem of divorce is viewed as a completely different issue from that of homosexuality.

One problem that has caused further tensions within Protestant denominations is how to deal with clergypersons who are already ordained to ministry, but then come out as gay or lesbian individuals. When such individuals have been married, divorce often ensues. Divorce is typically not cause for dismissal from a church. But then the question arises whether the "out" gay or lesbian clergyperson will maintain a celibate lifestyle or will be engaged in an active same-sex relationship. Often the approach to this question has been a form of "Don't Ask, Don't Tell," so that the church and the individual clergyperson agree to treat the matter as an issue of personal discretion. At times, however, clergypersons have been quite open about their same-sex relationship in hopes of bringing about larger change within the church. At other times, individuals in the church opposed to gay or lesbian clergypersons have brought formal charges against the person in the hope of having them dismissed from the church or even defrocked from the ordained ministry.

Churches have been divided over such cases. Two cases from 2004 stand out in the **United Methodist Church** in the United States. In the first case, the highest court of the United Methodist Church ruled that homosexual persons may not be ordained (which simply confirmed the traditional stance of the denomination), but the court also significantly ruled that the Rev. Karen Dammann, an openly lesbian clergyperson who had been acquitted of charges of violating church law by a regional body of the church, could not be prosecuted again by the denomination. Thus she could retain her status as a United Methodist minister in good standing even though she was in an openly same-sex relationship, had married her partner under Oregon law, and had a child with her partner. The church court's ruling was seen as a compromise measure that tried to walk the fine line between official church law (no ordination of homosexual persons) and the right of local church jurisdictions to issue rulings in such judicial cases. In the second case, Rev. Beth Stroud was defrocked (lost her ordination status) by a church court in Philadelphia for violating the church's prohibition against same-sex relationships. She was convicted of engaging in practices incompatible with Christian teachings.

In the **Presbyterian Church (USA)** there are also a number of openly gay clergypersons. The structure of the denomination gives significant power to local judicatories, Presbyteries, to make decisions about ordination and confirming the call of a pastor to a local congregation. In cases where ministers have come out as gay or lesbian, as long as the clergyperson stays in the same parish there is little that the Presbytery can, or typically wants to, do to change the situation. When a clergyperson seeks, however, to take a new position in a different Presbytery, it can be extremely difficult for an openly gay or lesbian clergyperson to be approved by the new Presbytery to accept a new call. The degree to which the Presbyterian Church is divided on the issue of gay/lesbian clergy can be illustrated by the meeting of the General Assembly (the national gathering of the church in June, now held every two years) in 2004. At this Assembly there was a motion before the commissioners (elected representatives from the Presbyteries) on whether or not to repeal language adopted in 1978 that bars from ordination individuals who engage in "unrepentant homosexual practice." When the commissioners voted the result was 259 in favor of retaining the language and 255 in favor of repealing the language. Thus the motion to repeal the language barring ordination of actively gay and lesbian clergy was defeated by a mere four votes. These kinds of close divisions are, in fact, not uncommon in the deliberations of many denominations.

In the **Episcopal Church (USA)** the issue of ordaining gay or lesbian clergy has become even more divisive in the aftermath of the consecration of Rev. Gene Robinson as a bishop in New Hampshire. While there was widespread criticism across the denomination of this consecration, the relative autonomy of the Diocese to consecrate the bishops that they want to have is also at issue. At present there is a moratorium against the consecration of any more openly gay bishops in the Episcopal Church (USA), but the presence of one openly gay bishop in the church continues to cause tremendous controversy across the denomination and is read by some in the church as an indication that other gay or lesbian individuals seeking ordination will find a welcome at least in some dioceses of the Episcopal Church. This is certainly already the case in the New Westminster Diocese of the **Anglican Church of Canada**, where the church has developed liturgical rites for the blessing of same-sex unions.

Thus the relationship between ordination of openly gay or lesbian clergy and the particular polity of different denominations comes into significant play across denominational lines. At more local levels it is not uncommon that, since individuals personally know the openly gay or lesbian ordination candidate, there is a greater willingness to present such a candidate for ordination to a local ecclesial body. At more national levels, where the identity of the individual involved is less the issue than the question of ordaining someone who is openly gay or lesbian, the traditional teaching and practice of the church against ordaining homosexual persons who do not take a vow of celibacy has most often won the day.

JEFFREY S. SIKER

FURTHER READINGS

Glaser, Chris. *Uncommon Calling: A Gay Man's Struggle to Serve the Church.* San Francisco, CA: Harper, 1988.

Gramick, Jeannine, ed. *Homosexuality in the Priesthood and the Religious Life.* New York: Crossroad, 1989.

Hazel, Dann. *Witness: Gay and Lesbian Clergy Report from the Front.* Louisville, KY: Westminster John Knox Press, 2000.

Wolf, James, ed. *Gay Priests.* San Francisco, CA: Harper & Row, 1989.

CLOUT. CLOUT is a Lesbian-Affirming Ecumenical Christian Movement open to women-identified-women who are "out" to some degree, and who also claim to be Christian (of any tradition; affiliated or non-affiliated with Christian churches/institutions). In

November of 1990, Carter Heyward, Melanie Morrison, and Cathy Ann Beaty issued an invitation to ten openly lesbian clergy to meet. They gathered in New York City to talk about their common vision across denominations from the vantage point of being lesbians who are "out" in the church. At this meeting, a Statement of Commitment was drafted and CLOUT was born. The statement was circulated ecumenically and all lesbians able to show their support publicly were invited to sign it.

The Statement of Commitment, adopted November 1990 and revised January 1999, affirms that "CLOUT" is proudly progressive, actively antiracist, creatively spiritual, milagro bound. Christian Lesbians OUT, CLOUT, is a developing coalition of "out" lesbian Christians in solidarity with one another. "Because Christian institutions have historically devalued the gifts and stifled the voices of lesbian women, we hold our identity as "Christian" and "Lesbian" in creative tension. We respect the right of every woman to define for herself what it means to be both Christian and lesbian. Our primary purpose is to claim our spiritual and sexual wholeness, to proclaim the goodness of our lives, our ministries and our relationships, and to empower ourselves and each other to challenge the churches to which we belong."

By March, 1991, the West Coast Regional CLOUT membership was begun through the initiative of Janie Spahr and Coni Staff. The first CLOUT Global Gathering was held in 1991 in Minneapolis, the second took place in California two years later, and the third was held in Rochester, New York in 1995. The 1997 CLOUT Global Gathering centered in Portland, Oregon. CLOUT Global Gatherings are scheduled about every two years. The 15-year anniversary Gathering was held in Berkeley, CA in 2005. There are many regional gatherings of CLOUT across the United States and Canada.

The CLOUT mission includes commitments to call upon Lesbian Christians to come out of the closet, whenever and wherever possible, and to help empower one another in taking this courageous step; to tell our stories and share our spiritual journeys so that we may create and embody Lesbian Christian understandings and contexts for justice-based theologies, ethics, liturgies, rituals, psychologies, recovery programs, and other spiritual resources. In so doing, "we partner with justice-minded sisters worldwide to further the healing and liberation of all creatures and the earth. CLOUT aims to explore new understanding of erotic power and sexuality, of mutuality, commitment, faithfulness and partnership so that we do not merely replicate or imitate sexist, heterosexist, or capitalist relationships of alienation and possession. CLOUT develops networks with Jewish lesbians, post-Christian lesbians and other spiritual and secular groups of lesbians; with pro-feminist/womanist gay men; and with pro-feminist/womanist lesbian-affirming organizations, especially those of other marginalized women and men, both within and beyond the churches."

JUDITH HOCH WRAY

WEB SITE

CLOUT, www.cloutsisters.org.

COMING OUT. "Coming Out" is the common use phrase that describes the process of claiming one's identity as gay, lesbian, or bisexual and communicating that identity to others. Historically, the meanings associated with coming out have changed in response to developments in both gay and heterosexual culture. Although coming out is most often thought of as an action by gay and lesbian persons, actually, it is an act in which all persons engage on a daily basis. In regards to sexual identity, individuals make choices about how they express themselves to others in almost every encounter they experience. For example, heterosexuals come out every time they introduce a spouse, wear a wedding ring, or engage in office talk about their boyfriends and girlfriends. Due to the cultural hegemony of heterosexuality, heterosexual persons do not have to engage in a conscious coming out process. The culture has done that for them. Since heterosexism presumes that everyone is heterosexual until proven otherwise, coming out rarely presents any difficulties or requires any intentional thought process by heterosexual persons. However, depending upon one's religious and social context, coming out can be a difficult and arduous task for gay, lesbian, and bisexual persons. Essentially, one must set oneself in opposition to the norms and expectations of most in church and society. Sometimes one can come out without significant costs. At other times, the costs can be great. Depending upon the surrounding environment, one may risk losing contact with family of origin, losing one's job or career status, losing one's status as **clergy** or laity in some organized religions, and losing the security of freedom from homophobic harassment and violence. Despite these potential losses, the gains reported by those who have come out significantly outweigh the losses. Although these gains may be more intangible than the losses, they greatly impact the individual on a daily basis. These gains include but are not limited to increased self-esteem, decreased fear and shame, increased connection with community, healthier relationships, more spiritual depth and honesty, and increased joy and happiness in life.

Significance of Coming Out. The coming out process is extremely significant for gay, lesbian, and bisexual persons for several reasons. First of all, psychological research has proven repeatedly that coming out greatly increases one's mental health and emotional well-being. The more silent one is about one's true nature, the more isolated he or she is. The more isolated one is, the less opportunity to develop healthy relationships with friends and family, as well as with potential intimate life partners. Without coming out, one cannot experience the fullness of healthy relationships with others, nor the full integration of sexuality and spirituality.

In addition to psychological and spiritual health, there are other benefits to gay and lesbian persons coming out which are often assumed by heterosexuals. For example, one must come out to one's employer in order to receive same-sex domestic partner benefits, to one's lawyer to facilitate appropriate wills, trusts, and other legal rights which come with marriage, and to one's doctor to receive the most accurate health care. One must come out to one's pastor to fully benefit from pastoral care. Finally, the act of coming out is critical in the work of social change and the effort to build just and equal gay and lesbian civil rights. The more closeted gay and lesbian individuals are, the more society can deny their existence. In order to truly create social change, people must realize that gay and lesbian people are living, working, and participating in all aspects of social and religious life. Thus, coming out of the closet is an act of social, religious, and personal change.

Historical Meanings of Coming Out. The initial interpretation of the phrase "coming out" in early modern gay culture was a variation of the heterosexual rite of passage known as the debutante ball in white wealthy society. At these social events, young women were presented to society in a "coming out ball," designating a young woman's transition from girlhood into womanhood. George Chauncey, a researcher in gay culture has stated that prior to World War II, coming out was considered a communal act of introduction, presenting young gay men into gay society. Following World War II, coming out began to take on other meanings, associated more with self-acknowledgement, initiated by the individual rather than the communal sense of being brought out. It was not until the more recent history of the gay rights movement, just prior to the time of the Stonewall Inn uprising in New York City (1969) that coming out became associated with being closeted (a metaphor for keeping one's sexual orientation secret). Since then, to "come out of the closet" has meant to step out of secrecy, to open the door of self-disclosure, self-affirmation, and connection to community.

Another rather recent phenomenon of the coming out movement is that of "being outted." This describes a process by which one individual reveals the sexual orientation of another without that person's consent. This may be done as a political move, as in outing persons in positions of power who publicly condemn gay rights, but are gay or lesbian themselves. It may also be done to discredit persons whose positions might be at risk if their sexual orientation becomes known.

Religious/Theological Understandings of Coming Out. If coming out is understood to be of immense importance in psychological health and social change, it is also of great religious and theological significance. For many, coming out is a religious experience affirming the theological belief that all humankind is made in the image and likeness of God. Gay, lesbian, and bisexual people of faith often lay claim to the experience that to deny who they are is to deny who God created them to be, and thus, to deny the fullness of God. Therefore, coming out is an act of faith for many.

Liberation theology has become a vital tool for the dismantling of homophobia and heterosexism in church and society. So much of heterosexist thought and practice appeals to Jewish and Christian scriptures that even nonchurchgoers will often cite patriarchal religious dogma to defend their positions. Thus, gay and lesbian religious studies have underscored the importance of the experience of God over the dogma of doctrine. This change in perspective has empowered people of faith to integrate their spirituality and their sexuality, and to critique oppressive interpretations of scripture and church practice.

Christian and Hebrew scripture has become a major area of study in this work. Rereading the texts in light of historical criticism on the role of sexism and homophobia in their writing and interpretation has rendered new insights. The **Bible** does not make a clear statement of judgment in regard to sexual orientation. Knowing that sexual orientation was not understood or acknowledged in biblical times raises serious questions as to the validity of claims that scripture condemns nonheterosexuality. The few references in scripture often misrepresented to condemn homosexuality more often address issues of rape, temple prostitution, procreation, and the sexist ideation that men and women are not to be treated equally. In reading accounts of the life of **Jesus**, it is impossible to find a single comment about gay or lesbian persons or relationships. Thus, it cannot be said that Jesus condemned nonheterosexuals. Yet, it is clear that there is an ethic of love that sets a standard throughout scripture. From the LGBT perspective it is this ethic that calls people to love one another, which gay and lesbian people of faith assert is true for all people, despite sexual orientation. Finally, the words of scripture themselves call people of faith to create justice and "set at liberty those who are oppressed." Therefore, not only is scripture ambiguous about sexuality, it is clear about God's commandments to work for loving justice. This ethic of love and the call to liberation are significant in the act of coming out for many gay and lesbian religious people.

There are several religious scholars asserting new theological understandings of coming out for gay and lesbian persons. Chris Glaser, a gay Presbyterian activist, writes of coming out as a sacrament, stating that both coming out and religious sacraments presume an embodied religious experience within a community, revealing the sacred. Kathleen Ritter and Craig O'Neal write about coming out as an experience of the soul yearning for God. Others describe coming out as a prayer for self-renewal, and as an act of resistance to evil.

Coming Out in Religion. While people often assert that gay and lesbian persons are somehow outside of the boundaries of religion, the reality is quite different. Depending upon the theology and practice of the particular religious institution, **clergy**, and laity may be out to different degrees. Nonetheless, they are present throughout religious institutions. Within every major organized religious body, there exists an advocacy group for gay and lesbian persons. While the role of noncloseted, openly gay, and lesbian persons in religion is debated, gay and lesbian persons remain active in all areas of church life and leadership. Many individual Christians and faith communities are unclear about their belief stance toward homosexuality. In some instances, this may be the result of poor and/or rigid biblical interpretive skills, and a confusing array of messages about homosexuality from religious leaders. Often people express their belief that the Bible condemns homosexuality, although they are not sure how or why. Few church members have been taught a congruent theological stance about sexuality in general or homosexuality in particular.

One of the most successful movements in helping gay and lesbian Christians come out in the Protestant church has been the **"Welcoming Church"** movement. This is an ecumenical effort that empowers local congregations and church organizations to study homosexuality and vote to declare themselves welcoming of gay and lesbian persons in all aspects of church life and leadership. The success of this movement enables individuals to come out within affirming congregations, and empowers congregations to come out as welcoming and safe places for nonheterosexuals. There are a few denominations that ordain openly gay and lesbian clergy, including the **United Church of Christ**, the **Unitarian-Universalist Association**, and The Swedenborgian Church. In other denominations, where the decision for ordination is left to the discretion of a bishop or local ordaining body, out gay and lesbian clergy are sometimes ordained, even if the denomination is not supportive of gay rights. In the Catholic Church, **"Dignity"** is an organization that provides support for gay and lesbian Catholics, serving mass and helping gay and lesbian Catholics to come out. In the Reformed Jewish religion there are several out rabbis, and there is an organization for Orthodox gay and lesbian Jews. In addition to mainstream Jewish and Christian religions, there are gay and lesbian persons and advocacy groups in the **Mormon Church**, the **Mennonites**, and fundamentalist Christian churches; however, if these persons come out as self-affirming rather than repenting, they are often exiled from the community. There are also gay and lesbian people of faith in **Islam**, **Buddhism**, and Pagan religions. While American Buddhism and Pagan religions are normally very supportive of gay and lesbian persons, the Islamic religion is not. Thus, persons may face difficult choices about their sexuality and their religious involvement.

LEANNE MCCALL TIGERT

FURTHER READINGS

Glaser, Chris. *Coming Out as Sacrament.* Louisville, KY: Westminster John Knox Press, 1998.

O'Neill, Craig and Kathleen Ritter. *Coming Out Within: Stages of Spiritual Awakening for Lesbians and Gay Men, the Journey From Loss to Transformation.* New York: HarperCollins, 1992.

Thumma, Scott and Edward R. Gray. eds. *Gay Religion.* Walnut Creek, CA: AltaMira Press, 2005.

Tigert, Leanne McCall. *Coming Out While Staying In: Struggles and Celebrations of Lesbians, Gays, and Bisexuals in the Church.* Cleveland, OH: United Church Press, 1996.

———. *Coming Out Through Fire: Surviving the Trauma of Homophobia.* Cleveland, OH: United Church Press, 1999.

WEB SITES

LGBT Religious Archives Network, www.lgbtran.org.

ReligiousTolerance.org, www.religioustolerance.orghomosexu.htm.

COMMITMENT CEREMONIES. "Commitment ceremony" is a term that has been used to describe rituals in which same-sex couples declare or solemnize their relationships, usually in a public location with witnesses or spectators in attendance, and often with an officiant who represents a religious denomination. They have also been called "holy unions" or simply "weddings," depending upon the religious orientation of the celebrants and their desire to challenge or appropriate the conventional language associated with heterosexual marriage.

Commitment ceremonies do not imply the acquisition of any of the legal or civil entitlements that accompany marriage for heterosexuals, except in locations where same-sex marriage has been accorded legitimacy (as of this writing in the Netherlands, Belgium, the state of Massachusetts, and seven provinces and one territory of Canada). Although a number of municipalities, counties, and states in the United States have mechanisms in place for registering domestic partnerships, and many public and private employers offer various kinds of benefits to same-sex partners of employees, commitment ceremonies exist independently of those measures and do not directly bear on receipt of such prerogatives.

There is considerable controversy over claims by some historians that rituals analogous to commitment ceremonies can be documented throughout history, but at least one major scholar, James Boswell, has presented substantial evidence in support of his assertion that same-sex unions have deep roots in premodern Christianity. Less controversial are historical records of lesbian and gay ceremonies that were held in some US locations early in the twentieth century. Jonathan Ned Katz's *Gay American History* describes a number of such cases from various periods, including some instances in which cross-dressing women successfully passed as men in order to obtain marriage licenses. George Chauncey, Lillian Faderman, and other scholars have documented a number of elaborate ceremonies that took place in Depression-era Harlem, including a particularly well-publicized instance involving the lesbian blues singer Gladys Bentley. The use of the terminology associated with kinship and marriage, such as calling one's partner "husband" or "wife," abound in the literature and indicate that metaphors of marriage, if not literal claims to the institution, have been a part of lesbian and gay life in the West for some time.

Recent studies of gay and lesbian life in the US have revealed the presence of commitment ceremonies across the social spectrum, with reports of such events turning up in small towns across the country as well as in large metropolitan areas with substantial and visible gay and lesbian populations. Interestingly, the proliferation of these ceremonies has paralleled but not overlapped with demands for legal marriage, and it is noteworthy that such same-sex ceremonies lack many of the economic attributes of heterosexual marriage. That is, couples who organize commitment ceremonies do so even though the event will bring them no legal benefits and few if any material advantages. In nearly all cases, same-sex couples bear the (often substantial) costs of the ceremonies with little or no support by family. While some may receive wedding gifts, they are unlikely to accumulate the quantity of goods often presented to heterosexual couples when they marry. And couples conducting ceremonies cannot be assured that close family members will attend the event or acknowledge their union.

Commitment ceremonies commonly feature officiants who are members of the **clergy** or who adopt some of the symbolic attributes of clergy in order to perform the ceremony. Controversy over the role of ordained clergy in these ritual occasions has been heated in recent years, with some denominations (e.g., **Roman Catholicism**) strictly forbidding the use of its churches and the participation of its clergy in same-sex rites, and others arrayed along a continuum that ranges from enthusiastic involvement to grudging tolerance. The **Metropolitan Community Church** (MCC), a predominantly gay and lesbian Protestant denomination, pioneered ceremonies it called "holy unions" beginning in 1970, when the Reverend Troy Perry, the founder of the church, presided over a ceremony and attempted to issue a legally valid marriage certificate. Since that time, the MCC has continued to be active in blessing unions of same-sex couples, as have many parishes of the **Unitarian Universalist Association** and the **United Church of Christ**. Reform and Reconstructionist **Judaism** have supported decisions by individual rabbis to officiate in such ceremonies, though rabbis in those branches of Judaism are not required to do so. Other mainstream denominations, however, have been engaged in acrimonious debates over the right of clergy to bless same-sex unions or to perform such rituals inside church buildings. Several ministers associated with the **United Methodist Church** have been disciplined over their continuing practice of conducting commitment ceremonies, and controversies have also raged in the Presbyterian, Lutheran, and **Episcopal Churches**, often linked to debates over the role of gay men and lesbians as ordained clergy.

Despite the intensity of these disputes, gay and lesbian couples continue to place particular value on the involvement of some sort of religious authority in their ceremonies; so pressure for clergy to officiate has not abated. For some couples, personal religiosity or long-term affiliation with a particular religious institution appears to be the motivating factor, as they wish to obtain spiritual sanction for their relationship and to emphasize their relationship with God. For others, it appears that the various trappings of religion—for example, clerical authority, church or synagogue as a site, prayers, organ music—imbue the event they have organized with the unmistakable insignia of a "wedding," an important matter when same-sex unions have little or no legal status. They do not differ in this respect from many heterosexual couples, for whom a church wedding may be one of the few occasions in life that involves religious participation. In still other cases, having a religious commitment ceremony emphasizes the claimed equivalence of the same-sex relationship with those of heterosexual family members.

For same-sex couples, all of the decisions associated with the ritual can come to have significance beyond declaration of the relationship. Expending substantial sums of money on catering, music, clothing, rings, flowers, printed invitations, and a honeymoon can signal a desire to achieve equality within families, to share in an experience once thought to be unattainable, or to demonstrate having achieved the status of a responsible adult. Commitment ceremonies can provide an opportunity to declare allegiance to particular segments of the gay and lesbian community, as for couples who stage ceremonies that draw on symbols associated, for example, with leather, square dancing, Wicca, goddess worship, S/M, drag, or theme parties. In other instances, couples use their ceremonies not only to declare the commitment but to affirm their membership in familial, ethnic, and religious collectivities, or to make political demands. Ceremonies may use symbols associated with specific identity claims of one or both of the celebrants, for example, the use of the Jewish *chuppah* (wedding canopy) and *ketubah* (marriage contract), jumping the broom (a tradition traced to American slaves), American Indian symbols, clothing, music, and food associated with particular ethnic affiliations, and family heirlooms. In some instances, the claims made in these ways represent historical links with particular groups; in some others, they may constitute appropriations of ritual elements that have some particular appeal to the couple.

While the use of religious and other symbols emblematic of idealized weddings are commonly deployed in lesbian and gay commitment ceremonies, other ways to assert legitimacy also may appear both in the rituals themselves and in other events that surround them. The receipt of gifts, particularly objects conventionally associated with marriage, can be highly valued, with some couples indicating their choices in commercial wedding registries. Many of the written materials associated with commitment ceremonies highlight the importance of "love" as the driving force behind the union, thus utilizing the kind of romantic imagery that also legitimizes heterosexual marriages. Interestingly, the fact that lesbian and gay couples seemingly "choose" to solemnize their commitment, that is, are not constrained by the pressures of convention, also leads both couples and other participants in ceremonies to attribute more "authenticity" to these relationships. Commitment ceremonies, as well, typically bring together diverse spectators and guests, as couples see the inclusion of both gay and straight family and friends, spanning generations, as essential markers of their demands for inclusion in the larger society, as well as indicators of the authenticity of their claims to be "married."

Considering the emphasis placed by same-sex couples on involving their family members in their ceremonies, the refusal of some kin to attend or to take an active role in the ritual can be a source of considerable stress for the couples. As mentioned above, couples' families rarely subsidize the ceremonies, but they can also demonstrate their disapproval by distancing themselves from the occasion in other ways. In view of this tension, the participation of relatives in gay and lesbian commitment ceremonies can be the source of enormous celebration, and the relatives who take part may find themselves the target of expressions of affection from the couple and from the other (gay) guests. Since the symbolism of love and authenticity in commitment ceremonies can often be quite elaborate, it is not uncommon for previously skeptical attendees, especially kin, to find themselves overcome by emotion during these events that sometimes challenges previous opposition to same-sex unions.

ELLEN LEWIN

FURTHER READINGS

Boswell, John. *Same-Sex Unions in Premodern Europe*. New York: Villard, 1994.

Chauncey, George. *Gay New York: Gender, Urban Culture, and the Making of the Gay Male World*. New York: Basic Books, 1994.

Faderman, Lillian. *Odd Girls and Twilight Lovers: A History of Lesbian Life in Twentieth-Century America*. New York: Columbia University Press, 1991.

Katz, Jonathan Ned. *Gay American History: Lesbians and Gay Men in the USA*. New York: Avon, 1976.

Lewin, Ellen. *Recognizing Ourselves: Ceremonies of Lesbian and Gay Commitment*. New York: Columbia University Press, 1998.

Miller, Neil. *In Search of Gay America: Women and Men in a Time of Change*. New York: Harper & Row, 1989.

DIGNITY USA. Founded in 1969 in San Diego, California, by Fr. Patrick Nidorf, OSA, Dignity began as a counseling and then a support group. It has been a national organization since 1973. The goal of DignityUSA is to serve as an advocate for change in the **Roman Catholic Church**'s stance on homosexuality. Dignity seeks to bring about a more welcoming and inclusive approach to gay, lesbian, bisexual, and transgendered (GLBT) persons in the Catholic Church through educational materials, sponsoring speakers, and working in individual dioceses and parishes. Those affiliated with Dignity seek to engage in regular dialogue with Catholic bishops and other church leaders regarding the status of homosexual persons in the Church. Dignity also represents GLBT Catholics in various media, and seeks to portray a positive image of gay and lesbian people, with special attention to the faith and justice heritage of the Catholic Church, with a focus on justice for gay and lesbian Catholics, both within the Church and within the larger public civil rights arena. In its vision statement DignityUSA "envisions and works for a time when Gay, Lesbian, Bisexual and Transgender Catholics are affirmed and experience dignity through the integration of their spirituality with their sexuality, and as beloved persons of God participate fully in all aspects of life within the Church and Society."

DignityUSA sponsors various ministries through its member chapters. It has a National AIDS Project that works with other national AIDS organizations and provides a GLBT Catholic perspective on **AIDS** ministry. It also has a worship and liturgy committee that provides liturgical information and resources to address the spiritual lives of the Dignity faith communities. Dignity chapter liturgical worship services have a reputation for being dynamic experiences that provide an environment appropriate to the spiritual empowerment of GLBT Catholics and their families. There is also a DignityCanada organization that works collaboratively with DignityUSA.

JEFFREY S. SIKER

WEB SITES

DignityUSA, www.dignityusa.org.
DignityCanada, www.dignitycanada.org.

DISCIPLES OF CHRIST. The Christian Church (Disciples of Christ) [CCDC] is foundationally congregational, with congregations retaining property rights and theological autonomy while in covenantal relationship with other ministries of the church. All actions of the biannual General Assemblies speak to the churches, not for the churches, and are advisory but not binding on congregations. Each congregation and each clergyperson with standing have voting rights at the General Assembly (GA). While each congregation retains the power to call and to fire its own minister, ministerial oversight, ordination, and standing are retained by the Regional manifestations of the CCDC. All conversations about homosexuality in the church are shaped by these political and theological dynamics.

In the 1970s the social climate in the United States opened new possibilities for public awareness of persons who were lesbian or gay. For the CCDC the public debate began in 1977 at the General Assembly meeting in Kansas City. A resolution opposing homosexuality as an alternate lifestyle for Christians was defeated. A resolution calling on regions and local congregations to deny ordination to gay and lesbian persons was referred for further study. The study report commissioned in 1977 and at the 1979 St. Louis General Assembly, concluded that (a) the ordination of persons who engage in homosexual behavior is not in accordance with God's will; (b) Regions are faithfully nurturing and certifying candidates for the ministry; (c) Regions, rather than any pronouncement of the General Assembly, will retain responsibility for doctrinal or moral standards for ministers; and (d) the search for God's will in this matter will continue and future conclusions will be based on prayer, informed study, and discussion rather than the result of votes on resolutions.

The resolutions at these 1977 and 1979 Assemblies set the stage for the next three decades. The GA has consistently refused to adopt resolutions condemning homosexuality. The 1979 study report refused to make any pronouncement that might supersede the ministry and authority of Regions to nurture and certify candidates for ministry. The GA will take bold stands on the issue at the level of civil rights and the Regions are expected to work out the ordination-and-standing issues in the context of covenant with congregations and the General Church.

So, for example, in 1987, the Louisville GA delegates again rejected a resolution that stated homosexuality was sinful. The 1989 Assembly in Indianapolis approved a resolution calling on the Church and its members to treat persons with AIDS as children of God and to "act as instruments of God's compassionate love and tender care where the seeds of fear, prejudice, and alienation have been sown," and in 1991 the Rev. Dr. Jon Lacey was named by the Division of Homeland Ministries as AIDS Ministry Network coordinator. In 1993 the St. Louis Assembly approved (by a two-to-one margin) a resolution calling on governments at all levels to enact laws protecting the civil rights of gay, lesbian, and bisexual people.

On the Regional level, the Northern California—Nevada Region adopted a policy stating that "we affirm that no one human condition can be an absolute barrier to ordination." This policy began the process that led to that Region eventually becoming Open and

Affirming. Discussion and action in the Northeastern Region, which had earlier ordained some openly gay men to ministry, became quite adversarial. In 1992 Northeastern Regional Assembly delegates voted a moratorium on ordination of anyone who was openly lesbian or gay. Many Regions across the United States have practiced a "don't ask, don't tell" policy around the ordination of GLBT persons. That same policy results in a fairly supportive environment in a few Regions and a fairly hostile environment for GLBT clergy in many others. One Region, Central Rocky Mountain, has removed ministerial standing from an openly lesbian clergyperson. The discussion, study, and prayer continues in most Regions, with some proposing that congregations be responsible for character evaluation of those they sponsor for ordination while the Region retains final approval for ordination based on education and other preparation for ministry.

These various actions and reactions of the church come in the context of individuals bold enough to speak and act in the name of Christ for GLBT persons. The most powerful voice at the 1977 Assembly was Carol Blakely of Caldwell, Idaho, who literally halted Assembly business while she read an emotional letter from her son revealing to her that he is gay. A 1979 clandestine meeting of disciples, clergy, and laity during the St. Louis GA laid the foundation; a Coordinating Council (some of whom could not be publicly named) began to shape the vision; and in 1987, at the Louisville GA, Candy Cox officially announced the formation of the Gay, Lesbian and Affirming Disciples Alliance (GLAD). *Crossbeams* became GLAD Alliance's official newsletter. A longer history would speak of Chris Leslie and Debra Peevey as the first openly lesbian or gay persons ordained in the CCDC; of Robert Glover who provided strong support from within the General Church structure; of Richard Miller as the first gay person hired by a congregation while being completely out during the call process.

The Rev. Allen Harris, whose out presence has gracefully challenged the church in numerous ways, served as Developer for the Open and Affirming Ministries Program of GLAD Alliance for ten years. That work, continued by an Open and Affirming Ministry Team, has led to sixty-nine congregations and other ministries officially declaring themselves to be Open and Affirming of GLBT persons as of February 2006. When GLAD supporter Michael Kinnamon narrowly failed to get enough votes for election as the CCDC General Minister and President in 1991, GLAD membership increased by 200 percent. GLAD Alliance has continued to mature and expand its ministries, has officially declared itself an actively antiracist organization, has added support and advocacy of the transgender community to its ministries, and in 2005 was included in the authorized list of "Other Organizations" in the CCDC Yearbook.

At the 1997 General Assembly in Denver, homosexuality was named as a topic for discernment. A diverse committee of fourteen persons was appointed to frame the issue and to develop a process of discernment for the church. The named question was "What is the Gospel message to our church as we relate to gay and lesbian Christians?" A study book and video, entitled *Listening to the Spirit: a handbook for discernment* was given to the Christian Board of Publication to publish and distribute. No financial or leadership resources were designated to facilitate the discernment process among the churches. The General Assembly meeting in Portland in 2005 approved a resolution denouncing hateful speech and action aimed at gay, lesbian, bisexual, and transgender persons, and renewing a commitment to the process of discernment.

JUDITH HOCH WRAY

FURTHER READINGS

Brink, Eugene. ed. *A History of GLAD Alliance: 1979–1999*. Seattle, WA: 1999.

Osterman, Mary Jo. *Claiming the Promise: An Ecumenical Welcoming Bible Study Resource on Homosexuality*. Reconciling Congregations Program, 1997. Available through GLAD Web site (http://www.gladalliance.org/).

Paulsell, William, ed. *Listening to the Spirit: A Handbook for Discernment*. St. Louis, MO: Christian Board of Publication, 2001 (book + video).

Pepper, Michal Anne. *Reconciling Journey: A Devotional Workbook for Lesbian and Gay Christians*. Cleveland, OH: Pilgrim Press, 2003.

Wray, Judith Hoch. *Gay, Lesbian, Bisexual and Transgender Christians in the Church: Reflections for Disciples of Christ Who Seek to Discern God's Will*, 1998. Available at http://www.sacredplaces.com/discern.

WEB SITE

www.gladalliance.org. List and downloads of resources, including Crossbeams, the official newsletter of GLAD available here.

EASTERN ORTHODOX CHRISTIANITY. Eastern Orthodox Christianity is a communion comprised by a number of autocephalous (literally, "self-headed") orthodox denominations. The churches recognize each other and stand in full communion with each other, but the archbishop or metropolitan of each church is not subject to any other archbishop or metropolitan. Most of the Eastern Orthodox Christian churches have national origins that distinguish each church from the other. Eastern Orthodox Churches include the Greek Orthodox Church, the Romanian Orthodox Church, the Bulgarian Orthodox Church, the Albanian Orthodox Church, the Russian Orthodox Church, the Antiochian Orthodox Church, and the Serbian Orthodox Church, among others. Within the United States there is a Standing Conference of the Canonical Orthodox Bishops in the Americas (SCOBA) that represents the more than 5 million Orthodox Christians in North America. SCOBA has regular meetings and often issues joint statements about various issues facing the Orthodox Church.

In 2003 SCOBA issued a joint statement strongly opposing same-sex unions between gay or lesbian couples. Orthodox Christian teachings on marriage and sexuality hold that the only legitimate marriage is between a man and a woman, with truly authentic marriages blessed by God as a sacrament of the Church. Both Scripture and Tradition are viewed as condemning same-sex unions. The Church appeals to the Genesis creation story (Genesis 1:27–1:31) to argue that conjugal unions ideally lead to procreation. And while not all marriages result in children, all marriages are viewed as the joining of a man and woman in one flesh, based on the gender complementarity of male and female as created by God (Mark 10:6–10:8).

The Orthodox Church further views marriage in light of the language reflected in Ephesians 5:21–5:33, which discusses marriage as a metaphor for the union between Christ and the Church. Such union indicates that all marriage is by definition monogamous and heterosexual. The task of the Orthodox Church is to take a stand against giving into cultural pressures that seek to normalize and legitimize same-sex relations. The Church refuses to endorse or recognize same-sex unions of any kind. Whereas marriage between a man and a woman has been instituted by God, homosexual unions are instituted by humans against the will of God. Whereas marriage between a man and a woman can result in procreation and the giving of new life, the Church argues that such is not naturally the case with any same-sex union. Scripture and tradition condemn all sexual activities between same-sex partners.

Still, the Orthodox Church argues that persons with a homosexual orientation are to be loved and cared for by members of the Church. All people are called to grow spiritually and morally toward holiness. The same applies to people with heterosexual or homosexual orientations.

The various heads of the Orthodox Churches in America strongly endorse the committed union between a man and a woman in a blessed marriage as the only appropriate context for sexual intimacy and procreation. This statement by SCOBA was signed by the Archbishops of the Greek Orthodox Archdiocese of America, the Romanian Orthodox Archdiocese in America and Canada, the Metropolitans of the Orthodox Church in America, the Antiochian Orthodox Christian Archdiocese of North America, the Serbian Orthodox Church in the USA and Canada, the Bulgarian Eastern Orthodox Church, the American Carpatho-Russian Orthodox Diocese in the USA, and the Ukrainian Orthodox Church in the USA, and by the Bishop of the Albanian Orthodox Diocese of America.

In 2005 the Antiochian Orthodox Christian Archdiocese of North America withdrew its membership from the National Council of Churches over objections to other member churches relaxing their historic prohibitions against same-sex relations, especially the **United Church of Christ** and the **Episcopal Church of America** (both of which denominations have endorsed some same-sex relationships). The Antiochian Orthodox Christian Archdiocese of North America has about 400,000 members in 240 churches.

There is an organization of openly gay and lesbian Eastern and Orthodox Christians, *AXIOS* (a Greek word meaning "worthy"), which was founded in Los Angeles in 1980. *AXIOS* has several chapters throughout the United States (Boston, Washington DC, Los Angeles, San Francisco, Chicago). The purpose of *AXIOS* is to provide support and community for openly gay and lesbian Eastern and Orthodox Christians. While some Orthodox congregations seek to be more welcoming to gay and lesbian persons, the official stance of the various Orthodox communions is clearly opposed to all same-sex relations. Thus gay and lesbian members of Eastern Orthodox Christian churches experience significant tensions between their identity as gay or lesbian persons and as Eastern Orthodox Christians.

JEFFREY S. SIKER

FURTHER READINGS

Harakas, Stanley S. *Contemporary Moral Issues Facing the Orthodox Christian*. Minneapolis, MN: Light and Life Publishing Co., 1982.

———. *Let Mercy Abound: Social Concern in the Greek Orthodox Church*. Brookline, MA: Holy Cross Orthodox Press, 1983.

WEB SITE

AXIOS, www.axios.net.

THE EPISCOPAL CHURCH. The Episcopal Church began as the American branch of the Church of England. It was the first daughter church to declare itself independent (1784) and hence began what is known as the Anglican Communion. The Church of England took its current form with the 1534 Act of Royal Supremacy, in which King Henry VIII declared the **Church of England** independent of the Church of Rome.

The Episcopal Church calls itself "non-credal," that is, there is no statement of faith to which all must subscribe except the Nicene and Apostles Creeds. There is, however, special importance placed on the Book of Common Prayer, the language of which outweighs even the canon law of the Church. The Book of Common Prayer changes with time, the most recent version having been approved in 1979. The Episcopal Church is governed by a bicameral legislative body, the General Convention, which meets every three years. Only it can express the official position of the Church, and it may do so either by simple resolution or by canon law. The difference is that only the latter is enforceable in the courts of the Church.

Anglicanism has a long history of association with people of homosexual orientation. King James I (1603–1625), under whom the "Standard Version" of the **Bible** was translated, was said to be gay. Perhaps the first "homosexual scandal" of the church came in 1640 when the Bishop of Waterford and Lismore (in Ireland) was arrested for "buggery" with a member of his staff. After a trial in which he defended himself he was executed. As his final words he said, "I am I think the first of my profession that ever came to this shameful end. I pray God that I may be the last."

America's first bishop, Samuel Seabury, was a leading Tory pamphleteer who owed his position as rector of a church now in the Bronx, New York, to the removal of his predecessor because of indiscretions between that priest and the teenage son of a churchwarden. That priest then went to Virginia where he served the remainder of his career, apparently without incident.

Although the 1808 General Convention of the Episcopal Church discussed adopting English canon law setting forth who can and cannot marry whom, nothing official was done by the Church on the topic until 1868 when the Church adopted its first Canon on Holy Matrimony. Divorce and remarriage became the central question for many years thereafter. Major revisions to the marriage canon were approved in 1877, and later in 1904, 1931, 1946, and 1973. During the same period, the worldwide gathering of Anglican bishops held every ten years beginning in 1878, the Lambeth Conference, also wrestled with marriage-related issues. The 1888 Lambeth Conference stated that people in polygamous relationships should not be baptized and thereafter Episcopal Church documents were careful to define marriage as "between one man and one woman."

The 1964 General Convention saw the emergence of the first resolution mentioning sex, instructing the national church staff to gather data and make specific recommendations on the Christian understanding of sexual behavior to the next General Convention. The study was brought about in response to "changing patterns in human action [which] have raised inquiries concerning the Church's position on sexual behavior" (*1964 General Convention Journal, p. 365, HD9.4*).

The Standing Commission on the Church in Human Affairs, to which the resolution was referred, took its responsibility seriously, and promoted direct and honest conversation at every possible level. The Convention responded favorably, approving the first resolution that included the term "homosexuality," and asked for studies on several other issues related to sexual practices. It also marked the first time the Episcopal Church expressed a view which became a consistent position, namely, that whatever one felt about sexual relationships from a moral perspective, such feelings did not justify civil laws that sought to regulate private moral choice in the realm of sexuality. Not coincidentally, also in 1967, the General Convention abandoned its "males only" policy and permitted women to serve as deputies, effective at the 1970 convention.

While the 1970 General Convention did not again address homosexuality, it was addressed at a Special Meeting of the House of Bishops, in October of 1972. The Bishop of Utah, the Rt. Rev. Otis Charles, submitted a resolution dealing with Holy Orders and the homosexual. This is the first recorded reference by the bishops to homosexuality as an **ordination** issue, though it had certainly been discussed informally before. (Bishop Charles, in 1993, became the first Anglican Bishop to publicly acknowledge his homosexuality.)

The 1973 General Convention largely ignored homosexuality to focus again on heterosexual marriage and on the ordination of women. After that convention, several developments occurred on the gender and sexuality front. In 1974, without General Convention authorization, eleven women were ordained to the priesthood by three bishops in Philadelphia. (Three of these women were lesbians.) Four more women were ordained to the priesthood in Washington DC, in 1975. The ordinations were eventually determined to be "valid but irregular"; but the controversy caused heated exchanges and raised serious questions about collegiality and authority among the bishops.

Also in 1974, an organization called **Integrity** was founded by Dr. Louie Crew, an English professor at a small historically black college in Fort Valley, Georgia. Local groups sprang up immediately throughout the country, allowing the first national convention to be held the following year in Chicago. Integrity was to serve as both a support group in the Episcopal Church for gay men and lesbians, their family and friends, and it was to become a visible and effective advocacy group.

The September 1975 meeting of the House of Bishops was preoccupied with continuing reactions to the 1974 Philadelphia ordinations. Nevertheless, the "Sub-Committee on Homophiles" offered a resolution, adopted by the Bishops, calling for dialogue with Integrity, though it did not name the organization, referring to it as "the organizing forum for homophiles who are active members of the Episcopal Church" (*1976 General Convention Journal, B-338*).

The 1976 General Convention was the most favorable one from a gay perspective prior to the 2003 convention. It was no coincidence that it was also the first convention in which Integrity had a booth in the display area and numerous lobbyists working the committees and the floors of both houses. Three significant resolutions were adopted on recommendation of the Commission on Human Affairs: 1) that dioceses and the Church in general engage in a study of human sexuality as it relates to various aspects of life; 2) that the Church acknowledge homosexual persons to be children of God who have as much a claim as other persons upon the love, acceptance, and pastoral care of the Church; and 3) that the Church call upon society at large to provide equal protection under the law in regard to homosexual persons. At the General Convention the Church also agreed to study the issue of the ordination of homosexual persons.

The studies were beginning to multiply, and the topic of the ordination of homosexual persons had become a major focus. The 1976 General Convention, amidst great controversy, also approved the ordination of women, and a major revision of the Book of Common Prayer received the first of two required approvals.

Things then changed dramatically. In January 1977 the Bishop of New York, the Rt. Rev. Paul Moore, having followed all diocesan consent procedures, ordained a woman to the priesthood (she had earlier been ordained a deacon) who openly acknowledged her homosexual orientation. The fact that the Rev. Ellen M. Barrett's ordination was covered on the front page of *The New York Times* caught the attention of the Episcopal Church. Dr. Barrett had been a co president of Integrity during its first year of existence.

The Executive Council of the Church, which may speak for the Episcopal Church in the three-year interregnums between General Conventions (the House of Bishops can speak only for itself, not the Church), was for many years more hostile toward gay/lesbian issues than was General Convention. When the Executive Council met in April 1977, it adopted a resolution expressing the hope that no bishop would ordain or license any professing and practicing homosexual until the issue was resolved by the General Convention; the Council also deplored all actions which offended the moral law of the Church. This action was seen as a clear condemnation of the ordination of gay and lesbian people to priesthood.

In October of 1977 the House of Bishops met in Port St. Lucie, Florida, the first meeting after the official women's ordination. It was a dramatic meeting. The Presiding Bishop, the Most Rev. John Allen, offered to resign since he could not accept the ordination of women. This led the meeting to focus primarily on matters relating to conscience and the ordination of women, but homosexuality also came up. Bishop Moore expressed his regret at having upset his brothers, followed by an explanation and defense of the action, which rested largely on the distinction between orientation and behavior.

The Bishop's Committee on Theology offered a report entitled "The Marriage and Ordination of Homosexuals," which supported exclusively heterosexual marriage and differentiated between homosexual practice and orientation. After much discussion and amendment, the House of Bishops voted that no Bishop of the Church should ordain homosexual persons. This became known as the "Port St. Lucie Statement" and was subsequently regarded as binding by those opposing lesbian and gay ordination. Those in favor of a more welcoming approach to gay and lesbian persons called attention to a further study presented by the Standing Commission on Human Affairs and Health to the 1979 General Convention. This study encouraged more openness to welcoming gay and lesbian persons into the church, and possibly to ordination.

The 1979 General Convention eventually adopted a set of "Guidelines on the Ordination of Homosexuals." The guidelines stressed: 1) that persons seeking ordination are expected to lead a wholesome life that can serve as an example to all people; 2) that there should be no barrier to the ordination of qualified persons of either heterosexual or homosexual orientation whose behavior the Church considers wholesome; and 3) that the traditional Church teachings on marriage, marital fidelity, and sexual chastity formed the standard for Christian sexual morality. Thus, the Church should not ordain either practicing homosexuals or any person engaged in heterosexual activity outside of marriage. Finally, a resolution was passed offering support for those ministering with homosexual persons.

In 1983, Integrity joined other progressive organizations in the Church, including the Episcopal Women's Caucus, the Episcopal Peace Fellowship, the Union of Black Episcopalians, and the Episcopal Urban Caucus to form the Consultation. Since 1985 convention, these groups have worked to maximize the power of each individual group by developing common goals, strategies, and tactics. Few if any other denominational lesbian/gay organizations enjoyed such widespread support.

At the 1985 Convention, the Church turned its attention to the **AIDS** crisis. 1985 also marked the beginning of what was to be the norm for the next five General Conventions—numerous pro-gay and antigay resolutions but few of the former and none of the latter being passed save a "grand compromise" resolution crafted by a committee in an effort to offend no one. Finally, the 1985 convention was significant in that the Most Rev. Edmund Browning was elected Presiding Bishop for a 12-year term. Bishop Browning, as Bishop of Hawaii, had been openly supportive of the Integrity chapter there and so was open to a more inclusive vision of gay and lesbian people in the Church. At the 1988 General Convention a resolution was passed deploring all violence against homosexual persons, and calling upon all church leaders to speak openly and publicly against such violence.

In December 1989 there was a widely reported ordination in Hoboken, New Jersey, of an openly gay man living in a same-sex relationship. The ordination was performed by the Rt. Rev. John S. Spong, Bishop of Newark. Although it was widely reported that this marked the first time an openly gay person was ordained in the Episcopal Church, in fact dozens of openly homosexual persons had been ordained in the preceding ten years. The high profile character of this ordination led a number of other Bishops to decry the action as not in keeping with the agreed upon standards of the Church. The Church continued to be polarized by the issue of the ordination of gay and lesbian **clergy**.

The 1991 General Convention continued the increasingly polarized character of Episcopalian debate over the status of gay and lesbian persons in the church and especially in ordained ministry. This was the first General Convention at which deputies identified themselves during the debates as being gay and lesbian. There continued to be intense debate over two issues in particular: 1) whether homosexual orientation is an equally valid, God-given alternative to heterosexual orientation, and 2) whether committed, monogamous heterosexual marriage is the only morally acceptable context for full sexual intimacy. There was general agreement that homosexual orientation in itself was not morally culpable or inconsistent with being a committed Christian.

During a large evening hearing on homosexuality Integrity selected three individuals to speak on behalf of gay and lesbian issues: the Bishop of Los Angeles (the Rt. Rev. Frederick Borsch, the leading theologian in the House), an openly gay priest (the Rev. Walter Szymanski of Rochester), and an openly lesbian priest (the Rev. Stina Pope of Atlanta). After much debate the Convention adopted a resolution that reaffirmed the traditional teaching of the Church on lifelong monogamous marriages of a husband and wife, but also formally recognized the divisive experience of many in the Church who advocated fuller inclusion of openly lesbian and gay people. The Convention also called for more dialogue and study at the local congregational and Diocesan levels.

In 1993 the Episcopal Church undertook the most extensive dialogue on the issue of human sexuality in American history. Perhaps 30,000 people took part in the parish discussions of this topic. As many as 1128 congregations and slightly more than 77 percent of the dioceses participated in these dialogues. Over 18,000 of these participants completed extensive questionnaires on their opinions. The results, announced in 1994, were quite striking. The overwhelming majority agreed that homosexuality is a genuine sexual orientation for some people, and slightly over half supported committed relationships between gay or lesbian persons as something that would strengthen the Christian community. At the 1994 General Convention Bishop John Spong issued a statement that was signed by eighty-eight bishops; the statement argued that "homosexual persons who choose to live out their sexual orientation in a partnership that is marked by faithfulness and life-giving holiness" should be eligible for ordination.

The Church continued to grow increasingly polarized over the status of gay and lesbian persons. On the one hand such notable figures as Desmond Tutu (Archbishop of South Africa) declared publicly in 1996 that the Church should more seriously consider the ordination of noncelibate homosexual persons to the priesthood. On the other hand, conservative Episcopal organizations, such as the Episcopal Laity Group, started to push harder against the full inclusion of homosexual persons in the Church. The 1997 General Convention saw some delegates arguing for the development of a ritual blessing of committed same-sex relationships, while other delegates argued for language to ban anything other than heterosexual marriages. These divisions grew only deeper at the 2000 General Convention, at which over seventy gay protestors were arrested, and during which several compromise resolutions failed by narrow margins. There was increasing talk about a split within the denomination, especially from various conservative congregations that became allied with the Anglican Mission in America, a faction of the Church led by two dissident bishops.

The 2003 General Convention was the most controversial and historic of meetings in relation to homosexuality. In June of 2003 Episcopalians in New Hampshire elected Rev. Gene Robinson, an openly gay man in a long-term committed relationship, to be their next bishop. This election required confirmation by the General Convention in July to take effect. Following several delays and attempts to derail the vote by conservative bishops, the General Convention confirmed Rev. Robinson to the office of bishop, and in November of 2003 he was consecrated as bishop. The approval and consecration of Bishop Robinson led to large-scale protests by more conservative bishops and church members. A number of bishops stated that they would not recognize Rev. Robinson's status as a bishop, and several congregations left the denomination in protest.

In the years following the consecration of Bishop Robinson the Episcopal Church has continued to be deeply divided on the status of gay and lesbian persons, and particularly regarding the ordination of openly lesbian and gay priests and now bishops. In 2005 the bishops issued a ban on any further diocesan elections of bishops until the 2006 General Convention. This decision was made largely to effect a cooling-off period after the controversial election of Bishop Robinson in 2003. The bishops also decided at present not to issue any public rites for same-sex unions, though private ceremonies have been taking place for some years.

The Episcopal **GLBTQ** support group Integrity was established in 1974 by Dr. Louie Crew. In addition to being an advocacy group in support of the full inclusion of GLBTQ persons within the Episcopal Church (USA) on a national level, there are also about sixty local chapters, over thirty diocesan networks, and a number of individual congregational circles involved in incorporating GLBTQ concerns into the worship life of the church, the education program, Christian fellowship, and the outreach ministries of the Church—especially as related to serving those with **AIDS/HIV**. Beginning in the late 1970s Integrity representatives started regularly attending the General Convention of the Episcopal Church in order to serve as an advocate for the inclusion of gay and lesbian persons in the church.

KIM BYHAM

FURTHER READINGS

Hefling, Charles ed. *Our Selves, Our Souls & Bodies: Sexuality and the Household of God*. Cambridge, MA: Cowley Publications, 1996.

Marshall, Paul V. *Same-Sex Unions: Stories and Rites*. New York: Church Publishing Inc., 2004.

WEB SITE

Integrity USA, www.integrityusa.org.

EVANGELICAL CHRISTIANITY. The issue of homosexuality is a particularly difficult one within Evangelical Protestant Christianity given the religious tradition's emphasis on the literal interpretation of the Scripture, the claim that the **Bible** literally and unequivocally states homosexuality is a sin, and the belief that all persons must be saved from sin. The relationship between gay and lesbian persons and evangelicalism is further compounded with the presence of an acceptable alternative to homosexuality in the existence of the ex-gay movement. Nevertheless, the Evangelical Protestant tradition is a religious reality that many gays and lesbians in the United States have encountered since between 30 percent and 40 percent of Americans claim to be a part of or grew up within this tradition.

It is erroneous to assume that all evangelical Christians are of one mind regarding the condemnation of homosexuality. However, generally speaking the vast majority of evangelical religious leaders and ordinary believers, as well as the tradition as a whole, are unanimous in condemning homosexuality. Denominations within this broad tradition reject the viability of what is termed a gay lifestyle, eschew support of same-sex relationships, and reject the possibility of the ordination of gay **clergy**. Very few para-church support and advocacy groups exist for individual gay evangelical believers. Likewise, the majority of these conservative Christian groups that do exist address the issue of homosexuality from a therapeutic, 12-step type approach that aims at changing homosexual inclinations to heterosexual desires (see articles on **ex-gay ministries** and **Exodus International**). Additionally, there are very few gay supportive congregations (see articles on More Light and **Welcoming** churches) in which gay believers can find an accepting conservative evangelical church home. As such, a majority of gays and lesbians within this tradition face a daunting task of attempting to reconcile their homosexual orientation with their evangelical beliefs and practices. Many of those who grew up in the tradition have moved to more affirming liberal Protestant traditions or to congregations within the **Metropolitan Community Churches** (see article on the MCC), they have left organized religion completely, or they remain closeted in nonaccepting churches.

What Is Evangelical Christianity? Evangelical Christianity does not neatly fall into denominational boundaries nor do religious scholars agree upon its ideological or definitional characteristics. If one identifies it organizationally then the approximately 50 member denominations of the National Association of Evangelicals (NAE, www.nae.net.) could be taken as definitive of evangelical Christianity. However, individual congregations from another twenty faith traditions also belong to the NAE. While certain religious groups such as the **Southern Baptist Convention,** Missouri Synod Lutherans, the Christian and Missionary Alliance, the Evangelical Free Church, and others are clearly evangelical denominations. So too could denominations in the Pentecostal and Holiness traditions, like the **Assemblies of God,** the Church of the Nazarene, **Seventh-day Adventists,** and the Salvation Army be broadly labeled evangelical. Additionally historically predominant **African American denominations** such as the National Baptist Convention and the Church of God in Christ often describe themselves as "born again" and hold evangelical beliefs. A few other groups, which some consider on the margins of Christianity such as the **Mormons** and **Jehovah's Witnesses,** hold practices and beliefs that bring them very close to the Evangelical Protestant Christian camp. Furthermore, within the past twenty years more congregations of moderate and mainline denominations, as well as the rapidly growing multitude of conservative Christian nondenominational and independent churches, have adopted the beliefs, practices, and majority social and political views of the evangelical tradition. Taken as a whole and seen as a distinctive cultural style, the loosely defined Evangelical Christian Church encompasses the largest number of churches in the United States and rivals the **Roman Catholic Church** in terms of largest numbers of individual members.

Evangelical Protestants can also be defined in terms of "orthodox beliefs," holding a certain set of theological beliefs rather than just characterized by certain practices, cultural styles, or organizational affiliations. It is their emphasis on beliefs about the Bible, the human condition and salvation, God's purpose for humanity and the mandate to evangelize others that makes them a distinctive religious grouping. Evangelicals believe in the inerrancy of the Bible and its literal interpretation. They look to the Bible as the only authoritative record of God's plan for humanity. Their doctrinal stress on the absolute need for human redemption and salvation (being "born again") and obedience to the command to go into the world and preach the Gospel (that fallen humanity can be saved by a belief in **Jesus** Christ's redemptive act of dying on the cross and being raised from the dead) that define evangelical beliefs. While many of the groups described above hold additional distinctive beliefs, these doctrines are common to all evangelicals.

Homosexuality from an Evangelical Perspective. According to most evangelicals, the Bible means what it plainly says in English in certain accepted translations. Therefore, if the text says a "man should not lie with a man as with a woman" (Leviticus 18:22) or lists "homosexuality" in with other sins from which one is "to repent and do no more" that is exactly what God meant in those passages, for an evangelical believer. For most conservative Christians, the Bible is understood in a common sense, straightforward manner. While there are significant exceptions among evangelical theologians, biblical scholars, and pastors, this plain sense of the text in translation (typically the King James Version or the New International Version) is the predominant interpretative approach to the scriptures. There is little or no interest in the semantic ambiguities of the original Hebrew or Greek.

Thus, for evangelicals, what the Bible literally says is that homosexuality is a sin. God does not condone homosexual activity at all, either within a loving, committed adult relationship or otherwise. Furthermore, God created human beings as males and females and gave them the duty to reproduce and populate the earth. This mandate does not allow for the possibility of same-sex intimate relationships. There is a small percentage of fringe conservative Christians labeled Fundamentalists, who are often ardent activists with overtly hostile views against gays and lesbians (e.g., the "God hates fags" Web site). Such radical positions are very seldom found among typical evangelical Christians.

Given the view that homosexuality is a sin, it is therefore a practice of which one must repent, turn away from, and no longer engage in to be a "good Christian." Homosexuality is understood as a sinful lifestyle choice of the individual, whether consciously or unconsciously chosen, rather than an essential orientation a person is born with. The origin of one's homosexual practices may be seen as the result of the sinful self-will of an individual, but many evangelical ex-gay proponents also posit more sophisticated social-psychological arguments about child-rearing influences, psychological trauma, and other sources of the aberration of seemingly natural heterosexual expression. Whatever the posited cause, however, the possibility exists for redemption from this sin just as with any other sinful act. The New Testament passage in 1 Corinthians 6:9–6:11 confirms this possibility where it lists homosexuality with other sins and then reports that "such were some of you." Organizations such as Exodus, Homosexuals Anonymous, and other ex-gay ministries operate on this declaration, that one can be saved from, or healed of, this sinful desire and immoral lifestyle practices, whatever the root causes.

As contrary as these ideas and beliefs may be to many Americans and the medical and psychological communities, variations on these beliefs are evident in opinion polls about homosexuality in a very large number of U.S. adults. These attitudes are even more apparent in the cultural context of the southern and midwestern regions of the country, in rural areas and in small towns, among republicans, the working class, and the less educated members of American society. Not surprisingly, this is also the social context for a large percentage of evangelicals in the country. Evangelical opinions about homosexuality may be grounded in theological convictions but are fertilized by norms and values of the cultural and social context in which a majority of evangelical Christians reside.

Opinions of Evangelicals Regarding Homosexuality. Nearly every study and opinion survey of religious persons in the United States shows the vast majority of conservative evangelical Christians in agreement regarding the condemnation of every topic related to homosexuality. Findings from recent reports by the Pew Forum (2002) and Ellison Research (2003) confirm this negative perspective nationally.

These studies showed that 88 percent of highly committed white evangelicals considered homosexuality a sin. Nearly that many evangelicals (80%) claim to hold unfavorable opinions of gays. Only 16 percent of evangelicals think persons are born homosexual while 65 percent say homosexuals can change their orientation, and 73 percent of highly committed evangelicals think this. Just 4 percent of the evangelical pastors surveyed would allow gay clergy to be ordained and almost two-thirds of evangelical pastors said they would deny church membership to homosexuals.

Nearly three quarters of evangelicals oppose same-sex marriage and just 2 percent of evangelical pastors think churches should bless same-sex unions.

While these figures are staggering in their nonsupportive attitudes toward homosexuals, it is even more surprising that similar attitudes exist only to a slightly lesser degree in more liberal Protestant mainline denominations. Only 28 percent of persons in the **Presbyterian Church, USA** and 27 percent of those surveyed in the **Evangelical Lutheran Church in America** agreed that homosexuality is an acceptable alternative lifestyle. Nevertheless there is a small minority of evangelical members (10%–20%) and even smaller percentage of evangelical pastors who offer dissenting voices to this condemnation from within the conservative Christian tradition.

In most national studies one finds a small percentage of evangelicals who are vocally supportive and willing to welcome conservative LGBT believers into their midst. There is a small but vocal minority of evangelicals in the United States who are progressive in their social and political leanings. These persons have been labeled "New Evangelicals" and would likely be those most supportive of gay and lesbian issues within and outside the church. Likewise, personal experience with conservative churches often shows a grassroot tolerance of and quiet acceptance of individual gay or lesbian persons by straight members of congregations even though ideologically and from the pulpit these churches are anti-homosexual. Although this marginal "don't ask, don't tell" interpersonal tolerance of gays and lesbians within some evangelical churches is inadequate for a holistic development of one's spiritual life, it has allowed some LGBT persons to remain in the tradition and even function in positions of leadership—perhaps most often as choir directors, musicians, and occasionally closeted pastors.

Positive Evangelical Responses to Lesbian and Gay Persons. Over the past several decades a few prominent evangelical gay support groups have arisen both within denominational traditions and in a more generic perspective. Groups such as Evangelicals Concerned (www.ecinc.org.) led by Ralph Blair since its inception in 1975, its west coast partner organization Evangelicals Concerned, Western Region and The Evangelical Network (t-e-n.org) have existed for some time as gay support and networking organizations within the evangelical tradition. Other similar groups, such as Evangelical Outreach Ministries (generally evangelical) and Honesty (for gay Southern Baptists) were founded and flourished for many years but are now no longer in existence. Likewise, gay and lesbian evangelicals often feel at home in certain congregations of gay-affirming denomination, the **Universal Fellowship of Metropolitan Community Churches** (www.ufmcc.com.) and churches in the gay-friendly Pentecostal organization, Reconciling Pentecostals International (www.rpifellowship.com.). Additionally an organization founded following the split of the Southern Baptist Convention, the Alliance of Baptists (www.allianceofbaptists.org.), along with the Baptist Peace Fellowship of North America (www.bpfna.org.) have strongly affirmed and welcomed LGBT persons. Many of these larger national organizations have lists of welcoming evangelical congregations that they share with persons looking for a church home.

Some noted straight and gay persons have become outspoken supporters of gays and lesbians from within an evangelical perspective including Peggy Campolo (wife of Tony

Campolo, a popular conservative sociologist, author, and speaker), Lewis B. Smedes (a now-deceased Fuller Theological Seminary professor emeritus), Marsha Stevens (evangelical composer), Michael Bussee and Gary Cooper (founders of Exodus, the ex-gay ministry, both of whom live as openly gay), Mel White (former writer for Jerry Falwell and Pat Robertson, and the founder of Soulforce) and Rembert Truluck (author and former Southern Baptist pastor). Additionally certain writings have been inspirational from many evangelical LGBT persons including Letha Scanzoni and Virginia Mollencott's *Is the homosexual my neighbor?*, Troy Perry's autobiography, Ralph Blair's *An Evangelical Look at Homosexuality*, and Mel White's *Stranger at the Gate*.

New Possibilities for Gay Evangelicals. In the past few decades a number of additional venues for spiritual fulfillment and tangential involvement with the evangelical tradition have arisen within American culture. One such avenue for spiritual expression could be found at the "Gospel Hour" a gay Gospel drag show that has been popular for many years in Atlanta (Thumma and Gray, 2004). This gathering of fifty to hundred persons twice a week on Sunday evenings in a gay bar, while far from a typical religious setting, allowed formerly evangelical gays and lesbians to fellowship, sing the old hymns of their childhood, and recreate a gay and religious identity on their own terms. Additionally, even less public and structured settings have appeared in discussion boards and chat rooms on the Internet as well as in small house church type gatherings. The Internet has further allowed LGBT evangelicals to participate virtually in some of the most famous evangelical churches in the country through streaming broadcasts of sermons and worship services. While few of these avenues allow for complete acceptance of or holistic spiritual lives of GLBT evangelical Christians, spaces have been created in a formerly inhospitable context.

In a contemporary American religious environment, there are few moments in which gays and lesbians have positive encounters with the evangelical protestant Christian world. Throughout the twentieth century evangelicalism has remained an ardent force against the acceptability of homosexuality either religiously or societally. This position is reinforced by a religious understanding of a literalist scriptural interpretation and a perception of all humans as sinful, fallen, and in need of salvation, as well as a larger conservative social and economic context that identifies homosexuality as aberrant and wrong. Nevertheless, in the past few decades numerous niches have opened up whereby LGBT evangelical Christians have a few more possibilities for expressing their faith within an evangelical tradition than in the past. If poll data on the attitudes of younger generations regarding homosexuality is an accurate predictor of the future, this trend of very gradual openness may well continue.

SCOTT THUMMA

FURTHER READINGS

Blair, Ralph. *An Evangelical Look at Homosexuality*. Published by Homosexual Community Counseling Center, 1972.

Comstock, Gary David. *Unrepentant, Self-affirming, Practicing: Lesbian/Bisexual/Gay People Within Organized Religion*. New York: Continuum, 1996.

Perry, Troy D. *The Lord Is My Shepherd and He Knows I'm Gay: The autobiography of the Reverend Troy D. Perry*. Los Angeles, CA: Universal Fellowship Press, 1997.

Scanzoni, Letha Dawson and Virginia Ramey Mollencott. *Is the Homosexual My Neighbor?: A Positive Christian Response*. San Francisco, CA: HarperSanFrancisco, 1994.
Thumma, Scott and Edward Gray, eds. *Gay Religion*. Walnut Creek, CA: AltaMira Press, 2004.
White, Mel. *Stranger at the Gate: To be Gay and Christian in America*. New York: Plume, 1995.

WEB SITES

Evangelicals Concerned, www.ecinc.org. and www.ecwr.org.
Institute for the Study of Evangelicals,
http://www.wheaton.edu/isae/defining_evangelicalism.html.
National Association of Evangelicals, www.nae.net.
Pew Forum, http://pewforum.orgdocs/index.php?DocID=37

THE EVANGELICAL LUTHERAN CHURCH IN AMERICA. In 1993, in the context of a proposed social statement on human sexuality, the Evangelical Lutheran Church in America (ELCA) attempted to make determinations on the contested issues of blessing same gender unions and admitting partnered gay and lesbian persons into the ordained, commissioned, or consecrated ministries of the ELCA. The statement was never completed for submission to the Churchwide Assembly. Therefore, the church body has remained under the direction of the social statements of two of its predecessors to the merger that created the ELCA in 1988, the American Lutheran Church and the Lutheran Church in America. These statements regard homosexual conduct as outside the will of God. Consequently, in the ELCA persons who understand themselves to be homosexual may serve in the rostered ministries of the ELCA only if they refrain from sexual relations. This proviso is set forth in a document for candidates for ministry, *Vision and Expectations* and in one for those on the roster, *Definitions and Guidelines for Discipline.*

In 1993 the Conference of Bishops of the ELCA stated in a pastoral letter that they found no biblical basis for establishing rites for the blessing of same gender unions. The letter also commits the bishops to help those who minister to persons who are gay and lesbian to provide the best possible pastoral care. The bishops do not make policy, however. Thus, despite the social statements of predecessor bodies and this pastoral letter, there has been no official policy either approving or prohibiting the blessing of same gender unions. As one might expect in a disputed matter such as this, there are those who take the absence of policy as freedom to perform some form of blessing.

In the Churchwide Assembly of 1991 the ELCA went on record as welcoming gay and lesbian people to participate fully in the life of its congregations as individuals created by God. This resolution was reaffirmed at the 1995 Churchwide Assembly. At the 1999 Assembly voting members passed a resolution encouraging discerning conversation about homosexuality and inclusion of gay and lesbian persons in "our common life and mission." Notwithstanding these resolutions of welcome, the prospect of the church blessing same-gender unions and admitting partnered gay and lesbian people to the roster of ministries has been strongly contested.

In 2001 the ELCA Churchwide Assembly, that church's highest legislative body, voted to initiate a study on homosexuality. The assembly mandate stated that the study process, "include creation of a study document on homosexuality for use in congregations, synods, and in sponsored hearings and focus groups throughout this church. This document shall include study of the Lutheran understanding of the Word of God and biblical, theological, scientific, and practical material on homosexuality. The document shall address issues related to blessing committed same-gender relationships, and rostering [ordaining, commissioning, and consecrating] of approved candidates who are in committed same -gender relationships" (CA01.06.28). A second resolution called for study leading to the development of a comprehensive social statement on human sexuality.

The study on the church and homosexuality was to be conducted under the auspices of the church's Division for Ministry and Division for Church in Society. A fourteen-member task force was named by a joint committee of the two divisions and a Director for the studies was called. The task force included clergy and laity, male and female, **African American**, **Asian**, and **Latino** presence and gay and lesbian presence. The Director and two of the task force members were professors at ELCA seminaries. After extensive study and consultations, the task force produced the study booklet, *Journey Together Faithfully: The Church and Homosexuality* in September of 2003.

In addition to presenting basics the study document sought to present the main arguments on both sides of the debate. Over 28,000 participants sent in written responses over the course of the year during which the study was conducted (2003–2004). The views they expressed reflected the pattern of the debate presented in the study document.

Those who oppose the blessing of same-sex unions and the rostering of persons in such unions most frequently base their position on 1) the biblical texts that condemn same-sex sexual conduct and; 2) the biblical doctrine of creation, which it is argued establishes once and for all the complementarity of male and female in marital union as God's will in the order of creation. This understanding of biblical teaching on the subject has been upheld by the tradition of the church throughout the ages.

Those who affirm homosexuality and homosexual relationships point out that the biblical writers did not know of our modern understanding of sexual orientation as a "given" rather than a choice. Therefore, those texts that condemn certain homosexual acts do not necessarily condemn all expressions of homosexuality, as we know it today. The Bible does not have in mind committed, loving relationships between gay and lesbian Christians for whom their homosexuality is natural and good. In fact there are no passages that address such committed relationships. God's decision in creation that people need loving companionship (Gen. 2:18) pertains to homosexually oriented persons as well even though the text does not speak directly in those terms. As the apostles saw that the Gentiles should receive full acceptance in the church because it was clear that they had the Holy Spirit (Acts 15:8–15:9) so also experience of our devoted and faithful homosexual sisters and brothers has prompted many to proclaim the same acceptance of them. The morality of homosexual relationships should be judged by the same biblically based qualities of fidelity, love, and justice that we expect in Christian marriages.

Opponents of full acceptance of partnered gay and lesbian persons in the life of the church sometimes say that the claim of sexual orientation as "given" is overstated. That is, there are actually fewer confirmed homosexual people than is often claimed and more who have or can benefit from reparative therapy than is often admitted. Since there is no clear scientific explanation as to why persons are homosexual, we should be cautious about what can be claimed. It is also hard to maintain with certainty that the biblical writers who condemned certain same-sex acts knew nothing of persons who were constitutively homosexual even though the language of sexual orientation is recent. Be that as it may, even if we concede that homosexual orientation is a given for some, scriptural condemnation of same-sex acts and the absence of any positive biblical appraisal of homosexual sexual relations leads some respondents to the conclusion that homosexual orientation is a defect of nature in a fallen world infected by human sin. (One might appeal to Rom. 8:20f. for a text that speaks of the dire effects of human sin on the whole of creation.) Therefore, we must judge all homosexual intercourse to be inherently sinful regardless of the quality of the relationship in which it occurs. Homosexual persons should abstain from sexual relations and/or seek help to cope or change.

Those who favor full acceptance of homosexual persons in all aspects of church life reject the idea that homosexuality is a defect of life in a fallen world and that homosexual acts are therefore inherently sinful. They point out that this is nowhere directly stated in the Bible; it is an inference drawn from certain texts that simply leads us back to the dispute over how these texts speak to us in terms of present understandings. Moreover, some would say that homosexuality is a part of God's good creation. A number of respondents voiced the feeling that the exclusion of gay and lesbian persons from the blessing of their unions in the church and from the ministries of the church was simply out of step with the teaching of **Jesus** and the inclusiveness of the gospel.

The majority of respondents to the study wanted no change in present standards and practices but there was also a significant number who sought change or at least the possibility for some form of local discretion. The task force report was released on January 13, 2005. In addition to an account of the study process and outcomes, the report offered three recommendations. These were built on the premise that members with differing views are each in their own way conscience bound by what they understand the Word of God to ask of us. The report recommended that everyone should 1) respect each other's conscience, 2) in the absence of consensus commit to working together despite differences, and 3) to leave other matters to the realm of pastoral discretion in response to conscience rather than legislate new policy.

JAMES M. CHILDS, JR.

FURTHER READINGS

Bloomquist, Karen L. and Stumme, John R., eds. *The Promise of Lutheran Ethics*. Minneapolis: Fortress Press, 1998.

Evangelical Lutheran Church in America. *Talking Together as Christians about Homosexuality A Guide for Congregations*, 1999.

Lull, Timothy. "Homosexuality and the Church." *Lutheran Partners*, September/October 1990, pp. 25–30.

Wink, Walter, ed. *Homosexuality and Christian Faith: Questions of Conscience for the Churches*. Minneapolis: Fortress Press, 1999.

EX-GAY MINISTRIES. Ex-gay ministries first began in the 1970s and have since grown into a loosely-affiliated network of organizations established and supported predominantly by various evangelical Protestant denominations and parachurch organizations. Though this network is loosely aligned, supporting literally hundreds of ministries throughout the United States and other countries, the individual programs share basic beliefs that the expression of same-sex desire is sinful, that disordered gender identity is evidence of same-sex desire, and that same-sex desire can be overcome by unearthing the root causes of homosexuality to awaken a dormant heterosexual desire, which is God's wish for human beings. Ex-gay ministries share these basic theological beliefs as well as psychological assumptions about the etiology of homosexuality. The theological claims are supported by Christian systematic theologies that have identified heterosexual marriage as the full expression of male/female complementarity; the psychological assumptions are reiterations of psychoanalytic perspectives pervasive in the 1950s and 1960s.

The belief that the full potential of human relationships is realized in heterosexual marriage has become a dominant perspective in Protestant theological and ethical reflection on human sexuality. According to this perspective, marriage recreates God's original intention for human beings because marriage is marked by a complementarity of male and female. Men and women do not know the fullness of their humanity apart from a relationship to a marriage partner of the opposite gender because male and female together provide a complete picture of human beings created in the image of God. This expression of male/female complementarity can only occur in marriage because it holds a unique place in God's design for humanity as the only relationship capable of rightly channeling erotic desire as an expression of love. Ontologically, marriage recreates the fullness of human creation; ethically it is the only site for sexual expression that is not sinful. Obviously, this theological perspective underwrites ex-gay ministries quite effectively by claiming that all homosexual relationships regardless of the qualities of love and care expressed between the partners are inevitably sinful because they fail to reflect human beings in the image of God and because they unethically express erotic desire.

Freudian psychoanalytic theory (and, quite often, a specific heir of Freudian thought known as object-relations theory) provides an explanation for same-sex desire and prescribes a curative solution. From this traditional reading of psychoanalytic orthodoxy, homosexuality arises because of unresolved developmental crises between the child and his or her parents early in childhood. According to many proponents of ex-gay ministries, failure to navigate this developmental phase results not only in homosexual desire but also in gender confusion marked by extreme femininity in men and extreme masculinity in women. In Freudian theory, the Oedipal crisis is the primary site of derailment; for later object-relations theorists, the problems arise much earlier in infancy and lead to much more severe psychological difficulties. Whichever perspective is employed, this psychological understanding is pervasive in ex-gay literature. In his essay, Joe Dallas states that an early perception of indifference or rejection from a same-sexed parent can be underlying many homosexually oriented adults. He goes on to advocate that in interactions between parent and child, the child's relationship with the same-sex homosexual adult is not satisfactory, and that such relationships range from distant and nonintimate to hostile (Dallas, 1991).

By exploring these early childhood crises in psychotherapeutic individual and group settings, ex-gay counselors believe that the accompanying psychological wounds can be healed. The result is not only heterosexuality but culturally appropriate gender identity because the damage from a broken, conflictual relationship with the same-sex parent is overcome. Ex-gay ministries, then, purport to change sexual expression—homosexuals become heterosexuals—and to consolidate a rightly-ordered, gendered self; effeminate men find their masculinity and masculine women their femininity, allowing them to experience their full humanity in heterosexual marriage.

Not surprisingly, there have been a number of critical responses to the perspectives espoused by ex-gay proponents. Some mount a practical critique: ex-gay programs simply do not work because participants do not experience a change in sexual orientation. In fact, the effectiveness of ex-gay ministries is unimpressive. Even ex-gay proponents acknowledge that in many instances success is defined not by awakened heterosexual desire but by abstinence in spite of continued homosexual desire. Beyond these critiques on the efficacy of ex-gay ministries, scholars in gender theory and queer theory have mounted insightful theoretical critiques of the psychoanalytic definitions of gender and sexuality explicitly put forth by ex-gay writers. There are, then, voices of critique; however, a theological critique is largely missing from the entire debate.

At present, a growing body of theological writing that questions contemporary theological claims about human sexuality and heterosexual marriage offers the possibility of broader perspectives from which to debate the claims of ex-gay ministries. However, ex-gay ministries are not only sites from which psychological and theological claims are articulated; they are also sites for complex, intensive practices. Any alternatives to ex-gay ministries coming from Christian communities and institutions will need to articulate alternative theological and psychological claims about gay lives (as well as ex-gay lives) and to demonstrate an alternative practice of "ministry."

JOHN BLEVINS

FURTHER READINGS

Althaus-Reid, Marcella. *The Queer God*. New York: Routledge, 2003.

Besen, Wayne. *Anything But Straight: Unmasking the Scandals and Lies Behind the Ex-Gay Myth*. New York: Harrington Park Press, 2003.

Butler, Judith. *Gender Trouble: Feminism and the Subversion of Identity*. New York: Routledge, 1999.

Dallas, Joe. *Desires in Conflict: Answering the Struggle for Sexual Identity*. Eugene, OR: Harvest House Publishers, 1991.

Jordan, Mark. *Blessing Same-Sex Unions: The Perils of Queer Romance and the Confusions of Christian Marriage*. Chicago: University of Chicago Press, 2005.

———. *The Ethics of Sex*. Oxford, UK: Blackwell, 2002.

Lewes, Kenneth. *Psychoanalysis and Male Homosexuality*. Northvale, NJ: Jason Aronson, 1995.

Sedgwick, Eve Kosofsky. "How to Bring Your Kids Up Gay: The War on Effeminate Boys." *Tendencies*. Durham, NC: Duke University Press, 1993, pp. 154–164.

Ward, Graham. "The Erotics of Redemption—After Karl Barth." *Journal of Theology and Sexuality*, 8 (1998): 52–72.

EXODUS INTERNATIONAL. Exodus International functions as an umbrella organization to various **ex-gay ministries** by providing a broad network of referral and information. In 1976 a group of evangelical and fundamentalist Christians met together in Anaheim, California in an attempt to discern the kind of pastoral support evangelical Christians should offer to homosexuals. The broad-based activities of Exodus International have been developed in response to that question and the activities consist of ex-gay or reparative counseling programs; annual conferences; books, articles, and newsletters; and expanding outreach efforts into other countries. Currently, Exodus International serves as a central resource for over 150 individual ex-gay ministry programs, the vast majority of which are located in the United States.

Attempts to assess the efficacy of the ministries that underwrite Exodus International become very difficult because of the shifting definition of cure from homosexuality that these ministries espouse. Some ministries affiliated with Exodus International define cure as an awakening of heterosexual desire that is then expressed through marriage; others define cure as lifelong celibacy which is achieved through intensive support networks. Critics of Exodus International point out the failure of the individual ministries to bring about lasting change in participants; in fact, the two organizers of the first conference in 1976 that led to the founding of Exodus International later repudiated the efficacy of ex-gay ministries in general, claiming that such ministries inflicted psychological harm on participants. In addition, the chair of the Board of Directors of Exodus International was removed from his position on the Board in 2000 after being caught in a gay bar in Washington DC while in town for an ex-gay conference.

In spite of evidence supporting a claim that ministries affiliated with Exodus International are, at best, ineffective and, at worst, psychologically damaging, the organization continues to garner support from among evangelical and fundamentalist Christians. This support continues in part because Exodus International does not consist only of individual ex-gay ministries; it also produces and markets a large number of books and articles that function to support heterosexual marriage. Leaders of Exodus International have spoken in favor of various initiatives to legally define marriage at state and national levels and have begun to produce materials critical of gay and lesbian families. And so, although Exodus International on one level simply serves as a central resource for a broad network of local ex-gay ministries supported by evangelical and fundamentalist Christian communities, on another level the materials and programs developed out of Exodus International function in much more direct ways to influence political debates and the enactment of public policies.

John Blevins

FURTHER READINGS

Erzen, Tanya. *Straight to Jesus: Sexual and Christian Conversions in the Ex-Gay Movement.* Berkeley, CA: University of California Press, 2006.

Wolkomir, Michelle. *Be Not Deceived: The Sacred and Sexual Struggles of Gay and Ex-Gay Christian Men.* New Brunswick, NJ: Rutgers University Press, 2006.

WEB SITE

Exodus International, www.exodusglobalalliance.org.

FIRST NATION PEOPLES. *See* **Native American Peoples**

GENESIS. *See* **Bible**

GLBTQ. Gay, Lesbian, Bisexual, Transgendered, and Questioning—GLBTQ has become the standard term to represent people with a sexual orientation other than heterosexual. The gay and lesbian communities have certainly been the primary focus, but increasingly attention has also been given to individuals who self-identify as Bisexual (oriented toward both male and female) or Transgendered (associating with the gender identity of the opposite biological sex). The shift in language about homosexual persons has been significant in the twentieth century and the beginning of the twenty-first century. In the earlier part of the twentieth century it was common to refer to GLBTQ people simply generically as "homosexual." The terms "homosexual" and "homosexuality" did not themselves enter into the English language until the end of the nineteenth century. In the first half of the twentieth century it was understood by society at large that to be a homosexual was to engage in unnatural sex, hence homosexuality was perceived as a sexual perversion. Homosexual persons were derided as "faggots" and "queers." The psychological community widely considered homosexuality to be a disorder that could be treated with therapy.

Toward the latter half of the twentieth century, however, partially in light of psychological studies that indicated homosexuals in fact did not suffer from psychological disorders any more so than the general population, the terminology began to shift. Rather than identifying homosexuality as by definition a perversion, language shifted to refer to "sexual preference." The term "preference" had neutral connotations that suggested a more benign interpretation of homosexual orientation, especially within popular culture. The term "sexual preference" still inferred that individuals chose to be homosexual, but it did so in a way that did not have the same connotations of condemnation. A more accepting attitude toward homosexual persons was also brought about by the landmark 1973 decision of the American Psychological Association to remove homosexuality as a psychological disorder from its *Diagnostic and Statistical Manual of Mental Disorders* (DSM-III), the primary diagnostic tool used in the psychological profession. Indeed, the disorder was inverted so that homosexuality was no longer the dysfunction, but rather an individual's inability to accept oneself as a homosexual person became viewed as the disorder (egodystonic homosexuality).

Toward the end of the twentieth century the language shifted yet again. As the study of sexual identity progressed, as people increasingly were willing to take seriously the self-reporting of homosexual persons, and as it became increasingly apparent that homosexual persons were not disordered, the language of "sexual orientation" emerged. This language marked a significant shift, as the entire understanding of homosexuality as a choice was thus called into question. To speak of "sexual orientation" was to speak of something that one discovered as a given about oneself, and not an active choice that one made. Thus "sexual orientation" was more akin to whether one was left-handed or right-handed. It was naturally occurring and simply an identity marker that one realized and accepted about oneself. Since homosexual persons were thus not personally responsible for choosing to have a homosexual orientation, the stigma associated with homosexuality lost its edge. This overall shift, then, from "homosexual perversion" to "homosexual preference" to "homosexual orientation" over the last century has been extremely significant in the perception of homosexual persons in society at large, as well as in the self-perception of homosexual persons.

An important observation in this discussion is that these terms and shifts in language (from perversion to preference to orientation) all occurred primarily in the dominant discourse of heterosexual society as heterosexual persons were seeking language to describe homosexual persons. Thus these terms were applied to homosexual persons by the heterosexual community.

Within the broader homosexual community itself, however, different language was emerging for self-identification. The term "gay" came into use in the 1950s as a positive self-designation. Use of the term beyond the gay community came to signal a supportive stance on the part of some in the dominant heterosexual world. Indeed, as the debate over homosexuality progressed in the heterosexual world, and especially in the church, it became clear that to use the term "homosexual" indicated a neutral or nonaccepting view of same-sex relations, while to use the term "gay" indicated a positive and supportive evaluation of same-sex relations. The term "lesbian" had long been in use, initially as a derogatory term (along with "dyke"), but over time was reclaimed as a positive self-designation. In the 1980s and 1990s the term "queer" was increasingly introduced into popular discourse, especially by those involved in the gay rights and gay liberation movement that traces its roots to the Stonewall Riots of 1969 in New York City. Whereas "queer" had been used as a term of derision by heterosexual individuals against homosexual people, gay and lesbian persons started to appropriate the term as a badge of honor. Especially noteworthy in this connection was the rise of Queer Nation, a gay rights activist group that emerged in 1990 from the ACT-UP movement. Queer Nation's widely advertised slogan was "We're here. We're queer. Get used to it." This contributed significantly to the reclaiming of the term "queer" for the gay and lesbian community as a symbol of pride rather than shame. The term became so accepted as a positive designation that it even found its way into the names of popular television shows: *Queer Eye for the Straight Guy* and *Queer as Folk*. The term has also become associated with the academic discourse of Queer Theory and **Queer Theology**.

While the terms "gay" and "lesbian" were the primary forms of same-sex relations that occupied public discourse, the terms bisexual and transgender eventually were added to the litany of words used to describe various aspects of same-sex relations. Even though many bisexual and transgender individuals do not identify themselves as gay or lesbian, they have experienced much of the same kind of persecution as gay and lesbian people have from the dominant heterosexual community. Hence they have, for better or worse, been grouped together with gay and lesbian people.

Finally, the last term added to the GLBTQ list, "Q," most often refers to individuals who are Questioning their sexual orientation or gender identity. It can also refer to "Queer." The term GLBTQ has many variations, though LGBTQ is the most frequent one. Sometimes the terms "lesbigay" and "translesbigay" are also employed.

JEFFREY S. SIKER

FURTHER READING

Huegel, Kelly. *GLBTQ: The Survival Guide for Queer and Questioning Teens*. Minneapolis, MN: Free Spirit Publications, 2003.

WEB SITE

GLBTQ: An Encyclopedia of Gay, Lesbian, Bisexual, Transgender, and Queer Culture, www.glbtq.com./

GOMORRAH. *See* **Bible**

HINDUISM. Hinduism is the world's oldest living religion, and Hindus constitute about one-sixth of the world's population today. Hindu communities foster a wide range of philosophy and practice, and revere thousands of texts as sacred. There is a Hindu God and a story or variation of a story related to practically every activity, inclination, and way of life. Hindus consider this diversity expressive of divine abundance and everything in the universe a manifestation of divine energy. Every God and Goddess is seen as encompassing male, female, neuter, and all other possibilities, and every living creature as having divine potential. The simultaneity of unity and multiplicity is a basic Hindu premise.

Variations in gender and sexuality have been discussed in Hindu texts for over two millennia; same-sex love flourished in precolonial India, without any extended history of persecution. Like the erotic sculptures on ancient Hindu temples at Khajuraho and Konarak, sacred texts in Sanskrit constitute irrefutable evidence that the whole range of sexual behavior was known to ancient Hindus. When European Christians arrived in India, they were shocked by Hinduism, which they termed idolatrous, and by the range of sexual practices, including same-sex relations, which they labeled licentious. When the British colonized India they inscribed modern homophobia into education, law, and the polity. Homophobic trends that were marginal in premodern India thus became dominant in modern India. Indian nationalists, including Hindus, imbibed Victorian ideals of heterosexual monogamy and disowned indigenous traditions that contradicted those ideals.

Ancient Hindu ascetic traditions see all desire, including sexual desire, as problematic because it causes beings to be trapped in a cycle of death and rebirth in the phenomenal world. While procreative sex, hedged around with many rules, is enjoined on householders, nonprocreative sex is disfavored. These ideas influence householder life, which is structured as a set of obligations. Many Hindu texts insist that everyone has a duty to marry and produce children, during the householder stage of life.

This is countered in Hindu devotional practice and also philosophy and literature by an emphasis on the Gods as erotic beings, and *Kama* (desire) as one of the four normative aims of life. The earliest texts represent *Kama* as a universal principle of attraction, causing all movement and change. In later texts, he is the God of love, a beautiful youth, like the Greek Eros, who shoots irresistible arrows at beings, uniting them with those they are destined to love, regardless of social disparities. Thus, Krishna, incarnation of preserver God Vishnu, is worshiped with his beloved Radha, even though, in most traditions, each of them is married to another spouse.

Hindu law books, dating from the first to the fourth century CE, categorize *ayoni* or nonvaginal sex as impure. This category encompasses oral sex, manual sex, anal sex, sex with animals, masturbation, sex in the water or in a receptacle. But penances prescribed for same-sex acts are very light compared to penances for some types of heterosexual misconduct, such as adultery and rape. The *Manusmriti* exhorts a man who has sex with a man or a woman, in a cart pulled by a cow, or in water or by day to bathe with his clothes on. In the *Arthashastra*, the penalty for a man who has *ayoni* sex is a minor fine, also prescribed for stealing small items. Modern commentators wrongly read the *Manusmriti's* more severe punishment of a woman's manual penetration of a virgin as revelatory of that text's antilesbian bias. In fact, the punishment is exactly the same for either a man or a woman who does this act, and is related not to the partners' genders but to the virgin's loss of virginity and hence of marriageable status. The *Manusmriti* does not mention a woman penetrating a nonvirgin woman, and the *Arthashastra* prescribes a negligible fine for this act.

The sacred epics and Puranas (compendia of stories of the Gods, dating from the fourth to the fourteenth centuries) seemingly contradict the law books; they depict Gods, sages, and heroes springing from *ayoni* sex. This is because, unlike the Christian category of sodomy, *ayoni* sex is not so much sinful or evil as forbidden or taboo. Like other taboos, it may be broken by special beings or in special contexts, and is broken in secret by ordinary beings too. Unlike sodomy, *ayoni* sex never became a major topic of debate or an unspeakable crime.

Medieval Hindu texts narrate how the God Ayyappa was born of intercourse between the Gods Shiva and Vishnu when the latter temporarily took a female form. A number of fourteenth century texts in Sanskrit and Bengali also narrate how the hero, Bhagiratha, who brought the sacred river Ganga from heaven to earth, was miraculously born to two co widows, who made love together with divine blessing.

The fourth century *Kamasutra*, also a sacred Hindu text, emphasizes pleasure and joy as aims of intercourse. It nonjudgmentally categorizes men who desire other men as a "third nature," and describes in detail oral sex between men, also referring to long-term unions between men. Hindu medical texts dating from the first century AD provide a detailed taxonomy of gender and sexual variations, including different types of same-sex desire.

Close same-sex friendships, in which friends live and die together or for one another, are celebrated in Hindu texts and socially approved in most Hindu communities as an essential element of the good life. As long as a man does his duty by marrying and having children, his intimate friendships are usually accepted and even integrated into the family. Women's ability to maintain intimate friendships after marriage is more constricted.

Over the last two decades Indian newspapers have reported a series of same-sex weddings and same-sex joint suicides, most of them by female couples in small towns, most of them Hindu, and not connected to any gay movement. The weddings generally took place by Hindu rites, with some family support, while the suicides were the consequence of families forcibly separating lovers and pushing them into heterosexual marriage. These phenomena suggest the wide range of Hindu attitudes to homosexuality today, varying from community to community, and even family to family.

Modern Hindu ultraconservative organizations, like the Shiv Sena, the Vishwa Hindu Parishad, and the Rashtriya Swayamsewak Sangh, who aim to remake Hinduism as a militant nationalist religion intolerant of differences, declare that homosexuality is alien to Indian culture and tradition, and has been imported into the country from Euro-America or West Asia. In 1998, activists of these organizations violently attacked theaters showing the lesbian film *Fire*. The Indian government has retained the British antisodomy law, which is widely used by police and blackmailers to harass gay men and also to threaten women.

There is a gulf between these opinions and those of several modern Hindu spiritual teachers who draw on traditional concepts of the self as without gender, and emphasize the sameness of all desire, homosexual or heterosexual, which the aspirant must work through and transcend. Thus, when Swami Prabhavananda (1893–1976), founder of the Vedanta society in the United States, heard of Oscar Wilde's conviction in the early twentieth century, he remarked, "Poor man. All lust is the same." He advised his disciple Christopher Isherwood to see his lover "as the young Lord Krishna" (Isherwood 1980, 254).

Pioneering gay activist Ashok Row Kavi recounts that when he was studying at the Ramakrishna Mission, a monk told him that the Mission was not a place to run away from himself, and that he should live boldly, ignoring social prejudices, and testing his actions to see if he was hurting anyone. Inspired by this advice, Row Kavi went on to found the gay magazine *Bombay Dost*. In 2004, when Hindu ultraconservative leader K. Sudarshan denounced homosexuality, Row Kavi wrote an open letter to him in the press, identifying himself as "a faithful Hindu," asking Sudarshan to read ancient Hindu texts, and pointing out that not homosexuality but rather modern homophobia is a Western import. Vedanta teacher, Swami Chinmayananda (1916–1993), when asked his opinion of homosexuality, replied, "There are many branches on the tree of life. Full stop. Next question" (Kumar 1996, 6–7).

Sri Sri Ravi Shankar (born 1956), founder of the international movement, Art of Living, when asked about homosexuality, stated, "Every individual has both male and female in them. Sometimes one dominates, sometimes other, it is all fluid." When asked about the high suicide rate amongst gay youth, tears came to his eyes and he responded, "Life is so precious. We need to educate everyone. Life is so much bigger. You are more than the body. You are the spirit. You are the untouched pure consciousness." (Rupani 2003, 15).

In her 1977 book, *The World of Homosexuals*, mathematician Shakuntala Devi interviewed Srinivasa Raghavachariar, priest of the Vaishnava temple at Srirangam. He said that same-sex lovers must have been cross-sex lovers in a former life. The sex may change but the soul retains its attachments, hence the power of love impels these souls to seek one another. A Shaiva priest who performed the marriage of two women stated that, having studied Hindu scriptures, he had concluded, "Marriage is a union of spirits, and the spirit is not male or female" (Vanita 2005, 147).

Despite these enlightened opinions, there is little discussion of the issue in religious communities. Consequently, some teachers and most lay followers remain homophobic, which has driven many gay disciples out of religious communities and a few even to suicide.

Swami Bodhananda, Vedanta master in the Saraswati lineage, and founder of the Sambodh Society, stated the following about same-sex unions: "We don't look at the body or the memories; we always look at everyone as spirit. . . . I am not opposed to relationships or unions—people's karma brings them together. I am sure spiritual persons will have no objection when two people come together. It's a Christian idea that it is wrong. From a Hindu standpoint, there is nothing wrong because there is nothing against it in scripture . . . but it's a social stigma. We have to face this issue now. . . . what is required is a debate in society" (Vanita 2005, 307).

The centuries' long debate in Hindu society, somewhat suppressed in the colonial period and after, has now revived. When *Hinduism Today* reporter Rajiv Malik, at the Kumbha Mela in Ujjain in 2004, asked several Hindu Swamis their opinion of same-sex marriage, the Swamis expressed a wide range of opinions, positive and negative; that they felt free to differ with others in their own lineages (*akharas*), is evidence of the continuing liveliness of this debate, facilitated by the fact that Hinduism has no one hierarchy or leader. As Mahant Ram Puri, of *Juna akhara*, remarked, "We do not have a rule book in Hinduism. We have a hundred million authorities" (Malik, 2004).

RUTH VANITA

FURTHER READINGS

Das Wilhelm, Amara. *Tritiya Prakriti (People of the Third Sex): Understanding Homosexuality, Transgender Identity, and Intersex Conditions through Hinduism*. Philadelphia, PA: XLibris Corporation, 2004.

Isherwood, Christopher. *My Guru and His Disciple*. New York: Penguin, 1980.

Kavi, Ashok Row. "The Contract of Silence." In Hoshang Merchant, ed., *Yaraana: Gay Writings from India*. Delhi: Penguin, 1999.

Kumar, Arvind. "Interview with Jim Gilman." *Trikone*, 11(3) (July 1996): 6–7.

Malik, Rajiv. "Discussions on Dharma." *Hinduism Today* (October–December 2004): 30–31.

Rupani, Ankur. "Sexuality and Spirituality." *Trikone*, 18(4) (2003): 15.

Sweet, Michael J. and Leonard Zwilling. "The First Medicalization: The Taxonomy and Etiology of Queers in Classical Indian Medicine." *Journal of the History of Sexuality*, 3(4) (1993): 590–607.

Vanita, Ruth. *Love's Rite: Same-Sex Marriage and its Antecedents in India*. Delhi: Penguin India, 2005.

Vanita, Ruth, ed. *Queering India*. New York: Routledge, 2002.

Vanita, Ruth and Saleem Kidwai, eds. *Same-Sex Love in India: Readings from Literature and History*. New York: Palgrave, 2000.

HIV. *See* **AIDS AND HIV**

INTEGRITY USA. *See* **Episcopal Church of America**

ISLAM. Like Christianity and **Judaism**, Islam strongly prohibits illicit sexual intercourse which includes same-sex relationships. The justification for this prohibition is based on the fact that these relationships operate outside the marriage contract, which makes them illegal according to Islamic law. Premodern Arabic and Ottoman Turkish sources do not refer to cases of same-sex relationships as homosexuality, instead these acts are legally catalogued as *zina* crimes which includes the modern criminal categories of fornication, adultery, rape, homosexuality, and prostitution. Juridical writings would often use specific language to outline the type of *zina* that was committed, whereby homosexual acts could be readily identified. Legal sources refer to the physical act of sodomy (*louta*) rather than a term denoting a lifestyle of homosexual sex. The cultural assumption was that engaging in such an act was not necessarily a lifestyle choice. In the historical discourse there is no terminology for homosexuality, instead there are specific references to sex acts between sodomite (*louti*, the active partner) and catamite (*mukhannath*, the passive partner). The penetrator is viewed as being masculine while the passive party is effeminate—a notion that lies at the root of the term *mukhannath* in Arabic which literally means "effeminate." Another important variation of the word *mukhannath* is *khuntha* which can mean hermaphrodite or even transvestite. The *mukhannath* maintains his status in society throughout his lifetime; this is evident in the stigma attached to the passive party in the sex act. As for hermaphrodites, jurists considered the *khuntha* a third sex status and for that reason they were allowed to see women unveiled and would sit in an intermediary position between men and women in the mosque when in attendance.

A study of the juridical discourse on hermaphrodites argues that jurists were concerned about the third sex status of hermaphrodites and sought to define them as either male or female once dominant sex traits were determined. Although there has been little literature produced on the topic of homosexuality in the Middle East, one of the few scholars to engage in the discussion, As'ad AbuKhalil, has argued against the notion that only **bisexuality** exists or has existed in the region. Instead he maintains that a pure homosexual identity both exists and has existed in Islamic cultures. There are a few examples of historical figures, most of them poets, who declared themselves lovers of men (*louti*) or lovers of women (*suhaqiyyat*). One example is the ninth century Islamic poet Abbasid Caliph al-Amin (809–813 AD), who devoted poetry to his male lover Muhaj. However, the term "homosexual" as we know it today is a recent invention even in the West, created in nineteenth century Germany. Michel Foucault has outlined in great detail the development of terms for sexual behaviors deemed deviant, like homosexuality, in his *The History of Sexuality*. The premodern—or in this case non-Western—treatment of same-sex relationships cannot be equated with its historical treatment in post-Enlightenment Europe. For instance, there was no outright persecution of homosexuals in Islamic history.

Female homoerotism, although present historically, is not as pronounced in the Arabic sources as male homoeroticism. Among the handful of examples is a poet named Walladah bint al-Mustakfi who composed sexually explicit poetry in praise of her female lover, a poetess named Muhjah. Most of the sources that allude to female homosexuality are accounts found in European Orientalist art and in European travel narratives. Some examples include scenes such as Ingres' *Turkish Bath* which shows two women in the forefront in a homoerotic embrace alluding to Muslim licentiousness, a common theme in European discourse about the East. This scene is only one of many showing women in closed quarters, well beyond any possible view of the Orientalist. These spaces, whether the bathhouse or the harem, were mythologized by European artists and travelers as sexually charged spaces in which libidinous women serviced their master and each other when left unattended. The harem has served as a source of both heterosexual and homosexual fantasy for the West throughout the centuries.

One early example of travel writing by Richard Burton includes lengthy discussions of lawful pederasty in the Muslim heaven as well as descriptions of hermaphrodites and catamites he encountered on his travels throughout the Islamic World. Known for his anthropological narratives that are embedded in his well known translation of *The Book of a Thousand Nights and a Night*, Burton writes: "The Moslem Harem is a great school for this 'Lesbian (which I call Atossan) love'; these tribades are mostly known by peculiarities of form and features, hairy cheeks and upper lips, gruff voices, hircine odour and the large projecting clitoris with erectile powers." He continues to comment on harems stating that: "Wealthy harems, as I have said, are hot-beds of Sapphism and Tribadism. Every woman past her first youth has a girl whom she calls her 'Myrtle' (in Damascus)."

There is strong evidence that homoerotic fantasies of the East continue. A recent example of homoeroticism appears in a series of novels produced by writer Ann Rice, under the pen name A. N. Roquelaure. In the third novel of the trilogy, *Beauty's Release: The Conclusion of the Erotic Trilogy of Sleeping Beauty*, the heroine is held captive in a harem and proceeds to instruct the Sultan's concubines in same-sex intercourse. Another recent example includes a work entitled *Sexuality and Eroticism Among Males in Moslem Societies*, which is geared toward gay male readership containing several articles, some travel narratives, and pseudo-academic articles discussing homosexuality in the modern Middle East. The book acts as a travel guide for the sex tourist and demonstrates the adoption of Orientalist sexual fantasies by its gay male writers. Such works reveal that the myth of the Muslim libido repeats itself across several centuries, crossing over both heteroerotic and homoerotic literature.

Muslims are engaged in vibrant discussions of sexuality on the Internet. The Internet has been a useful source for Muslims allowing anonymity for some, yet also a public forum to create alliances with non-Muslims. One organization, Al-Fatiha, "the opening," is dedicated to GLBTQ community and allies and boasts nearly 4,500 Internet members. It has a number of postings on the topic including personal opinion pieces and some postings by reputable academics on the issue of homosexuality in Islam. A lesser quality Web site, called Queer Jihad, is dedicated to Islam's struggle with sexuality. It was started by two converts to Islam, one of whom, Suleyman X, has recently left the faith. The Web site is more of a forum for discussion for gay men of all faiths and lacks information about the historical debate about homosexuality in Islam. For a general discussion on sexuality in Islam, Mohja Kahf's Sex in the Umma is an invigorating Web site that posts creative pieces written by Muslim Americans discussing sexuality, veiling, and homosexuality in Islam (http://www.muslimwakeup.com/sex/archives/2004/04/mohja_kahf.php).

The Qur'an/Religious and Legal Sources. Although the Qur'an makes specific recommendations for punishing *zina* with lashing, it is not as clear on the issue of homosexual sex acts. Several references to same-sex relations avoid discussing punishment for the act and instead caution against the practice of sodomy in verse 56:16: "For ye practice your lusts on men in preference to women: ye are indeed a people transgressing beyond bounds." These references to homosexual acts, including 26:165–173, are drawing upon the same tradition of Sodom and Gomorrah found in the Jewish and Christian traditions. The Qur'an presents Lot speaking to the people of Sodom and Gomorrah in the following verse: "And leave those whom God has created for you to be your mates? Nay, ye are a people transgressing (all limits)! They said: 'If thou desist not, O Lut [Lot]! Thou will assuredly be cast out! He said: 'I do detest your doings.'" Prohibitions against homosexuality are more firmly pronounced in the *Hadith*, collections of sayings uttered by the Prophet Muhammad. Beginning in the city of Medina around the first century of Islam scholars, who would later be called *ahl al-Hadith*, began to compile traditions of the Prophet Muhammad. The reason for compiling *Hadith* concerned debates over the law. Many believed that only the authentic *Hadith* of the Prophet Muhammad should be used as a legal source. This movement began to gain momentum in the eighth century and by then several compilations of *Hadith* were set to paper. These *Hadith* were compiled by scholars who looked at the chain of transmission (*isnad*) in order to authenticate the thousands of traditions in circulation. Use of these *Hadith* for law eventually became a legal standard and adopted by all the major schools of law. It has been argued that the type of morality advocated by the *ahl al-Hadith* was so conservative that it could be compared with that of the Victorians in Europe. One *Hadith* of the Prophet Muhammad stated "whenever a male mounts another male the throne of God trembles; the angels look on in loathing and say, Lord, why do you not command the earth to punish them and the heavens to rain stones upon them?" (Bellamy, 37). Another *Hadith* states: "The Prophet, peace be upon him, cursed the effeminate men and women who act like men, and said expel them from your homes" (Al-Bukhari, vol. 8, 545 and Bellamy, 36). The Prophet warned his community against the practice of sodomy in several *Hadith* according to Ibn Jawzi, a conservative Hanbali jurist from the twelfth century. Ibn Jawzi's book on love ethics entitled *Dhamm al-Hawwa* (Blame of Love) recounts the following *Hadith*: "The thing I fear most for my community is the act of the people of Lot" (Bellamy, 37). The Prophet Muhammad was also reported as saying: "Indeed, my community will suffer punishment if men go with men and women with women" (Bellamy, 37). The Prophet also issued warnings such as "do not gaze at the beardless youths, for verily they have eyes more tempting than the houris" (Wright, 7). These beardless boys are also described as wearing sumptuous robes and having perfumed hair. Through these *Hadith* one can note a difference with the Qur'anic injunctions and increased condemnation of the practice of sodomy. The prescriptive literature throughout the medieval period increased its interest in punishing those who engaged in homosexual acts. For instance, Anas bin Malik, eighth century jurist and founder of the Maliki school of Islamic law which is dominant in North Africa, advocated stoning for homosexual offenses. He also argued that both active and passive sodomites will be among the first to burn in the fires of hell—along with men who drink wine, men who masturbate, men who beat their parents, men who offend their neighbors until they are compelled to curse him, and men who have intercourse with their neighbors' wives. Despite Maliki injunctions against sodomy, Hanafi jurists were split as to whether sodomy constituted *zina*.

Literature and Culture. The previously discussed legal culture which included the revival of *Hadith* condemning homosexuality created a new morality which stood in stark contradiction to the popular culture found in royal courts and on the streets. Pederasty is a theme found in Islamic art and culture. Some historians have noted that the beauty of young boys was such a part of the sexual culture of the Islamic world that some concubines removed their body hair, wore boys' clothing, and wore their hair short in order to look like young prepubescent boys. These slave girls (*ghulamiyyat*) were mentioned in the poetry of Abu Nuwas (756–810 AD), "I was tortured by the love of the *ghulamiyyat*. . . . and they are suitable for [male] homosexuals (*latah*) and promiscuous heterosexuals (*zunat*)" (Belamy, 33). The appeal of male youth was often marketed in coffeehouses where serving boys were dressed in elaborate garments in order to attract customers. Travel accounts also point to another service provided by these cup-bearing boys that included prostitution.

The field of literature has emphasized the discourse on homoerotic love found in Arabic poetry and literature. More specifically, Abbasid literature dedicated itself to two passions, that of wine (*khamriya*) and that of the love of young boys and obscenity (*mujun*). Authors have argued that both genres have their foundations in the Arab poetry from the pre-Islamic period (*jahiliyya*). Although both contain elements of heteroerotic and homoerotic imagery, *mujun* poetry is known as "the poetry of licentiousness" which illustrates its erotic nature. One of the greatest poets of the Abbasid period was Abu Nuwas whose writings play upon repeated themes of wine, women, and beardless young boys (*ghilman*). Ironically, the appeal of these boys appears to be directly related to the Qur'anic depiction of the

Muslim paradise. This is best noted in Abu Nuwas' poems, which play upon the images of paradise found in the Qur'an.

> A beautiful lad came carrying the wine
> With smooth hands and fingers dyed with henna
> And with long hair of golden curls around his cheeks.
> Whenever he approached he made a promise with his eyes
> And he addressed us with alluring eyelashes.
> If you had seen them,
> You would have thought them more than human;
> As if they were instead concealed pearls.
> I have a lad who is like the beautiful lads of paradise
> And his eyes are big and beautiful . . .
> His face is as the moon in its full perfection
> And you think that he is mysteriously struck by a magician
> Because he is so tender and pretty.
> We spent that night together as if we were in paradise
> Doing nothing except making love and pleasure (See Wright 1997, 11).

Through these images we find a convergence of the paradise depicted in the Qur'an's description of heaven and those depicted by Muslim poets a century later. Many of these images are at odds with the counterdiscourse created by jurists from the eighth century onward who resuscitated *Hadith* of the Prophet Muhammad that warned against homosexual practices.

Although literature cannot convey concrete evidence that men were engaging in sex acts with young boys, there is historical evidence that it was more than a poetic trope. Abdul Karim Rafeq has noted in his work on eighteenth century Damascus that biographical accounts of elite men who were either spiritual or political leaders in their communities often mentioned their sexual relationships with young boys. The prevalence of these accounts, in Rafeq's opinion, demonstrates a degree of social acceptance. Further evidence is found in the absence of court cases against men engaged in such acts. The courts often focused on moral breaches by women and appeared relatively disinterested in policing homosexual acts for either sex. This writer has only found one case attempting to police homosexuality in the courts of Ottoman Aleppo and it was unsuccessful. The historical evidence demonstrates that the early modern Muslim state was not interested in policing these acts, however modern Muslim states have been active in policing homosexuality. Egypt has been cracking down on homosexuals in recent years, which has been followed by increased activism on the part of Egypt's gay community.

As'ad AbuKhalil argues that historically there was no homophobia in the Islamic world instead it was adopted by the Middle East from the Western powers in the age of imperialism. Based on the sources available it seems as though there is no way to either prove or disprove that claim. Simply stated, more historical research needs to be done on homosexuality in Islam. However, what can be noted is a discrepancy between law and social practice. The traditions put forth by the *ahl al-Hadith* appear to have been incongruous with social realities and practices demonstrated in popular culture. That being said, AbuKhalil's assessment is in part true, there appears to have been a vibrant homosexual/bi-sexual community in Islamic history, however, the juridical writings reveal that it was not embraced by all and conservative elements attempted to halt the practice through the manipulation of traditions of the Prophet Muhammad.

ELYSE SEMERDJIAN

FURTHER READINGS

Abdelwahab, Bouhdiba. *Sexuality in Islam*, Alan Sheridan, trans. London: Routledge, 1985.

AbuKhalil, As'ad. "A Note on the Study of Homosexuality in the Arab/Islamic Civilization," *The Arab Studies Journal*, 1–2 (Fall 1993): 32–34, 48.

Al-Bukhari, Abu Abdallah Muhammad ibn Isma'il. *Sahih al-Bukhari*, Muhammad Muhsin Khan, trans., Arabic and English ed., 9 vols. Beirut, Lebanon: Dar al-Arabia, 1985.

Ali, Abdullah Yusuf, trans. *Al-Qur'an*. Beirut, Lebanon: Dar al Arabia, 1938.

Bellamy, James. A. "Sex and Society in Islamic Popular Literature." In Afaf Lutfi al-Sayyid Marsot, ed., *Society and the Sexes in Medieval Islam*.. Malibu, CA: Undena Publications, 1979, pp. 23–42.

Dunne, Bruce. "Homosexuality in the Middle East: An Agenda for Historical Research." *Arab Studies Quarterly*, 12(3–4) (Summer/Fall 1990): 55–82.

Foucault, Michel. *The History of Sexuality: An Introduction*. New York: Vintage, 1990.

Hattox, Ralph. *Coffee and Coffeehouses: The Origins of a Social Beverage in the Medieval Near East*. Seattle, WA: University of Washington Press, 1985.

Imber, Colin. *Studies in Ottoman History and Law*. Istanbul, Turkey: Isis Press, 1996.

Murray, Stephen O. and Will Roscoe, eds. *Islamic Homosexualities: Culture, History and Literature*. New York: New York University Press, 1997.

Oberhelman, Steven M. "Hierarchies of Gender, Ideology, and Power in Ancient and Medieval Greek and Arabic Dream Literature." In J. W. Wright and Everett K. Rowson, ed., *Homoeroticism in Classical Arabic Literature*.. New York: Columbia University Press, 1997, pp. 55–93.

Rafeq, Abdul Karim. "Public Morality in 18th century Damascus." *La Revue du Monde Musulman et de la Méditerranée*, 55/56 (1990): 180–196.

Roquelaure, A. N. *Beauty's Release*. New York: Plume Books, 1985.

Rowson, Everett K. "The Effeminates of Early Medina." *Journal of the American Oriental Society*, 111(4) (1991): 671–693.

Saunders, Paula. "Gendering the Ungendered Body: Hermaphrodites in Medieval Islamic Law." In Nikki R. Keddie and Beth Baron, ed., *Women in Middle Eastern History: Sifting Boundaries in Sex and Gender*. New Haven, CT: Yale University Press, 1991. pp. 74–95.

Schmitt, Arno and Jehoeda Sofer, eds. *Sexuality and Eroticism Among Males in Moslem Societies*. New York: Harrington Park Press, 1992.

Tifashi, Ahmad ibn Yusuf. *Nuzhat al-albab fima la yujadu fi kitab*. London: Riad el-Rayyes Books, 1992.

Wright, J. W. "Masculine Allusion and the Structure of Satire in Early 'Abbasid Poetry." In J. W. Wright and Everett K. Rowson, ed., *Homoeroticism in Classical Arabic Literature*. New York: Columbia University Press, 1997, pp. 1–23.

JAINISM. A distinction has been made between biological gender and psychological gender, or sexual orientation, in canonical texts of the two main sectarian traditions in Jainism, namely, Śvetāmbaras (so called because their monks and nuns are "white-clad") and Digambaras (so called because their male ascetics are "sky-clad," or nude). Here, and in the *Tattvārtha Sūtra* of Umāsvāti (ca. 2nd–5th century CE), which is accepted by both sectarian traditions, and in later works composed by scholar-monks, the formation of the gendered body and feelings of sexual desire are associated with specific varieties of *karma*.

In Jainism, *karma* is not a psychological force, such as traces (*vāsanās*) or seeds (*bījas*) that are left behind by past actions. Instead, *karma* is a type of extremely subtle matter that is present everywhere in the universe. Through actions of the body, speech, and mind, this matter is attracted to a soul (*jīva*), which is housed in a physical body. If these actions are carried out under the influence of passions (*kaşāyas*) in the form of attraction (*rāga*) and aversion (*dveşa*), this undifferentiated karmic matter is bound with the soul and is transformed into specific varieties of *karma*. It remains in a state of quiescence for a period of time until it comes into rise (*udaya*), producing its effects and falling away from the soul.

There are numerous varieties of karmic matter, which are named in accordance with the effects that are produced when coming to fruition. Biological gender (*dravya-liṅga* or *dravya-veda*) of the gross physical body (*audārika-śarīra*) of humans and animals is determined by one of the ninety-three sub-varieties of body-making (*nāma*) *karmas*. Through the operation of *audārika-aṅgopāṅga nāma karma*, the primary parts or "limbs" (*aṅga*), such as the arms, legs, head, and torso, and secondary parts (*upāṅga*), such as the fingers, toes, and organs of reproduction, are formed from appropriate types of matter. A body has one of three biological genders: male (*puṃliṅga, puṃveda*), female (*strīliṅga, strīveda*), and neither male nor female (*napuṃsakaliṅga, napuṃsakaveda*), which roughly corresponds with the term hermaphrodite.

In addition to these three biological genders there are three psychological genders or sexual inclinations (*bhāva-liṅga* or *bhāva-veda*). Along with laughter, pleasure, displeasure, sorrow, fear, and disgust, psychological genders are classified as emotions or subsidiary passions (*no-kaşāyas*). Emotions are generated by subvarieties of *cāritra mohanīya karma*. This group of *karmas* causes delusion (*moha*) regarding proper conduct (*samyak-cāritra*) by generating various passions and emotions in different degrees of intensity. There are three varieties of *karma* that cause feelings of sexual desire. *Pumiveda karma* causes males to have sexual desire for females. *Strīveda karma* causes females to have sexual desire for males. *Napuṃsakaveda karma* causes a person to have sexual desire for both males and females. These three types of sexual desires are described in terms of fire. *Napuṃsakaveda* is compared to fire in a brick kiln or fire that burns a city.

It is said to be the most intense and of the longest duration because an attraction to both sexes is thought to cause mental wavering regarding the object of desire. *Puṃveda* is like a grass fire, which burns intensely for a short time but when satiated is quickly extinguished. *Strīveda* is like a cow-dung fire, which is smoldering and slow-burning.

Although these three varieties of *karma* are named in accordance with normative sexual orientation, Śvetāmbaras and Digambaras agree that human beings, irrespective of biological gender, may have any one of these three sexual inclinations. For example, the Digambara *Gommatasāra Jīvakāṇḍa* (271) states, "As a general rule, biological gender (*dravya-veda*) and sexual inclination (*bhāva-veda*) are the same, but sometimes they are different." Furthermore, in course of a lifetime, one's psychological gender may change, depending on which of these three *karmas* is operational.

Although homosexual and bisexual desires are thus acknowledged, sexual activity based on these desires would violate the vow of sexual restraint (*brahma-vrata*). For a layperson, sexual activity should be confined to marriage, between a man and a woman, and even then should be practiced with moderation. The comparison of sexual desire with a fire emphasizes its destructive nature. Restraint in sexual activity is seen as an expression of non-harming (*ahiṃsā*), which is one of the fundamental tenets of Jainism.

Sexual activity is associated with violence because it is thought to destroy minute life-forms present in the female generative organs and in the ejaculate of the male. It is harmful to the soul itself by generating more passions, which prevent the soul from attaining liberation (*mokṣa*) from the cycle of death and rebirth (*samsāra*).

Initiation into the mendicant community is not denied to a person on the basis of sexual orientation. However, as in most other ascetic traditions, any physical expression of sexual desire, heterosexual, homosexual, or autoerotism, is prohibited by a vow of celibacy. In taking the vows of a monk or nun, a person agrees to refrain from all forms of sexual pleasure and to control sexual desire by keeping interactions with the opposite sex to a minimum, by not eating highly-spiced foods, and by avoiding any conversations or thoughts that could increase sexual desire. For a person on the path of liberation (*mokṣa-mārga*), all desires must be eliminated by destroying the *karmas* that cause them.

Sexual desire is one of the main impediments to the soul's progress along this path. Out of all the emotions, sexual desire is the last to be eliminated in the ninth stage of spiritual purification (*gunasthāna*). In Jainism, it is possible for human beings to attain the higher stages of spiritual purification and ultimately liberation only when conditions are conducive to such progress, and currently that is not the case in the portion of the Jain universe where we live. Nevertheless, both sectarian traditions agree that during the third and fourth stages of the cycles of time, it is possible for a person who has different biological and psychological genders to eliminate all desires, including sexual desire, and to attain omniscience (*kevala-jñāna*) and liberation (*mokṣa*). In the *Tattvārtha Sūtra* of Umāsvāti (10.7), the subject of disembodied liberated souls (*siddhas*) is discussed from various perspectives, including that of their previous gender (*liṅga*), which could be male (*puṃliṅga*), female (*strīliṅga*), or hermaphrodite (*napuṃsakaliṅga*). Digambaras believe that only men (i.e., those who are biologically male) can attain liberation, thereby denying that a woman can attain liberation without first being reborn as a man. Therefore, they have maintained that the *liṅga* mentioned here is the psychological gender (*bhāvaliṅga*) of a monk prior to the elimination of the *karmas* that cause sexual desire by means of meditation. Thus, a monk previously could have been heterosexual, homosexual, or bisexual. Śvetāmbaras believe that this *liṅga* could describe a soul of a person who was biologically male, female, or hermaphrodite (*dravya-liṅga*), or it could describe the soul of a person who previously had experienced the sexual inclinations of a male, a female, or a hermaphrodite (*bhāva-liṅga*). Śvetāmbaras cite this passage in support of their belief that the scriptures allow liberation not only for biological males but also for those who are biologically female and even for certain hermaphrodites.

KRISTI WILEY

FURTHER READINGS

Dundas, Paul. *The Jains*, 2nd ed. London: Routledge, 2002.

Jaini, Padmanabh S. *Gender and Salvation: Jaina Debates on the Spiritual Liberation of Women*. Berkeley, CA: University of California Press, 1991.

———. *The Jaina Path of Purification*, rev. ed. New Delhi: Motilal Banarsidass, 1998.

Zwilling, Leonard, and Michael J. Sweet. "Like a City Ablaze: The Third Sex and the Creation of Sexuality in Jain Religious Literature." *Journal of the History of Sexuality*, 6(3) (1996): 359–384.

JEHOVAH'S WITNESSES. The Jehovah's Witnesses were founded in the 1870s by Charles Taze Russell in western Pennsylvania. There are currently over 6 million Jehovah's Witnesses worldwide. Jehovah's Witnesses hold several beliefs that distinguish them from other Christian denominations. They do not believe in a Trinitarian understanding of God, nor that **Jesus** is fully God. Rather, God created Jesus as God's Son. Jehovah's Witnesses have historically believed that the last days are at hand and that the risen Jesus will return again very soon. Many predictions about the coming of the end have been made and revised in the history of the group. Jehovah's Witnesses maintain a literal approach to the interpretation of Scripture. This literal interpretation of the **Bible** leads Jehovah's Witnesses to teach that not only must people refrain from homosexual activities, because of biblical passages such as Leviticus 18 and Romans 1, but faithful believers are not even to entertain impure homosexual thoughts or feelings. Since Jesus taught that to lust after another person is to commit adultery with that person in one's heart, for Jehovah's Witnesses it follows that faithful people will suppress homosexual thoughts and desires as being impure and against the will of God. Many Jehovah's Witnesses believe that homosexual persons can be "cured" of their homosexuality. Often individuals with homosexual desires will be counseled to enter into a heterosexual marriage as a way of healing and realigning their sexual desires. Persons who persist in expressing homosexual feelings are "disfellowshipped" from the church, namely, they are expelled. These teachings have led ex-Jehovah's Witnesses who self-identify as GLBT to accuse the church of forcing homosexual people even further into the closet and deeper into feelings of shame and guilt. A *Common Bond* is a support group for ex-Jehovah's Witness GLBT persons (www.gayxjw.org.).

Regarding same-sex marriage, the official teaching of Jehovah's Witnesses is that since the Bible condemns homosexual practices, homosexuality cannot be given a "cloak of respectability" through marriage, which is limited to heterosexual marriage. "God's direction that marriage be honorable among all precludes homosexual unions, which he considers detestable." Jehovah's Witnesses condemn all forms of homosexual expression.

JEFFREY S. SIKER

FURTHER READINGS

Curry, M. D. *Jehovah's Witnesses: The Millenarian World of the Watch Tower*. New York: Garland Pub, 1992.

Holden, A. *Jehovah's Witnesses: Portrait of a Contemporary Religious Movement*. London: Routledge, 2002.

Penton, M. James. *Apocalypse Delayed: The Story of Jehovah's Witnesses*. Toronto: University of Toronto Press, 1985.

WEB SITE

A Common Bond, www.gayxjw.org.

JESUS. The question of Jesus' understanding of "homosexuality" is a rather difficult one to answer adequately. First, in general there is tremendous disagreement among scholars over whether or not it is even possible to get back to the so-called "historical Jesus" of the first century. At best this Jesus is a reconstructed figure by modern historians. The main issue is that the primary sources for our information about Jesus are the four canonical Gospels of Matthew, Mark, Luke, and John (along with various noncanonical Gospels such as the Gospel of Thomas, which most scholars date somewhat later than the canonical Gospels). These Gospels engage in a process of theologizing about Jesus from start to finish, as their goal is less to present historical data per se than to present a compelling story about Jesus as the crucified and risen messiah of God who has come to bring salvation to the world. The Gospel writers, in turn, all introduce their own particular theological vantages into their accounts (e.g., Mark for a mixed Jewish and Gentile Christian audience experiencing significant suffering; Matthew writing for a Jewish-Christian audience, Luke for a Gentile-Christian audience, John for a more sectarian Jewish-Christian audience). Thus the portraits of Jesus that they paint are adapted to their own times since they are convinced that Jesus has been raised from the dead and that his Spirit guides their faith communities. When sifting through the sayings and actions they each report about Jesus, then, scholars disagree strongly about what goes back to the "historical Jesus" and what has been changed or modified by the early Christian tradition. Many scholars argue that it is not even possible to reconstruct the historical Jesus with any particular confidence, and that scholars tend to reconstruct the Jesus that they would like to see. Others argue that if the right methods are employed, then it is possible to reconstruct the historical Jesus with relative confidence. And so the debate goes on.

Second, it is difficult to say what Jesus' knowledge or understanding of "homosexuality" would have been as a first-century rural Palestinian Jew. Most likely he would not have had any direct contact with or knowledge of the practice of same-sex relations in the Greco-Roman world that surrounded him and occupied Palestine. If anything, like many Jews in the first century, he may have heard about Gentile sexual vices and in that context knew of the limited practice of pederasty, but even this is mostly speculation based on common Jewish critiques of Gentiles as idolatrous and sinful in the eyes of God. Since Jesus did not travel outside of Palestine he would not have had direct knowledge of any major Greco-Roman urban center. Thus anything he might have known would have been gained from his larger Jewish cultural background and understanding. All of this is to discuss Jesus as a human being (since that is all historians can do), and not even to consider the Christian claims about Jesus as the divine messiah.

Third, the Gospel accounts that we have about Jesus say nothing about his addressing any topic related to same-sex relations. He appears to have been a faithful Jew, and as such would have been familiar with the Jewish scriptures such as found in Leviticus 18 and 20 that prohibit same-sex relations between men. In Matthew 5 Jesus is reported as telling his followers that the Jewish law still held authority, though he goes on in the same passage to reinterpret much of the traditional understanding of the law. His reinterpretations were controversial as they challenged many of the observances of the day, especially regarding Sabbath law and worship in the Temple in Jerusalem. Jesus engaged in prophetic critique of several aspects of first century **Judaism** and appears to have been a rather controversial figure as a result of his prophetic statements and actions.

Fourth, what Jesus does say about sexual relations pertains almost solely to endorsing marriage between a man and a woman, as he refers to the creation story from Genesis 1–2 (see Matthew 19:3–19:9), and then in the context of disallowing divorce except in cases of adultery (only Matthew's Jesus allows this exception). Even having endorsed marriage, however, there is no evidence that Jesus himself was ever married. This was uncommon if not exceptional. It is very difficult to draw any particular conclusions regarding his views on homosexuality from this observation.

Fifth, and finally, modern defenders and opponents of gay and lesbian relationships both appeal to Jesus in support of their position. Those who oppose such relationships argue that Jesus only recognized marriage between a man and a woman, and that as a first-century Jew he would have opposed all forms of same-sex relations. Those who defend these relationships argue that Jesus was a counter-cultural figure in many regards, and that he welcomed many people who had been ostracized from within the Jewish faith community. They argue that this inclusion was extended to shunned women and men alike, and that Jesus' merciful attitude of inclusion should be a guide to the contemporary church. Some have argued that the description of "the disciple whom Jesus loved" in the Gospel of John (see chapters 13, 19, 20, 21) refers to a homosexual relationship, but there is absolutely no evidence that the Gospel of John was trying to communicate such an understanding.

In conclusion, we end where we began—it is extremely difficult to say much of anything with confidence regarding the attitude of Jesus toward homosexuality. He would have had a different understanding of same-sex relations in his first century Jewish context than is the case in our twenty-first century world. Nor would he have known people of faith who also self-identified as gay or lesbian. At least we have no such evidence. It is likely that Christians on both sides of the debate will continue to invoke the figure of Jesus in support of their own particular understandings of same-sex relationships, especially since he is, after all, the most important and authoritative figure for Christian faith and practice.

See also Bible

JEFFREY S. SIKER

FURTHER READINGS

Goss, Robert. *Jesus Acted Up: A Gay and Lesbian Manifesto*. San Francisco, CA: Harper, 1993.

———. *Queering Christ: Beyond Jesus Acted Up*. Cleveland, OH: Pilgrim Press, 2002.

Jennings, Theodore W. *The Man Jesus Loved: Homoerotic Narratives from the New Testament*. Cleveland, OH: Pilgrim Press, 2003.

Moore, Stephen. *God's Beauty Parlor: And Other Queer Spaces in and Around the Bible*. Stanford: Stanford University Press, 2001.

Price, Reynolds. *A Serious Way of Wondering: The Ethics of Jesus Imagined*. New York: Scribners, 2003.

Rogers, Jack. *Jesus, the Bible, and Homosexuality: Explode the Myth, Heal the Church*. Louisville, KY: Westminster/John Knox Press, 2006.

Thompson, Chad. *Loving Homosexuals as Jesus Would: A Fresh Christian Approach*. Grand Rapids, MI: Brazos Press, 2004.

Wilson, Nancy. *Our Tribe: Queer Folks, God, Jesus, and the Bible*. Tajique, New Mexico: Alamo Square Press, 2000.

JUDAISM. The standing of homosexuality within Jewish society has gone through enormous changes in the past generation. The Hebrew **Bible**, the most sacred of Jewish texts, commanded humans to procreate (Genesis 1–2). In a society in which there were no savings accounts, insurance companies, old-age pensions, or worker's compensation, being married and having children was essential for survival, which Israelite and later Jewish society turned from necessity into virtue. God, according to this view, ordered his people as moral, righteous beings to concentrate their sexuality on relationships leading to procreation and the building of close-knit families. Consequently, the Jewish sacred scriptures condemned homosexual acts between males (Leviticus 18 and 20) since such relations did not result in procreation. The Jewish sacred scriptures might have also been trying to implement a strict sense of boundaries within a highly ordered society. Verses in Leviticus that ban the practice of "men lying with other men as if they were women" (18:22) come in proximity to other passages that oppose the trespassing of "boundaries," including a ban on cross-dressing. The authors of Leviticus may have also wanted to differentiate the Israelite culture from that of other societies of the ancient Near East, and the biblical passages warn against temple prostitution of both females and males.

Contemporary scholars doubt if the rules and regulations set by Leviticus were really implemented in Israelite times. They argue that the sacred Jewish text reads more like a rule for an ideal order of priests than an applicable book of laws. However, the Talmud, the major Jewish post-biblical text that had come to interpret and expand on biblical rulings, accepted, in principal, the biblical stand on homosexuality and expressed its disdain for all sexual encounters between members of the same sex. Maimonides, a major medieval philosopher and compiler of Jewish law, militated against intimate encounters between women, too, demanding that they also be punished, albeit mildly. While Jewish legal tracts denounced same-sex intimacies, Jewish medieval poets in Muslim Spain were writing tender love poems about their male lovers. Disguised as heterosexual love poetry, medieval homosexual poetry became an important part of the Hebrew literary canon, offering evidence that even pious Jews were influenced by a cultural atmosphere that tolerated love between men, and that religious bans notwithstanding, Jews have had their share of practicing homosexuals, like all other groups.

At the same time, Jewish traditional societies have continued to promote marriage and to look upon unmarried individuals as leading a less than fulfilling way of life. Promoting submission to a higher authority and to communal norms, traditional Jewish societies have expected their members to repress unconventional urges. Gay Jews have internalized such values, including the understanding of homosexual acts as *toeva*, an abomination. Steve Greenberg, an Orthodox gay rabbi, described the powerful impact of the yearly readings in the midst of the Day of Atonement, the most sacred day of the Jewish year, of the passages in Leviticus in which the prohibition against men sleeping with other men had been included. He confessed to feeling guilt and contrition sometimes, while at other times he would sob.

Jewish rabbinical understandings of homosexuality have modified somewhat in the modern era, when a number of prestigious rabbis have expressed the opinion that homosexuality is not a mortal sin and that homosexual acts should not be punished by society, since homosexuals could not control their urges. For example, in early twentieth century Central Europe Jewish scientists such as Magnuss Hirschfeld were pioneers of medical, psychological, and environmental analysis of homosexuality, and were among the first to combat the notion that gay behavior was in the realm of psychopathology.

Still, Jews have long felt a strong sense of dissonance between a same-gender sexual orientation and Jewish identity. Gay Jews have faced significant vulnerabilities in the process of negotiating their religious and sexual identities. In European and American culture, and elsewhere, the image of Jewish men has been that of weak, effeminate males, engaged in "non-manly" occupations and unable to defend themselves. Many have looked upon Jews and homosexuals as perverts and semicriminal beings. As a rule, anti-Jewish social and political groups in the modern era were also homophobic. The stereotype of the homosexual Jew was adopted not only by confirmed anti-Semites, but also by large sections of the population, and has found its way into popular culture, art, and satire. Jewish homosexuals had to struggle against two sets of prejudices that were often intertwined, one set from outside the Jewish community: anti-Semitism and homophobia; and the other set from within the Jewish community: Jewish traditional demands for heterosexuality and family life.

A more profound revolution in Jewish attitudes toward homosexuality began in the 1970s–1980s. Influenced by the new spirit of sexual freedom and assertiveness that the movement of gay liberation had brought about, Jewish gays organized and established their own religious, cultural, and civic groups. In the United States, gay Jews congregated on a religious basis, a trend correlating to that of the American Jewish community at large, which has increasingly defined itself, during the 1970s–2000s, in religious terms. Gay Jewish synagogues, such as Shaar HaZahav in San Francisco or Beit Simhat Torah in New York, are among the largest and most vital gay religious communities in America, and tend to be on the liberal side of the Jewish spectrum. Almost all of them are affiliated with the Reform movement. Reflecting the impact of the second wave of feminism on American Judaism, gay Jewish congregations are egalitarian in nature, and women are equal members of the community, performing all the liturgical chores alongside men. Most of the rabbis and cantors in gay synagogues are women, and gay Jewish prayer books have adopted gender-neutral language, including in their relation to God. Gay synagogues, and prayer groups, *havurot*, are strongly influenced by the Renewal movement, and the services include singing, meditations, and holding of hands. In addition to making the liturgy egalitarian, gay synagogues have included in the traditional prayer for the recovery of the sick, with special mention of **AIDS** victims. As a rule, gay congregations are socially progressive and carry extensive community programs, such as feeding the hungry. Many gay Jews have non-Jewish partners, whom gay congregations welcome, and gay rabbis, and, at times, non-gay rabbis, too, perform attachment ceremonies and weddings of same-sex couples.

In Europe, Jewish gays and lesbians have congregated on an ethnic basis, creating secular gay Jewish environments. In Israel, gay civic organizations represent gay and lesbian interests vis á vis the Israeli state and society at large, and while Israel is a country with an overwhelming Jewish majority, gay groups in Israel have not been "Jewish" in character. Israeli gay organizations have assumed the same roles that civic gay organizations have taken upon themselves in America and in Europe, namely to act as gay interest groups and promote gay rights. As such, they have been very successful. In 1951, a short while after the establishment of the State of Israel, the attorney general, the liberal Haim Cohen, decided not to prosecute on the basis of the British laws prohibiting same-sex relations. The laws against same-sex relations were officially removed from the books in the early 1980s, when gay activists militated for their abolishment. Israeli gay men and women launched a series of legal battles during the 1980s–1990s, which have brought the Israeli government to recognize same-sex relationships and to grant partners the same legal rights that are granted to married spouses, including social security benefits and pensions when one of the partners dies. Likewise, non-Jewish partners can make *aliya*, immigrate to Israel, with their Jewish partners, and receive work permits and resident rights. The comprehensive draft and the precarious military situation in Israel have ensured a relatively friendly atmosphere for gays in the Israeli Defense Forces, where gays serve alongside heterosexual soldiers. Since its inception in the 1980s, the Israeli gay liberation movement has identified, both culturally and politically, with the Israeli secular "left," often characterized by antireligious sentiments. Israeli lesbian groups are especially committed to left-wing causes, such as protests against human rights violations in the Occupied Territories.

The movement of gay liberation, and the more assertive atmosphere that gay Jews have developed, has challenged all branches of Judaism. Jewish liberal religious groups have had the least problem with adjusting to the new cultural trends and have accepted homosexuals and lesbians as members of their congregations and as students in their rabbinical and cantorial schools. The Reform movement accepted gay synagogues as legitimate members in its Union of Reform Congregations. The Reconstructionist and Renewal movements have also welcomed gays as members and as rabbis. The Reconstructionist rabbinical seminary in Philadelphia has included courses on gay issues in its curriculum. Matters have been more complicated for the Conservative movement, which attempts to be loyal to tradition and open to the general culture at the same time. Conservative synagogues accept gays and lesbians as members, but, so far, have not hired openly gay rabbis, and the movement's rabbinical school, the Jewish Theological Seminary, does not accept gays and lesbians as candidates for the rabbinate. Matters are even more difficult for Orthodox homosexuals and lesbians.

Orthodox rabbis and thinkers in the past generation have demonstrated varying degrees of sympathy or rejection toward homosexuality. A number of Orthodox leaders and thinkers have shown understanding toward homosexuals, advocating the opinion that homosexual desires are uncontrollable and homosexuals should not be punished, persecuted, or excommunicated. The Jewish Orthodox philosopher, Yeshayahu Leibowitz (1903–1994) stated that he could not change the *halacha*, the Jewish law, and make homosexual behavior *halachically* acceptable. However, homosexuals were members of the Jewish community and should strive to follow the commandments, even if there were some rules that they could not abide by. Leibowitz relied on Rabbi Zadok HaCohen of Lublin (1823–1900), a nineteenth century Hasidic master, who viewed homosexual acts as comparable to being raped, therefore absolving the persons involved in the acts, who could not be made accountable for their deeds.

During the 1970s–1990s, something of a compromise developed in the Orthodox community in regard to gay members, based on "don't ask, don't tell." Gays joined Orthodox communities, living as observant Jews, and, at the same time, retained their sexuality, albeit in a discreet manner. Many gay returnees to tradition (persons born and raised unobservant who have decided to join a traditional Jewish community) stayed unmarried, while many gay Jews born and raised in an observant Jewish community felt pressure to conform and build families. The inability of most homosexuals to marry, or remain married, and rear children, has been a major source of pain for homosexual members of a community that puts a high value on matrimony and procreation.

Some Orthodox Jewish leaders and therapists have promoted "conversion therapy," which attempts to turn homosexuals into heterosexuals. They view such therapies as ideal solutions to "the problem" of gay Orthodox people, even though most psychotherapists regard such efforts as carrying little therapeutic value. One group that advertises such therapy are the Chabad Lubavitch Hasids. The late Lubavitch leader advised his followers to show compassion toward homosexuals and educate those "afflicted" with this problem since, in their view, everyone has the capacity to change. Conversion therapy allows the Lubavitchers, who are dedicated to Jewish outreach to recruit gays and lesbians, to be loyal to *halachic* standards at the same time.

By contrast, most members of the American Psychiatric Association agree that homosexuality is an irreversible predisposition, perhaps genetically determined, and that efforts to transform a person from a homosexual to a heterosexual orientation can in fact be harmful to the individual. Most gay Jews see no reason to undergo such therapies, and instead would like their communities to tolerate and accept their sexual orientation. A common reaction of Orthodox homosexuals to the apparent dissonance between Orthodoxy and gay culture is a request to ease the tension and bring the two sets of values closer. They suggest that the rabbis, who serve as the custodians of the tradition, and are entrusted with interpreting and modifying the *halacha*, the Jewish Law, come up with *halachic* solutions, that would allow observant Jews to look upon homosexual and lesbian acts in more acceptable terms. Judaism succeeded in modifying many harsh biblical rulings, making, for example, biblical punishments consisting of bodily mutilation obsolete. Contemporary rabbis could interpret the biblical prohibition on same-sex intimacy in light of new cultural developments. So far, most Orthodox rabbis have not been persuaded by such appeals to change traditional teaching. Some have cited the biblical prohibition as particularly explicit, noting that Talmudic commentaries, which the Orthodox community views as abiding, are in accord with the biblical view.

Gay activists sense, however, that the real block against redefining the *halachic* ruling on same-sex encounters has not been the decisive language against same-sex intimacy of the Torah, the Talmud, and medieval rabbinical commentaries. The reasons are rather the cultural biases of a conservative community that wants to see its sons and daughters married and raising children. This community has little room for what they perceive as the "alternative lifestyles" of gay and lesbian people. Twentieth century prominent *halachic* figures, such as Rabbi Moshe Feinstein, have in their negative approach to homosexual activity indeed relied on the unfavorable attitudes of mainstream American society to such modes of sexuality. Feinstein viewed same-sex attraction as *toeva*, not merely on account of the biblical verses, but because that was the manner in which society had seen such behavior until the 1970s, at which time the more liberal elements have changed their minds. Cultural arguments continue to color much of the Jewish discourse on gay homosexuality.

Many homosexuals and lesbians have found Jewish rituals and spirituality fulfilling and comforting. Likewise, gays have found the Orthodox community, with its ethos of mutual help, and of not leaving the lonely ones unattended to or uninvited to Sabbath and holiday gatherings, attractive. In spite of the nonegalitarian nature of the community, some lesbian women find the benefits of a traditionalist community to outweigh the limitations. Some women have even found merit in the separation between the sexes, viewing the women-only environment as allowing more space in which women can be assertive and independent of men's imposing presence.

At the turn of the twenty-first century, a number of Orthodox homosexuals and lesbians have "come out of the closet," giving open expression to their experiences and struggles. Orthodox gays have begun establishing their own groups and networks of support. These include OrthoDykes, a support group for Orthodox lesbians, and the Gay and Lesbian Yeshiva University Alumni Association. One instrument that has helped gay Jews to come out of the closet, at least partially, has been the Internet, which offers a discreet and more effective means of communication. The Internet allows gay Jews to find friends and lovers, discovering, ahead of time, if their potential friends are of their own kind, or, alternatively, persons tolerant of their faith and observant lifestyle.

Coming out of the closet, a number of Orthodox homosexuals have begun connecting to the larger Jewish gay scene. A gay Jewish center, in which Orthodox, liberal, and secular Jews, as well as Palestinian Arabs, come together, congregate, and socialize under one roof, is the Open House in Jerusalem. In contrast to the anticlerical atmosphere of other gay centers in Israel, the Open House has created a Judaism-friendly atmosphere, evident in the celebration of the Sabbath and of Jewish holidays, in the availability of Jewish prayer books on the premises, and rainbow *yarmulkes* in the House's gay paraphernalia shop. The Open House operates in a city that has an unusual demography as far as Israeli society is concerned, as it is the only major city in Israel in which liberal Jews are a minority of the population.

However, perhaps amazingly, thousands of Jerusalemite gays have, since the turn of the twenty-first century, paraded annually in a city where conservative Jews, Moslems, and Christians make the overwhelming majority of the population. The Jerusalem gay pride parades start at the city's municipal plaza with *birkat haderech*, a prayer for the safety of the journey, and end at the Open House with Sabbath prayers and celebrations. Some local Orthodox political leaders have opposed the parades, but the Orthodox community as a whole did not seem to be much bothered by them.

One can detect the beginning of a move in the Orthodox community, at least in its liberal and centrist circles, toward building a more sympathetic and tolerant attitude toward gays and lesbians, although the community as a whole is less than enthusiastic about same-sex relationships. At the turn of the twenty-first century, however, a number of Orthodox scholars and thinkers have begun responding more favorably to gay demands for reevaluation of the Jewish traditional approach to homosexuality.

In 2001, the documentary movie *Trembling Before God* was screened in film festivals around the world, giving testimony to the anguish of Orthodox homosexuals and lesbians, as they attempt to give expression to their sexuality within a conservative community of faith. Unable, and often unwilling, to change their sexual orientation, they are also reluctant to give up on an Orthodox Jewish lifestyle, in spite of being aware of the existence of friendlier environments for gays. They see the secular permissive culture as hedonistic and shallow and prefer the values of their traditionalist milieu. Orthodox community leaders were moved by the documentary and initiated the screening of the movie to their congregations, organizing discussions in Orthodox congregations on the movie and its message.

In an attempt to build an *halachic* basis for Orthodox homosexual life, gay thinkers, such as Rabbi Steve Greenberg, have utilized the *Midrash*, a Jewish tradition of extrapolation, which sees beyond the text and uses legends, reflections, or revelations to interpret scriptural passages, often with a moral lesson in mind. Such attempts had begun earlier among liberal lesbian Jews, as an extension of feminist Jewish theology.

Growing awareness of the history of the gay community has influenced the Jewish community's relation to gays and lesbians. In the 1990s, both the gay community and the Jewish community learned about the suffering of homosexuals under the Nazi regime in Germany, as evidenced by the internment of thousands of homosexuals in concentration camps together with Jews. As information on that aspect of Nazi-era history became more available, it has become part of the gay and Jewish collective memory. The Nazi persecution of homosexuals has therefore given homosexual people the status as fellow-sufferers with Jews.

In sum, in spite of a negative approach to homosexual acts in the Jewish sacred scriptures and an emphasis in Jewish culture on building families and bringing up children, homosexuality has persisted in the Jewish community, and some rabbis have come to view the phenomenon as essentially tolerable, even if unwelcome. In the modern era, homophobia has amalgamated with anti-Semitism to create a climate that has made homosexuals and Jews particularly vulnerable, as the general society blamed both Jews and homosexuals for the problems of Christian civilization and showed little tolerance for both groups. The rise of the movement of Gay Liberation has brought Jewish homosexuality out of the closet. Showing loyalty to their ethnic affiliation and, at times, to their religious tradition, Jewish lesbians and homosexuals created lively religious congregations, cultural organizations, publications, and Internet sites and discussion groups. While liberal Jewish groups welcomed gay members, more traditionalist Conservative Jewish groups were more reluctant to offer the same acceptance. However, such conservative groups, too, have become more tolerant, and lesbians and homosexuals have increasingly succeeded in meshing their sexual orientation with commitment to their faith.

YAAKOV ARIEL

FURTHER READINGS

Boyarin, Daniel. *Unheroic Conduct: The Rise of Heterosexuality and the Invention of the Jewish Man.* Berkeley and Los Angeles, CA: University of California Press, 1997.

Boyarin, Daniel, Daniel Itzkovitz, and Ann Pellegrini, eds. *Queer Theory and the Jewish Question.* New York: Columbia University Press, 2003.

Feinstein, Moshe. *Igarot Moshe.* New York: Brooklyn, 1996.

Greenberg, Steven. "Trembling Before God on Yom Kippur." Available at http://www.clal.org/csa59.html.

Grossman, Naomi. "The Gay Orthodox Underground." *Moment* (April 2001). Available at http://www.momentmag.com/archive/apr01/feat1.html.

Lamm, Norman. "Judaism and the Modern Attitude to Homosexuality." *Encyclopedia Judaica Year Book 1974.* Jerusalem: Encyclopedia Judaica, 1974.

Lehrman, Norman. "Homosexuality—A Political Mask for Promiscuity: A Psychiatrist Reviews the Data." *Tradition,* 34(1) (2000): 44–62.

Leibowitz, Yishayahu. *Letters to Prof. Leibowitz.* Jerusalem: Keter, 1999.

Levado, Yaakov. "Gayness and God—Wrestlings of an Orthodox Rabbi." *Tikkun,* 8(5): 54–60.

Moore, Tracy. *Lesbiot: Israeli Lesbians Talk About Sexuality, Feminism, Judaism and Their Lives.* London: Cassell, 1995.

Shokeid, Moshe. *A Gay Synagogue in New York.* New York: Columbia University Press, 1995.

Solomon, Alisa. "Viva la Diva: Citizenship, Post Zionism and Gay Rights." In Daniel Boyarin, Daniel Itzkoritz and Ann Pellegrini, eds. *Queer Theory and the Jewish Question.* New York: Columbia University Press, 2003.
Sumaki, Amir and Jacob Press. *Independence Park: The Lives of Gay Men in Israel.* Stanford: Stanford University Press, 1999.

WEB SITES

OrthoGays, www.OrthoGays.com.
OrthoDykes, www.orthodykes.org.
Trembling Force Before G-d, www.tremblingbeforeg-d.com.

LATIN@ CHURCH TRADITIONS. The approach of Latin@ Christian traditions to homosexuality is often closely tied not only to the particular religious tradition represented (whether **Roman Catholic, Protestant,** or Pentecostal), but is also closely related to Latin@ cultural values about same-sex relations. The notion of "machismo" is particularly significant in relation to Latin@ cultural expression and its place in religiosity. What matters most in the context of traditional notions of machismo is that a man be the active penetrator in sexual encounters and not the one in the role of the passive recipient, as it would be degrading for men, in this traditional understanding, to play the role of a woman. In this respect Latin@ understandings of machismo reinforce traditional church teachings on same-sex relations as being unnatural and inappropriate for men. It is not uncommon, therefore, for homosexual men in Latin@ culture to experience significant internal conflict regarding their sexual orientation, especially as religious rhetoric reinforces the exclusive normativity of heterosexuality. Homosexual men in the Latin@ community also often "pass" as heterosexual and use the church community as a way to divert attention away from their sexual orientation. They can also use the church community as an opportunity to meet other gay men who experience the same kind of identity conflict around being male and Latin@ with a homosexual orientation, particularly in such traditional settings as the church. Further, the Latin@ church is a place of significant homophobia, as is also the case for much of the Latin@ community. All of this contributes to the difficulties of gay men in the Latin@ context.

Thus gay Latin@s are always engaged in negotiating their identities across multiple realities. They belong to an ethnic minority group in a majority white culture (even a majority white gay culture). The historic machismo culture of the Latin@ community is also a reality that must be dealt with carefully, as male gender roles are strongly inscribed to be dominant, active, and sexual conquerors, while female gender roles stress being submissive, passive, and virginal.

While gay and lesbian Latin@ voices have found significant expression in literature, music, and film, the Church has never been a welcoming venue The **AIDS** epidemic has further contributed to the silencing of gay Latin@ voices. Still, there are some significant support groups for the Latin@ gay and lesbian community. The longest standing organization is ALLGO, which began originally in 1985 as the Austin Latina/o Lesbian and Gay Organization. Although it was established primarily as an advocacy group for the gay and lesbian Latina/o community, over the last twenty years it has increasingly sought alliances across racial and ethnic gay and lesbian minority boundaries. Thus it currently focuses on an inclusive approach to gay and lesbian minority communities and identifies itself as a "queer people of color organization" (www.allgo.org.). Although it is based in Austin, Texas, ALLGO has been recognized for its work at the state and national levels in providing justice advocacy for all queer people of color.

JEFFREY S. SIKER

FURTHER READINGS

Girman, *Chris*. *Mucho Macho: Seduction, Desire, and the Homoerotic Lives of Latin Men*. Binghamton, NY: Harrington Park Press, 2004.

Murray, Stephen O. *Latin American Male Homosexualities*. Albuquerque, NM: University of New Mexico Press, 1995.

Rodríguez, Juana Maria. *Queer Latinidad: Identity Practices, Discursive Spaces*. New York: New York University Press, 2003.

WEB SITE

All Go, The Queer People of Color Organization, www.allgo.org.

LATTER-DAY SAINTS (LDS). *See* **Mormonism**

LEVITICUS. *See* **Bible**

LUTHERAN. *See* **Evangelical Lutheran Church**

MARRIAGE. The religious and legal status of same-sex marriages and same-sex unions has been one of the most controversial and divisive issues within Western culture at the end of the twentieth century and the beginning of the new millennium. Churches and synagogues are deeply split over the question, and GLBTQ persons themselves are not of one mind regarding the benefits and problems with marriage between individuals of the same-sex, though most have long been fighting for the right to marry. Because of the benefits available to married couples under the law it is no surprise that same-sex couples have been seeking the right to be legally married for over a generation. Married couples have special rights and responsibilities regarding such things as insurance, hospital visitation, family medical leave, spousal privilege against court testimony, and over a thousand other rights, large and small.

The religious and legal paths of the debate over same-sex marriages have often paralleled each other and intertwined. While various religious groups have passed resolutions calling on equal rights for GLBTQ persons under the law in terms of same-sex unions, most of these same religious groups have repeatedly decided not to sanction the blessing of such same-sex unions or marriages within their respective traditions. The main exceptions to this trend include the **The United Church of Christ** (at least at the denominational level; local congregations are left to decide for themselves), and portions of the **Anglican Church of Canada** and the **Episcopal Church (USA)**. Various **Welcoming and Affirming** individual faith communities often host same-sex unions or marriages against denominational policy, but these are relatively few in number.

The legal developments of same-sex marriage both in Europe and the United States have fostered important debates in faith communities and within society at large. Already in 1970 a gay couple in Minnesota sought to use the legal precedent of the US Supreme court's 1967 ruling that struck down Virginia's ban on interracial marriages (Loving v. Virginia) as leverage for establishing the right of same-sex couples to marry. In ruling against the gay couple the Minnesota Supreme Court argued that marriage between a man and a woman was simply the natural and established state of affairs, and that same-sex relations were fundamentally different from interracial relations (Baker v. Nelson, 1971). Over the next twenty years advocates for gay and lesbian civil rights won victories in other aspects of life (e.g., hate crime legislation, protection from discrimination in the workplace), but there were no significant developments regarding same-sex marriage until a 1993 landmark court case in Hawaii. In this case (Baehr v. Lewin) several same-sex couples sought the right to marry in arguments before the Hawaii Supreme Court. The court ruled that previous decisions against same-sex marriage (especially Baker v. Nelson) were fundamentally flawed, and that denying same-sex couples the right to marry was a violation of Hawaii's Equal Rights Amendment, unless the State could show a compelling interest that justified this particular exclusion of the right to marry. In 1996 a trial court ruled that the State had not met the burden of proof to exclude gay and lesbian people from the right to marry. But it stayed the enforcement of its decision in anticipation of an appeal to the Hawaii Supreme Court. In the two years it took for the case to wind its way to Hawaii's Supreme Court the State legislature passed a constitutional amendment banning same-sex marriage. In turn this ban was ratified by the people of Hawaii in a November 1998 election, which rendered the court's previous ruling moot. Although no marriage licenses were ever issued in Hawaii, still the Hawaii Supreme Court's actions sent a shock wave through the legal system and served as a clear indication that more similar court rulings could be expected in other states.

In 1998 an Alaskan court ruled in favor of a gay couple who were seeking a marriage license, with the ruling again based on the grounds of equal protection. As in Hawaii, however, a constitutional amendment was passed in Alaska banning all same-sex marriages. The next state court to take action was in Vermont in 1999. There the Vermont Supreme Court ruled (Baker v. State of Vermont) that three same-sex couples suing for marriage licenses were in fact entitled to be granted marriage licenses under the Common Benefits Clause of the Vermont Constitution. There could be no constitutional marriage law that privileged heterosexual couples over homosexual couples. The State legislature was instructed by the court to draft a new constitutionally allowable statute regarding marriage. A civil union law was enacted to allow same-sex couples the same benefits as heterosexual couples who married.

The most significant development, however, took place in Massachusetts in 2003. In the case of Goodridge v. Department of Public Health several same-sex couples sued for the right to marry under the Massachusetts State Constitution. As in Vermont, Alaska, and Hawaii before it, the Massachusetts State Supreme Court ruled in favor of the couples' right to marry. As in the case of Vermont, the court gave leeway for the legislature to arrive at a constitutional solution, within 180 days. The legislature passed a constitutional amendment banning same-sex marriages but allowing civil unions. But state law required that two consecutive legislatures pass such an amendment before it could go to the voters. In 2005 the second round of voting on the amendment failed by a large measure to pass the legislature. Marriage licenses were issued (already in 2004) and same-sex couples were married under Massachusetts's law. The fact that Massachusetts is a stronghold for the United Church of Christ, which officially sanctions same-sex marriages both within the State and the church, only lends strength to advocates for same-sex marriages within the State.

Within the State of California a series of conflicting measures have made the status of same-sex marriage a more divisive issue. While the State legislature has passed various laws giving same-sex couples increasing rights as domestic partners, allowing such couples to enjoy nearly the same benefits as marriage without calling it such, at the same time a State ballot initiative (Proposition 22—the Defense of Marriage Act) was passed in 2000 by a wide margin. It stated simply that "only marriage between a man and a woman is valid or recognized in California." Still, this measure did not prevent the mayor of San Francisco (Gavin Newsom) from declaring in 2004 that the city would issue marriage licenses to same-sex couples. Thousands of same-sex couples received marriage licenses and were married, only to have the California Supreme Court later annul all of these marriages and put a halt to the city's issuance of marriage licenses to same-sex couples. Litigation continues on both sides of the issue.

Many other state legislatures have, like California, passed different versions of the Defense of Marriage Act to limit marriage to a heterosexual couple. In 1996 the federal government passed a similar act that was signed by then President Clinton.

Most church groups and church-related groups (e.g., Focus on the Family) have lobbied against the recognition of same-sex marriage, while at the same time many denominations have often lobbied for other civil rights for GLBTQ persons. A few churches (e.g., the Anglican Church of Canada, the United Church of Christ, and the **Metropolitan Community Church**) have to various degrees officially sanctioned same-sex marriage and have designed liturgies for blessing such relationships. And even within churches that do not recognize same-sex marriage as valid there are a number of clergy who regularly perform blessings of same-sex marriages in open defiance of official church teaching. Some clergy who conduct such blessings have been censured by their respective denominations, though many have not.

Beyond the United States there are a number of countries that officially recognize same-sex marriage. In 1999, for example, the Canadian Supreme Court ruled overwhelmingly that the prohibition of same-sex partnerships in the Ontario Family Law Act was unconstitutional. This led an Ontario Court of Appeal to order the government to start issuing marriage licenses to same-sex couples, a ruling that the Canadian Prime Minister said he would not challenge. Same-sex marriage is now legal throughout Canada, a reality not lost on the Anglican Church of Canada. Various European countries also allow same-sex marriage. Most notable in this connection are the Netherlands (2001) and Belgium (2003), both of which adopted same-sex marriage provisions.

Though many advocates within the church and synagogue throughout the Western world have advocated same-sex marriage, such advocacy is not without controversy even within GLBTQ faith communities. For example, Mark Jordan (*Blessing Same-Sex Unions*) warns against too facile an appropriation of heterosexual marriage norms for same-sex marriages. The question of whether same-sex *unions* have the same status in popular culture as same-sex *marriages* remains a matter of great debate.

JEFFREY S. SIKER

FURTHER READINGS

Baird, Robert M. and Stuart E. Rosenbaum, eds. *Same-Sex Marriage: The Moral and Legal Debate.* Amherst, NY: Prometheus Books, 1996.
Eskridge, William E. *The Case for Same-Sex Marriage.* New York: The Free Press, 1996.
Jordan, Mark D. *Blessing Same-Sex Unions: The Perils of Queer Romance and the Confusions of Christian Marriage.* Chicago: University of Chicago Press, 2005.
Mohr, Richard D. *The Long Arc of Justice: Lesbian and Gay Marriage, Equality, and Rights.* New York: Columbia University Press, 2005.
Myers, David G. and Letha Dawson Scanzoni. *What God Has Joined Together?: A Christian Case for Gay Marriage.* New York: HarperSanFrancisco, 2005.
Sullivan, Andrew, ed., *Same-Sex Marriage: Pro and Con.* New York: Vintage Books, 1997.

THE MENNONITE CHURCH. Homosexuality has proved to be one of the more contentious and difficult issues the Mennonite Church has faced in recent years. Congregations have been excommunicated and pastors' credentials have been revoked over the issue. Some congregations and conferences have spent significant time and emotional energy in dialogue about the issue over the last twenty-five years—especially on the ethical propriety of covenanted homosexual relationships. Some congregations have been expelled for accepting noncelibate gay and lesbian persons; more have withdrawn from conferences perceived as too lax on the issue. The issue has tested the polity of the church as leaders have responded to pastors and congregations whom they have seen as "at variance" with the 1995 *Confession of Faith in a Mennonite Perspective.*

For a free church with a high view of the **Bible**, the issue has proved particularly problematic. For some, the challenge has been to discern God's will on the subject; for others, the challenge has been to know how to relate to other individuals, congregations, or conferences whom they see as ignoring or taking lightly the biblical teachings on the subject; and for yet others, the challenge has been to show appropriate patience with a church that has seemed fearful, reactionary, and slow to respond to the justice issues involved.

1976–1987: The Rising Consciousness. Homosexuality came into the broader consciousness of the Mennonite churches in North America in the late 1970s. In 1976 the Brethren/Mennonite Council for Lesbian and Gay Concerns (BMC; now the Brethren/Mennonite Council for Lesbian, Gay, Bisexual, and Transgender Interests) was founded to provide support for Mennonite and Church of the Brethren gay, lesbian, and bisexual people (and their families), to foster dialogue on homosexuality in the church, and to provide accurate information about homosexuality from a variety of religious, biological, and social-science perspectives. In 1978 the Mennonite Medical

Association sponsored a symposium in Harrisonburg, VA., on the topic of human sexuality. Also that year, Rainbow Boulevard Mennonite Church of Kansas City, Kansas, released a statement indicating that it would welcome gay and lesbian couples into church membership.

In 1980 the General Conference Mennonite Church ("GCs") commissioned a study on human sexuality. The other large body of Mennonites in North America (the Mennonite Church ["MCs"]) decided in 1981 to join the study. Homosexuality seemed to be the focal issue for the study, even though most agreed that a proper understanding of homosexuality depended upon a broader understanding of human sexuality in Christian perspective. A committee made up of medical doctors, psychologists, biblical scholars, ethicists, and church leaders worked hard for four years to identify common ground and issues requiring further discernment, and produced a study guide for congregations entitled *Human Sexuality and the Christian Life: A Working Document for Study and Dialogue*.

In 1983 the two largest bodies of Mennonites in North America met in their first joint assembly at Bethlehem, Pennsylvania. The sexuality committee gave an interim report. BMC set up a display at the assembly with the initial approval of the governing boards. However, within a few hours it was ordered to be dismantled. At most general assemblies since, BMC's presence has been unofficial and at the margins.

In 1985, the Mennonite Church General Assembly accepted *Human Sexuality in the Christian Life* as a working document and commended it for study by congregations. A year later the General Conference Mennonite assembly, meeting in Saskatoon, Saskatchewan, acted similarly, while also passing a "Resolution on Human Sexuality" that was not part of the committee's report. This resolution affirmed sexuality as a gift of God and committed the church to continuing study and dialogue on the issue. It confessed fear and "judgmental attitudes" while also expressing an understanding of homosexual "activity" as sin. In 1987 the Mennonite Church passed a similar resolution at Purdue University (Indiana).

The 1980s generally were a time of study and congregational discernment, though the original study committee was disappointed with how few congregations actually studied their document. By the end of the decade, the church had achieved a heightened awareness about homosexuality along with a growing disparity of perspectives regarding whether sexual issues in general are essentially simple or complex.

One theological-ethical problem the church encountered in its discussion of homosexuality is the existence of differing approaches to the Bible and differing views of God's reign. Some fear that the tolerance of homosexuality is both the symbol of and the proof that others have left behind the authoritative structures of belief and morality. They are drawn more by a straightforward or simple hermeneutic than they are by a complex one. At the same time, others view the rejection of gay relationships as a fixation on one moral issue at the expense of other issues more central to the teaching of **Jesus**, and are convinced more by a complex hermeneutic than they are by a simple or straightforward one. As important as the theological-ethical issues are, differing conceptions of both the *meaning* of the 1986 and 1987 resolutions as well as their relative *authority* continue to vex the church: are they "rules" to be enforced or "guidelines" that inform and describe?

1988–1998: Disciplinary Actions and Polarization. In 1988, Ames Mennonite Church—a dual-conference MC/GC congregation—was expelled by the MC Iowa-Nebraska Mennonite Conference for accepting covenanted gay couples—the first such expulsion of a congregation by a regional conference over the issue of homosexuality. Their gay pastor had lost his ministerial credentials a few years earlier.

The general level of anxiety among some conference and denominational leaders seemed to be rising. In 1990 the two Mennonite bodies appointed a joint "Listening Committee" to "care for gay and lesbian persons and their families . . . by listening to their alienation and pain . . . to encourage and facilitate dialogue between persons of various perspectives . . . [and] to make recommendations . . . regarding policy, program, and church life." In 1991 the Mennonite Church General Board issued a statement that urged continued study, called for celibacy on the part of homosexuals, and condemned harsh attitudes toward homosexual persons.

A year later the Listening Committee presented their report and a list of recommendations to the respective bodies that commissioned them. It urged the church to intensify its efforts to encourage further study of the issue at all levels, from the congregational level to graduate study, while providing further support staffing on the denominational level. Both denominations received their report, but neither the GC nor the MC General Board accepted the committee's recommendations and both suppressed the release of those recommendations to the broader church.

This action by the General Boards led to a period of uncertainty about the status of the "dialogue" to which the church had committed itself in its earlier resolutions. Anxiety about "the position" of the church on the issue increased. In 1995 the two Mennonite denominations decided to work toward merger (finalized in 2001). As one step toward this goal, they adopted a new *Confession of Faith in a Mennonite Perspective*, which did not make an explicit statement about homosexuality. However, it did include an article on marriage and family that states, "We believe that God intends marriage to be a covenant between one man and one woman for life. . . . Right sexual union takes place only within the marriage relationship."

Officially, the Mennonite churches seemed torn between two strong commitments: the commitment to maintain a clear and biblical ethical teaching that rules out sexual union between gay or lesbian persons on the one hand, and the commitment to love and show compassion toward all—especially the marginalized—on the other hand. Unofficially, different opinions lingered about the "causes" of homosexuality and their ethical implications. The high level of anxiety and increasing polarization on the issues allowed little emotional space for true dialogue on the issues, resulting in the increased politicization of the issue in the church.

Later in 1995, the MC Council on Faith, Life, and Strategy attempted to calm matters by issuing a statement declaring that the 1987 resolution "is the position of the Mennonite Church," that this position is "both clearly stated and biblical," and that the church's commitment to remain in loving dialogue "should not be construed to mean that the homosexual issue is unresolved or that the position of the church is in question." Rather, the commitment to "dialogue" applied only to the pastoral *application* of the church's position. This statement had a mixed reception in the church.

If the 1980s were the decade of initial study and discernment in the Mennonite Church, the 1990s were the decade of polarization. By 1995 the *Gospel Herald* (official newspaper of the MCs) was receiving so many letters to the editor on homosexuality that the editor declared a moratorium on the printing of such letters. At the same time, homosexuality was dominating the discussions on MennoLink, a public listserv discussion group about, for, of, and by Mennonites, with more than a thousand subscribers. The MC and GC General Boards adopted the guideline, "Agreeing and Disagreeing in Love: Commitments for Mennonites in Times of Disagreement."

In 1996 a list of "Supporting Congregations" (congregations willing to make a public statement about acceptance of same-sex couples) was published in *Mennonite Weekly Review*. This led to further concern and disciplinary actions. In 1997 the (eastern Pennsylvania) Franconia Mennonite Conference voted to expel Germantown Mennonite Church, the oldest Mennonite congregation in North America (founded in 1683). In 1999, Calgary Inter-Mennonite Church was expelled by the Northwest Conference of the Mennonite Church (and by the Mennonite Brethren Church, a separate Mennonite denomination of which it had also been a part) and a year later suspended by the Conference of Mennonites in Alberta. Several other excommunications or disciplinary actions were taken by various regional conferences in 1997. This "Supporting Communities Network" continues to grow and now includes supportive groups *within* congregations.

1998–2001: Membership Guidelines, the ClC, and Merger. Further progress had been made in moving the MCs and GCs toward merger, now being called "transformation." However, polity differences, which became apparent in the varying responses to variances from the church's teaching on homosexuality, were threatening to derail the merger. In 1998 the Conference of Mennonites in Canada adopted a "Resolution on the Issue of Homosexuality" that reaffirmed the 1986 and 1987 resolutions on homosexuality and the 1995 *Confession of Faith in a Mennonite Perspective*, while also calling for continuing dialogue on the issue.

In 1998 the MC and GC General Boards met together in Winnipeg, Manitoba. Several regional conferences had signaled that they would not be party to the merger/transformation if "denominational membership guidelines allow for including congregations that accept noncelibate homosexuals as members." The boards decided that they must develop a set of "membership guidelines" that would specify how noncompliance with the teaching of the church on homosexuality would be dealt with on the conference and denominational levels. They were convinced that the success of the merger depended upon broad support of those membership guidelines in both MC and GC congregations.

That same year (1998), several individuals unhappy with the progress of the Mennonite Church in arriving at a more open and welcoming stance toward gay and lesbian persons, organized a "Welcome Committee" that committed itself to contribute to the dialogue to which the church had repeatedly committed itself.

Over the next two years, membership guidelines were developed, tested, and revised. In March 1999 the church held a major consultation on membership and homosexuality near Kansas City, Missouri. The result of the consultation was a general consensus among those present that congregational membership by same-sex covenanted couples was not in keeping with the faith statements of the Mennonite Church. A last-minute resolution at the general assembly in St. Louis later that year reaffirming that "sexual relations are reserved for a man and a woman in marriage" failed to garner the requisite votes, in part because some thought the resolution was manipulative in nature. However, because the reasons for the failure of the resolution on the last day of the assembly were open to widely different interpretations, it failed to bring further unity to the church and led to some despair. (In 2003 the delegates at Mennonite Church Canada passed by one vote a resolution that directed the Board to write a letter to the Canadian government reaffirming the church's opposition to same-sex marriage. Like the St. Louis '99 resolution, the near failure of the resolution was interpreted in widely different ways.)

The membership guidelines did not receive the requisite votes for approval at St. Louis '99. In the fall of 1999, the Constituency Leaders Council was formed as an advisory group to the new MC USA's Executive Board, consisting of representatives from the regional conferences for face-to-face table conversation on difficult subjects, including homosexuality. In the more than five years that it has met, it has been the occasion for the most significant and transforming dialogue on the subject, in part because of careful planning, attentive listening, and the resourcing of professionals in conflict, communication, and conciliation. The CLC rewrote the membership guidelines, which were approved by the delegates at the 2001 general assembly in Nashville. New to the rewritten guidelines was a section called "Clarification of Some Issues Related to Homosexuality and Membership."

Just when it looked as though the Mennonite Church was moving toward a conservative consensus on homosexuality, an open letter appeared in one of the leading Mennonite newspapers. On February 17, 2000, the "Welcome Committee" purchased space in *Mennonite Weekly Review* to publish "A Welcoming Open Letter on 'Homosexuality.'" This letter called the church to "bless monogamous relationships of same-sex couples who affirm covenant vows" and was signed by 650 individuals across North America, many of whom were in leadership positions.

As friends and family members of gay and lesbian persons in the church, the Welcome Committee lamented the denial and destruction of committed relationships implicit in the hard line that some in the church were taking on homosexuality. The Committee pointed out that the resolutions explicitly called upon the churches to continue open dialogue on these issues. Believing that this dialogue had not been adequately encouraged by church leadership, the Committee hoped with this statement to make it clear that more discernment was needed before the church could speak with consensus.

The letter generated considerable response. Letters to the editors of the Mennonite papers poured in. Over the next few years, the Welcome Committee gathered and published dozens of articles on such varied topics as the history of the discussion in the Mennonite Church, personal experiences and reflections, biblical interpretation, Mennonite polity and homosexuality, biological and psychological perspectives, and dealing with the culture of fear in the church.

In the fall of 2000, the Executive Board of Mennonite Church USA recommended the adoption of the proposed membership guidelines. Among other things, these guidelines called for unity and accountability within a limited range of theological positions. The guidelines reaffirmed the 1986 Saskatoon and 1987 Purdue resolutions and the 1995 *Confession of Faith in a Mennonite Perspective* as "the teaching position of the Mennonite Church USA." In light of the challenge represented in the Welcome letter, the guidelines stipulated that "pastors holding credentials in a conference of Mennonite Church USA may not perform a same-sex covenant ceremony."

Some have understood this reaffirmation of "the teaching position of Mennonite Church USA" in a narrow, reductionistic way, as referring primarily to the first commitment in the resolutions of 1986 and 1987, "that sexual intercourse is reserved for a man and woman united in marriage and that violation of this teaching is a sin." Although the drafters of the guidelines acknowledged and reaffirmed the second and third commitments in the Saskatoon and Purdue resolutions, many who now evoke the "teaching position of MC USA" have largely abandoned the second commitment, namely, "to mutually bear the burden of remaining in loving dialogue with each other in the body of Christ, recognizing that we are all sinners in need of God's grace and that the Holy Spirit may lead us to further truth and repentance," and have abandoned entirely the third, "to take part in the ongoing search for discernment and for openness to each other" and to do so by promoting congregational study. When the latter two commitments *are* kept, these latter commitments are sometimes seen as a sign of one's *lack* of commitment to the church's "position." Furthermore, some members of the church view the disciplinary actions toward congregations by regional conferences in the late 1990s as counter to the church's "position" to remain in loving dialogue on these issues.

The adoption of the membership guidelines by the delegates to the General Assembly in Nashville (2001) culminated in the official merger (or "transformation") of the MC and GC denominations, which simultaneously saw the realignment of the church along national lines into "Mennonite Church USA" and "Mennonite Church Canada," both of which were made up of former MC and GC congregations. By 2005, all of the former MC/GC conferences in the United States had become members of Mennonite Church USA.

As a whole, the Mennonite Church in North America seems less interested in and tolerant of dialogue on sexuality issues than it was in the 1980s. At the same time, about half of the regional conferences in MC USA (and two in MC Canada) have congregations that openly welcome gay, lesbian, transgender, and bisexual members. There appears to be less interest in making homosexuality a litmus test for faithfulness, and more willingness to allow flexibility in how congregations and conferences respond pastorally to gay and lesbian persons in their midst. The focus of attention for where to draw lines in the sand has shifted from membership to ministerial credentials.

Mennonite Church Canada. Until the merger of the MCs and GCs at Nashville in 2001, the story of homosexuality and the Mennonite Church in Canada has in general followed the story in the United States, perhaps with a lesser degree of conflict. However, conflict over homosexuality and how to deal with congregations at variance erupted in Alberta in the late 1990s with events leading up to the expulsion of Calgary Inter-Mennonite Church. One large established congregation withdrew from the regional conference. The Northwest Mennonite Conference, which had been a provisional member of Mennonite Church Canada, withdrew from the national church. In 2002 the coming out of a lesbian on the pastoral team at Toronto United Mennonite Church led to intense conversations with the leaders of Mennonite Church Eastern Canada, culminating in the discontinuation of the pastor's license.

In 2005, the Canadian Parliament, following the rulings of several provincial courts and the Supreme Court of Canada, passed a law replacing the traditional definition of marriage as the union between a man and a woman with a definition that is "a union between two persons." In the Canadian context, where the Mennonite Church has often worked more closely and collaboratively with the government than has been the case in the United States, this move has raised the prospect of conscientious dissent in a new way.

The Broader Mennonite Church. Other Mennonite-related church bodies within North America, such as the Mennonite Brethren and the Conservative Mennonite Conference, are nearly unanimous in their condemnation of homosexuality. Outside of North America, the Mennonite Church is divided. The great majority of Mennonites around the world would condemn homosexuality outright, while finding it difficult to understand how the issue could be controversial in North America. At the same time, the Mennonite church in the Netherlands, the Algemeene Doopsgezinde Societeit, both ordains and conducts marriages of gay people in its congregations—and similarly finds it difficult to understand how the issue could be controversial in North America.

LOREN L. JOHNS

FURTHER READINGS

Dialogue [published three times a year by Broader Mennonite Church, addresses various themes surrounding the complex issues of homosexuality]

General Conference of the Mennonite Church. *Human Sexuality in the Christian Life: A Working Document for Study and Dialogue*. Newton, KS: Faith & Life Press, 1985. Available at www.ambs.edu/LJohns/HSCL/hscl0.htm.

King, Michael A. *Fractured Dance: Gadamer and a Mennonite Conflict over Homosexuality*. Telford, PA: Pandora Press, 2001.

Kraus, C. Norman, ed. *To Continue the Dialogue: Biblical Interpretation and Homosexuality*. Telford, PA: Pandora Press, 2001.

Kreider, Roberta, ed., *From Wounded Hearts: Faith Stories of Lesbian, Gay, Bisexual, and Transgendered People and Those Who Love Them*. Gaithersburg, MD: Chi Rho Press, 1998.

———. *Together In Love: Faith Stories of Gay, Lesbian, Bisexual, and Transgender Couples*. Kulpsville, PA: Strategic Press, 2002.

———. *The Cost of Truth: Faith Stories of Mennonite and Brethren Leaders and Those Who Might Have Been*. Kulpsville, PA: Strategic Press, 2004.

"Statements of Mennonite Conferences, Boards, and Committees on Homosexuality." Compiled by Loren L. Johns at http://www.ambs.edu/LJohns/ChurchDocs.htm.

"Supportive Communities Network." Available at www.bmclgbt.orgscn.html.

Swartley, Willard M. *Homosexuality: Biblical Interpretation and Moral Discernment*. Scottdale, PA: Herald Press, 2003.

Welcome to Dialogue Series. Published by the Welcome Committee: Mennonites Working to Increase Dialogue on Gay and Lesbian Inclusion. Available at http://www.welcome-committee.orgbooklet-index.html.

METHODIST. *See* **United Methodist Church**

METROPOLITAN COMMUNITY CHURCHES. The Universal Fellowship of Metropolitan Community Churches (MCC) is a Christian denomination founded in and reaching beyond the gay and lesbian communities. Originally founded in Los Angeles in 1968 to provide gay and lesbian people with a safe and affirming place to worship, MCC has come to be a spiritual home for not only gay and lesbian people, but also for those who identify as heterosexual, bisexual, transgender, questioning, and queer. As of January 2005, MCC had grown to 250 churches in twenty-three countries, serving more than 43,000 members and adherents. MCC has been a strong advocate for the rights of sexual minorities, providing support for political activists, scholars and nonchurch ministries.

Denominational Structure. MCC as a whole is governed by the denomination's board of elders. The chair of the board of elders is its moderator, who also acts as a general representative of MCC. Every two years, MCC holds general conferences at which **clergy**

and lay delegates from churches around the world gather to vote on denominational bylaws changes, discuss matters of denominational policy, and elect the moderator and vice-moderator of the board of elders. The other members of the board of elders are elected at regional conferences, which are held during years when there are not general conferences. MCC has made significant changes to its denominational structure several times over the years. The current denominational structure went into effect at the beginning of 2003. One thing that has remained consistent through the years is that MCC's denominational structure is designed to give power to the clergy and laity of local churches.

History of MCC. MCC was founded by Rev. Troy Perry, a Pentecostal minister who had been expelled from his denomination because of his sexual orientation. Perry has continued to be a strong leader in MCC. He was the first moderator of the MCC board of elders, a role that he held from the denomination's founding until his retirement in July of 2005. Perry remains active in the denomination, working in areas such as marriage equality and **AIDS/HIV** ministry.

On October 6, 1968, Perry held the first worship service in the living room of his apartment in Huntington Park, California, a suburb of Los Angeles. There were twelve people in attendance. There was a strong demand for an affirming place for gay and lesbian Christians to worship, and the church experienced dramatic growth. On January 12, 1969, it took in its first twenty members. By October 1969, the church was seeking to buy its first building. By 1970, MCCs had started in Los Angeles, San Francisco, San Diego, Costa Mesa, Chicago, Phoenix, Miami, Dallas, and Hawaii. MCC continued to experience rapid growth. By January 2005, the denomination had 250 churches around the world.

MCC has been heavily involved with advocacy for LGBT rights since the early days of the denomination. In California in the early 1970s, MCC leaders such as Troy Perry and Rev. Freda Smith were leaders in the fight to pass California's Consenting Adults law, which decriminalized homosexuality. In the United States as a whole, MCC was involved in organizing and promoting the 1979, 1987, 1993, and 2000 Marches on Washington DC for gay and lesbian rights. Around the world, MCC leaders have been involved in promoting LGBT rights in countless other ways.

In the 1980s MCC also became very heavily involved in activism around HIV and AIDS. It is estimated that 6,000 members of MCC have died of AIDS, and MCCs also ended up serving many other people with AIDS who either did not have a church home of their own, or whose churches shunned them when it was discovered that they had AIDS. The demands of the AIDS crisis put an enormous strain on many MCCs during the 1980s and early 1990s. With improved medications, the situation around HIV and AIDS has changed dramatically since 1995, but MCC remains committed to HIV and AIDS activism.

MCC is also a leader in the fight for same-sex marriage. The world's first lawsuit for same-sex marriage was filed by MCC in California in 1970, and MCC continues to be actively involved in campaigning for same-sex marriage both in the United States and internationally. In Canada, a significant advance for same-sex marriage rights was made when MCC Toronto and other plaintiffs won a case in 2002 that called on the government to recognize the same-sex marriages legally performed by the church. MCC ministers currently perform about 6,000 same-sex weddings around the world each year, although most of these weddings are not recognized by the governments where they are performed.

In keeping with its commitment to social justice, MCC is very supportive of women in ministry. In 1973, Freda Smith led a movement at general conference to change the MCC denominational bylaws so that they would use inclusive language, making it clear that women and men are equally suited to every ministry role within MCC. This change was overwhelmingly adopted by a vote of the delegates. The same year, Freda Smith became both the first woman ordained by MCC and the first woman member of the board of elders. In 2005, more than half of all MCC clergy were women (50.5%). Women are pastors of some of the largest churches within the denomination, including San Francisco, Portland, Tampa, Pike's Peak, Colorado Springs, and New York. Nancy Wilson was elected to be the moderator of the board of elders in 2005, and at the end of 2005, seven of the nine members of MCC's board of elders were women. The denomination as a whole has made a commitment to use inclusive language in its liturgy.

MCC also has a history of welcoming transgender people into positions of leadership. Transgender people have been serving MCCs as pastors since the late 1970s. In 1994, Wilhemina Hein, a member of the board of elders, transitioned from male to female. In the late 1990s, Justin Tanis transitioned from female to male while working on the MCC denominational staff in Los Angeles as the director of clergy development. Other transgender people, both clergy and laity, serve in MCC leadership at both the local and denominational level.

Finally, it should also be noted that heterosexual people have always been a part of MCC. During the early days of the MCC, it is estimated that 5 percent to 15 percent of MCC members were heterosexual. Heterosexual people have continued to be a part of MCC, and are valued members and leaders at many MCCs. The first heterosexual clergyperson in MCC was June Norris, who was ordained in 1974.

***Theology of* MCC.** MCC was originally founded to provide a safe place to worship for people who did not have anywhere to go. As a result, people have come to MCC from a wide variety of faith traditions: **Baptist, Catholic, Lutheran, Methodist**, Pentecostal, Congregationalist, **Mennonite**, **Quaker**, and many, many others. Thus, MCCs tend to be melting pots, whose theology and liturgy represent the combination of a variety of influences. Over time, each MCC develops it own style, and individual MCCs may be strongly influenced by one strand or another of Christian tradition. At the denominational level, MCC is a Christian denomination whose bylaws contain a statement of faith based on the Nicene and Apostles Creeds. However, candidates for **ordination** are not required to adhere to this statement of faith, and the denomination gives individual ministers and churches a great deal of freedom to develop and express their own theology.

One distinctive feature of MCC's theology is that MCC explicitly endorses the integration of spirituality and sexuality. Outside of MCC, some churches and pastors take the position that homosexual orientation or behavior is sinful. At the same time, they also believe that all human beings are sinful and that sexual behavior is marginal at best. From this perspective, it is not appropriate to single out gay or lesbian people for condemnation, since they are no more sinful than anyone else. MCC takes a very different stance. MCC views human sexuality as a blessing, a gift from God. Sexuality is not seen as something that is separate or contrary to a person's spiritual nature. As such, MCC believes that human sexuality should be expressed as a part of people's spirituality as a natural and holy part of God's will for their lives.

Another key value of MCC is the priesthood of all believers. Within MCC, clergy have few special abilities that laity do not. Lay people are fully authorized to preach, perform baptisms, consecrate communion, preside at funerals and memorial services, and perform other ministries of the church. Many lay people have served as members of the board of elders. The only ministries typically reserved for ordained clergy are weddings and ordinations. However, even these ministries may be performed by lay people in some circumstances. Weddings may be performed by lay people if they are interim pastoral leaders or members of the board of elders. Ordinations may be performed by lay people who are on the board of elders.

Publications By MCC Authors. Despite its relatively small size, MCC has produced a number of published authors. Troy Perry, the denomination's founder, has written several books, including *Don't Be Afraid Anymore: The Story of Reverend Troy Perry and the Metropolitan Community Churches* and *The Lord is My Shepherd and He Knows I'm Gay!* Nancy Wilson, moderator of the board of elders, has written *Our Tribe: Queer Folks, God, Jesus, and the Bible.* Bob Goss is the author of *Jesus Acted Up: A Gay and Lesbian Manifesto* and *Queering Christ: Beyond Jesus Acted Up.* Goss is also coeditor with Mona West of *Take Back the Word: A Queer Reading of the Bible.* Justin Tanis has written *Trans-Gendered: Theology, Ministry, and Communities of Faith* and Victoria Kolakowski has also published several academic articles about religion and transgender experience. Mel White, cofounder of SoulForce, has written *Stranger at the Gate: To Be Gay and Christian in America.* These are just a few of the works produced by MCC authors.

In 1990, R. Adam DeBaugh founded Chi Rho Press, a publishing house associated with MCC. While Chi Rho Press does not limit itself to materials by or for people associated with MCC, it carries a number of works by MCC authors.

Special Ministries of MCC. In addition to its churches, MCC also supports a variety of important nonchurch ministries. Traveling singers and evangelists such as Marsha Stevens and Delores Berry are well known throughout the denomination. Marsha Stevens began her music ministry in 1984, and has been touring full-time since 1993. Her organization, BALM (Born Again Lesbian Music) Ministries, also founded *upBeat!*, a training school for touring Christian GLBT singers and musicians. *upBeat!* trained its first class of musicians in 2003.

Excel International is a lay-led movement within MCC, modeled on the Roman Catholic *Cursillo* movement. It sponsors weekend retreats whose goal is to teach participants the basics needed to live a successful, effective, daily Christian life. Founded in 1976, Excel has had over 6,000 participants.

Another lay-led project is the MCC Ministry Development Centre (www.mccmdc.com.). It is a Web-based discussion forum open to clergy and laity from around the world. While the Ministry Development Centre primarily serves users from within MCC, it is open to users from any denomination.

MICHAEL PATRICK ELLARD

FURTHER READINGS

Perry, Troy D. with Thomas L. P. Swicegood. *Don't Be Afraid Anymore: The Story of Troy Perry and the Metropolitan Community Churches.* New York: St. Martin's Press, 1990.

Perry, Troy D. *The Lord Is My Shepherd and He Knows I'm Gay*. Los Angeles, CA: Universal Fellowship Press, 1997.
Tanis, Justin. *Trans-gendered: Theology, Ministry and Communities of Faith*. Cleveland, OH: The Pilgrim Press, 2003.
White, Mel. *Stranger at the Gate: To Be Gay and Christian in America*. New York: Plume, 1995.
Wilson, Nancy. *Our Tribe: Queer Folks, God, Jesus, and the Bible*. San Francisco, CA: HarperSanFrancisco, 1995.

WEB SITES

Chi Rho Press, www.chirhopress.com.
MCC Ministry Development Centre,www.mccmdc.com.
Metropolitan Community Churches, www.mccchurch.org.

MORMONISM. In the broadest sense, Mormonism is a family of religious groups that trace themselves back to the prophetic ministry of Joseph Smith, Jr. (1805–1844). The largest group is the Church of Jesus Christ of Latter-day Saints (hereafter LDS Church or Latter-day Saints), headquartered in Salt Lake City, Utah, and claiming 12 million members worldwide. The second largest is the Community of Christ (formerly the Reorganized Church of Jesus Christ of Latter Day Saints), headquartered in Independence, Missouri, with a quarter million members. Some two hundred other Mormon sects, mostly tiny and ephemeral, have appeared since the movement's first formal organization in 1830; these additional sects include polygamous groups that emerged in the twentieth century after the LDS Church abandoned plural marriage.

This article discusses controversies over homosexuality in the two largest Mormon bodies: the LDS Church and the Community of Christ.

Homosexuality and the Teachings of Joseph Smith. As Mormonism's founding prophet, Joseph Smith produced documents that Mormons receive as scripture on a par with the Old and New Testaments. Some of Smith's writings, such as the *Book of Mormon*, purport to be translations of lost records by ancient prophets. In addition, Smith wrote oracles in the fashion of "Thus saith the Lord," many of which are compiled in *Doctrine and Covenants*, another volume in the Mormon canon.

Because their canon includes the Protestant **Bible**, Mormons have inherited the biblical texts usually cited as condemnations of homosexual activity. These are the only texts in Mormon scripture that specifically address homosexuality, as Smith wrote nothing on the subject. However, near the end of his life, while the Mormon community was centered in Nauvoo, Illinois, Smith articulated a cosmology that had the effect of sacralizing heterosexuality. He taught that God is an exalted man and that human beings can likewise be exalted to godhood. A key prerequisite for exaltation is that a man and a woman be sealed to one another in eternal marriage (a rite performed in Mormon temples). If the sealed couple remains faithful to God's laws, they will receive in the resurrection the fullness of God's glory, including the power to have progeny in the hereafter. Individuals who do not receive the rite of eternal marriage cannot become gods; they can inherit a lesser degree of glory as ministering angels "but remain separately and singly, without exaltation" (*Doctrine and Covenants* 132:17). One implication of this cosmology is that God himself is married. Each person born on earth is the mortal embodiment of a premortal spirit who is literally the offspring of God the heavenly Father and a heavenly Mother.

Smith's teachings on exaltation (along with other Nauvoo-era teachings such as polygamy) were rejected by those Mormons who, after Smith's assassination, formed the movement that eventually became the Community of Christ. Consequently, the question of homosexuality in the Community of Christ is a question of how to interpret the Bible's apparent prohibitions on homosexual relations, just as in Protestant denominations. In the LDS Church, which retains Smith's Nauvoo cosmology, the controversy has a unique dimension. LDS opposition to homosexuality relies less on biblical proof texts than on Smith's teaching that heterosexual marriage and procreative sexuality are central to human destiny.

The LDS Church. Leadership of the LDS Church following Smith's death was claimed by Brigham Young, whom most Mormons followed west to Utah. LDS society was strongly homosocial, with men and women spending much time in sex-segregated settings. (To a lesser degree, this remains the case today.) Like other nineteenth-century Americans, Latter-day Saints were not scandalized by physical intimacies or emotionally intense relationships between persons of the same sex. While nineteenth-century Saints disapproved of homosexual behavior, their handling of specific cases suggests that they "were more tolerant of homoerotic behaviors than they were of every other nonmarital sexual activity" (Quinn 1996, 265). This comparative tolerance continued into the early twentieth century, as exemplified by the relatively lenient penalties applied to Joseph Fielding Smith (1899–1964), who was serving as church patriarch, a prominent ceremonial function, when a homosexual affair of his was discovered: Smith had to resign his office for over a decade but was not excommunicated or publicly exposed.

LDS Church leaders began to openly condemn homosexuality in the 1950s, as part of a broader opposition to changes in sexual norms and gender roles. One of the chief architects of the church's response to homosexuality was Spencer W. Kimball (1895–1985), who from 1959 was assigned to counsel homosexual Latter-day Saints and later became church president. Kimball blasted homosexuality as heinous and pathological while holding out the promise that homosexual inclinations could be overcome, albeit with terrific struggle. To that end, electric shock aversion therapy was employed at Brigham Young University during the 1960s and possibly for some time afterward.

Today, a somewhat softer LDS discourse emphasizes that homosexual attractions are not in themselves sinful while maintaining that any activity outside marriage—heterosexual by definition—violates God's commandments. Marriage is no longer promoted as a corrective for homosexuality, but the church's goal for its homosexual members remains the emergence of heterosexual feelings through the transforming power of **Jesus** Christ, thus clearing the way for eternal marriage. An independent but church-sanctioned organization called Evergreen International was founded in 1989 to support same-sex attracted Latter-day Saints who seek to "diminish their attractions and overcome homosexual behavior" with the aid of therapists whose approach to homosexuality is consistent with LDS teaching.

In a 1995 document, "The Family: A Proclamation to the World," the church's highest governing bodies expressed alarm at what they perceived as threats to the divinely ordained institutions of marriage and family. Latter-day Saints have been major players in defense-of-marriage campaigns across the United States, raising millions of dollars, providing leadership for grassroots coalitions, lending legal aid to judicial challenges, and organizing for political action through local church units. Through the World Family Policy Center, housed at BYU, Latter-day Saints network internationally with other religious conservatives and lobby at the United Nations on behalf of the "traditional" or "natural" family.

The church's distinction between homosexual attraction and behavior has allowed some gay-identified Latter-day Saints to remain active in church life at the price of celibacy. However, the LDS Church discourages individuals from identifying as "gay" or "lesbian" lest this imply that their homosexual attraction is immutable. The vast majority of Latter-day Saints who consider themselves gay or lesbian remain closeted or abandon church life. Individuals in homosexual relationships are likely to be excommunicated. Self-hatred, isolation, rejection by family, and suicidal feelings are recurring themes in gay LDS **coming out** narratives. Nevertheless, many gay or lesbian individuals who have been members of the LDS Church continue to claim a cultural Mormon identity even after their membership has been stripped from them or they have moved away from LDS beliefs.

Outside the church, several organizations for gay or lesbian Latter-day Saints have formed, beginning with **Affirmation**: Gay and Lesbian Mormons in 1977. Additional organizations have emerged: Reconciliation, a scripture study group, in the 1980s; Gamofites, for gay Mormon fathers, in the 1990s; and Gay LDS Young Adults, in 2001. Family Fellowship, an organization for families of gay Latter-day Saints, was created in 1993. Tiny gay LDS sects have also appeared, most notably the **Restoration Church of Jesus Christ**, founded in 1985.

Because the LDS Church is governed hierarchically, change in church teachings about homosexuality would have to come from the highest levels of church leadership. Gay Latter-day Saints and their supporters have expressed hope that a church president will someday announce a new revelation accepting homosexuality, akin to the revelations that in 1890 led to the end of polygamy and that in 1978 lifted the priesthood ban for black males. Gay LDS reactions to the church's political activities make much of the irony that after being persecuted for polygamy, the church now seeks to outlaw a different kind of nontraditional family. In other respects, gay LDS apologetics replicates strategies pursued in Protestant denominations: reinterpreting biblical proof texts, invoking science to argue that homosexuality is natural, and affirming God's universal love.

The Community of Christ. After Smith's death in 1844, a Reorganized Church of Jesus Christ of Latter Day Saints was created by Mormons who believed that Smith's prophetic call had passed to his son, Joseph Smith III. This church has moved closer to the Protestant mainstream, especially since the 1960s, a shift signaled by the adoption in 2001 of the name Community of Christ.

The Community of Christ first confronted homosexuality in 1954, when George Mesley resigned as an apostle to prevent his homosexuality being publicized. Since the 1960s, the church's policy has been to remove active homosexuals from priesthood, though a 1982 statement by the church's Standing High Council allows celibate homosexuals to be ordained. In 1987, GALA (Gay and Lesbian Acceptance) was formed to provide support for gay and lesbian church members and to work for change in the church's policies and teachings around homosexuality. That goal is more feasible in the Community of Christ than in the LDS Church because the former is governed democratically by delegates gathered at biannual World Conferences. At the most recent conferences, efforts have been made both to liberalize and to reinforce the 1982 Standing High Council statement. It appears that church leadership favors acceptance of gays and lesbians but is proceeding slowly to avoid a schism such as occurred in 1984, when conference delegates voted to accept a new revelation to church president Wallace B. Smith opening ordination to women. Listening circles are currently being held throughout the Community of Christ to promote dialogue on homosexuality.

See also Affirmation, Restoration Church

JOHN-CHARLES DUFFY

FURTHER READINGS

Byrd, A. Dean. "When a Loved One Struggles with Same-Sex Attraction." *Ensign of the Church of Jesus Christ of Latter-day Saints*, 29(9) (September 1999): 51–55.

Crapo, Richley H. "Latter-day Saint Lesbian, Gay, Bisexual, and Transgendered Spirituality." In Scott Thumma and Edward R. Gray, ed., *Gay Religion*. Walnut Creek, CA: AltaMira, 2005, pp. 99–113.

"The Family: A Proclamation to the World." *Ensign of the Church of Jesus Christ of Latter-day Saints*, 25(11) (November 1995): 102.

Kimball, Spencer W. *The Miracle of Forgiveness*. Salt Lake City, UT: Bookcraft, 1969.

O'Donovan, Rocky. "The Abominable and Detestable Crime Against Nature: A Brief History of Homosexuality and Mormonism, 1840-1980." In Brent Corcoran, ed., *Multiply and Replenish: Mormon Essays on Sex and Family*. Salt Lake City, UT: Signature Books, 1994, pp. 123–170.

Oaks, Dallin H. "Same-Gender Attraction." *Ensign of the Church of Jesus Christ of Latter-day Saints*, 25(10) (October 1995): 7–14.

Quinn, D. Michael. *Same-Sex Dynamics among Nineteenth-Century Mormons: A Mormon Example*. Urbana, IL: University of Illinois, 1996.

———. "Prelude to the National 'Defense of Marriage' Campaign: Civil Discrimination Against Feared or Despised Minorities." *Dialogue: A Journal of Mormon Thought*, 33(3) (Fall 2000): 1–52.

Schow, Ron, Wayne Schow, and Marybeth Raynes, eds. *Peculiar People: Mormons and Same-Sex Orientation*. Salt Lake City, UT: Signature Books, 1991.

White, O. Kendall, and Daryl White. "Ecclesiastical Polity and the Challenge of Homosexuality: Two Cases of Divergence within the Mormon Tradition." *Dialogue: A Journal of Mormon Thought*, 37(3) (Fall 2004): 67–89.

WEB SITES

Affirmation, www.affirmation.org.
Church of Jesus Christ of Latter-day Saints, www.lds.org.
Community of Christ, www.cofchrist.org.
Evergreen International, www.evergreeninternational.org.
Gamofites, www.gamofites.org.
Gay and Lesbian Acceptance (GALA), galaweb.org.
Gay LDS Young Adults, www.glya.com.
Reconciliation, www.ldsreconciliation.org.

NATIONAL ASSOCIATION OF CATHOLIC DIOCESAN LESBIAN AND GAY MINISTRIES. This national association within the **Roman Catholic tradition** in the

United States was formed in 1994 in response to the growing significance of ministry to gay and lesbian persons in the Catholic tradition. As articulated in its purpose statement, National Association of Catholic Diocesan Lesbian and Gay Ministries (NACDLGM) seeks to foster ministry with lesbian and gay Catholics, their families, and friends; sends a more positive message to gay and lesbians; serves as a network of communication regarding Catholic lesbian and gay ministry; provides educational resources and models of ministry; encourages the participation of lesbian and gay Catholics within the Church; and communicates with other Catholic organizations, especially the United States Conference of Catholic Bishops.

Two significant pastoral letters set the larger context for the formation of NACDLGM, one that was issued before NACDLGM was established, and the other afterward. The first pastoral letter was issued in 1986 by then Cardinal Joseph Ratzinger; it was entitled "Letter to the Bishops of the Catholic Church on the Pastoral Care of Homosexual Persons." Cardinal Ratzinger at the time was head of the Congregation for the Doctrine of the Faith, the primary Vatican oversight committee for official church doctrine. (Since then Cardinal Ratzinger became the current Pope Benedict XVI.) This letter to the bishops was approved by Pope John Paul II. It made clear in no uncertain terms that all homosexual behaviors were serious sins, and that even the orientation toward homosexuality was an inclination toward moral evil. While it condemned violence against homosexual persons, the pastoral letter caused a stir particularly within the Roman Catholic community in the United States because of its strong condemnation of homosexual persons.

NACDLGM was then established in order to find a more pastoral voice toward gay and lesbian Catholics than had seemed to be expressed by Cardinal Ratzinger's letter. In 1997 a second pastoral letter was issued, this time by the US Conference of Catholic Bishops, through its Committee on Marriage and Family. This letter was entitled "Always Our Children: A Pastoral Message to Parents of Homosexual Children and Suggestions for Pastoral Ministers." While affirming the official teaching of the church as expressed in Ratzinger's "The Pastoral Care of Homosexual Persons," the letter from the US Bishops was far more pastoral in tone and encouraged parents of gay and lesbian children, as well as the church, to extend love and welcome to all gay and lesbian persons. This pastoral letter was seen as a much more positive message to gay and lesbian Catholics, even though it did not significantly back away from the official teaching of the church condemning same-sex relationships.

In response to "Always Our Children" NACDLGM issued a series of guidelines for pastoral leaders to use in the implementation of the bishops' recommendations in local parishes. Implementation strategies include: 1) being available to parents and families who ask for pastoral help, spiritual guidance, and prayer; 2) welcoming homosexual persons into the faith community, avoiding stereotypes, and condemnatory language, and not presuming that all homosexual persons are sexually active; 3) learning more about homosexuality and church teaching so that pastoral preaching, teaching, and counseling will be informed and effective; 4) when speaking publicly, using the words "homosexual," "gay," and "lesbian" in honest and accurate ways; 5) maintaining a list of agencies, community groups, and counselors or other experts to whom homosexual persons or their parents and family members can be referred when they ask for specialized assistance; 6) helping to establish or promote support groups for parents and family members; and 7) reexamining programs related to HIV/AIDS education, so that such programs might be more effective. The implementation of these strategies have been significant in many Roman Catholic parishes in providing more active pastoral ministries both to gay and lesbian persons and to their families.

JEFFREY S. SIKER

FURTHER READINGS

Congregation for the Doctrine of the Faith. *Letter to Bishops on the Pastoral Care of Homosexual Persons*. Rome: Congregation for the Doctrine of the Faith, 1986.
United States Conference of Catholic Bishops. "Always Our Children: A Pastoral Message to Parents of Homosexual Children and Suggestions for Pastoral Ministers." 1997.

WEB SITE

National Association of Catholic Diocesan Lesbian and Gay Ministries, www.nacdlgm.org.

NATIVE AMERICAN PEOPLES. Two-Spirit is a term that describes a third gender of persons in Native American and Canadian First Nations tribal society. While most individuals are understood to have either a male or a female spirit, there are some persons in tribal culture who have been understood to have both male and female spirits, hence Two-Spirit Peoples. The term "Two-Spirit" derives from the Ojibwa words *niizh manitoag* (two-spirits) and it became a self-designation for Native American and First Nations persons who identified as "gay," but wanted to connect this identity to the tradition of two-spirit people long established in Native American and First Nations cultures. The term "Two-Spirit" also helps to distinguish the distinctive Native American and First Nations understanding of same-sex relationships from nonnative understandings. Thus the term "Two-Spirit" has replaced the older term "berdache" and also the nonnative term "gay." It was chosen to distance Native/First Nations people from nonnatives as well as from the words "berdache" and "gay." ("Berdache" was a term derived from the French "bardache" and the older Persian "bardaj" referring to a male prostitute or a "kept boy." The term was used by early European observers to describe Native persons who appeared to be oriented toward the same sex.)

Two-spirit people often dressed with a mixture of traditionally male and female articles of clothing. They were typically seen as having the body of a male but the gender of a female. As such they could participate in male activities (e.g., going to the sweat lodge), but also often took on such female roles as cooking and other tasks typically reserved for women. They also had particular societal and religious roles in their respective tribes. For example, one ceremony performed during the Lakota Sun Dance was reserved for a *winkte*, an old Lakota word that literally means "one as a woman"—applied to a male individual who was a two-spirit person. Two-spirit persons were also often viewed as having a special connection to the spirit-world, and they were active as medicine people, as well as regularly involved in dealing with the dead. Among the Dakota people two-spirit persons had the special right to give infant boys a second name at the naming ceremony. This second name was believed to have magical powers to keep the young child safe from sickness, as well as to grant the child a long life. Two-spirit persons were especially viewed as healers among the Cheyenne, Arapaho, and Plains Cree. Beyond these groups they were also looked upon to dig graves, conduct mourning rituals, foretell the future, serve as healers in war expeditions, and were also respected as prophets and visionaries among the tribe. Indeed, some two-spirit individuals are described as having special mystical powers. Various accounts from both Spanish conquistadores in Central America and French and English settlers in North America report the presence of such two-spirit peoples among different tribal groups. Two-spirit people, then, were usually males who assumed the dress, occupations, and behavior of females; in this way they effected a change in gender status by moving toward a societal role that combined social identities of males and females.

Various Native American creation stories reserve a special place for two-spirit people, a place that has been recognized in ritual observances. For example, among the Zuni people (a branch of the Pueblo people of New Mexico), a *kachina* ancestral spirit called *ko'lhamana* was captured by enemy spirits and transformed into a mediating figure. As a peacemaker this transformed spirit mediated the lifestyles of hunters and farmers. In the ritual reenactment of this foundational myth the part of the *ko'lhamana* was reserved for a two-spirit person, because the two-spirit person was thought to occupy a mediating place in the sacred worlds. Similarly, in the Navajo creation story the *nadle* (Navajo for "two-spirit) had a special capacity for inventiveness, on which other humans relied. Such two-spirit persons were understood to have been present from the beginning of humanity and were seen as part of the natural creative forces of the world with their own distinctive roles to play.

Individuals were not typically recognized as two-spirit people until several indicators made this clear both to the individual and to the tribe. One sign was the repeated appearance in a dream of the buffalo or of the moon spirit. The taking on of the two-spirit role was viewed as a gift from the spirit-world. After having such a dream or vision, the individual—often a male child—would participate in a public initiation ceremony. For example, among the Mohave a male child who had shown signs of being a two-spirit (an *alyha* in Mohave) would be led into a circle, and the singer of the group would start to sing songs. If the boy was willing to be a two-spirit he would then adopt the dance of the women; and if not then he would refuse to dance. If the boy was truly an *alyha* then he could not help but to dance with great intensity, for the spirit filled his heart.

Sabine Lang (*Men as Women, Women as Men*) has identified four kinds of alternative gender roles in Native American cultures. First, there are individuals who cross out of traditional gender roles without giving up one's own sexed gender status. For example, the warrior women of the Plains Indians and the manly-hearted women of the Piegan took on male gender roles of fighting for and defending the tribe in war. Basket-weaving men and male potters in some Northern California and Pueblo tribes also engaged in such gender crossing. Second, there are individuals who permanently adopted various components of the opposite gender's societal roles, but still without completely becoming the other gender. For example, some Ojibwa women lived alone permanently and did not marry or have children. Some Plains women-men also took on male gender roles. Third, there are certain individuals who embraced a total change of gender in terms of societal roles, and who gave up their sexed gender in the process. In these cases a male became a woman-man. Typically this gender change occurred already during childhood. The motivating factors for adopting this change included visions and dreams, the inclination of a boy for feminine activities, and the recognition by the tribe of the person's woman-man status. These gender changes were usually accompanied by ritual markers to sanction the change within the tribal community. These individuals were traditionally revered as people who had received supernatural gifts and had special powers to mediate the spirit-world. Fourth, there are some individuals who adopted more of a gender-splitting approach, living out both male and female role components over time.

JEFFREY S. SIKER

FURTHER READINGS

Brown, Lester B., ed. *Two-Spirit People: American Indian Lesbian Women and Gay Men*. New York: Harrington Park Press, 1997.

Jacobs, Sue-Ellen Wesley Thomas, and Sabine Lang, eds. *Two-Spirit People: Native American Gender Identity, Sexuality, and Spirituality*. Urbana, IL: University of Illinois Press, 1997.

Lang, Sabine. *Men as Women, Women as Men: Changing Gender in Native American Cultures*. Austin, TX: University of Texas Press, 1998.

Roscoe, Will. *Changing Ones: Third and Fourth Genders in Native North America*. New York: St. Martin's Press, 1998.

———. *The Zuni Man-Woman*. Albuquerque, NM: University of New Mexico Press, 1991.

Williams, Walter L. *Spirit and the Flesh: Sexual Diversity in American Indian Culture*. Boston, MA: Beacon Press, 1988.

NATURAL LAW. Natural Law is the ethical theory that presupposes there exists a law or set of laws that is implicit to the nature of things. Generally, the term is used in relation to human nature, describing the order that is intrinsic to being human. In Natural Law theory such laws are not reasoned and promulgated by humanity, but rather are derived from our nature and are known and discerned implicitly. Thomas Aquinas is generally understood as the architect of the Christian concept of Natural Law. He posited that Natural Law was human participation in God's plan or Eternal Law. Modern philosophers have moved away from a concept of Natural Law that relies on divine communication, favoring human reason as the source of law and denying any link between law and an intrinsic good or evil.

In relation to homosexuality, Natural Law has been used to argue both for and against same-sex relations. Viewing Natural Law as part of the divine plan, in which the specific goal of sexual activity is procreation, any sexual activity that cannot bring the goal of procreation to fruition runs contrary to the intent of the Creator and thus violates God's Natural Law. Natural Law would further claim that Gay Marriage is illicit, as biological complementarity would indicate men and women should be mating partners and observation of nature reveals that a natural family unit is understood as a mother, father, and child.

Conversely, Natural Law has also been used as validation of homosexual identity and same-sex relations. Empirical analysis of homosexuality among humans and in the animal kingdom suggests that such a thing as a homosexual disposition occurs regularly and naturally in the animal world (including the human animal). In this view, homosexuality is therefore in fact natural and thus licit for those with a homosexual orientation.

Furthermore, if a loving family is seen as an inherent good, then it is natural for us to seek this good and such a good is not dependent on whether the parents are a homosexual or heterosexual couple.

Early History of Natural Law. Conceptually, the foundations of Natural Law doctrine in the West come from Ancient Greece. Pre-Socratic Greek thought included a notion of law that is divine, universal, and known to all. Law was the institution of order in the cosmos. The Sophists rejected an understanding of law as universal, but rather understood law as the boundary of justice as brought forth through the individual culture of the state and the time.

Plato, in opposition to Sophism, claimed a universal Law that is the participation of reason in the world, and thus through reason the body politic can determine the rightness of their laws. Aristotle, a student of Plato's, is the first to distinguish specifically between a general (natural) Law, universally understood throughout the cosmos, and special (positive) law, the laws written for the betterment of a specific society.

Stoicism further distinguishes the natural law from positive law, understanding the human as citizen of the world in addition to a citizen of the city-state. Thus, one has obligations to the positive laws of the city-state, but also is a moral unit subject to a more universal law that is contained by human nature itself and ascertainable through reason. The Stoic concept of Natural Law is carried into Roman thought following the conquest of Greece by Rome around 146 BCE Roman Stoics, in particular Cicero, further clarify a notion of Natural Law that is the highest form of reason. Stemming from nature, it commands what ought to be done and what ought to be avoided. The Romans understood two codes of law: *ius civile*, the set of civil laws that applied to Roman citizens, and the *ius gentium*, the set of laws that applied to foreigners. The *ius gentium* was constructed from a common denominator of laws that applied across the various legal systems of foreign lands. By using this common denominator, *ius gentium* was justified as an expression of the universal *ius naturale*.

The rise of Christianity precipitated the link between Natural Law and the divine. The monotheism of Christianity allowed for a universal source of universal law that the pantheistic pagan religions never had. The Apostle **Paul** himself makes use of natural law arguments, for example, in 1 Corinthians 11 regarding natural hair length and head coverings for women. Beyond the first century many of the Church Fathers were schooled in Roman philosophy and brought these concepts to Christianity. St. Augustine describes the *ius naturale* as coming from a personal, all-knowing, and ever-present God. He thus distinguishes between human law and eternal law, or God's Divine Will or Plan.

Natural Law According to Thomas Aquinas. St. Thomas Aquinas is considered the preeminent Natural Law theologian. Aquinas delineated four forms of Law: Eternal, Natural, Human, and Divine. Eternal Law, as Augustine stated, is "the supreme exemplar to which we must always conform." All laws are derived from the Eternal Law. Natural Law is human participation in the Eternal Law. Human Law is the set of positive laws derived by humans for the just ordering of society, and therefore application of the natural law to particular communities. Finally, Divine Law is the set of positive laws given to us by God in seeking the Eternal Law. It is God's assistance to humanity in the form of revelation. The Divine law is divided into the Old (Mosaic) Law and the New Law, promulgated through Christ.

For Aquinas, the first precept of the Natural Law was that "good is to be done, and evil is to be avoided" (*Summa Theologica* Q. 94, Art 2). All other precepts are then based on this. With this understanding, Aquinas states that all things to which one has a "natural inclination" are naturally sought as being good. Such inclinations can be ordered into one of three categories. First are those inclinations that are inherent to all natural objects, namely the inclination toward self-preservation. Second are those inclinations that humanity shares with all animals. Aquinas specifically identifies here "sexual intercourse, the education of offspring, and so forth." Finally are those inclinations specific to humanity as a rational being, to which Aquinas lists "to know the truth about God and to live in society" and other subpoints pertaining to these. (*Summa Theologica*, Q. 94, Art 3)

Natural Law Post-Aquinas. Thomist thought came under scrutiny in the fourteenth century as philosophers and theologians turned to Nominalism, which rejected all claims of universality. In Nominalism, objects do not have a universal nature but rather only take on a particular nature when we name them (i.e., a chair is not a chair until we call it a chair or sit on it as a chair; if we use it as a stepstool, it is no longer a chair). Nominalist Theologians such as William of Ockham attempted to define Natural Law as wholly the product of Divine Will. God created nature by an act of will, but for Ockham, this Divine Will was not universal and unchanging, nor was reason a reflection of it. God was unlimited, except for the principle of contradiction. Our nature therefore cannot reveal Law, because Law is completely the Will of God. This was the basis of Voluntarism, the theory that laws are not universal, but merely the will of the lawgiver. Voluntarism influenced many of the early Protestant Reformers, including Martin Luther and John Calvin. Luther and Calvin, however, adamantly rejected Nominalism.

Martin Luther, in light of Ockham, grouped all laws together as Divine Law revealed to us by God. However, he then rejected any notion of Law as revealing goodness. Goodness was only gained through faith in Christ. Luther's overwhelmingly negative anthropology rejected any notion that humanity could be saved without Christ. The role of Law, therefore, was to illuminate our transgressions, not to save us from them. Law held two purposes: first, to restrain civic transgressions (i.e., to keep the wicked from continuing to perform wicked acts) and second, to reveal spiritual transgressions (i.e., to allow us to know our sinfulness and therefore turn to Christ). Once the Law revealed our sinfulness, faith in Christ was our only redemption.

Calvin, building on Luther as well as Augustine and Paul, recognized the state of creation as mired in sin, resulting from the first sin of Adam against God. Adam sinned and through that sin was corrupted to his very nature. Adam's corrupted nature then passed from generation to generation, and all of humanity is still mired in that sin. Thus, goodness cannot be recognized in our nature, and our nature should not be a basis for morality. However, Calvin recognizes that within the human mind remains a natural inclination toward the God. Created in goodness, then corrupted through sin, this Divine spark remains imbued in us—but inaccessible to us simply through our own natural inclinations. If the corruption had not occurred, human nature would have retained its fundamental goodness, and with the redemption of Christ, we can again recognize this fundamental goodness. Thus, it is not our nature or the Law that reveals our goodness but Christ himself that reveals God to us once again. Calvin adds a third use of the Law: Sanctification.

Calvin allows for the faithful to regain sanctification though the revelation of Christ and the following of Christ's Law.

The Reformation of the sixteenth century and the Thirty Years' War (1618–1648) resulted in a splintering of Christianity. The papacy was no longer the central authority for the whole of Christianity, and Europe sought a standard for agreement to end the fighting. In this context, Hugo Grotius attempted to use Natural Law to ground a basic principle of international order. He held that the goods were not good because God told us to seek them. Rather, God told us to seek them because they were good. Rationality is to seek goodness. Thus, one does not need to know God to understand the Natural Law.

Grotius was successful in establishing Natural Law as a foundation for international law, but an understandable yet unintended side effect was a secularization of the Natural Law. This secularization set the table for the decline of Natural Law theory during and following the Enlightenment of the seventeenth and eighteenth centuries, which brought forth a notion of autonomy of the self. Natural Law theory was supplanted by Positivism, which established that laws were not subject to a universal authority and that humanity was not capable of determining an intrinsically moral good or evil. All attempts to find universal truth through reason were self-serving, not universal. The state became the source of law and determined law not according to an objective moral standard, but according to the will of the lawgiver. In the case of a monarchy, this would be the monarch. In a democracy, it would be the majority.

Natural Law Today. Positivism has reigned as the prevailing moral theory from the eighteenth century through today. However, a resurgence of Natural Law Theory was seen in three forms during the twentieth century. First, the hierarchy of the **Roman Catholic Church** has returned to a strict interpretation of Thomist Natural Law as a basis for their statements on sexual morality. Second, Germain Grisez and John Finnis developed a "New Natural Law" founded in the Thomist concept that "Good is to be sought and Evil is to be avoided." Grisez and Finnis posited that there are certain basic goods that are intrinsically good and some basic evils that are intrinsically evil. Goods such as knowledge, friendship, and health can be understood as intrinsic basic goods. These goods are known unto themselves, not by examining nature to comprehend goodness. Furthermore, there is no ordering of goods in New Natural Law Theory. Goods are valued against each other on a scale of proportionality.

Third is the revisionist tradition, led by theologians such as Charles Curran, Richard Gula, and Richard McCormick, which has argued for an update to the conditions set forth by Thomist Natural Law Theory. Its proponents argue that common usage of Aquinas today does not truly reflect the essence of his assertion of reason as the guiding point of Natural Law. Rather, a focus on nature as permanent reflects a classical worldview that is stagnant in its thirteenth century definition of human nature. Such a worldview sees human nature as understood through biological terms, absolute and unchanging throughout history. Instead, revisionists propose return to a reason-centered Natural Law, reflecting a historical worldview that defines human nature as the sum total of human reality in the world, understood through its commitment and relationships as well as its potential. Unlike a permanent human nature, reason reflects a constant communication with an evolving human nature. Human nature is not a static nature, but rather, is ever changing and growing as the sum of human knowledge grows from generation to generation. Communication is achieved across these generations of knowledge through valuing human experience against the knowledge gained through anthropology, sociology, theology, etc. Thus Natural Law remains universal, objective, and available to all, independent of religious tradition, but is also a dynamic force that changes and evolves through history.

Natural Law and Homosexuality. Natural Law Theories have served the debate on both sides of the argument over the morality of homosexuality. Among Natural Law proponents, the question revolves around whether homosexuality is indeed natural, and if so whether such natural inclinations are in keeping with God's creative will.

Adversaries of accepting homosexuality as in any way intended by God, such as the Vatican, typically point to a distinction described by both Aquinas and Augustine that procreation is the one and only moral end of sexual relations. Therefore, coital relations with an end of producing life is the only licit form of sexual behavior. Since homosexual acts cannot fall into this category, they represent a breakdown of the proper reasonable order of sexual relations. Furthermore, Aquinas's description of the natural family unit has been used in modern debate as an argument against any form of gay marriage. Drawing from his observation of the natural world, Aquinas observes that in the animal kingdom, for some animals both a mother and a father raise their young while others are raised only by the mother. He draws a parallel to this split noting that those species that share the rearing of the young form determinate relationships between one male and one female, while those species raised primarily by the mother seem to copulate among numerous partners. He places humanity in the first category, pointing to the roles of mother for nursing and the father for protection. Aquinas acknowledges that among some species these roles are short lived during a child's infancy, then followed by a separation of the parents. However, among humans these roles, particularly that of the father as protector, are lifelong. Therefore the bond of marriage is also lifelong among humans. Thus the bond of marriage among humans—as well as the "natural" family unit of mother, father, and child—stems from the natural necessity to produce and rear new human life by the joining of one male and one female. The argument against gay unions is further upheld by the Thomist notion that civil law ought not oppose natural law.

More recent adaptations of Natural Law theory posit similar notions about homosexuality. Germain Grisez, one of the founders of New Natural Law theory, argues that humans are complete beings in all things except procreation. For procreation, male and female are incomplete parts unto themselves. During intercourse, however, the parts complete each other and form a mated pair. This view of procreation carries forth into marriage, which is described as a one-flesh union of male and female. Homosexuality in this view would be a distortion of the one-flesh union, and therefore lack the inherent goodness of such a union.

Arguments against the strict Thomist view on homosexuality come in two forms. First are those that argue the invalidity of Natural Law itself. This tradition stems from the Nominalism and Positivism schools in rejecting the universality of Natural Law claims. They argue that homosexuality cannot be inherently wrong because we are not capable of knowing universal rightness or wrongness. Rather, it is the will of the lawmaker that determines morality. For Protestant theology, founded by Luther and Calvin, goodness cannot be found in our nature, as our nature is naturally corrupt. It is important to note that Protestant views on homosexuality also extend to both sides of the debate, but none are fundamentally rooted in Natural Law.

On the other hand, there is a strong contingent of advocates for homosexuality that have used Natural Law to argue for their case. Such an argument would borrow from the Revisionists a perception that our understanding of homosexuality and the claims it makes on us have changed since the days of Aquinas. Aquinas did not have at his disposal modern psychological understandings of homosexuality. His assumptions were predominantly rooted in Aristotelian biology, therefore his analysis of sexual norms in nature is fundamentally flawed. Many studies have been conducted to show that homosexuality is not aberrant or unnatural, but relatively common in a percentage (between 2% and 5%) of humans. This percentage seems to exist across nations and cultures as well as across time periods, as homosexuality appears in cultures back to ancient times. Many studies have also been done on homosexual tendencies among animals, finding that certain species tend to exhibit a significant amount of homosexual behavior. Thus, empirical evidence shows that homosexuality does exist naturally among humans as well as in the broader natural world. Understanding this argument that there can exist in some humans a natural tendency toward homosexuality, some modern Natural Law theorists have gone back to Aquinas's notion that all things to which one has a "natural inclination" are naturally sought as being good. Thus with modern understanding of the psychology of homosexuality, Natural Law can be used to argue homosexuality as morally licit.

Many who advocate this interpretation of Natural Law, however, are quick to point out that homosexual relationships are only licit if they are committed and loving relationships. While procreation cannot be the end of homosexual acts, most sources today (for and against homosexuality) acknowledge that there is a unitive end to sexual relations that serves as a secondary, if not equal, end alongside procreation. Thus, sexual relations within a committed relationship can enable the partners to express love and grow mutually. In a committed relationship, homosexual sex therefore is a valid means of expressing love. Casual sex, be it heterosexual or homosexual, denies both the procreative and the unitive ends of intercourse, and therefore remains illicit. Such a line of reasoning logically lends itself to an argument in favor of gay marriage, as an act of commitment that reflects and upholds the unitive end of the sexual act.

Furthermore, the institution of adoption in modern society has changed the landscape of what makes up a family unit. Adoption is widely accepted as a morally licit means of creating an artificial family unit for heterosexual couples. The argument follows that a homosexual couple can provide an equally loving and protecting home to an adopted child. This argument is based on the New Natural Law understanding of proportional goods (even though, as we have shown, Grisez himself would not agree with such an analysis). If a loving home is considered to be an inherent good, then whether that family is created naturally or artificially and whether the parents are same sex or different sex are not factors in determining its goodness. Modern medical practices such as in-vitro fertilization, and the potential for future medical practices such as human cloning, take this debate even further. Without discussing the ethical issues involved in these practices (both of which Thomists would reject as unnatural means of procreation), such scientific advances allow for an arguably *natural* family unit that exists within a same-sex marital relationship. Such a family unit is argued to be *natural* if one parent is the biological parent, especially in the case of lesbian couples where one parent is the mother.

MATTHEW J. GAUDET

FURTHER READINGS

Aquinas, St. Thomas. *Summa Theologia: A Concise Translation*. Edited by Timothy McDermott. Westminster, MD: Christian Classics, 1989.

Cahill, Lisa Sowle. "Sexual Ethics." In James J. Walter, Timothy E. O'Connell, and Thomas A. Shannon, eds., *A Call to Fidelity: On the Moral Theology of Charles Curran*. Washington, DC: Georgetown University Press, 2002.

Congregation for the Doctrine of the Faith. *Letter to Bishops on the Pastoral Care of Homosexual Persons*. Rome: Congregation for the Doctrine of the Faith, 1986.

———. *Considerations Regarding Proposals to Give Legal Recognition to Unions between Homosexual Persons*. Rome: Congregation for the Doctrine of the Faith, 2004.

Curran, Charles E. and Richard McCormick, S. J. *Readings in Moral Theology No.7: Natural Law and Theology*. New York: Paulist Press, 1991.

———. "A Vatican II View Could Allow for Gay, Lesbian Unions, But Latest Document Harkens Back to Aquinas' View of Relationship Between Law and Morality." *National Catholic Reporter*, 39(38) (September 5, 2003): 19.

George, Robert P. *In Defense of Natural Law*. Oxford: Oxford University Press, 1999.

Gula, Richard M. *Reason Informed by Faith: Foundations of a Catholic Morality*. New York: Paulist Press, 1989.

Keenan, James. "The Open Debate: Moral Theology and the Lives of Gay and Lesbian Persons." *Theological Studies*, 64(1) (March 2003), 127–150.

Moore, Gareth, O. P. *A Question of Truth: Christianity and Homosexuality*. London: Continuum, 2003.

Pope, Stephen J. "The Magisterium's Arguments Against 'Same-Sex Marriage': An Ethical Analysis and Critique." *Theological Studies*, 65(3) (September 2004): 530–566.

Rogers, Eugene F. Jr. "Aquinas on Natural Law and the Virtues in Biblical Context." *Journal on Religious Ethics*, 27(1) (Spring 99): 29–57.

Tatchell, Peter. "Stop the Vatican's Anti-Gay Crusade." *Conscience*, 22(3) (October 31, 2001): 22–25.

NEW TESTAMENT. *See* **Bible**

OLD TESTAMENT. *See* **Bible**

ORDINATION. *See* **Clergy**

ORTHODOX CHRISTIANITY. *See* **Eastern Orthodox Christianity**

PAUL, THE APOSTLE. The Apostle Paul is the second most important figure in the New Testament after **Jesus**. Almost half of the New Testament was written by or influenced by Paul. Thirteen letters are attributed to him (six of these are disputed in terms of authorship by modern scholars), and the author of Luke-Acts clearly viewed Paul as a heroic leader—especially in the Acts of the Apostles. Because Paul was such an influential figure in formative Christianity his statements regarding same-sex relations have been particularly important for Christian faith and practice, especially in modern debates about the status of homosexual persons in the life of the church.

Paul is the only author to refer to same-sex relations in the New Testament. In Romans 1:26–1:27; 1 Corinthians 6:9; and 1 Timothy 1:10 (this last letter typically seen by scholars as written in its final form by a follower of Paul's and not by Paul himself), Paul refers to same-sex relations. The most significant of these passages is Romans 1, where Paul refers to Gentile men and women whom God gave up to degrading passions because they failed to worship God as God. These passions included homoerotic relations, which Paul clearly views as a Gentile vice and against nature. In characterizing same-sex relations in this manner Paul joins the Stoic philosophers of his day and other Hellenistic Jewish authors who had the same view of Gentile same-sex relations as exploitative. In large measure this view was held because same-sex relations in the Greco-Roman world basically came in three forms: male prostitution, slave prostitution, and pederasty. There is no evidence that Paul had any other understanding of same-sex relations in his day.

The passages from 1 Corinthians 6:9 and 1 Timothy 1:10 both contain what are known as "vice lists" that simply give a standard litany of Gentile sins, including sins of the flesh. Issues of translation enter into the discussion at this point, because Paul uses two terms in 1 Corinthians 6:9 that make translation difficult: *arsenokoitai* and *malakoi*. The word *arsenoikoitai* is a very unusual term that literally means "men who go to bed," and probably refers to one partner in a same-sex act, most likely to the partner in a dominant position. The word *malakoi* literally means "soft ones," and is likely a euphemistic reference to the passive partner in a same-sex act, the one being penetrated by another man. This understanding would fit the pattern of what we know about same-sex relations in the first-century Greco-Roman world, where men would hire themselves out for sex to other men, where masters would hire out their slaves for sexual gratification, and where prepubescent boys would be the passive sexual partner in a same-sex relationship with an older male (who would often serve as a patron of the younger male). The passage in 1 Timothy 1 also utilizes the term *arsenokoitai* in a vice list.

Thus, what Paul said about same-sex relations and why he said it is relatively clear, especially given his first-century Jewish values. What Paul would have made of modern expressions of homosexuality, and particularly of notions of naturally occurring sexual orientations, is mere speculation. He thought the end of the age was coming quickly, and that the death and resurrection of Jesus were the markers of the eschatological end of the age and the coming of God's kingdom. This was Paul's focus in his preaching and evangelizing. His passing references to same-sex relations must be seen within this larger framework.

See also Bible (for further discussion of Paul's letters).

JEFFREY S. SIKER

PRESBYTERIAN CHURCH (USA). The Presbyterian Church traces its roots back to the Reformed theological tradition that grew out of the Protestant Reformation in the sixteenth century in Scotland and England. It was brought to the United States in the late seventeenth century and Presbyterian leaders and ministers were instrumental in the eighteenth century movement known as the Great Awakening as well as the establishment of the College of New Jersey (now Princeton University). In the United States the Presbyterian Church has undergone a number of changes largely due to differences of opinion regarding moral issues. As with a number of other Christian churches in nineteenth-century America, the Presbyterian Church split geographically over the issue of slavery (forming the Presbyterian Church in the United States [PCUS] as the southern branch and the United Presbyterian Church in the United States of America [UPC(USA)] as the northern branch.) The Presbyterian Church USA (PC[USA]) marks the reunion of these two groups in 1983 and is currently the largest Presbyterian body in the United States.

Throughout its history the PC(USA) has taken responsibility to speak out on moral and social issues. Clearly in a church body this large there will be no consensus, but this has not prevented the PC(USA) from taking a position on such difficult issues as abortion, alcohol, and capital punishment, among other concerns. The statements include admonitions for an atmosphere of respectful debate on these troublesome topics. One area that has occupied the attention of church members for the past three decades is the issue of homosexuality.

Discussion of equal rights for gays and lesbians had been taking place prior to the 1970s but in 1976 the UPC(USA) commissioned a task force to study the issue of homosexuality and the church, with a special emphasis on the issue of ordination. In 1978 the General Assembly received the report and issued a statement offering definitive guidance. While the statement welcomes gays and lesbians into church membership, it prohibits their ordination unless they remain celibate. Two years later the 1980 General Assembly of PCUS addressed this same issue and concluded that the church ought to be both more aware of the partial nature of our knowledge about homosexuality and be open to more light on the subject. These statements were in place in 1983 when the PC(USA) was formed by the merger of UPC(USA) and PCUS. In its history, since then, the PC(USA) has consistently adopted statements protecting the dignity of all humans and decrying homophobia, but internal conflict has escalated over issues of ordination of gays and lesbians and also over the issue of same-sex unions.

The 1991 General Assembly of the PC(USA) issued a report on human sexuality, entitled "Presbyterians and Human Sexuality 1991." Neither the majority opinion (to treat homosexuals in the same way heterosexuals are treated) nor the minority opinion was accepted. In an outcry against the majority opinion of 1991 a motion to dismiss all openly gay and lesbian members from the church was brought before the 1992 General Assembly. It did not pass, but clearly the schism was widening, and in 1993 the General Assembly called for a three-year moratorium on discussion of the issue at General Assembly and stated that this would be a time of study on human sexuality and ordination.

When the moratorium was lifted, the 1996 General Assembly passed what is now known as "Amendment B" (97 affirmative; 74 negative, 1 no action). This amendment clearly states that among the standards to which all officers in the church are called is "the requirement to live either in fidelity within the covenant of marriage between a man and a woman (W-4.9001), or chastity in singleness" (G-.60106b—from the church's *Book of Order*).

As might be expected, the issue remained a topic of much discussion and the catalyst for debate. In 1998 a motion (Amendment A) was brought before the General Assembly which was designed to reverse the previously ratified Amendment B. It failed by a 59 affirmative to

114 negative vote. At this meeting a request for convening a special conference on "The Nature of the Unity We Seek" was approved with the understanding that the findings would be advisory only.

Subsequent General Assemblies have heard a number of motions dealing with both the issue of ordination of LGBT members and same-sex marriages. At the 2004 General Assembly a recommendation was made to allow sessions (local church governing bodies) or presbyteries (regional church governing bodies) to decide whether or not to ordain homosexuals as clergy. The recommendation was not approved.

The meeting of the General Assembly in June of 2006 again addressed the issue of ordination. The task force on Peace, Unity, and Purity (created by the 2001 General Assembly) presented its final report and, based on that report, the Advisory Committee on the Constitution made recommendations that were acted upon by the General Assembly as a whole. The General Assembly decided, on the one hand, to restate the previously adopted language of Amendment B. On the other hand, the General Assembly granted permission for local Presbyteries to decide whom to ordain, which appeared to open the door slightly to the potential ordination of LGBT persons.

The debate and dissension surrounding issues of homosexuality and the Presbyterian church is not unlike many other mainline Protestant groups and, as is the case in many other denominations, the PC(USA) is home to members whose points of view are wide ranging, running the gamut from conservative evangelicals to members who are quite liberal. Some want to save the denomination from having standards that include and endorse sinful behavior and some want to open the way for accepting and affirming the LGBT community into full fellowship (including ordination and same-sex marriages). Over the past three decades both sides have formed groups that attempt to put forth their views.

The Presbyterian Coalition and Presbyterians for Renewal are two groups comprising conservative members of the PC(USA) who have joined together to work for revitalization and transformation of the PC(USA). The Presbyterian Coalition was created in response to what it saw as a need to return the PC(USA) to its roots as a Christ-centered, biblically based faith. Born out of opposition to movements in the PC(USA) to be inclusive of LGBT members as candidates for ordination, the Presbyterian Coalition works together on this and other issues that, in their opinion, undermine the integrity of the denomination.

Similar in mission, Presbyterians for Renewal is an organization created in 1989 with the hope of renewing the PC(USA) and keeping it well within their interpretation of what it means to be true to the historic Reformed faith. In terms of the issues surrounding homosexuality and the church, Presbyterians for Renewal are actively working against changes in the structure of the church that would bring the LGBT community into equal standing. Other groups promoting the views of conservative Presbyterians include Presbyterian Forum, the National Korean Presbyterian Council, and the Presbyterian Renewal Leaders Network. A major periodical giving voice to these and other groups is the *Presbyterian Layman*.

Groups promoting a liberal view regarding issues of homosexuality and the church include, among others, Presbyterians for Lesbian and Gay Concerns (PLGC), the Covenant Network of Presbyterians, More Light Presbyterians, the Lazarus Project, and "That All May Freely Serve" (TAMFS). Founded in 1974, Presbyterians for Lesbian and Gay Concerns (PLGC) led the way in the PC(USA) toward full inclusion of gays and lesbians.

Throughout its history PLGC has made concerted efforts to bring about change in the church, including education and dialogue on LGBT issues, establishment of More Light Churches, and endorsement of changes in the governance of the PC(USA).

In 1993 the mission project "That All May Freely Serve" was begun in response to the 1992 decision by the PC(USA)'s Permanent Judicial Commission of the General Assembly to set aside the pastoral call of Rev. Dr. Jane Adams Spahr on the grounds of her self-affirmation as a lesbian. Created to teach and encourage inclusiveness within the PC(USA), this group continues to work for justice and inclusion.

The Covenant Network of Presbyterians is a group of clergy and lay leaders working for a fully inclusive church. Established in 1997 in support of Amendment A (see above), this group of Presbyterians continues to work to help the church stay together even in the midst of such divisive times. Similar work is done by More Light Presbyterians, members and congregations within the PC(USA) working to promote understanding and inclusion of LGBT individuals in full participation in the church. Their work in establishing welcoming and affirming churches, establishing and strengthening support among such congregations, and representing the concerns of the LGBT community at General Assemblies has been wide-ranging.

JUDY YATES SIKER

FURTHER READINGS

Brawley, Robert. *Biblical Ethics and Homosexuality: Listening to Scripture*. Louisville, KY: Westminster/John Knox Press, 1996.

Rogers, Jack. *Jesus, the Bible, and Homosexuality*. Louisville, KY: Westminster/John Knox Press, 2006.

Seow, Choon Leong. *Homosexuality and Christian Community*. Louisville, KY: Westminster/John Knox Press, 1996.

PROTESTANTISM. Homosexuality was barely a topic of discussion within any Christian tradition between the origins of Protestantism in the sixteenth century and the middle of the twentieth century. The presumption of nearly all churches was that homosexuality was a perversion of God's created order. By the end of the twentieth century, however, the debate over homosexuality had become (and remains) one of the most divisive and disputed issues confronting most Protestant denominations. Debates over homosexuality have become a touchstone for fundamental disagreements over the interpretation and application of Scripture, the roles and functions of tradition, reason, and experience, and very different understandings of Christian identity and gender formation. Traditional presumptions about homosexuality have been challenged on all of these fronts, and although nearly all Protestant denominations remain officially opposed to homosexual expression, there has been significant movement by many in the Protestant traditions toward acceptance of gay and lesbian Christians in the church. This acceptance reflects developments in larger European and American society at the end of the twentieth century.

Debate Over Scripture. The Bible serves as the springboard for virtually all discussion about homosexuality. Traditional interpretations of scripture have appealed to the creation story in Genesis 1–2, the story of Sodom and Gomorrah in Genesis 19:1–19:9

(see also parallel stories in Judges 19 and Ezekiel 16:46–16:56), the prohibitions in Leviticus 18:22 and 20:13, and the Pauline statements in Romans 1:26–1:27, 1 Corinthians 6:9, and 1 Timothy 1:10 as all pointing to divine condemnation of homosexual expression. From this perspective of biblical interpretation Protestant churches have viewed homosexuality as a sinful violation of God's created natural order. With a growing emphasis, however, on both ancient and modern contextual readings of the biblical accounts, these traditional interpretations have been increasingly challenged. Those advocating full inclusion of gay and lesbian people in the church have argued, for example, that the story of Sodom and Gomorrah has to do with sexual violence and rape rather than homosexuality. Similarly, the prohibitions from Leviticus must be seen within the literary and historical context of the whole Holiness Code (Leviticus 17–26), which contains a number of other prohibitions that have traditionally not been followed. Many interpreters of Paul's letters have called attention to Paul's Greco-Roman cultural context, in which pederasty and slave prostitution appear to have been the primary models of homoerotic expression in view.

Matters get more complicated by debates over the appropriate translation of biblical terms from the original Hebrew and Greek languages. In 1 Corinthians 6:9, for example, the Greek term *arsenokoitai* (literally "men who go to bed") has been variously translated as "sexual perverts" (RSV), "homosexual offenders" (NIV), and "sodomites" (NRSV). Since the term "homosexual" was not coined until the nineteenth century, scholars have increasingly agreed upon the need to avoid anachronistic translations and interpretations of the Bible that read contemporary terms and conceptions back into the biblical texts. Beyond debates over biblical texts directly addressing same-sex relations, advocates of more traditional biblical interpretations have contended that scripture endorses heterosexual marriage as normative, whereas others have questioned whether this is a norm that necessarily excludes gay and lesbian unions.

Debate Over Tradition, Reason, and Experience. Taking its lead from the plain sense of scripture, Protestant tradition in the late twentieth century was extremely cautious in changing its approach toward homosexuality. Conscious of the task of being a church *semper reformans* (always reforming), the leadership of most Protestant denominations took seriously the call by many to reconsider its traditional teachings on homosexuality. In the United States, for example, the **United Methodist Church**, the **Presbyterian Church U.S.A.**, the **United Church of Christ**, the **Evangelical Lutheran Church in America**, and the **Episcopal Church** all engaged in multiyear studies of how to respond to the presence of gay and lesbian Christians in their congregations and in their church leadership. Such deliberations led to deep divisions in each of these denominations, as year after year some church leaders called for the church to change with the times and be more inclusive of gay and lesbian Christians, while others called just as strongly for the church to take a firm stand against endorsing any form of homosexual expression, especially by ordained clergy.

Those seeking inclusion of gay and lesbian Christians in the church have emphasized sexual *orientation* as a natural God-given predisposition that individuals discover as they mature. Those seeking to uphold traditional sanctions against homosexuality have emphasized centuries of church teachings against same-sex *practices* and, though not seeing homosexual orientation itself as a matter of personal sin, have argued that such an orientation is a distortion of God's creative purposes. From this perspective homosexual persons can be welcomed into the church but are called to abstain from same-sex relations. Most Protestant churches in recent years have issued official pronouncements ruling against the ordination of noncelibate homosexual Christians, as well as against the blessing or recognition of same-sex unions. Still, significant and vocal movements within the various Protestant denominations have continued to call for full acceptance of openly gay and lesbian clergy and for recognition of gay/lesbian unions and committed relationships. The United Church of Christ and the **United Church of Canada** have not prohibited the ordination of gay/lesbian clergy.

Protestant churches have also sought to incorporate into their reasoning about homosexuality some of the more significant findings from the psychological and biological sciences, though these findings continue to be the subject of tremendous debate. In particular, churches have paid attention to the 1973 decision of the American Psychiatric Association to stop treating homosexuality as a pathology or disordered condition in need of treatment. Some controversial biological research has also suggested various genetic factors contributing to homosexual orientation. These developments have encouraged many to rethink the **Natural Law** tradition and the degrees to which the formation of gender identity is a function of essential sexual identity and/or of changing social constructions. The significant debate that has ensued in the church has basically been between two camps. On the one hand, the majority position advocates that heterosexual marriage has always been God's intended and exclusive norm for the expression of human sexuality (emphasizing the unitive and procreative functions of sex in marriage). On the other hand, the minority position advocates that changing notions of gender roles are crucial in shaping all sexual identities, ancient and modern, and that there have always been various notions of sexual identity attributed to divine sanction: for example, polygamy, celibacy, eunuchs, levirate, and monogamous marriages. Though homosexuality has been increasingly accepted as a normal and natural way to live in American and European societies at large, more traditional Protestant churches have called into question both the psychological and physical health of homosexual expression. A number of parachurch and controversial change ministries have arisen that seek to heal people of their homosexuality.

Perhaps the most important and difficult component to factor into Protestant attitudes toward homosexuality involves the ways people have experienced the presence of gay and lesbian Christians in the various denominations. The "coming out" of many prominent Protestant church leaders as gay/lesbian/bisexual persons has forced churches to respond to the tension created by their effective ministries in light of traditional church teaching against homosexuality. The personal witness of successful and capable gay/lesbian Christian leaders has been a powerful presence that has convinced many to push churches to be more accepting of these leaders in particular and to encourage the larger society to be more accepting of homosexual persons in general. At the same time, the traditional Protestant rejection of homosexuality has led many gay and lesbian Christians to leave the church completely or to find local congregations that have publicly embraced an inclusive attitude toward homosexual persons. The rejection of gay/lesbian Christians in several Protestant denominations also led to the formation of the Universal Fellowship of **Metropolitan Community Churches**, a denomination dedicated to the full inclusion of gay/lesbian/bisexual/transgendered Christians. In sum, Protestant churches have often been of two minds in their approach to homosexuality. On the one hand many denominations have passed binding resolutions ruling against the ordination of noncelibate gay/lesbian Christians and against same-sex unions. On the other hand most denominations have also passed resolutions calling on elected government officials to pass legislation that makes discrimination against homosexual people illegal.

Changing Views of Homosexuality. A significant factor in twentieth century debates over homosexuality in Protestant (and Catholic) churches can be traced in changing views about homosexuality in the larger society. Three general overlapping stages can be seen in popular attitudes toward homosexuality. At the beginning of the twentieth century homosexuality was viewed as a perversion of God's natural order and was punishable as a crime against God and society. As the century progressed and as general attitudes toward appropriate sexual behavior became more relaxed, a more accepting attitude began to develop toward homosexuality. The language associating homosexuality with "perversion" started to be seen as harsh and judgmental. In the latter half of the twentieth century the language of "sexual preference" began to be employed. This term still suggested personal choice in the realm of sexual activity, but same-sex "sexual preference" increasingly came to be seen as a relatively benign departure from societal norms. Toward the end of the twentieth century, in addition to the language of "sexual preference," the term "sexual orientation" gained prominence, which suggested that an individual had no real choice about gender identity and sexual attraction, and that such identity was more of a given. Since homosexuals were not personally responsible for choosing their sexuality, a movement developed that encouraged healthy and self-affirming homosexuals not to be ashamed of their identity, but to accept their homosexuality as a natural predisposition and orientation. This acceptance led, in the last decades of the twentieth century, to "gay pride" and to a sense of belonging to a gay community seeking and gaining acceptance from larger society. Such acceptance has led to the tacit nonenforcement of most laws against homosexuality, to the decriminalization of many older laws against homosexual behavior, to the recognition of same-sex domestic partners by many businesses and some states, and to the wide depiction of gay and lesbian people as normal individuals through the vehicle of popular entertainment. These developments and changes in societal attitudes toward homosexuality have had a significant effect on most Protestant traditions, with the result that at the beginning of the twenty-first century many churches are more open than ever toward gay and lesbian Christians, while at the same time most official denominational pronouncements have ruled against the full inclusion of noncelibate gay and lesbian couples. This tension has led to serious debate in the churches about whether Protestant churches are behind the times and failing to follow the lead of God's reforming Spirit by including gay/lesbian Christians, or whether churches are most faithful in holding firm against recognizing any homosexual relationship as legitimate.

The **Roman Catholic Church** has also faced significant debate and discussion about homosexuality, though on somewhat different terms than the Protestant tradition. First, whereas Protestant churches have spent a great deal of energy addressing the issue of whether or not to allow the *ordination* of noncelibate gays/lesbians, this has not really been an issue for the Roman Catholic church since all priests are by definition celibate, be they homosexual or heterosexual. In the Protestant tradition clergy are typically married, and this automatically raises the question of how gay or lesbian couples serve as models for Christian marriage, which has traditionally been envisioned in heterosexual terms. Second, in the Roman Catholic tradition the role of *procreation* in marriage has been central, though the unitive function of sexuality has also gained in importance. This has meant that, since homosexual unions cannot by themselves procreate children, homosexual unions cannot receive the blessing of the church. By contrast, in the Protestant tradition the *unitive* function of sexuality has typically held slightly greater importance than procreation (hence the common use of birth control in the Protestant tradition and not in official Roman Catholic teaching). Thus, critics of homosexual relationships have raised questions about the biological complementarity of same-sex couples. Those advocating the appropriateness of blessing same-sex relationships in the church argue that it is wrong to define sexual complementarity in exclusively heterosexual terms.

JEFFREY S. SIKER

FURTHER READINGS

Abelove, H., M. A. Barale, and D. Halperin, eds. *The Lesbian and Gay Studies Reader*. New York: Routledge, 1993.

Brawley, Robert L., ed. *Biblical Ethics and Homosexuality: Listening to Scripture*. Louisville, KY: Westminster/John Knox Press, 1996.

Comstock, Gary D. and Susan E. Henking, eds. *Que(e)rying Religion: A Critical Anthology*. New York: Continuum, 1997.

Hartman, Keith. *Congregations in Conflict: The Battle over Homosexuality*. New Brunswick, NJ: Rutgers University Press, 1996.

Melton, J. G., ed. *The Churches Speak on Homosexuality: Official Statements from Religious Bodies and Ecumenical Organizations*. Detroit, MI: Gale Research Inc., 1991.

Nelson, James B. and Sandra P. Longfellow, eds. *Sexuality and the Sacred: Sources for Theological Reflection*. Louisville, KY: Westminster/John Knox Press, 1994.

Schmidt, Thomas E. *Straight and Narrow? Compassion and Clarity in the Homosexuality Debate*. Downers Grove, IL: Intervarsity Press, 1995.

Siker, Jeffrey S., ed. *Homosexuality in the Church: Both Sides of the Debate*. Louisville, KY: Westminster/John Knox Press, 1994.

Thumma, Scott and Edward R. Gray, eds. *Gay Religion*. Walnut Creek, CA: AltaMira Press, 2005.

QUAKER TRADITION. The Religious Society of Friends, also known as Quakers, arose in England during the religious ferment of the seventeenth century as a reaction against the formal, hierarchical religion of the established Church. With unprogrammed worship based on silent waiting on God, who might prompt man or woman regardless of status to speak the word of truth, it placed primary emphasis on the direct experience of God, with the **Bible** as a secondary support. Quakerism spread quickly through Britain and Ireland, to parts of the continent and also to the American colonies. In the twenty-first century approximately 400,000 Quakers can be found scattered over the globe, but only about a quarter of them have unprogrammed worship on the basis of silence, have meeting houses, and are theologically liberal. The numerical majority are evangelical in theology, have programmed worship with hymns, prayers, and sermons, call their places of worship "churches," and have male or female pastors. Quakers in Kenya, Bolivia, Taiwan, and the Philippines, for example, as well as many in the mid-west and west of the United States, belong to this type, which arose in the nineteenth century and has continued to grow. The different kinds of Quakers are loosely connected through the activities of the Friends World Committee for Consultation. The latter's Triennial gatherings have recently provided an informal setting for the discussion of homosexuality, as this is a topic where there are hurtful divisions between liberals and evangelicals. While liberals are generally supportive of gays and lesbians, and evangelicals follow the condemnatory pattern of mainstream **Catholic** and **Protestant** Christians, interpreting the Biblical dicta as universal truths, there are individuals in both camps who would adopt a different stance. Obviously, the main discussions and activities of Quakers in connection with homosexuality have taken place among liberal or unprogrammed Friends.

Current Quaker attitudes did not develop in a vacuum. The attitude of the law toward homosexuality was a matter of public discussion in Britain in the early 1950s, and the Government set up a committee under Sir John Wolfenden in 1954 to examine the twin issues of homosexual offences and prostitution. It reported in 1957, but its findings were not put into effect until 1967. Meanwhile, around 1953–1954, problems relating to homosexuality were causing distress among young Quakers in Cambridge. This led to the setting-up of an informal group of eleven British Quakers who, after meeting monthly for five to six years, produced *Towards a Quaker View of Sex* (London: Friends Home Service Committee, 1963). A television program the day before publication gave the booklet wide publicity, but it was not widely accepted among Friends at the time. Part of the difficulty was that many readers outside the Society of Friends thought it was an official document rather than the personal responsibility of those who had written it, and there were some British and Irish Quakers who were dismayed at its conclusions. Despite all this, the book became a bestseller in Quaker terms and made an important contribution to changing public attitudes.

As its title indicates, *Towards a Quaker View of Sex* put its discussion of homosexuality within the context of general sexual mores. While it gave detailed consideration to legal constraints, biblical exegesis and spiritual, psychological, and social matters, its conclusions were based on notions of fairness and equality of treatment. A key passage from this volume states:

> Surely it is the nature and quality of a relationship that matters: one must not judge it by its outward appearance but by its inner worth. Homosexual affection can be as selfless as heterosexual affection, and therefore we cannot see that it is in some way morally worse. Homosexual affection may of course be an emotion which some find aesthetically disgusting, but one cannot base Christian morality on a capacity for disgust. Neither are we happy with the thought that all homosexual behaviour is sinful: motive and circumstances degrade or ennoble any act, and we feel that to list sexual acts as sins is to follow the letter rather than the spirit, to kill rather than to give life. Further we see no reason why the physical nature of a sexual act should be the criterion by which the question whether or not it is moral should be decided. An act which expresses true affection between two individuals and gives pleasure to them both, does not seem to us to be sinful by reason *alone* of the fact that it is homosexual. The same criteria seem to us to apply whether a relationship is heterosexual or homosexual. (Heron 1964, 41)

Towards a Quaker View of Sex moved the discussion of homosexuality from the sphere of the criminal law, medicine, and psychiatry onto a different plane, emphasizing the interpersonal, emotional, and moral dimensions of homosexual relationships. The authors stressed the need for equality apart from any element of force, coercion, or abuse of a superior position. They also disapproved of promiscuity and selfishness, as well as the lack of any real affection. The book was a breath of fresh air and its liberating views continued to be influential for many years. Extracts from it were included in the British *Quaker Faith & Practice*, published in 1995.

In 1967 the law was changed in England and Wales (not Scotland, Northern Ireland, the Isle of Man, and the Channel Islands) to decriminalize certain aspects of male homosexual behavior. In 1969 the Stonewall riots set alight the Gay Liberation Movement in the United States and many other parts of the world. A large variety of informal and formal organizations sprang up to support gay life, but there was also a great deal of antagonism toward gay people and misunderstanding of what it meant to be homosexual. In the Quaker context a brief article entitled "Homosexuality from the Inside" in the British Quaker magazine *The Friend* (1971) attempted to counter it. It was written anonymously by the author of this current article because I hadn't then "come out" to my family. As a result of the feedback I received I worked with a group of gay Friends on a small book, which was published with my name by the Social Responsibility Council of British Friends in 1973. In their foreword to the booklet Chris Barber and Leslie A. Smith noted that "it introduces candour to a subject where there is a history of concealment," and they were sad that putting my name to it had to be labeled "a courageous act." Several other books had been written by gay men about homosexuality, but hardly any other author had at the time identified himself as gay. While writing *Homosexuality from the Inside* I had valuable personal support from key officers of the Yearly Meeting (i.e., the national organization) of British Quakers.

In September 1973 the Friends Homosexual Fellowship (FHF) was founded in Britain. From the beginning it included men and women, heterosexual as well as homosexual, and it had a few members from Ireland and the continent of Europe. It provided opportunities for worship, serious discussion, and social activities. Many close friendships, sexual and non-sexual, were made there. It later changed its name to the Quaker Lesbian and Gay Fellowship (QLGF). In North America a similar organization had been founded earlier through contacts made through Friends General Conference, an umbrella body for Quakers from mainly the unprogrammed Friends meetings in the eastern part of the United States and Canada; it is now called Friends for Lesbian and Gay Concerns (FLGC).

Both the British and the North American groups saw their purpose as to provide mutual support for gay and lesbian Friends and to place homosexual issues before the generality of Quakers in their meetings. They organized local, regional and national gatherings for discussion of gay issues in a relaxed and nonjudgemental atmosphere. They produced newsletters and leaflets and wrote letters, reports, and articles for Quaker magazines. Although these activities certainly promoted self-confidence among gay Friends and helped to change Quaker attitudes more widely, it was often not easy for the individual Quaker who was the only gay person in his or her meeting. Hostility, often from one strong-minded Friend, made some gay Friends feel unwelcome and caused them to quit their meeting.

In their religious life Quakers place particular emphasis on personal experience and on authenticity. In this spirit FHF in 1982 published a collection of twenty-two personal life-stories with the title *Meeting Gay Friends*. Five were written anonymously for self-protection and to protect others. The point of such a collection was to illustrate the sheer variety of gay people's experience and the difficulties of coming to terms with one's difference in an oppressively heterosexual world. The stories also, and just as importantly, demonstrated that much of gay people's experience—discovering one's inner self, finding or not finding a life-partner, problems of personal relationships—is universal human experience.

A key event in the calendar of FLGC was their annual mid-winter gathering, held in different areas of the United States. The keynote addresses, given by straight as well as gay Friends, were personal statements, often deeply moving and soul-searching. Eleven of them, given between 1977 and 1989, were published with the title *Each of Us Inevitable* in 1989. Several of the contributors were nationally known figures in American Quaker life.

In 1988 a group of ten British Quakers set about trying to write a replacement for *Towards a Quaker View of Sex*, which, through changes in the law and society at large, had become outdated. The group of five women and five men was white, middle-class, and aged between 25 and 60; it included Friends who identified as bisexual, gay, heterosexual, and lesbian, some living with partners, some singly, one divorced, and another separated from a partner. During the five years or so that the group met, one of its members died of **AIDS**. The book that the group produced, based on personal stories, was rejected as a Quaker publication, but was published privately as *This We Can Say: Talking Honestly About Sex*. The point about the book was that homosexuality was taken for granted as part of the discourse.

The experience of AIDS from the late 1970s onward affected Quakers as much as anyone else. Gordon Macphail, a young British medical practitioner who had many AIDS patients, who was part of the *This We Can Say* group, wrote affectingly about the subject in the *Friends Quarterly* (October 1988) and later in *The Australian Friend*. Quakers in many places have given support to people with AIDS in their midst, but they have not been at the forefront of political and social agitation. In East Africa, where AIDS is rampant and a largely heterosexual phenomenon, local Friends have recently set up a project to care for children who have been orphaned as a result of AIDS.

One of the features of Quaker life in the United States has been that many local meetings (monthly meetings, in Quaker parlance) have written minutes of support that have been published in the newsletter of Friends for Lesbian and Gay Concerns. They have also wrestled with the question of "gay marriage," as several same-sex couples have requested to be married under the care of their meeting. Since marriage as a legal entity is defined as heterosexual, meetings have struggled to know what to do and how to offer care and support to the couples concerned. It took one meeting in Seattle from March to November to come to a united decision to hold a celebration of commitment for two of its women members. One of the women wrote: ". . . we were clear from the beginning that our relationship to the Meeting was more important to us than having the wedding/celebration of commitment under the care of the Meeting. We decided that if at any point we began to feel uncomfortable enough with the process in meeting or reactions of individuals, we would withdraw the request [to] proceed with a wedding after the manner of Friends" (FLGC newsletter, Summer 1982). The Quaker process is very demanding of a meeting. The celebration of a "marriage" is a spiritual matter and requires the full commitment and support of the meeting concerned.

The question of terminology and the legal status of a same-sex union differs from country to country and sometimes also between jurisdictions within the same country. In Britain a same-sex union currently has no legal status, but it was made clear by Meeting for Sufferings (the national executive body of Quakers in Britain) in the mid-1990s that monthly meetings (a geographically defined grouping of local meetings) had the power to arrange celebrations of commitment between same-sex couples. At least three male couples and three female couples have marked their relationship in this way (Part of the Rainbow

2004, 2005). The British Government is at present contemplating a civil partnership bill, and Quaker Life, one of the central departments of British Quakers, has written to the Government expressing its support.

DAVID BLAMIRES

FURTHER READINGS

Banks, John and Martina Weitsch, eds. *Meeting Gay Friends: Essays by Members of Friends Homosexual Fellowship*. Manchester: Friends Homosexual Fellowship, 1982.

Barnett, Walter. *Homosexuality and the Bible. An Interpretation*, Pendle Hill Pamphlet, 226. Wallingford, PA: Pendle Hill Publications, 1979.

Blamires, David. *Homosexuality from the Inside*. London: Social Responsibility Council of the Religious Society of Friends, 1973.

Calderone, Mary S. *Human Sexuality and the Quaker Conscience*. Rufus Jones Lecture. Philadelphia, PA: Friends General Conference, 1973.

Heron, Alastair. *Towards a Quaker View of Sex: An Essay by a Group of Friends*, rev. ed. London: Friends Home Service Committee, 1964.

Leuze, Robert, ed. *Each of Us Inevitable: Some Keynote Addresses Given at FLGC Annual Mid-winter (and other) Gatherings, 1977–1989*. Sumneytown, PA: Friends for Lesbian and Gay Concerns, 1989.

Part of the Rainbow: A Plain Quaker Look at Lesbian, Gay, and Bisexual Lives. Quaker Lesbian & Gay Fellowship, 2004.

Quaker Faith & Practice: The Book of Christian Discipline of the Yearly Meeting of the Religious Society of Friends (Quakers) in Britain. London: Yearly Meeting of the Religious Society of Friends (Quakers) in Britain, 1995.

This We Can Say: Talking Honestly About Sex. Reading, PA: Nine Friends Press, 1995.

WEB SITE

Friends for Lesbian and Gay Concerns, www.quaker.orgflgbtqc.

QUEER BIBLICAL INTERPRETATION. Queer biblical interpretation challenges a range of assumptions about sexual activity, sexual identity, and gender, particularly as those assumptions are related to the production and interpretation of biblical texts. The phrase is sometimes used to refer to biblical interpretation that is carried out by individuals who identify themselves, or are identified by others, as "queer," (e.g., lesbians, gay men, bisexuals, or transgendered persons). Under the influence of contemporary "queer theory," however, the phrase is also used to refer to a reading of biblical texts that calls into question rigid normative assumptions about sex and gender, including for example binary distinctions between "male" and "female," "heterosexual" and "homosexual," or "normal" and "abnormal" sexualities.

The appearance of queer biblical interpretation was made possible by several developments within religion, biblical interpretation, and the wider society during the second half of the twentieth century. By the late 1960s, questions about gender and sexuality were being debated openly in the United States and Europe, especially under the influence of feminism and the gay pride movement. These debates contributed to increasing reexamination of attitudes toward sex and gender within Judaism and Christianity. Such reexamination was extended to the biblical texts since some of those texts were, and still often are, widely understood as sources for traditional attitudes. At the same time, black and third world theologies were beginning to counter dominant interpretations of the **Bible** with alternative readings that consciously adopted marginalized perspectives. Academic biblical scholarship was also being reshaped by a proliferation of new methodologies. Thus, the groundwork was laid both for biblical interpretation that was carried out by readers understood as "queer" and for biblical interpretation that pursued "queer" purposes.

Already in 1974, the lesbian writer Sally Gearhart and the gay **United Church of Christ** minister William Johnson co-edited a short collection of essays that included their own reflections about religion, Christianity, and the Bible. While biblical interpretation played a limited role in the essays by Gearhart and Johnson, their contributions might be understood as a precursor to queer biblical interpretation; for Gearhart and Johnson were less concerned about evaluating the legitimacy of homosexuality in light of the biblical texts, and more concerned to consider what forms of religion and biblical interpretation would be most useful for, and most likely to foster a transformation in attitudes toward, lesbians and gay men.

Such interventions into biblical interpretation by lesbians and gay men remained rare, however, until the 1990s. An important study of Christianity and homosexuality by the gay historian John Boswell, published in 1980, did include a chapter on the Bible. However, Boswell focused on arguing that the Bible, rightly understood, contained little if any condemnation of homosexuality. This thesis had some influence among Boswell's readers and stimulated several similar studies. Nevertheless, the possibility that gay or lesbian readers might be able to make contributions to biblical interpretation by bringing their own particular lenses to bear on the reading of biblical texts did not play an explicit role in Boswell's argument. By contrast, the lesbian feminist theologian Carter Heyward, throughout the 1980s, emphasized the constructive role played by lesbian and gay experience; but the analysis of biblical texts played only a minor role in Heyward's writings, perhaps because the patriarchal orientation of most biblical texts had by that point been well established by feminist scholarship.

Beginning in the early 1990s, however, a number of gay and lesbian writers began to engage in biblical interpretation in a more direct and constructive fashion, focusing not on the question of the Bible's attitude toward homosexuality but rather on the ways in which scripture could be reread from a consciously adopted lesbian or gay reading position. Thus, in 1993 the gay theologian Gary Comstock offered what he called a "gay theology without apology," which devoted considerable space to reading biblical texts. Rather than trying to reconcile homosexuality with passages cited against it, Comstock acknowledged that certain biblical texts took a negative position on same-sex sexual relations but went on to interpret other biblical texts in such a way as to make them potentially useful for gay readers. For example, Comstock attempted to argue that the character Vashti, in the book of Esther, could be understood as a model for gay readers since Vashti refuses to submit to the demands of patriarchal authorities; and he suggested that the story of Jonathan and David might be read as the sort of camouflaged love relationship that gay men have known in the past.

While Comstock did not use the word "queer," the term did surface in a 1999 article by Mona West. West, trained as a biblical scholar, pointed out that more and more attention was being given in biblical interpretation to the "social location" of readers. Biblical interpretation was increasingly understood as grounded in concrete social circumstances; and interpretations of the Bible were being written explicitly from the perspective of, or so as to address the needs of, particular social communities. West therefore argued that one must take "queer social location" into account when reading the Bible. West used the word "queer" in an inclusive sense to refer to lesbians, gay men, bisexuals, and transgendered persons. While acknowledging diversity among the individuals included under the term, West argued that an identifiable "queer community" existed, at least in the United States. Thus, from West's point of view, it was necessary to develop queer reading strategies that would acknowledge the experiences of the queer readers who produced them, and that would contribute to the social and spiritual needs of queer communities. The types of projects that West had in mind became more apparent the next year when, along with Robert Goss, she edited a collection of essays bearing the subtitle "a queer reading of the Bible." While the contributions to this volume were diverse in terms of textual focus and interpretive method, all of the contributors identified as lesbian, gay, bisexual, or transgendered—and hence as "queer" in West's sense of that term. Because the perspectives of such readers are seldom taken seriously by others, and because institutional structures and practices still often restrict the range of interpretations of the Bible that are granted legitimacy, the appearance of these sorts of "queer readings" is itself a challenge to the ways in which biblical interpretation normally takes place.

By the time Goss and West published their collection, however, the word "queer" was taking on additional connotations that have also had some impact on biblical interpretation. During the 1990s, a number of scholars outside of biblical and religious studies were developing what began to be referred to as "queer theory." Although no single definition of "queer theory" exists, the term often refers to theoretically oriented writings that challenge assumptions which structure much modern thinking on sex and gender, including for example, the rigid binary distinctions between male and female, or between heterosexual and homosexual. Queer theorists point out that the stability of these categories is not self-evident but rather is partly an effect of the ways in which they are defined over against one another. Even West's appeal to a queer social location might receive critical scrutiny from some queer theorists, who would be more inclined to ask whether differences among lesbians, gay men, bisexuals, and transgendered persons (having to do, for example, with race, ethnicity, age, class, culture, geographical location, and so forth) are not partly obscured by language about "queer community." While those who write queer theory often do so as lesbians or gay men, queer theory is not described as "queer" on the basis of the sexual practices or identities of the individuals who generate it but rather on the basis of its potential for destabilizing modern ideologies of "normal" or "proper" sex and gender.

How might these queer theories influence biblical interpretation? One of the ways in which queer theory demonstrates the contingency of modern notions about sex, sexuality, and gender is to show through historical analysis that sex, sexuality, and gender were understood in very different ways in the past. In a similar fashion, careful analysis of the biblical texts and the social contexts that produced those texts can lead one to conclude that, when readers interpret the Bible in terms of modern notions about sex, gender, and kinship, they often ignore or misconstrue significant differences between biblical and modern constructs. In contemporary debates about "gay marriage" and "family values," for example, readers of the Bible often appeal to religious tradition while ignoring the fact that biblical constructions of family and kinship have few points of continuity with positions promoted by either "conservatives" or "liberals" today. The Hebrew Bible, for example, does not use a word corresponding to our English term, "marriage"; and even the words usually translated "husband" and "wife" are simply words for "man" and "woman" used in particular contexts. The system of kinship that we find in the Hebrew Bible assumes male privilege, tolerates multiple wives and concubines, understands adultery largely as a property offense that one person (male or female) commits against another man, and often conceptualizes marriage as a transaction between men in which a woman leaves her father's household to live with another "lord," for purposes of reproduction. While queer biblical interpretation would not promote this ancient system of family and kinship as a model for emulation, it might use critical analysis of the system to unsettle modern assumptions about the "natural" or "normal" status of the monogamous, heterosexual nuclear family. Moreover, the modern relegation of sexual matters to a "private" sphere of intimacy is troubled by the biblical use of sexual matters (for e.g., disputes over wives and concubines) to sort out disputes between male characters having to do with power and politics.

So, too, scrutiny of Greco-Roman sources leads some queer theorists to suggest that absolute distinctions between homosexual and heterosexual identities and desires are at least partly contingent on context and culture. In the ancient world, the fact that a man was married and had children did not rule out certain forms of same-sex sexual contact, so long as particular protocols of status or age were followed; and various types of male homoerotic relations seem to have been widespread at certain times and places. Thus Theodore Jennings has deployed our knowledge of these sorts of differences between ancient and modern notions about sexual practice and identity, in relation to both the Hebrew Bible and the New Testament, in order to challenge the assumption that biblical literature nowhere accepts the existence of homoerotic relations.

Taking a somewhat different approach, Stephen Moore has pointed out that interpretations of the Song of Songs in early Christianity do not cohere neatly with modern assumptions about the relation between gender identity and sexual desire. While the allegorical readings of Song of Songs that dominated the history of its interpretation are often denounced today on the basis that they repress the Song's eroticism, Moore notes that such readings often involve either a rhetorical homoerotic desire between a male devotee and his male god, or a kind of transgendering of those male devotees into female lovers. Ironically, then, the history of Christian interpretation of the Bible can be read as having been characterized by a more fluid series of relations among biological sex, gender identities, and erotic desires than modern norms often acknowledge.

In other ways as well, queer biblical interpretation challenges modern assumptions about sexual normality, whether by arguing (as Ken Stone does) that parallels exist between the Bible's conceptualization of sex and food, or by suggesting (as Lori Rowlett and Roland Boer have done) that certain parallels exist between biblical notions of covenant and modern analyses of sadomasochism. The point of these and similar exercises in biblical interpretation is not necessarily to deny the presence in biblical literature of condemnations of homosexual contact. Rather, such readings "queer" the Bible by interpreting it in such a way as to highlight the tension between much that the Bible says or assumes, and much that modern persons, including modern Jews and Christians, consider normal or proper.

See also Bible

KEN STONE

FURTHER READINGS

Goss, Robert, and Mona West, eds. *Take Back the Word: A Queer Reading of the Bible*. Cleveland, OH: Pilgrim Press, 2000.
Jennings, Theodore W., Jr. *The Man Jesus Loved: Homoerotic Narratives from the New Testament*. Cleveland, OH: Pilgrim Press, 2003.
Moore, Stephen D. *God's Beauty Parlor: And Other Queer Spaces In and Around the Bible*. Stanford: Stanford University Press, 2001.
Stone, Ken. *Practicing Safer Texts: Food, Sex, and Bible in Queer Perspective*. London and New York: T. & T. Clark, 2005.
Stone, Ken, ed. *Queer Commentary and the Hebrew Bible*. Cleveland, OH: Pilgrim Press, 2001.
West, Mona. "Reading the Bible as Queer Americans: Social Location and the Hebrew Scriptures." *Theology and Sexuality*, 10 (1999): 28–42.

QUEER THEOLOGY. The term "queer" in the modern era was (and still often is) used as a term of derision and slander against people perceived by others to have unnatural sexual orientations who engage in same-sex relations. The term has been reclaimed, however, by gay and lesbian persons in particular as a positive self-designation of advocacy for all people who do not fit the traditional paradigm of heterosexuality. This positive retooling of the term "queer" can be traced back to the late 1980s and early 1990s when, for example, the advocacy group *Queer Nation* began a national campaign to appropriate the term for gay liberation and gay rights. Their slogan said it all: "We're here. We're queer. Get used to it!"

Beyond simply reclaiming the term queer as a self-designation, gay and lesbian people developed theoretical discourses and methodological approaches to give expression to queer theory and queer theology. Queer theory basically approaches any discipline of study and asks questions from a queer perspective, subverting traditional responses in the process in order to create and claim space for GLBTQ persons. Queer theory and Queer theology both criticizes heteronormativity (the presumption that all things heterosexual are the way things should be) and constructs new understandings of human interrelatedness as well as human-divine relations that take seriously the experiences of GLBTQ realities. To "queer" something is to challenge and interfere with presumed meanings; it is resistance to normativity. Queer theory itself builds on the fundamental work of philosophers and social critics like Michel Foucault (*The History of Sexuality*, 3 vols., 1976–1984), Jacques Derrida (*Of Grammatology*, 1976), and Judith Butler (*Gender Trouble*, 1989), all of whom sought to demonstrate the socially constructed character of human identity, including sexual discourse, and the need to deconstruct the presumptive worlds of these constructions and the power relations thereby revealed.

Queer theology is an outgrowth of earlier and various versions of gay theology. As Elizabeth Stuart has well described it (*Gay and Lesbian Theologies*, 2003), gay and lesbian theology has gone through three basic stages since its inception. The first stage began in the aftermath of the Stonewall Riots in New York City (1969). Other types of Liberation Theology were already in the process of emerging: Latin American Liberation Theology (especially in the work of Gustavo Gutiérrez), Feminist Liberation Theology (e.g., in the work of Letty Russell and Rosemary Ruether), and African American Liberation Theology (especially in the work of James Cone). These liberation theologies of oppressed peoples in terms of class, gender, and race provided helpful models for gay and lesbian theologians who were seeking to give voice to the oppression of the gay and lesbian communities. The work of gay and lesbian theologians in the 1970s and early 1980s focused on affirming gay and lesbian people as loved by God, the importance of the coming-out experience for spiritual growth, the significance of human experience as self-authenticating in the face of the contrary voices of Scripture and tradition, the deep connections between sexual practice and spiritual experience, and seeking to work within communities of faith to bring about a change from traditional condemnation to growing acceptance of gay and lesbian peoples. John J. McNeill's landmark book *The Church and the Homosexual* (1976) was an important early statement of the rightful place of gay and lesbian people within the church. This was still a very formative period for gay theology, and so the essentialist dichotomy between homosexual and heterosexual was a primary category for nearly all theological reflections on human sexuality.

The second stage of gay and lesbian theology occurred in the 1980s and saw the overwhelming issue of the AIDS epidemic as a crucial theological concern. The suffering and oppression of gay men in particular was highlighted by the AIDS outbreak, and many gay-friendly church organizations started to respond with various forms of outreach to those affected. By this time there was widespread disillusionment with the organized church, and increasing numbers of gay and lesbian persons left the church. It was during this time that the **Roman Catholic Church**, for example, issued its so-called *Pastoral Care of Homosexual Persons*, which was very hurtful to the gay and lesbian community at large. As the traditional church continued to emphasize essentialist understandings of human sexuality as created by God in an exclusively heterosexual form, many in the homosexual community were exploring new understandings of human sexuality grounded in social constructionist models of theology. Theoretical reflection on sexual orientation and gender identity grew more sophisticated during this period. This was a time of significant confrontation between gay and lesbian Christians and the church at large. Rather than welcoming homosexual persons, the churches were studying them to death to see on what theological basis they might be able to welcome them. The only welcome extended basically told gay and lesbian people that they could be part of the church if they did not act like gay and lesbian people. The church's division between orientation and practice did little to bring about any form of reconciliation with the gay and lesbian community. As a result many in the homosexual community gave up on the church. Significant writings during this period included Gary Comstock's *Violence Against Lesbian and Gay Men* (1991) and J. Michael Clark's *A Defiant Celebration: Theological Ethics and Gay Sexuality* (1991). These two titles sum up nicely the experience of gay and lesbian people in the 1980s and early 1990s—one of violence and defiance.

The third stage of gay and lesbian theology emerged in the 1990s and continues to the present, namely, Queer Theology. Drawing increasingly on queer theory and less on traditional sources of Christian theology, Queer Theology stresses the experience of GLBTQ people as the lens through which to reappropriate theological categories and faith traditions. Queer Theology seeks to move beyond the static categories of homosexual and heterosexual, indeed to queer all forms of normativity and to call them into question. By subverting and destabilizing essentialist notions of identity Queer Theology self-consciously points to the constructed identities of persons, cultures, and religious traditions. In its strong reliance on queer theory, some forms of Queer Theology have been viewed as being out of touch with ordinary GLBTQ people. Further, queer theory and Queer Theology have been challenged as so overwhelmingly deconstructionist that nothing stable is left in their wake. Still, many advocates of Queer Theology see themselves as people of faith within the church and are calling on others in the church to adopt a more radical acceptance of GLBTQ persons of faith. Significant voices within Queer Theology have included Robert Goss' *Queerying Christ: Beyond Jesus Acted Up* (2002), James Alison's *Faith Beyond Resentment: Fragments Catholic and Gay* (2001), and Marcella Althaus-Reid, *The Queer God* (2003).

JEFFREY S. SIKER

FURTHER READINGS

Alison, James. *Faith Beyond Resentment: Fragments Catholic and Gay*. New York: Crossroad Publishing Co., 2001.

Althaus-Reid, Marcella. *The Queer God*. New York: Routledge, 2003.

Clark, J. Michael. *A Defiant Celebration: Theological Ethics & Gay Sexuality*. Garland, TX: Tangelwüld Press, 1990.

———. *Defying the Darkness: Gay Theology in the Shadows*. Cleveland, OH: Pilgrim Press, 1997.

Comstock, Gary. *Unrepentant, Self-Affirming, Practicing: Lesbian/Bisexual/Gay People within Organized Religion*. New York: Continuum, 1996.

———. *Violence Against Lesbians and Gay Men*. New York: Columbia University Press, 1991.

Goss, Robert. *Jesus Acted Up: A Gay and Lesbian Manifesto*. San Francisco, CA: Harper San Francisco, 1993.

———. *Queering Christ: Beyond Jesus Acted Up*. Cleveland, OH: Pilgrim Press, 2002.

McNeill, John J. *The Church and the Homosexual*. Kansas City, MO: Sheed Andrews & McMeel, 1976.

Schneider, Laurel C. "Homosexuality, Queer Theory, and Christian Theology." *Religious Studies Review*, 26 (2000): 3–12.

Stuart, Elizabeth, ed. *Religion Is a Queer Thing: A Guide to the Christian Faith for Lesbian, Gay, Bixexual, and Transgendered People*. London: Cassell, 1997.

Stuart, Elizabeth. *Gay and Lesbian Theologies: Repetitions with Critical Difference*. Burlington, VT: Ashgate, 2003.

Sullivan, Nikki. *A Critical Introduction to Queer Theory*. New York: New York University Press, 2003.

Theology and Sexuality: The Journal of the Institute for the Study of Christianity & Sexuality [1994–present]

Warner, Michael. *The Trouble with Normal: Sex, Politics, and the Ethics of Queer Life*. Cambridge, MA: Harvard University Press, 2000.

RESTORATION CHURCH OF JESUS CHRIST. Founded in California in 1985, this tiny gay **Mormon** sect is an attempt by gay and lesbian adherents to reclaim a religious tradition from which they have been excluded.

Restoration Church was organized by gay men and lesbians who were or had been members of the Church of Jesus Christ of Latter-day Saints (hereafter LDS Church). The movement came together around revelations received by several individuals, chiefly former LDS bishop and temple sealer Antonio Feliz, written in the style of Joseph Smith's revelations. The new revelations authorized the organization of an additional Mormon church because the LDS Church, in rejecting gays and lesbians, was neglecting its mandate to take the restored gospel to all people. The new church was supposed to be called the Church of Jesus Christ of All Latter-day Saints, but after LDS Church lawyers prevented them from incorporating under that name, a revelation to Feliz approved instead the name Restoration Church of Jesus Christ.

A number of gay Mormons were attracted by Restoration Church's announcement of new revelations for gay and lesbian people, which were compiled in an additional volume of scripture titled *Hidden Treasures and Promises*. The new church offered a close-knit LDS-style faith community and access to LDS ritual life: personal priesthood blessings for health, comfort, and guidance; Sunday worship services; and temple rituals performed in a portable Tabernacle, including sealings (eternal marriage) for same-sex couples. At its height, the church had some one hundred members in several cities in the western United States.

As the church grew between 1985 and 1987, Feliz became increasingly autocratic. A church conference in June 1987 voted by a narrow majority to reject him as church president (while retaining the revelations he had received to that point). This crisis sent the church into a decline from which it has never recovered. A schism in 1990 produced another sect, the Restoration Fellowship in **Jesus** Christ, which today maintains a Web site but appears to be otherwise defunct. Currently, Restoration Church has only a handful of members meeting in Salt Lake City, led by Robert McIntier.

Even while it replicated Mormon origins, Restoration Church revised the faith to write gay and lesbian people into Joseph Smith's cosmology. Smith had heterosexualized divinity, imagining a Heavenly Mother alongside God the Father and promising that men and women sealed in eternal marriage could themselves be exalted to godhood. Feliz subverted this heterosexual vision by teaching that Heavenly Father and Heavenly Mother were titles of priesthood offices, not indications of gender, which meant that same-sex couples could fill the roles Smith reserved for exalted heterosexual couples. By giving greater visibility to the Heavenly Mother than is done in the LDS Church, and by opening priesthood ordination to women, Restoration Church promoted gender parity and thus weakened the notion of complimentary gender roles that contributes to LDS opposition to homosexuality. The Restoration Church is an elaborate if unsuccessful bid for gay equality in the framework of a faith that has been structured around heterosexual categories.

JOHN-CHARLES DUFFY

THE ROMAN CATHOLIC TRADITION. Like Christians everywhere, Roman Catholics disagree about how to evaluate homosexuality. Though Rome has spoken extensively about homosexuality in recent decades, many moral theologians, pastors, and ordinary lay Catholics are engaged in a public and vigorous debate about the Vatican's teachings on this matter. This essay provides a detailed summary of the most significant magisterial teachings on homosexuality and the rationale given for those judgments by Vatican officials. Also reviewed are two main types of arguments developed by theologians who question the wisdom of those teachings.

All Catholics believe that fidelity to the church's living Tradition requires serious engagement with official Roman Catholic Church teachings. At least in this sense,

Catholics understand all such teachings to be authoritative. Yet, the weight of this authority can vary. Generally speaking, teachings like the ones reviewed here, which come from Vatican congregations, are viewed as part of the ordinary teaching magisterium. What this means precisely is itself a matter of considerable debate. All faithful Catholics concur that curial teachings warrant their respect and should in some sense be morally formative. For some, this means such teachings warrant their humble submission and silent obedience. For others, this means that while all such teachings carry the presumption of truth, if a particular teaching lacks sufficient grounding in revelation and reason, faithful Catholics may in good conscience disagree with it and engage in further public conversation about the matter.

Official Church Teachings. Like the stances articulated by many other Christian denominations, it is fair to label the official Roman Catholic perspective on homosexuality as straightforwardly conservative. Yet, in some respects, it is quite complex and perhaps more nuanced than many other conservative denominational perspectives. Five closely interrelated judgments demarcate the official Roman Catholic view. Therefore, the Church's specific teachings regarding (1) homosexual behavior, (2) homosexual orientation, (3) discrimination against gay and lesbian persons, (4) same-sex marriage, and (5) the **ordination** of gay men will each be delineated in some detail.

Homosexual Behavior. The Roman Catholic Church teaches that all genital activity between persons of the same sex is wrong. In its 1975 *Declaration on Certain Questions Concerning Sexual Ethics* (hereafter PH for the Latin title *Persona humana*) the Vatican doctrinal office known as the Congregation for the Doctrine of the Faith (hereafter CDF) declared that all "homosexual acts are intrinsically disordered" (PH, 8). In a subsequent "Letter to Bishops on the Pastoral Care of Homosexual Persons," (hereafter PCHP) the CDF specified "a person engaging in homosexual behavior therefore acts immorally" (PCHP, 1986: 7). Since human sexuality is so central to and pervasive of whom we are as persons, the Church teaches that there is no parity of matter regarding genital activities. Thus, the Church teaches homosexual behavior is always grievously immoral.

The Catholic Church commends sexual virtue (also known as chastity) to all the faithful (PCHP, 12). The actual shape sexual virtue takes in an individual's life will vary. Married Christians are called to the practice of conjugal fidelity. Both vowed religious living in community and priests in the Latin Rite are called to the practice of celibacy. The Church teaches that chastity requires of all gay and lesbian persons total, lifelong sexual abstinence. The Church recognizes that this counsel to complete sexual self-denial is difficult. Gay and lesbian believers are encouraged to recognize the will of God in this trial and to associate the suffering they are called to bear with the Cross of Christ (PCHP, 12).

Having declared all same-sex genital activity to be *objectively* wrong, the Church also teaches that care and prudence should guide all pastoral judgments about a person's *subjective* responsibility for such behavior (PH, 8). An individual's culpability for any given instance of same-sex genital activity can be aggravated or mitigated, even removed altogether, depending on the circumstances (PCHP, 11). It is important to be clear about what precisely this means. The Church's objective moral judgment regarding homosexual acts is clear-cut. As noted in the 1994 *Catechism of the Catholic Church* (hereafter CCC), "under no circumstances can they be approved" (CCC, 2357). In general, "homosexual practices are 'sins gravely contrary to chastity'" (CCC, 2358). Nevertheless, the degree a person can be judged culpable for such activity will vary. This means in a particular instance a person engaged in a homogenital activity may not be subjectively sinful. This does not mean in that instance that such behavior is objectively good.

The Church makes an analogous kind of argument in regard to suicide. The Church teaches that suicide is a grave moral offense against God, neighbor, and self that is always objectively wrong. Nevertheless, the Church recognizes that factors like depression, unmanageable pain, and overwhelming fear can seriously compromise liberty, cloud the mind, and distort judgment. Therefore, an individual's corresponding subjective responsibility for such a decision may be nil. Similarly, the Church encourages its confessors to note that on occasion a homosexual person's ability to maintain total, lifelong sexual abstinence may likewise be compromised.

This dimension of the Church's teaching was further qualified in 1992 when the CDF wrote a set of observations entitled "Some Considerations Concerning the Catholic Response to Legislative Proposals on the Non-Discrimination of Homosexual Persons" (hereafter SCC). (Originally, this correspondence was addressed only to the U.S. bishops. However, it became public shortly thereafter.) In these considerations the CDF noted that in the pastoral care of homosexual persons "what is at all costs to be avoided is the unfounded and demeaning assumption that the sexual behavior of homosexual persons is always and totally compulsive and therefore inculpable" (SCC, 8).

Homosexual Orientation. For nearly two millennia, the Christian tradition generally proscribed any and all noncoital genital activities, whether engaged in by solitary individuals or by couples, regardless of whether they were of the same or different sex. Thus, over the centuries, the Church labeled a wide variety of people as "sodomites." In its 1975 declaration, however, Rome recognized a distinction between persons with a "transitory or at least not incurable" tendency toward homosexual activity and "homosexuals who are definitively such because of some kind of innate instinct or a pathological constitution judged to be incurable" (PH, 8). While homosexual behavior was identified as objectively immoral, comparatively little was said in this document about the homosexual orientation.

Thus, even though the language employed by the CDF in its declaration of 1975 carried negative connotations—for example, Rome spoke of persons "who suffer from this anomaly" (PH, 8)—many more neutral and even positive interpretations of a homosexual orientation arose within the Church during the following decade. These interpretations Rome subsequently judged to be "overly benign" (PCHP, 3). Lest there be any confusion about its teaching, the Vatican drafted its letter of 1986 in part to clarify its teaching on the matter of homosexual orientation. "Although the particular inclination of the homosexual person is not a sin, it is a more or less strong tendency ordered toward an intrinsic moral evil and thus the inclination must be seen as an objective disorder" (PCHP, 3).

The Church recognizes that the number of men and women "who experience an exclusive or predominant sexual attraction toward persons of the same sex" (CCC, 2357) is "not negligible" (CCC, 2358) and that these tendencies are for the most part "deep-seated," "not chosen," and "a trial" (CCC, 2358). The Church teaches: "sexuality affects all aspects of the human person," especially a person's "capacity to love and to procreate and in a more general way the aptitude for forming bonds of communion with others" (CCC, 2332).

However, even though sexual orientation is at the core of our personality, the Church teaches that persons should not be reduced to their sexual identity. In particular, no one should be identified by his or her "sexual orientation," as only either "heterosexual" or "homosexual." Homosexual persons should not conclude that their sexual (dis)orientation makes them bad. Every person is fundamentally a "creature of God, and by grace, his (*sic*) child and heir to eternal life" (PCHP, 16).

Because in at least a significant number of cases sexual orientation is perceived as a relatively stable "given" in a person's life, the Catholic Church teaches it is not a sin to be gay man or lesbian. Furthermore, the Church recognizes that in a significant number of cases sexual "reorientation" is not a human possibility. In practice, the Church does not require that "definitely" lesbian and gay male Catholics undergo "reparation therapy" in order to stay in full communion. Such tendencies are simply a fact of life which those so inclined must acknowledge and accept. In every case "chastity means the successful integration of sexuality within the person" (CCC, 2337).

However, because such an orientation is objectively disordered, the Church teaches that a gay male or lesbian sexual identity is not to be celebrated, nor is it properly seen as a source of pride. Every desire that springs from a sexual orientation that is definitively homosexual is objectively disordered. Support groups and organizations which do not make this moral teaching clear are neither caring nor pastoral in the eyes of Rome. Indeed, such associations may function as "near occasions of sin" (PCHP, 12).

This teaching has several ramifications. Obviously, the sexual self-mastery that chastity requires of everyone is an especially long and exacting discipline for gay male and lesbian people. Also, many homosexual Catholics experience this teaching as in tension with the Church's emphasis on the importance of friendship. As previously noted, the Church recognizes that it is sexuality, broadly considered, which fuels our capacity to love and form bonds with others, whether those relationships are genital or not. The Church teaches that chastity blossoms for everyone in friendships. Nevertheless, it is not clear to many gay male and lesbian Catholics how the Church can claim that the practice of total, lifelong sexual self-denial will not result in personal isolation. Still, the Church teaches that despite the tremendous difficulties they face, gay men and women are children of God and should not despair of their ability to form well-ordered interpersonal relationships. "Whether it develops between persons of the same or opposite sex, friendship represents a great good for all" (CCC, 2347).

Heterosexism. The Roman Catholic Church teaches that a person's sexual orientation is irrelevant to his or her human dignity, and consequently, to their claim to the fundamental human rights that are the corollary of that dignity. Every person has a basic right to all the conditions essential to the protection and realization of their dignity as persons. Because human dignity springs from our being created in the image and likeness of God, the human rights that flow from it are not something persons earn or forfeit by any behavior, sexual or otherwise.

Nevertheless, the Church sends mixed signals regarding discrimination based on sexual orientation. Because all homosexual desires are seen as "objectively disordered," the Vatican has concluded that diversity in sexual orientation is not analogous to gender differentiation or racial/ethnic diversity (SCC, 10). Thus, the Catholic Church actively opposes the extension of at least some aspects of civil rights legislation to gay men and lesbians. On the one hand, the Church unambiguously condemns the verbal abuse of and violent attacks against gay men and lesbians in each and every instance. Indeed, the Vatican has declared that the fundamental human rights of homosexual persons must be defended. "It is deplorable that homosexual persons have been and are the object of violent malice in speech and in action. Such treatment deserves condemnation from the Church's pastors wherever it occurs" (PCHP, 10). The Church clearly proscribes at least some forms of discrimination based on sexual orientation. The "dignity of each" should always be respected in "word, action, and law" (SCC, 7). In addition, the Church teaches that gay and lesbian persons "must be accepted with respect, compassion, and sensitivity. Every sign of unjust discrimination in their regard should be avoided" (CCC, 2358). In its 2003 directive to Catholic bishops and politicians entitled "Considerations Regarding Proposals to Give Legal Recognition to Unions Between Homosexual Persons" (hereafter LRU), the CDF concluded that the "whole moral truth" of its teaching on homosexuality is contradicted by every "unjust discrimination against homosexual persons" (LRU, 3). While it is true that these teachings have been clearly promulgated, it must also be noted that the Church has not focused much of its considerable political energy on reducing the scope of these abuses or exploring the reasons for the persistence of hate crimes related to sexual identity within society.

On the other hand, the Church endorses at least some discriminatory practices based on sexual orientation, arguing they are "not only just but morally required" for the sake of the common good. Rome teaches that landlords express a legitimate concern when they "screen" potential tenants on the basis of sexual orientation and give preference to the housing needs of "genuine" families (SCC, Forward). The Church argues that a precedent for such nonarbitrary, differential treatment is rooted in the state's obligation to restrict some basic human rights "in the case of contagious or mentally ill persons, in order to protect the common good" (SCC, 12). "It is the common good of society which requires" such discrimination (FMU, 23).

The Church believes that some legislative efforts to dismantle expressions of discrimination based on sexual orientation "threaten the lives and well-being of a large number of people" and/or jeopardize "the nature and rights of the family" (PCHP, 9; SCC, Forward, 15). These efforts must be resisted. Additionally, all church-related institutions (such as hospitals, parishes, and universities) should withdraw support from programs and organizations that undermine (through neglect, ambiguity, and/or open attack) Church teachings on homosexuality (PCHP, 14, 15).

While the right not to be discriminated against is a fundamental human right, respect for it does not automatically override or preempt other obligations. Thus, while the Church holds there is a presumption against discrimination based on sexual orientation, it teaches that "no one has any conceivable right" to homosexual behavior (PCHP, 10). Indeed, in what many view as a classic example of "blaming the victim," the Church notes that no one should be surprised when claims to have such a right increase "irrational and violent reactions" to it (PCHP, 10).

The Church opposes unjust discrimination based on sexual orientation in employment practices. But the Church does not see every instance of differential treatment at the workplace as unjust. Indeed, the Church teaches that at least some discriminatory practices are morally required. As Rome sees it, in some matters sexual orientation has a clear relevance and concern for the commonwealth justifies it being taken into account. For example, the Church teaches that discrimination based on sexual orientation is justified in the employment of teachers and coaches and in military recruitment (SCC, 11).

According to the Vatican, discrimination based on sexual orientation is also justified in regard to the placement via parental custody laws, foster care, or through adoption of children in families headed by homosexual adults (SCC, 11). The Church teaches that "the absence of sexual complementarity in these unions creates obstacles in the normal development of children" and asserts that such placements would do "violence to these children" (LRU, 7).

The Vatican fears that legislative proposals that would ban these "just" forms of discrimination could lead to the conclusion, false from Rome's perspective, that homosexual behavior is harmless and/or acceptable. There is also some fear that such legislation would be used to "make homosexuality a basis for entitlements" and thus "actually encourage a person with a homosexual orientation to declare his homosexuality or even to seek a partner in order to exploit the provisions of the law" (SCC, 14) as grounds for "special rights" not granted people of heterosexual orientation. Implicit in these lines of argument is the assumption that homosexual people are especially prone to seduce those who are young and vulnerable, to recruit those whose desires may "waiver," or worse, to be sexual predators.

Same-Sex Marriage. Given these presuppositions, it comes as no surprise that the Catholic Church teaches that nation states have an obligation to promote and defend heterosexual "marriage as an institution essential to the common good" (LRU, 6). In general, the Church recognizes that even though civil laws are morally formative of both social institutions and personal attitudes, it is imprudent to attempt to encode the entire natural moral law in civil law. For example, in some circumstances it is morally wiser to tolerate an immoral behavior as a "lesser evil" than to enact a law against it that proves unenforceable. So, the legislative strategies the Church commends to the faithful in regard to same-sex marriage are of two basic types.

In political contexts where homosexual relationships are merely tolerated, generally the Church encourages discretion and a prudent, nonaggressive course of action. Such action might include unmasking the way in which such tolerance might be exploited or used in the service of ideology; stating clearly the immoral nature of these unions; reminding the government of the need to contain the phenomenon within certain limits, so as to safeguard public morality and, above all, to avoid exposing young people to erroneous ideas about sexuality and marriage that would deprive them of their necessary defenses and contribute to the spread of the phenomenon (LRU, 5).

The legal approval or licensing of same-sex marriage is of course quite distinct from the decriminalization or mere toleration of homosexual relationships. The Church teaches that the "legal recognition of homosexual unions would obscure certain basic moral values and cause a devaluation of the institution of marriage" (LRU, 6). So, the Vatican teaches that consent to and active participation in the enactment and application of such legislation is forbidden. Various forms of material cooperation are discouraged as well.

In political contexts where same-sex unions have already been recognized in various ways, the Church teaches that opposition to "such gravely unjust laws" is a duty for all Catholics because of the harm such laws pose to the "common good." The right to conscientious objection in such circumstances is upheld (LRU, 5). When the full repeal and total abrogation of such legislation is not possible, the Church teaches that a Catholic may support laws which limit the harm that might accompany the recognition of same-sex unions (LRU, 10).

Ordination. In a 2005 "Instruction on the Criteria of Vocational Discernment Regarding Persons with Homosexual Tendencies in View of Their Admission to the Priesthood and to Sacred Orders" (hereafter VDPH), the Vatican's Congregation for Catholic Education (hereafter CCE) specified that men "who practice homosexuality, present deep-seated homosexual tendencies or support the so-called 'gay culture'" are gravely hindered "from relating correctly to men and women" (VDPH, 2). Such men lack the "affective maturity" which is prerequisite for admission to seminary and hence should not be ordained (VDPH, 1). Different, however, would be the case in which one were dealing with homosexual tendencies that were only the expression of a transitory problem—for example, that of an adolescence not yet superseded. Nevertheless, such tendencies must be clearly overcome at least three years before ordination to the diaconate (VDPH, 2).

In an accompanying cover letter, the Vatican made it clear that this instruction does not challenge the validity of the orders of those gay men previously ordained.

This document claimed the specification of these guidelines was "made more urgent by the current situation" (VDPH, Intro). It is not clear precisely to what "situation" the Vatican was referring. It could simply be a reference to the fact that currently a high percentage of priests and seminarians are homosexual. Presumably, from Rome's viewpoint, this creates insurmountable barriers to both effective priestly formation and ministry. Or, this "situation" could well be a not-so-veiled reference to the **clergy** sexual abuse crisis in the Church. If so, the instruction rests on an identification of pedophilia and sexual abuse with homosexuality for which there is no evidence. Some have charged the Vatican with implicitly scapegoating the gay community in this document.

While its publication was ordered by Pope Benedict XVI, the pope's approval of this document was general in nature and not "*forma specifica.*" Additionally, as a set of disciplinary admonitions, it has a relatively low, authoritative status. For example, it cannot take precedence over the current (1984) Code of Canon Law, which does not list a homosexual orientation as an impediment to ordination. Undoubtedly, this instruction will be interpreted differently by various bishops.

On the one hand, some will view the VDPH as simply repeating an earlier admonition that had been widely disregarded. The "Instruction on the Careful Selection and Training of Candidates for the States of Perfection and Sacred Order" (hereafter STCO), published by the Congregation for Religious in 1961, taught that "advancement to religious vows and ordination should be barred to those who are afflicted with evil tendencies to homosexuality and pederasty, since for them the common life and the priestly ministry would constitute serious dangers" (STCO, 30). From their perspective, the reiteration of this instruction was long overdue. On the other hand, many will contend that consideration of a candidate's commitment to celibacy and his willingness to follow and teach in accord with the Church's moral norms, along with his capacity for effective pastoral relationships, are more important than his sexual orientation in the discernment of a candidate's suitability for ordination.

Rationale. The Church claims deep roots for its negative judgments against homosexual behavior and orientation in the church's traditional interpretations of the biblical witness. Genesis 19:1–19:11, Leviticus 18:22 and 20:13, 1 Corinthians 6:9, Romans 1:18–1:32, and 1 Timothy 10 are all cited as confirming this view. New interpretations of these texts, which do not necessarily cohere with such conclusions and which raise serious questions about church teachings in this regard, are specifically described as "gravely erroneous" "causes of confusion" (PCHP, 4). Exegetes are reminded that when properly interpreted Sacred Scripture will not contradict but rather will be in substantial accord with the

Church's living Tradition. (NB: It is taken as axiomatic that the Church's current moral teaching is in accord with that living Tradition.) Theologians are warned of the biblical condemnation found in 1 Timothy 1 of all "those who spread wrong doctrine" (PCHP, 6).

According to Rome, however, the **Bible** is not the only source of moral wisdom that testifies to the natural (in the normative sense) and uniformly heterosexual design of human sexuality (and correlatively to the objectively disorder nature of homosexuality.) In its declaration of 2000 entitled "Family, Marriage and '*De Facto*' Unions" (hereafter FMU) the Pontifical Council for the Family (hereafter PCF) noted that the Church's sexual norms are rooted in and "determined by the structure of the human being, the woman and the man: mutual self-giving and the transmission of life" (FMU, 22). It is precisely these three, closely interrelated reasons, which underlie the Church's teachings on homosexuality.

First, according to the Vatican homosexuality does not embody, even iconically, openness to the transmission of life. Even though the Church no longer teaches that this "finality" is the exclusive or even primary purpose of the human sexual "faculty," openness to the possibility of procreativity is still deemed an "essential and indispensable" ingredient to all well ordered forms of sexuality (PCHP, 3). Same-sex "unions are not able to contribute in a proper way to the procreation and survival of the human race" (LRU, 7). The Pontifical Council for the Family summarized the matter this way. Same-sex unions should not be treated as equivalent to marriage because such partnerships cannot be "fruitful through the transmission of life according to the plan inscribed by God in the very structure of human being" (FMU, 23).

Second, according to Rome, homosexual activity cannot be genuinely loving. Such activity is described as confirming an "essentially self-indulgent" inclination (PCHP, 7). A homosexual orientation draws individuals away from their full human potential for genuinely other-regarding, love relationships. Though the Church recognizes that gay people are "often generous and giving of themselves" (PCHP, 7), homosexual relationships cannot be regarded as truly or fully lovemaking because sexual partners of the **same** sex do not draw each other into a love that is fully or sufficiently **other**-regarding. For this reason, same-sex relations should not be celebrated as part of the divine plan.

According to Catholic teaching, these two goods—life and love—are inseparably connected in every normative expression of human sexuality. This is so because heterosexual complementarity has been divinely inscribed by the Creator into the natural sexual order. According to Rome, this uniformly heterosexual design was divinely inspired. When the opening chapters of Genesis are properly interpreted, it is revealed that humankind is fashioned as male and female in the image and likeness of God. "In the complementarity of the sexes, they (human beings) are called to reflect the inner unity of the Creator" (PCHP, 6). Thus, it is through sexual differentiation and heterosexual complementarity that people can properly cooperate with God "in the transmission of life." Herein lies what the Church calls the human body's "spousal significance" (PCHP, 6). The PFC has declared that "in the Creator's plan, sexual complementarity and fruitfulness belong to the very nature of marriage." It has identified interpersonal complementarity between males and females as "willed by the Creator at both the physical-biological and the eminently psychological levels" (FMU, 23). For this reason, and in accord with the proper interpretation of Ephesians 5:32, the Church teaches that a heterosexual marriage among Christians "is an efficacious sign of the covenant between Christ and the Church" (LRU, 3).

The basic elements of this biblical vision of the "spousal significance" of the human person were delineated in 2004 by the CDF in its "*Letter to the Bishops of the Catholic Church on the Collaboration of Men and Women in the Church and the World*" (hereafter CMW). Here heterosexual differentiation is linked with not only reproduction but with the human capacity to love and thereby image God. "This is the humanity, sexually differentiated, which is explicitly declared 'the image of God'" (CMW, 5). Heterosexual collaboration bears witness to the God, "who makes himself known as the Bridegroom who loves Israel his Bride" (CMW, 9).

Possible Developments. Some Catholics find these teachings about homosexuality to be compelling. But many others, gay and straight alike, do not. The moral theologians who publicly question church teachings on this matter fall broadly into two camps. Some accept the normative sexual anthropology that presently frames church teaching. Others argue that human sexuality is more diverse than the present anthropology suggests and that this normative model of human sexuality itself needs modification.

Catholic theologians in the first camp basically agree with the Church's account of what is sexually normative. However, they argue that exceptions can be made to this norm in particular situations. Heterosexuality is the ideal to which all the faithful are obliged but only insofar as is humanly possible. Rather than commending life-long sexual abstinence to all homosexual persons in every case, some theologians argue that the adaptation, accommodation, and even compromise of the ideal in its concrete application, may sometimes be the only pastorally prudent, moral counsel. One way or another, these Catholic moral theologians recognize at least as morally tolerable some of what falls short of the heterosexual norm. They also frequently modify or reject—as neither logically required, nor supported by empirical evidence—many of the public policy recommendations presently taught as corollaries of this overarching anthropological framework.

While these modifications are no small matter, it is important to be clear about the limits of this way of thinking. It will never establish homosexual desire per se as potentially an "occasion of grace" or homosexual relationships per se as potentially worth celebrating. This is so because these judgments about the applicability of an objective norm and individual rectitude do not prompt within this camp a reconsideration of the adequacy of the normative framework itself.

In contrast, those in the second camp question the claim that heterosexuality is the moral ideal or the only morally normative form of human sexuality. Careful attention to the complex patterns of pastoral adaptation that have been necessitated by the commendation of the traditional norm prompts these Catholic theologians to question the adequacy of this teaching on sexuality per se. For them, such extensive complications invite the reconsideration of the adequacy of the norm itself.

Theologians in this camp suggest that the crucial ethical question is whether or not homosexual people can cultivate their sexual passions so that they contribute to human flourishing, at least as well as heterosexual people. If so, then sexual diversity (not heterosexual uniformity) may be what is "natural" in the normative sense to the Creator's design for human sexuality. Just like their heterosexual counterparts, same-sex relationships should be celebrated when just, loving, and faithful.

Like all Christians revising the tradition in this matter, Roman Catholic moral theologians in this camp are studying new understandings of the biblical testimony about human sexuality. They are revisioning traditional arguments about homosexuality. Distinctively

Catholic arguments focus on the corporate—that is, the evolutionary and communal—significance of sexual diversity. Several questions have surfaced on this "growing edge" of the Catholic tradition. How does sexual diversity serve the common good? How do both heterosexual and homosexual partnerships prove communally salutary? What are the consequences of conventional Church teachings for our life together? What might be the consequences of celebrating sexual diversity? It should be noted that arguments such as these which minimize the theological and moral significance of sexual differentiation and which "make homosexuality and heterosexuality virtually equivalent" within a "polymorphous" model of human sexuality have been explicitly rejected by Rome as misguided theories based on prideful attempts to escape biological conditioning (CMW, 3).

PATRICIA BEATTIE JUNG

FURTHER READINGS

Catechism of the Catholic Church. Washington, DC: United States Catholic Conference. 1994.

Congregation for Catholic Education. *Instruction on the Criteria of Vocational Discernment Regarding Persons with Homosexual Tendencies in View of Their Admission to the Priesthood and to Sacred Orders*. 2005.

Congregation for Religious. *Instruction on the Careful Selection and Training of Candidates for the States of Perfection and Sacred Order*. 1961.

Congregation for the Doctrine of the Faith. *Declaration Regarding Certain Questions of Sexual Ethics*. Rome: Congregation for the Doctrine of the Faith, 1975.

———. *Letter to all Catholic Bishops on the Pastoral Care of Homosexual Persons*. Rome: Congregation for the Doctrine of the Faith, 1976.

———. *Some Considerations Concerning the Response to Legislative Proposals on the Non-Discrimination of Homosexual Persons*. Rome: Congregation for the Doctrine of the Faith, 1992.

———. *Letter to Bishops on the Pastoral Care of Homosexual Persons*. Rome: Congregation for the Doctrine of the Faith, 1986.

———. *Considerations Regarding Proposals to Give Legal Recognition to Unions between Homosexual Persons*. Rome: Congregation for the Doctrine of the Faith, 2004.

———. *Letter to the Bishops of the Catholic Church on the Collaboration of Men and Women in the Church and in the World*. Rome: Congregation for the Doctrine of the Faith, 2004.

Pontifical Council for the Family. *Family, Marriage and 'De Facto' Unions*. Rome: Pontifical Council for the Family, 2000.

SEVENTH-DAY ADVENTISTS. The Seventh-day Adventist (SDA) religion prohibits its members from engaging in homosexual behavior. This religious prohibition underlies the angst of individuals who grow up in SDA homes and discover they are gay or lesbian. Because of the common belief among **Evangelical** and Fundamentalist Christians that homosexual behavior is sinful, it is important to understand the dilemma of Seventh-day Adventist homosexuals and the strategies they use in resolving two seemingly incompatible identities.

Christianity and Seventh-Day Adventists. Evangelical Christian beliefs typically include the ideas that the **Bible** is the inspired word of God, Christ came to earth as God/man to die for the sins of humanity, there is a heaven where saints who believe in **Jesus** will live forever and followers of Christ (Christians) have a responsibility to convince people (evangelize) to accept these beliefs as true.

Apart from these general Evangelical Christian beliefs, Seventh-day Adventists have specific beliefs that set them apart from other religious traditions. The name, Seventh-day Adventists, offers key indications about their central beliefs. "Seventh-day" refers to the belief that people should worship on Saturday. "Adventist" suggests the belief that Jesus will come to earth again to take believers to heaven. Believers who die will be resurrected and taken to heaven when Christ returns to earth (rather than going to heaven soon after death).

The traditions of Seventh-day Adventists promote a holistic religious and cultural identity of human life. Adventists share lifestyles that include prohibitions about eating (the lacto-ovo vegetarian diet is preferred; no pork is allowed), drinking (no alcohol and caffeine), entertainment (no dancing, going to a movie theater is discouraged), dress (no jewelry), and sexual behavior (no premarital sex and no sex with same-sex partners). Adventists have interpreted scripture to support these distinctive beliefs. In addition, Adventist's are socialized to see the Adventist Church as the one denomination with a complete understanding of infallible Truth. Because of this overarching belief, little questioning of a specific doctrinal stance occurs.

Based on these unique beliefs, Seventh-day Adventist parents teach their children that religion is more than a set of ideological beliefs; religion is a lifestyle. Adventists believe that homosexual desires are temptations and that engaging in same-sex behavior is a sin punishable through eternal death. Therefore, being gay or lesbian is out of the realm of conscious possibility for most individuals growing up in SDA homes. Within this reality, an Adventist gay or lesbian person is an oxymoron. The two identities cannot exist harmoniously together.

The Dilemma of Being Gay and Adventist. Despite formidable theological obstacles, including the teaching that persons are condemned to hell for being attracted to the same sex, SDAs still do come to identify as gay or lesbian and Adventist. Some gay and lesbian Adventists resolve this dilemma by leaving the church or remaining celibate. For lesbian and gay Adventists who seek to fuse religion with their sexual orientation, the process often involves passing through similar phases. These phases include a period of struggle and turmoil, a striving toward understanding and self-acceptance, and developing an innovative identity through intentional decision-making and redefinition.

Resisting "Being" Gay. While the struggle of gay and lesbian persons in achieving acceptance is well known, evidence is lacking in general that the struggle centers on religious rather than societal and cultural issues. For Adventist lesbian and gay persons, however, the phase of struggle and turmoil is heightened by religious prohibitions. It is typical for nonheterosexual people to make great efforts to understand their sexualities. Adventist gays and lesbians make additional efforts to understand how their religious beliefs can be reconciled with their emerging sexual orientation. This journey toward self-understanding and resolution is often painful and confusing and is reflected in the numerous strategies Adventists use to resist homosexuality or to try to not "be" gay or lesbian. Because of their religious beliefs, gay and lesbian Adventists view homosexuality as sin or something that should be resisted and overcome. Therefore, homosexual Adventists rely on tools they have been taught to rise above sin. Some of these strategies include praying, claiming Bible promises, engaging in mission service or ministry, and using religious rituals such as anointing. In addition to religious approaches to changing their orientations, lesbian and gay Adventists have sought psychotherapy and change ministries, tried heterosexual marriage, and some have attempted suicide to alleviate the pain of failing to change their sexual orientations. When these efforts failed in "curing" homosexuality and realizing their sexual orientation was not going to change, gay and lesbian Adventists begin to search for ways to adjust their religious views to incorporate their sexualities.

Seeking Acceptance. As the awareness grows that their sexual orientation will not change, lesbian and gay Seventh-day Adventists develop and use a variety of strategies to come to a self-acceptance of their sexual orientation. The efforts SDA gay and lesbians make in coming to self-acceptance encompass both social and religious realms. The social efforts focus on developing new role models, while the religious efforts center on activities such as reexamining scriptures for new interpretations, seeing God in a new way, or believing that God had given a sign of blessing.

Developing New Role Models. Finding new role models is an important strategy in helping gay and lesbian Adventists move toward self-acceptance. Gay and lesbian SDAs search for other people like themselves, brought up in families whose religious beliefs prohibit homosexual behavior, to help them understand how they could be gay or lesbian. Generally, the role models that are sought out are other Adventists, rather than individuals from the larger gay or religious communities.

One way that gay and lesbian Adventists find supportive role models is through SDA Kinship International, an organization that offers networking and support for lesbian, gay, bisexual, and transgendered Adventists. SDA Kinship sponsors activities such as chapter meetings, socials, retreats, picnics, potluck dinners, workshops, worship, recreation, an annual camp meeting, and an online computer group, KinNet.

Adjusting Religious Beliefs. In addition to seeking new role models to achieve self-acceptance, SDA gays and lesbians need to address their religious beliefs. Some common ways that gay and lesbian Adventists have adjusted religious beliefs include reinterpreting Bible texts, changing their views of God, seeking approval of a religious authority, or receiving a "sign" of God's approval.

Perhaps the most important religious adjustment strategy is to achieve a new understanding of the certain Bible passages that appear to condemn homosexuality. For example, when same-sex behavior is mentioned in scripture, it is often in connection with sexual aggression or sexual perversion such as the Sodom and Gomorrah story in Genesis 19. When gay and lesbian Adventists come to understand that the Bible story is focusing on the sin of sexual aggression rather than being in a loving, committed same-sex relationship, they achieve a new understanding of scripture.

As SDA lesbian and gay people seek religious understanding, reexamining scripture, their view of God's nature changes. By focusing on Bible texts that emphasize God's loving and accepting nature rather than the condemning features helps people move toward self-acceptance.

For some lesbian and gay Adventists, coming to self-acceptance about their homosexuality requires a "sign" of God's approval. Adventists teach that God has given "signs" to people, as to what course to pursue in life. For example, having a particular dream or receiving a specific answer to prayer are phenomenon that people have experienced that they interpret as a sign of God's approval.

Coming to Resolution. Once gay and lesbian Adventists realize that their efforts to change their sexual orientation will not work and they have come to accept themselves and make decisions about religion, several outcomes are possible. In some cases after examining their beliefs, people leave the church, make a decision to remain celibate or stay in the church and integrate their religion and gay or lesbian sexual orientation.

For people who chose to leave the church, the majority do so because they no longer believe the church doctrines. Others who leave may still believe the church doctrines, but realize that they cannot conform to the expectations of the church (celibacy). Another reason that individuals leave the church is that they feel wronged by the church. In general, these people believe most of the Adventist doctrines, but do not attend church because of the church's stance on homosexuality.

A small number of gay and lesbian Adventists remains celibate. Most people making this choice remain closeted. The problem with celibacy is that it requires the person to live a life without the hope of a life partner and sometimes leads to cycles of abstinence followed by periods of promiscuity.

Some gay and lesbian Adventists are able to fully integrate their sexual orientation with their Adventist lifestyle and church membership. These persons remain fairly open regarding their sexual orientation and their Seventh-day Adventist affiliation. The conditions that facilitate a more successful integration of church affiliation and sexual orientation include having an accepting church congregation, a job that will not be in jeopardy if sexual orientation became known, and having an accepting family.

While hardships exist for this population, individuals do overcome the obstacles of integrating one's faith and sexual orientation.

RENÉ DRUMM

FURTHER READINGS

Drumm, René. "Gay and Lesbian Seventh-day Adventists: Strategies and Outcomes of Resisting Homosexuality." *Social Work & Christianity*, 28 (2001): 124–130.

———. "No Longer an Oxymoron: Integrating Gay and Lesbian Seventh-day Adventist Identities." In Scott Thumma and Edward R. Gray, ed., *Gay Religion*. Walnut Creek, CA: AltaMira Press, 2005, pp. 47–65.

WEB SITES

Seventh-day Adventist Kinship, www.sdakinship.org.
Someone to Talk To, www.someone-to-talk-to.net.

SIKHISM. Sikhism, one of the youngest of the world's religions, was founded by Guru Nanak in the late fifteenth century CE. Guru Nanak's teachings on the oneness of God were continued through a line of nine successors. In the canonical literature of Sikhism there is no direct engagement on the issue of homosexuality. The issue is never addressed in the Guru Granth Sahib, a wide-ranging 1430 page book that holds ultimate authority for Sikhs in all matters. The use of the term "Sahib" is a honorific term of respect used for people, and in this way it suggests that it is the manifest body of the Guru, that is, the living Guru Himself. The Guru Granth Sahib was compiled between 1469–1675 and is an extraordinary document that contains not just the theology and reflection of six of the ten foundational Gurus, but also contains works deemed consistent with Sikh belief and ideology from other important Indian thinkers. Despite its multiple voices, from the poetry of the Gurus themselves, to the *nirguna* (formless) iconoclasm of Kabir, to Hindu poets such as Ravidas and Namdev, to Sufi masters such as Shaikh Farid, it is consistent in its nonengagement with the issue of homosexuality.

This holds true also for the other Sikh sacred works. The Janam Sakhis, the biographical stories of Guru Nanak, do not address the issue. Neither do the works of the great Sikh exegete Bhai Gurdas Bhalla, nor the Gur-Bilas, stories of the heroic lives of the Gurus. Further, a study of the Sikh Rahit-namas, manuals containing statements on Sikh doctrine and its application to everyday life, do not address the issue in any way. This silence on the issue of homosexuality continues in the world of academia, as there is no secondary literature on homosexuality and Sikhism, unlike the situation with **Buddhism** or Christianity.

This does not mean that Sikhs have never addressed the issue of homosexuality. But it does mean that this conversation is a difficult one to trace. In the last decade, the Internet has become the tool through which many of these engagements have flourished. Self-identified Sikh homosexuals have begun to interrogate both traditional Sikh literature and contemporary Sikh society forcing the issue out of the shadows and into the open. These forays have been met with resistance, again, mostly in the form of online discussions. This discussion of homosexuality has revolved around three main issues: the impact of homosexuality on the Sikh family structure, understandings of the prohibitions of *kam* (lust), and notions of Sikh tolerance. Still, it is important to qualify even these conversations as out of mainstream Sikh discourse.

One of the defining characteristics of Sikhism is its emphasis on the family. Guru Nanak broke with many medieval Indian religious movements that advocated an ascetic withdrawal from the world in order to reach the divine. While many of his compositions do engage the divine in a one-to-one relationship, Guru Nanak's last fifteen years bespeak of the importance of family and community. He created a utopian community in Kartarpur where he lived his last decade and a half, and here he brought not only his own family, but encouraged, and at times even demanded, that others bring their families as well. And it is here that Sikhs who oppose homosexuality draw their arguments. They argue that while Guru Nanak might have been silent on homosexuality, he presented an unambiguous model for how life should be lived, and that model included procreation. In this argument, family for Guru Nanak and the subsequent Gurus meant a man, woman, and children, and they point to the Anand Karaj, the verses from the Guru Granth Sahib recited at a wedding ceremony, as justification for this view (see the full text of the verses at the end of this essay).

For some, however, Guru Nanak's silence on the issue could imply his acceptance of homosexuality. As one Sikh wrote on a "Sikhi" discussion board,

> Sikhism is in no way against gays. The Gurus studied many religions and homosexuality was interpreted as WRONG by most religions at the time. Guru Nanak preached what he agreed with. He agreed with the belief in one God and preached it. If he agreed that homosexuality was wrong he would have preached [that] also.

Or, in a variation on the above argument, the Gurus' silence on the issue makes it a nonissue, or at least not a Sikhi issue. They argue that the very notion of allowing or disallowing homosexuality has no meaning. Homosexuality is simply part of life in this world. Since the Guru Granth Sahib does not mention homosexuality, there is no reason to be opposed to it. Finally, some look to the text of the Anand Karaj, the wedding ceremony, and see that it is for the union of two souls. Since these souls are genderless, there is no prohibition against homosexual unions.

While the Gurus do not explicitly discuss homosexuality, they do discuss sexuality in general. One of the "five thieves," that is the five actions to avoid, is *kam*, or lust. For those arguing against the compatibility of homosexuality and Sikhism, homosexual sexual relations are seen as only lustful since there is no chance of procreation, and thus it is forbidden. The presumption here is that sexual expression outside of procreation is inherently lustful. Lust takes one's mind off God and leads to moral wandering, hence all forms of lust are prohibited including homosexual practices. Predictably, opponents of this view argue that lust also exists in heterosexual relationships but it is not forbidden. Sex is not just for procreation in heterosexual unions, but rather sex can lead to a more loving relationship. Through proper sexual engagement the love for one's own spouse should increase, and moral wandering is associated only with the pursuit of "other women" (*par-nari*), that is, women outside a monogamous relationship. In this view, homosexual people can also engage in sexual relations as an appropriate expression of their loving relationship. These arguments often replicate, almost identically, many Christian arguments about the role of sex in creating both lust and love.

Finally, many Sikhs argue that the fundamental tolerance within Sikhism demands that they accept homosexuals as equals. This argument has come to the fore most pressingly in Canada. The Sikh community has been established in Canada for at least a century, and their numbers and influence have grown to the extent that Sikhs are regularly elected to public office. As Canadians debated issues of homosexuality and marriage with the introduction of The Civil Marriage Act (Bill C-38) in the Parliament, Sikh politicians were forced to enter the fray. Invariably, Sikh elected officials drew upon the tradition of tolerance within Sikhism in support of the Act. Mr. Navdeep Bains (Mississauga-Brampton South, Liberal) entered the official Parliamentary record on this issue with a letter entitled, "Rights Are Rights Are Rights." He begins the letter by recalling his youth as a Sikh; he felt marginalized by his beliefs and his outward appearance (most notably the keeping of his hair and the wearing of a pug, and later a turban). Much of this marginalization changed when a Mr. Dhillon earned the right to wear his turban as a member of the Royal Canadian Mounted Police. This was a landmark court decision and marked, in many ways, the culmination of the Sikhs, long struggle for recognition and equality within Canada. He concludes by stating that based on his experience and the historic court decisions he has confidence in the protection of religious freedoms. Since individual freedom is a cornerstone of society, this freedom should also extend to same-sex marriages.

The passage of The Civil Marriage Act (Bill C-38) did not end the issue, however. Sikhs were now faced with the prospect of same-sex marriages being performed in Gurdwaras (Sikh Temples). In India, a key Sikh leader, Giani Joginder Singh Vedanti, Jathedar of Akal Takhat Sahib, issued an edict prohibiting same-sex marriages from being performed in Gurdwaras. The World Sikh Organization recognizes the authority of the Akal Takhat, but the organization is also clear that they will continue to support same-sex unions in Canada, and they interpreted the statement of the Akal Takhat as supporting their position. They argue that the position taken by the Akal Takhat was in keeping with the

December 2004 ruling of the Canadian Supreme Court, which held that religious places of worship could not be compelled to conduct same-sex marriages. Therefore, the edict from the Akal Takhat does not prevent Sikhs from supporting the protection of Charter rights to protect a minority. Indeed, for many Sikhs the issue of same-sex marriages is viewed as a matter of human rights supported by the Canadian Constitution and Charter of Rights and Freedoms. The Charter, it is argued, is consistent with Sikh values of religious and social tolerance. Thus, the authority of the Akal Takhat is not undermined as the passing of legislation in Canada allowing for same-sex marriages has no bearing on the conduct of marriages in Gurdwaras. In principle, then, Sikhs could use the Sikh marriage ceremony to join same-sex couples in committed unions. It should be noted that to date this has not taken place and would be generally viewed within the Sikh community as standing outside the normative emphasis on procreative family life. But many Sikhs are supportive of the individual rights of others to enter into such same-sex unions, as the debate in Canada demonstrates.

Wedding Hymns: Raag Suhie, Fourth Mehl, Guru Granth Sahib (pp. 773–774)

One Universal Creator God. By The Grace Of The True Guru:

In the first round of the marriage ceremony, the Lord sets out His Instructions for performing the daily duties of married life.

Instead of the hymns of the Vedas to Brahma, embrace the righteous conduct of Dharma, and renounce sinful actions.

Meditate on the Lord's Name; embrace and enshrine the contemplative remembrance of the Naam.

Worship and adore the Guru, the Perfect True Guru, and all your sins shall be dispelled.

By great good fortune, celestial bliss is attained, and the Lord, Har, Har, seems sweet to the mind.

Servant Nanak proclaims that, in this, the first round of the marriage ceremony, the marriage ceremony has begun. ||1||

In the second round of the marriage ceremony, the Lord leads you to meet the True Guru, the Primal Being.

With the Fear of God, the Fearless Lord in the mind, the filth of egotism is eradicated.

In the Fear of God, the Immaculate Lord, sing the Glorious Praises of the Lord, and behold the Lord's Presence before you.

The Lord, the Supreme Soul, is the Lord and Master of the Universe; He is pervading and permeating everywhere, fully filling all spaces.

Deep within, and outside as well, there is only the One Lord God. Meeting together, the humble servants of the Lord sing the songs of joy.

Servant Nanak proclaims that, in this, the second round of the marriage ceremony, the unstruck sound current of the Shabad resounds. ||2||

In the third round of the marriage ceremony, the mind is filled with Divine Love.

Meeting with the humble Saints of the Lord, I have found the Lord, by great good fortune.

I have found the Immaculate Lord, and I sing the Glorious Praises of the Lord. I speak the Word of the Lord's Bani.

By great good fortune, I have found the humble Saints, and I speak the Unspoken Speech of the Lord.

The Name of the Lord, Har, Har, Har, vibrates and resounds within my heart; meditating on the Lord, I have realized the destiny inscribed upon my forehead.

Servant Nanak proclaims that, in this, the third round of the marriage ceremony, the mind is filled with Divine Love for the Lord. ||3||

In the fourth round of the marriage ceremony, my mind has become peaceful; I have found the Lord.

As Gurmukh, I have met Him, with intuitive ease; the Lord seems so sweet to my mind and body.
The Lord seems so sweet; I am pleasing to my God. Night and day, I lovingly focus my consciousness on the Lord.
I have obtained my Lord and Master, the fruit of my mind's desires. The Lord's Name resounds and resonates.
The Lord God, my Lord and Master, blends with His bride, and her heart blossoms forth in the Naam.
Servant Nanak proclaims that, in this, the fourth round of the marriage ceremony, we have found the Eternal Lord God. ||4||2||

Post Wedding Hymn (Traditional)

My marriage is performed, O' my father!
By Guru's instruction I have obtained God.
The darkness of my ignorance is removed.
The Guru has blazed the very bright light of Divine knowledge.
The Guru given Divine knowledge is shedding lustre and the darkness is dispelled.
I have therefore found the priceless gem of God's Name.
My malady of ego has departed and my anguish is over.
Under Guru's instruction I myself have eaten up my self-conceit.
I have obtained God of immortal form, as my spouse.
He is imperishable and so dies or goes not.
The marriage has been solemnized, O' my father!
and by Guru's instruction, I have found God.

DANIEL MICHON

FURTHER READINGS

Grewal, J. S. *The Sikhs of the Punjab*. Cambridge: Cambridge University Press, 1990.
Mann, Gurinder Singh. *The Making of Sikh Scripture*. Oxford: Oxford University Press, 2001.
McLeod, W. H. *Guru Nanak and the Sikh Religion*. Oxford: Clarendon Press, 1968.
Singh, Pashaura. *The Guru Granth Sahib: Canon, Meaning and Authority*. Oxford: Oxford University Press, 2000.

SODOM. *See* **Bible**

SOUTHERN BAPTIST CONVENTION. The Southern Baptist Convention (SBC) is the largest Protestant denomination in the United States, with roughly 16 million members and 40,000 loosely affiliated churches. The SBC has been a strong conservative voice against the acceptance of homosexuality in American society and religion. Indeed, since the denomination adopted a more fundamentalist approach to Christian faith and practice during the 1980s and 1990s, the SBC has fought against the recognition of gay and lesbian rights and against the full inclusion of homosexual persons within the church or society at large.

The primary basis for the SBC's opposition to gay rights or to viewing homosexuality as a natural orientation is the SBC's literal interpretation of the **Bible**. The Bible is viewed as the infallible and inspired word of God that spells out God's plans for humanity for all time. The biblical passages that speak against same-sex relations (Leviticus 18, 20;

Romans 1) are interpreted as condemning all same-sex expressions for all times. Those who interpret these passages differently are severely criticized for not sufficiently recognizing and applying the authority of the Bible to everyday life and to controversial matters. The biblical statements against same-sex relations are seen as plain and straightforward. Based on this reading of the Bible the SBC strongly opposes the normalization of homosexuality within mainstream society and within other church groups.

Through its Ethics and Religious Liberty Commission, as well as through its annual conventions, the SBC has issued various statements over the years against homosexuality. For example, the SBC has maintained that biological and psychological research on the causation of homosexuality is misrepresented in the media so as to favor the normalization of same-sex relations. The SBC asserts that there simply is no such thing as a homosexual person. In this view all human beings are intended by God to be heterosexual at birth, but some individuals—acting on a distorted self-image due to human sin—mistakenly identify themselves as gay, lesbian, bisexual, or transgendered. From the perspective of the SBC homosexuality is not an orientation but a disordered and perverted behavior, a distortion of God's intention for human sexuality. Individuals are not born with a homosexual identity but through psychological trauma choose a gay lifestyle against the natural order.

The Southern Baptist Convention generally follows the lead of NARTH, the National Association for Research and Therapy of Homosexuality, founded by Joseph Nicolosi. NARTH is a conservative association of psychologists that views homosexuality as a pathology arising from psychological and social causes that should be treated as a disorder rather than understood as a given orientation to be lived out. In this view they stand in disagreement with the American Psychological Association. According to NARTH there are three false myths about homosexuality: 1) that homosexuality is normal and biologically determined, 2) that homosexual persons cannot change and lead heterosexual lives without doing significant psychological damage to themselves, and 3) that children should be taught that homosexuality is as normal and healthy as heterosexuality, and that teenagers should be encouraged to express their same-sex attractions. The SBC concurs with NARTH that homosexuality is abnormal, that homosexual persons can in fact lead productive heterosexual lives through reparative therapy, and that children should be taught that homosexuality is a dangerous and unhealthy choice against heterosexuality as the exclusively normative form of sexual expression given by God.

Theologically, the Southern Baptist Convention understands same-sex relations as sinful and as a violation of God's law revealed in the Bible. Individuals who engage in same-sex relations and do not repent of this sin are not to be encouraged or ultimately tolerated in the community of faith. To engage in homosexual sex is no more a sin than adultery or other serious sins of the flesh, but such acts should be treated as serious sins regardless of the increasing acceptance of homosexuality in the popular culture. Indeed, from the view of the SBC, if a person does not repent of same-sex relations then that person may be putting himself (and here the emphasis is on men) at greater risk of engaging in acts of pedophilia and other sexually disordered and destructive behaviors.

Same-sex relations should not be given any special legal protections. The official policy statements of the Southern Baptist Convention argue that same-sex marriage would undermine the traditional role of heterosexual marriage as a public good. (In 1997 the Southern Baptist Convention initiated a boycott of the Walt Disney Company when the company adopted policies that supported full rights for domestic same-sex partners. The boycott was called off in 2005.) In the view of the SBC only heterosexual marriages allow for appropriate childbearing and rearing. Children need both mothers and fathers, both male and female role models. Same-sex marriage would hurt children, from this perspective, as children would be more susceptible to a range of psychological and social problems including increased incidences of drug addition, depression, and sexual promiscuity. Thus same-sex couples should not be permitted to adopt children. In these various ways the SBC views same-sex marriage as a danger not only to Christian faith, but also to society as a whole. Homosexual relationships are a threat to traditional families.

Still, the Southern Baptist Convention encourages its followers to love the homosexual person, while condemning homosexual behavior (love the sinner, hate the sin). By expressing love for the homosexual person the Southern Baptist Church hopes that the homosexual person will realize the need to refrain from same-sex relations, and will also be more open to seeking appropriate reparative therapy so that they might be able to be healed of their homosexuality and enter into productive heterosexual relationships as God intended. The Southern Baptist Convention encourages its members to engage in outreach to homosexual persons. At its 2003 annual meeting in Phoenix, Arizona, the Southern Baptist Convention called upon its members to establish a nationwide campaign to convert gays into ex-gays. If people choosing the gay lifestyle would accept **Jesus** as their savior and repent of the sinful and destructive lifestyle, then God would heal them of their homosexuality so that they could become heterosexual.

JEFFREY S. SIKER

FURTHER READINGS

Ammerman, Nancy. *Baptist Battles: Social Change and Religious Conflict in the Southern Baptist Convention*. New Brunswick, NJ: Rutgers University Press, 1990.

Ammerman, Nancy, ed. *Southern Baptists Observed*. Knoxville, TN: University of Tennessee Press, 1993.

Hankins, Barry. *Uneasy in Babylon: Southern Baptist Conservatives and American Culture*. Tuscaloosa, AL: University of Alabama Press, 2002.

Morgan, David T. *The New Crusades, the New Holy Land: Conflict in the Southern Baptist Convention, 1969–1991*. Tuscaloosa, AL: University of Alabama Press, 1996.

Nicolosi, Joseph. *Reparative Therapy of Male Homosexuality: A New Clinical Approach*. Northvale, NJ: Aronson, 1997.

WEB SITES

National Association for Research and Therapy of Homosexuality (NARTH), www.narth.com.

Southern Baptist Convention, www.sbc.net.

TAOISM. Taoism is a philosophical and later a religious system that derives for the most part from the Tao Te Ching, ascribed traditionally to the Chinese philosopher Lao Tzu, but probably not written down until the third century BCE. "Tao" is the Chinese term for "path" and refers to how the universe works in its effortless natural order. To follow the Tao human beings must learn to join this effortless flow of life and refrain from all striving and desire. This leads to true freedom and enlightenment. A principal philosophy and system of religion of China based on the teachings of Lao Tzu in the sixth century BC and on subsequent revelations, it advocates preserving and restoring the Tao in the body and the cosmos. As a religious system Taoism borrowed various features from both Mahayana **Buddhism** and from Confucianism.

Taoists view the world as system of balances between various opposing principles focused in the notions of yin and yang. Yin includes all things feminine, and yang includes all things masculine. For this reason heterosexual relationships are viewed as maintaining a welcome balance between yin and yang. Still, every human being has both yin and yang within them. Some men (who represent the yang) have a very strong presence of yin (the feminine) within them, so that homosexual relations are in principle not a problem within Taoist tradition. In practice, however, many Taoists are also strongly influenced by Confucian tradition, which emphasizes the duty of sons to continue the family line through procreation. Thus, while homosexual acts in and of themselves are not wrong in Taoist tradition, they are more accepted if the individuals also reproduce children. The Tao Te Ching and the Zhuangzi, the scriptures for Taoism, do not expressly forbid same-sex relations. Neither does the list of sinful deeds in the Confucian tradition refer to homosexuality. Even in the Taoist pantheon there are gods and goddesses who live with other deities of the same sex. For example, the mountain god *Shanshen* is always depicted as living with the god *Tudi* (a deified human), and both are males. Thus in the religious beliefs of Taoism there is no prohibition against homosexuality, though there are ethical pressures to have children at the same time.

JEFFREY S. SIKER

FURTHER READINGS

Fowler, Jeaneane. *An Introduction to the Philosophy and Religion of Taoism: Pathways to Immortality*. Sussex: Academic Press, 2005.

Kirkland, Russell. *Taoism: The Enduring Tradition*. New York: Routledge, 2004.

TWO SPIRIT PEOPLES. *See* **Native American Peoples**

UNITARIAN UNIVERSALISM. Dating back to the sixteenth century in Transylvania (the Unitarian roots) and the eighteenth century in the United States (the Universalist roots), the Unitarian Universalist Association has a long history of emphasizing the freedom of the human will and the loving benevolence of God. In 1819 William Ellery Channing, a Unitarian minister, delivered a sermon entitled 'Unitarian Christianity,' which gave the Unitarian movement significant shape. In 1825 the American Unitarian Association was organized in Boston, Massachusetts. The Universalists organized in 1793, and stressed that all people are God's children and would be saved by God, in contrast to much of the Calvinist preaching of eighteenth century America. The Universalists were the first to ordain women to ministry (1863). Both denominations continued to emphasize religious liberty and freedom. In 1961 the two denominations merged to become the Unitarian Universalist Association (UUA). The UUA has always been prominent in advocating civil rights and racial and cultural diversity. Its current strong support of gay, lesbian, bisexual, and transgender persons fits squarely within its liberal religious tradition.

The first Principle of the Unitarian Universalist faith speaks to "the inherent worth and dignity of all people." Both the Unitarians and the Universalists have had a long and proud history of Social Activism and progressive thinking since their inception. Many Unitarians and Universalists have been, if not pioneers, at least very strong supporters of such progressive ideas as the abolition of slavery, women's suffrage, public education, kindergartens, and social welfare programs of all sorts. So it is perhaps not altogether surprising that the denomination has endorsed equal rights for members of the GLBT community. Still, at no prior time has it given such sustained and public support like that currently given to GLBT people. Yet it has not always been so.

Until the UUA began to move away from mainstream Christianity and to a more inclusive interpretation of the Bible, there does not seem to have been a great deal of discussion within Unitarianism or Universalism about GLBT people. Like their more traditional Christian brethren, the early Unitarians and Universalists seem to have taken a fairly standard view of human sexuality. It may be that the Transcendentalist movement had much to do with the UUA's current acceptance of "alternate sexuality." The Transcendentalist movement opened the door for a less Bible-centered Unitarianism, one more tolerant of nonconformity.

By the turn of the century, with the help of the Transcendentalists, the Unitarians had moved completely away from the Bible-centered beliefs of their forefathers, asserting the importance of love for God and humanity, but without an exclusively Christian focus.

Throughout the first half of the twentieth century, there does not appear to have been much significant progress in the area of GLBT rights within the denomination. Two direct influences which were significant during this period were the Humanist Manifesto of 1933, which called for a "non-theistic, non-supernatural religion," and the group known as the Humiliati, formed in 1946. Both of these served to create within the Universalists a more universal approach to religion, thereby moving the Universalists further away from a strictly Christ-centered Christianity.

In 1951 the Mattachine Society was founded by Harry Hay, who on occasion attended a Unitarian congregation. The Mattachine Society was formed to help homosexuals realize their collective histories and experiences and is often considered the beginning of the contemporary organized gay-rights movement in the United States. Within Unitarian and Universalist churches, there began to be agreement that there was much more that united them than separated them.

The Unitarians and the Universalists consolidated in 1961 and now as the UUA contributed significantly to the Civil Rights movement, which gained momentum throughout the decade. In the mid-1960s gay and lesbian Unitarian Universalists (UUs) began meeting in secret, forming groups to support one another and to socialize. By the early 1970s Unitarian Universalists for Gay and Lesbian Concerns, the predecessor to the current support group *Interweave*, was formed. In September of 1969, the UU minister Reverend James L. Stoll publicly declared his homosexuality at the Student Religious Liberals (Youth) Conference held in LaForet, Colorado. This public declaration led to the now famous 1970 UU General Assembly General Resolution that urged "all people to bring an end to all discrimination against homosexuals, homosexuality, bisexuals, and bisexuality." The passage of this resolution was quickly followed by the founding of the Unitarian Universalist Gay Caucus, whose mission was to lobby for the creation of a UU office of Gay affairs.

Concurrently, the denomination was mounting an educational effort to foster more positive attitudes toward homosexuality and **bisexuality**. The comprehensive sexuality curriculum, *About Your Sexuality* was published in 1971 for youth, and *The Invisible Minority* for adults appeared in 1972. The UU General Assemblies of 1973 and 1974 voted to establish and fund an "Office of Gay Affairs," staffed by gay people, to serve as a resource for the Association. By 1986 the name had been changed to the "Office of Lesbian and Gay Concerns." In 1993, the Director of the Office of Lesbian and Gay Concerns became a full-time position, and that same year the name was changed to "Office of Lesbian, Bisexual, and Gay Concerns" to reflect a commitment to the bisexual community. In April of 1996, the name was changed again to its current title of "Office of Bisexual, Gay, Lesbian, and Transgender Concerns" to reflect the denomination's concern for transgender issues as well.

In 1980 the UU General Assembly passed a resolution urging both the UUA and the UU Minister's Association to assist in helping openly out gay ministers. And in 1984 the General Assembly passed a resolution affirming the practice of UUA **clergy** performing Services of Union between same-gender couples. The Assembly also requested that the Department of Ministerial and Congregational Services develop and distribute supporting materials for same-sex unions. Additionally, in 1989 the UUA launched an initiative to establish congregations as "Welcoming Congregations." This was based on a 1987 committee report that found many negative attitudes, prejudices, and profound ignorance about bisexual, gay, and lesbian people, that had resulted in the exclusion of bisexual, gay, and lesbian people from UUA churches. This program has sought to educate congregations with workshops such as "How Homophobia Hurts Heterosexuals" and "Biblical Perspectives on Homosexuality." At the same time, *Interweave* succeeded UUs for Gay and Lesbian Concerns, and expanded its goals to include the creation of local groups for bisexual, gay, lesbian, and transgender Unitarian Universalists, with the aim of providing support, social interaction, and the sharing of life issues. *Interweave* also sought to provide outreach to the larger bisexual, gay, lesbian, and transgender community in order to publicize the religious alternative offered by Unitarian Universalism. The Welcoming Congregation program was revised to include gender-neutral pronouns in April 2002. Since then it has been expanded to a second curriculum, *Living the Welcoming Congregation*, and is used not only by Unitarian Universalists but has also been adapted by other faith traditions to fit their own contexts.

In May 2002, the Rev. Sean Dennison was called to serve the South Valley UU congregation of Salt Lake City, Utah, and so became the first out transgender person in the UU ministry to be called to serve a congregation as a parish minister. One week later, the Rev. Laurie J. Auffant was called to serve Follen Church Society of Lexington, MA, thus becoming the first out transgender person in the UU ministry to be called to serve a congregation as a minister of religious education.

Unitarian Universalist General Assemblies continue to pass resolutions condemning homophobia, AIDS discrimination, and hate crimes. The UUA has fought against the Boy Scouts of America's policy of discrimination against gay and atheist scouts and leaders, and the Helms Amendment designed to restrict the travel rights of HIV-infected people into the United States. Most recently, the denomination has been on the forefront in support of marriage equality for same-sex couples. In May of 2004 UUA President Rev. William G. Sinkford legally married Hillary and Julie Goodridge in Massachussetts. They had sued the State of Massachusetts successfully over the right to marry as a same-sex couple.

Unitarian Universalists are clearly committed to continued advocacy for gay, lesbian, bisexual, and transgender people within society at large in order to bring about full and equal rights for GLBT people. As a denomination, the UUA has provided important leadership in the ongoing fight for such rights. This advocacy flows quite naturally from the First Principle of the UUA, which stresses the inherent worth and dignity of all people.

John Wright and Barb Greve

FURTHER READINGS

Gearhart, Sally and William R. Johnson, eds. *Loving Women/Loving Men, Gay Liberation and the Church.* San Francisco, CA: Glide Publications, 1974.
Harris, Mark. *Dictionary of Unitarian Universalism.* Lanham, MD: Scarecrow Press, Inc., 2004.
Hartman, Keith. *Congregations in Conflict, The Battle over Homosexuality.* New Brunswick, NJ: Rutgers University Press, 1996.
Miller, Perry, ed. *The Transcendentalists, An Anthology.* Cambridge and London: Harvard University Press, 1950.
Stemmeler, Michael L. and Cabezón, José Ignacio, eds. *Religion, Homosexuality and Literature.* Las Colinas, TX: Monument Press, 1992.
Unitarian Universalist Association. *U. U. World.* Boston, MA: Unitarian Universalist Association.
Unitarian Universalist Association Office of Bisexual, Gay, Lesbian and Transgender Concerns. *The Welcoming Congregation Handbook, Resources for Affirming Bisexual, Gay, Lesbian, and/or Transgender People,* 2nd ed. Boston, MA: Unitarian Universalist Association, 1990, 1999.

WEB SITES

American U.U. History, www.americanunitarian.orgAUCHistory.htm.
Interweave, www.uua.orgobgltc/wcp/wc1expln.html.

THE UNITED CHURCH OF CANADA. The United Church of Canada is the largest Protestant denomination in Canada, with Anglicans in Canada making up the next largest group. The denomination was formed in 1925 through a merger of various churches in Canada, primarily the Congregational, Methodist, and Presbyterian churches. The United Church of Canada has historically been one of the more liberal and progressive denominations in North America, with roughly 3 million Canadians belonging to the church.

The debate over the status of homosexual persons in the United Church of Canada began officially when in 1972 the church's General Council undertook a comprehensive study of human sexuality. (The General Council of the church had, in 1960, passed a resolution identifying homosexual behavior as sinful.) After several years a task force on human sexuality presented its report in 1980, in which it concluded that there was no reason in principle why mature, self-accepting homosexual persons should not be ordained or commissioned by the church. The General Council referred the task force's report for further study by the church at large. In 1982 gay and lesbian members of the United Church of Canada formed the group *Affirm*, a support group for homosexual members of the church. Another task force was commissioned to study the issues, and in 1984 the group's report was completed, "Sexual Orientation and the Eligibility for the Order of Ministry." The task force recommended that sexual orientation should not, in and of itself, be determinative of whether or not a person was approved for **ordination** in the United Church of Canada. The recommendation did not receive wide support, and so the General Council promoted a wider study across the church. The church created "The National Coordinating Group for the Programme of Study and Dialogue on Sexual Orientations, Lifestyles and Ministry," which was charged with the task of making a further report on the issues to the 1986 or 1988 General Council meeting. The national group helped to organize many local studies. Most local groups remained opposed to the ordination of openly gay or lesbian ministers. But the national group concluded that the church should welcome lesbian, gay, and bisexual persons to the life and ministry of the church just as heterosexual persons were welcome. The group also recommended that the church develop liturgical rites to bless same-sex unions. These recommendations caused a great deal of tension within the church, with some congregations leaving the denomination in protest.

In its August 1988 meeting, the General Council affirmed that all persons professing faith in **Jesus** Christ were eligible to be considered for ordained ministry, regardless of their sexual orientation. In 1992 the General Council approved the development of liturgical and pastoral resources for same-sex covenants to be made available to congregations wishing to bless such unions. In August of 2000 the United Church of Canada approved a resolution recognizing that all human sexual orientations (heterosexual, homosexual, bisexual) are a gift from God and part of God's diverse creative activity. It further resolved to advocate for the civil recognition of same-sex partnerships. In August of 2003 the General Council officially called upon the Canadian government to recognize same-sex marriage in Canada's marriage legislation. When Canada officially allowed same-sex marriages in 2005 the United Church of Canada congratulated the government and argued that the institution of marriage would be enhanced, not diminished, in the process.

In official statements, particularly in the document "Of Love and Justice: Toward the Civil Recognition of Same-Sex Marriage," the United Church of Canada has argued that the biblical prohibitions against homosexuality do not in fact directly address gay or lesbian sexual orientation or expression as currently understood. For example, the story of Sodom and Gomorrah in Genesis 19 addressed not homosexuality per se, but inhospitality and homosexual rape. The Levitical prohibitions (Leviticus 18 and 20) addressed not homosexual orientation and practice as currently understood, but patriarchal and outdated understandings of human sexuality in general. The passage from 1 Corinthians 6:9 dealt with male prostitutes and pederasts, not consenting male adults. And the passage from Romans 1:26 to 1:27 addressed first century notions of what was or was not considered natural without anything like the current understanding of sexual orientation.

Since 1992 the United Church of Canada has supported same-sex unions and advocated for governmental recognition of such unions. In 2003 the church officially recognized the covenanting of same-gender couples within the church. Some churches have recorded such unions as marriages, while others have recorded them as same-sex covenants. Although marriage is still largely seen as a covenant between a man and a woman, the United

Church of Canada does not hold a sacramental view of marriage. It does place a very high value on the significance of marriage vows, and the vows between a man and a woman are extremely similar to the vows that have been developed between same-gender couples. Since the church does not see procreation as a primary purpose of marriage, the notion of procreation as a significant distinction between heterosexual and homosexual unions is not viewed as a major difference.

JEFFREY S. SIKER

FURTHER READINGS

Gaede, Beth Ann, ed. *Congregations Talking about Homosexuality*. Herndon, VA: Alban Institute, 1998.

Huntly, Alyson. *Daring to Be United: Including Lesbians and Gays in The United Church of Canada*. Toronto: United Church Publishing House, 1998.

Of Love and Justice: Towards the Civil Recognition of Same-Sex Marriage. Toronto: The United Church of Canada, 2003.

Riordon, Michael. *The First Stone: Homosexuality and the United Church*. Toronto: McClelland & Stewart, 1990.

Together in Faith: Inclusive Resources about Sexual Diversity for Study, Dialogue, Celebration, and Action. Toronto: The United Church of Canada, 1995.

THE UNITED CHURCH OF CHRIST. The United Church of Christ (UCC) is a mainline **Protestant** denomination, with roots dating back to early Christianity. It was founded in 1957, as a merger between the Congregational-Christian Churches and the Evangelical and Reformed Churches, all of which trace their beginnings to the days of the Protestant reformation. Since the late 1960s, the denominational policies and leadership of the UCC have been supportive, affirming, and often prophetic in the movement for lesbian/gay/bisexual/transgender (LGBT) equality. With approximately six thousand congregations, the United Church of Christ is smaller in numbers than some Christian denominations. Even so, the UCC has been present and vocal in the religious and political work to end homophobia in national, state, and local arenas.

The denomination has also played a significant role in the religious life of gay, lesbian, bisexual, and transgender persons. This has been most notable through the work of the UCC Coalition for Lesbian/Gay/Bisexual/Transgender Concerns (begun in 1972), a self-created support and advocacy group for lesbian, gay, bisexual, transgender persons, and heterosexual allies. The Open and Affirming movement (begun in 1985) is perhaps the most well-known program of the UCC Coalition. Open and Affirming (ONA) is a process through which local churches, seminaries, and other settings of the denomination engage in study and then proceed to a vote declaring themselves "Open and affirming of lesbian, gay, and bisexual persons (more recently adding transgender) in all aspects of church life and leadership."

Many in the United Church of Christ look to a few historic moments as key milestones in the lives of gay, lesbian, bisexual, and transgender persons in the church. For example, in 1972, the United Church of Christ Gay Caucus (now the UCC Coalition for LGBT Concerns) was founded by about thirty-five people, and continues to grow in numbers and programs. Also in 1972, the Golden Gate Association ordained the Rev. Bill Johnson as the first openly gay or lesbian clergyperson within the mainstream Christian church. Since that time, the number of openly gay, lesbian, bisexual, and transgender **clergy** being ordained and **coming out** continues to increase. This has not been achieved without significant struggle and pain on the part of many who have not been called (hired), have been asked to leave churches, or have simply not been taken seriously as candidates for ministry because of their openness about their sexual identity. As a result of this historic struggle for justice, the **ordination** and placement process for openly lesbian, gay, bisexual, and transgender clergy is much more positive today than in the past. In many congregations and associations, the sexual orientation of a candidate for ministry is believed to be insignificant in the considerations of one's appropriateness for ordination. Therefore, many gay, lesbian, bisexual, and transgender clergy are ordained with the full support and are held to the same ethical standards as their heterosexual colleagues.

During the past three decades, there have been many steps taken by the denomination, setting new standards and breaking new ground in the work for justice for LGBT persons in the church. For example, several pronouncements and resolutions adopted by the General Synod (the biannual denominational gathering of church delegates) have increased support and understanding for the concerns of LGBT persons. In 1985 and then again in 1997, the denomination released reports and studies on human sexuality, each more progressive in insight about sexual identity and advocacy for LGBT persons. Another milestone in the struggle for justice occurred in 2003 when the General Synod voted a resolution calling for the full inclusion of transgender persons into the life of the church. Again, this was a first for a mainline Christian denomination.

From the Local Church to the Office of the Denominational President. The United Church of Christ is organized in the democratic, free-church tradition. Specifically this means that local churches exist within a covenantal relationship with one another and the denomination as a whole. Parishes, associations (organized networks of local churches), conferences (organized networks of associations), and the national offices all operate independently of one another, yet in covenant together. For example, each church owns its own property, calls (hires) its own pastor(s), and votes its own policies. The associations are charged with the responsibility of ordaining clergy and maintaining standards for all religious professionals. In the same manner, delegates of the denomination gather every two years to form the General Synod. At this meeting, social policy is passed and resolutions are voted which direct the focus of the denomination as a whole. However, General Synod delegates are always careful to say, "We speak *to* the churches, not *for* the churches." In essence, this affirms the covenantal structure and local autonomy of each congregation.

A good example of how this structure functions can be found in the ordination process. Individuals who feel the vocational call to ordained ministry request the endorsement of the local church. In turn, the local church recommends persons to the association committee on ministry, which examines candidates and determines their fitness for ministry. The fitness standards are established by an office of the denomination, and implemented by the association. Candidates for ministry become ordained after having met the requirements, and received a call (offer of a position) to a local church or other position of ministry. This flow of shared vision and responsibility is only possible through a commitment to the covenantal relationship, binding all in good faith.

Over the years, this democratic structure has proven to be of great significance in the lives of gay, lesbian, bisexual, and transgender laity and clergy. For example, there have been numerous General Synod pronouncements and resolutions affirming the gifts and graces of gay, lesbian, bisexual, and transgender clergy, lay leaders, and church members. On the denominational leadership level, there have been openly gay, lesbian, bisexual, and transgender persons functioning for decades. However, since the General Synod speaks "to the churches, not for the churches," local churches are free to do as they please. Thus, they may deny ordination or refuse to call an LGBT pastor. Conversely, if the members of a local church vote to call an openly lesbian or gay pastor, they are free to do that despite what the association, conference, or other nearby local churches might say.

This can be confusing and disheartening for gay, lesbian, bisexual, and transgender persons who are drawn to the UCC because of its reputation for progressive social policies. They may find that their own local church does not operate under the same assumptions and beliefs that they experienced in a different location or level of the denomination. On the other hand, it has empowered autonomous communities to break out of oppressive traditions and respond to the experience of God in their midst. It is this democratic structure that has enabled the United Church of Christ to lead the way in the ordination and placement of openly gay and lesbian clergy and the growth of the Open and Affirming movement. This polity also allows individuals members and leaders within the UCC to speak to legislative and political concerns as part of the United Church of Christ, if not for the United Church of Christ.

While the direction of the denomination has been increasingly supportive of gay, lesbian, bisexual, and transgender concerns, there are some church members and leaders who oppose both the ordination of gay, lesbian, bisexual, and transgender clergy and the Open and Affirming movement. Because the covenantal relationship values the autonomy of churches and church members, the right to speak freely one's dissent is always respected.

Social Policy and Practice. The United Church of Christ has the most comprehensive body of social justice policies addressing lesbian, gay, and bisexual concerns of any Christian denomination in the United States. These policies serve as a beacon of hope not only to UCC members, but to numerous Christians in other faith traditions. To the extent that they are embodied by the United Church of Christ local congregations, they bring to life the liberating Word of **Jesus** Christ, calling forth a new humanity unfettered by antigay prejudice and discrimination based on sexual orientation. The first of these social policies was adopted on April 12, 1969 by the Council for Christian Social Action. This "Resolution on Homosexuals and the Law" declared "... its opposition to all laws which make private homosexual relations between consenting adults a crime and thus urges their repeal ..." In 1997, the "Resolution Calling on the Church for Greater Leadership to End Discrimination Against Gays and Lesbians" was passed by the General Synod. This resolution called for "... the passage of a federal gay and lesbian civil rights law ... an end to all state 'sodomy laws' ... passage of domestic partner laws ... lifting of the ban on gays and lesbians in the military" and other political and legal action. In addition to these, there have been more than twenty social policies ranging from those of "Deploring the Violation of Civil Rights of Gay and Bisexual Persons" (1977), to the "Resolution Affirming Gay, Lesbian, and Bisexual Persons and Their Ministries" (1991), to a few resolutions in support for equal marriage rights. As the social and religious realities change for lesbian, gay, bisexual, and transgender persons, bodies of the United Church of Christ will continue to speak messages of justice to religious and civic leaders and institutions.

Within the denomination there exist opportunities for dialogue concerning issues of importance to gay, lesbian, bisexual, and transgender church members. For example in 1997, a pastoral letter of the Conference Ministers of the United Church of Christ entitled, "A Call to Dialogue" was published. Conference Ministers wrote, "... let us explore our faith in relation to these issues: the meaning of Christian marriage, the blessing of unions among same-sex couples, the honoring of diverse expressions of loving and caring human relationships, being guided in all things by the love of Jesus ..." In 1998, President Paul Sherry wrote a pastoral letter entitled, "Now, No Condemnation" as a response to a particularly vitriolic rise in antigay hate crimes and verbal assault on gay and lesbian persons. (*That We May All Be One: Thirty Years of United Church of Christ Social Justice Policy Statements on Lesbian, Gay, and Bisexual Concerns*, The United Church Board for Homeland Ministries, division of the American Missionary Association, and The UCC Office for Church in Society, June 1999.)

The Changing Roles of Gay/Lesbian/Bisexual/Transgender Persons in the UCC. The visible roles of lesbian, gay, bisexual, and transgender clergy and laity have been changing and evolving since the beginning of the UCC. Although there have always been LGBT members and ministers in the church, the movement for lesbian, gay, bisexual, and transgender justice intensified in the late 1960s and has been growing rapidly ever since. In its initial stages, much attention was focused on the numerous ways that church and society victimized and oppressed gay and lesbian individuals. Providing informal networks of support and speaking to the legal discrimination of gay persons in the law grew into a more organized effort to support the ordination of openly gay and lesbian clergy. With the creation of the UCC Caucus for Gay Concerns by a small group of activists within the church, the movement became more organized, more focused, and significantly larger. Lesbian, gay, and bisexual persons have moved from singing protest songs in the hallways of General Synod to creating a large choir providing music leadership in General Synod celebrations of worship. Several settings of the church including seminaries, conferences, and youth fellowships, along with almost 600 churches have declared themselves Open and Affirming. Virtually every conference and church has to respond to the growing number of visible lesbian and gay clergy in the placement process of pastors. There have been new church starts, campus ministries, and established congregations seeking membership in the UCC with a particular ministry to LGBT persons. The UCC Coalition for LGBT Concerns holds a seat on the denomination's Executive Council, and the Executive and Minister for Gay, Lesbian, Bisexual, and Transgender Concerns, and HIV/AIDS Ministries has been a national staff position for several years.

The number of lives reached by the work of the UCC Coalition of LGBT Concerns has expanded significantly. For example, over time there have been more that thirty-four thousand individuals and congregations that have contacted the Coalition with interest in its work. At present, the newsletter mailing list includes more than 600 churches and 800–900 members and supporters. Throughout its ministry, the focus of the Coalition has changed and evolved to include an active program focused on the creation and distribution of resources, pastoral care, advocacy, and coalition building within and beyond the denomination. The Coalition's primary programs are the Open and Affirming, Youth and Young Adult, and Communications (Web site and newsletter) programs. Groups related to the Coalition include an active parent's and friend's organization as well as specific outreach to persons of color, bisexuals, and transgender persons. At present there is a growing focus on joining with others to build a multicultural, multiracial, open and affirming, justice with peace church, reflective of the UCC motto, "That we may all be one" (John 17:22).

Finally, in June of 2005, the United Church of Christ 25th General Synod convened in Atlanta. During a time of much national controversy about same-sex couples' right to marry, this setting of the UCC took a significant, and in the view of the church, prophetic step forward. The resolution, "In the Support of Equal Marriage Rights for All" affirmed, "... equal marriage rights for all couples, regardless of gender", and affirmed equal access to "the rights, protections, and quality of life conferred by the recognition of marriage". This resolution also called for local churches to adopt wedding policies "that do not discriminate against gay and lesbian couples", as well as encourage all levels of the church to urge legislation to support marriage equality. This timely legislation exemplifies the UCC's responsive and responsible role in the religious liberation of GLBT persons.

LEANNE MCCALL TIGERT

FURTHER READINGS

Gunnemann, Luis H., expanded by Charles Shelby Rooks. *The Shaping of the United Church of Christ: An Essay in the History of American Christianity*. Cleveland, OH: United Church Press, 1999.

Johnson, Daniel and Hambrick-Stowe, eds. *Theology and Identity: Traditions, Movements, and Polity in the United Church of Christ*. Cleveland, OH: United Church Press, 1990.

That We May All Be One: 30 Years of UCC Social Justice Policy Statements on Lesbian, Gay, and Bisexual Concerns. The United Church Board for Homeland Ministries, division of the American Missionary Association, and The Office for Church in Society, 1999.

Tigert, Leanne McCall. *Coming Out While Staying In: Struggles and Celebrations of Lesbians, Gays, and Bisexuals in the Church*. Cleveland, OH: United Church Press, 1996.

Turney, Kelly, ed. *Shaping Sanctuary: Proclaiming God's Grace in an Inclusive Church*. Chicago: Reconciling Church Program, 2000.

Zikmund, Barbara Brown, ed. *Hidden Histories in the United Church of Christ*. Cleveland, OH: Pilgrim Press, 1987.

WEB SITES

United Church of Christ Coalition for Lesbian/Gay/Bisexual/Transgender Concerns, www.ucccoalition.org.

The United Church of Christ, www.ucc.org.

THE UNITED METHODIST CHURCH. The United Methodist Church, the second largest Protestant religious body in the United States, is broadly representative of the geographical, social, and theological diversity of the nation; its struggle over homosexuality reflects the complexity and intensity of the national controversy. United Methodists have offered ministry to homosexual persons and championed their civil rights. Yet there are sharp differences within the church over whether sexual relationships between two people of the same sex are compatible with Christian teaching.

The Struggle Over Policies on Homosexuality. There has never been any official exclusion of gay and lesbian persons from participation as members of United Methodist congregations. Many United Methodist congregations, most notably Glide Memorial Church in San Francisco, are at the forefront of the movement for full inclusion of gays and lesbians in church and society. Many others, on the other hand, are part of a movement aimed at the transformation of homosexuals into heterosexuals. Most congregations likely pay little attention to the issues related to homosexuality, and anecdotal evidence suggests that most simply accept all individuals with no questions asked.

At the national level initial United Methodist policies on homosexuality arose from a concern for ministry to homosexual persons and a commitment to secure their civil rights. A statement expressing this concern was introduced as part of a new "Statement on Social Principles" at the 1972 meetings of the General Conference, the law-making body of the United Methodist Church. This statement resulted from four years of study and was recommended by fifty-four of the fifty-seven members of the appropriate legislative committee. Several delegates, however, had grave concerns about the issues of homosexuality. The highly emotional debate resulted in two major changes that continue to shape the debate today. The following clause was added: "though we do not condone the practice of homosexuality and *consider this practice incompatible with Christian teaching*" (emphasis added). Also a statement was added affirming that the church would not recognize marriages between two persons of the same sex.

There have been several unsuccessful attempts to change the "incompatibility" clause. At the 2004 General Conference an attempt to change the clause by recognizing "that Christians disagree on the compatibility of homosexual practice with Christian teaching" was defeated by a vote of 579 to 376. The marriage issue has evolved into the issue of whether United Methodist pastors can officiate at ceremonies celebrating the union of persons of the same sex. During the 1990s there was an increase in pastors who, usually quietly, were celebrating such unions. Two Annual Conferences (regional bodies) proposed to regularize this practice but were halted by decisions by the Judicial Council (the supreme court of the church). After much debate the 1996 General Conference voted 553 to 321 to add the following sentence to the Social Principles: "Ceremonies that celebrate homosexual unions shall not be conducted by our ministers and shall not be conducted in our churches."

Disagreement on these issues led not only to legislative changes but also to considerable litigation within the church judicial system. There has been a pattern of the General Conference and the Judicial Council continually tightening legislation as trial juries (of clerical peers) find ways to circumvent the apparent intent of previous laws and decisions. The Reverend Jimmy Creech was brought to trial in March 1998 for celebrating a same-sex union but was acquitted because the jury held that the Social Principles section of the *Discipline* (the United Methodist law book) where the prohibition was placed did not have the force of law. The Judicial Council then ruled that, despite the preamble to the Social Principles, the wording of this prohibition made clear the intention of the General Conference that it have the force of law. When Creech was later tried for another incidence of celebrating a same-sex union, he was found guilty and was stripped of his credentials as a United Methodist minister. The Reverend Greg Dell was also convicted under this church law and suspended from ministry.

An issue not discussed in 1972, the question of ordaining "practicing" (noncelibate) homosexuals, has also caused considerable debate and precipitated several trials and judicial decisions. The 1984 General Conference tried to end the debate with this addition to the *Discipline*: "Since the practice of homosexuality is incompatible with Christian teaching, self-avowed practicing homosexuals are not to be accepted as candidates, ordained as ministers, or appointed to serve in The United Methodist Church (United Methodist Church 1984, 189)."

After the Reverend Karen Dammann publicly acknowledged her committed same-sex relationship, she was put on trial in March 2004 for "practices declared by the United Methodist Church to be incompatible with Christian teachings." Dammann's congregation was aware of her committed same-sex relationship yet supportive of her ministry. A jury of thirteen fellow clergy in the Pacific Northwest Annual (regional) Conference found her not guilty on the grounds that they could not find in United Methodist law a clear declaration that "the practice of homosexuality is incompatible with Christian teaching." Subsequently the Judicial Council affirmed that practicing homosexuals cannot be appointed as pastors to United Methodist churches.

The Reverend Beth Stroud was convicted in December of 2004 on the charge of "practices incompatible with Christian teachings." After her conviction, Stroud's congregation welcomed her in a lay position. However, an appeals committee reversed the conviction the following April, finding in United Methodist legislation and Judicial Council decisions no precise definition of the words "practicing homosexual." Thus the cycle continues.

Advocacy Organizations. The United Methodist Church's struggle over policies on homosexuality illustrates James Davison Hunter's thesis that culture wars are fought by the leaders and organizations at the extremes of the issues while most people are in the middle. A number of unofficial advocacy organizations, often acting within liberal or conservative coalitions, keep homosexuality issues at the forefront of media attention. Some of these organizations focus mainly on the local level and are support groups for individuals and congregations. Others are more politically active within the national church.

Affirmation: United Methodists for Lesbian, Gay, Bisexual and Transgender Concerns, founded in 1975, witnesses and advocates that the lives of homosexual persons "are gifts of God, not rebellion against the divine will" (Affirmation Web site). After the 1984 General Conference it created the Reconciling Congregation Program (now the Reconciling Ministries Network) which describes itself as "a national grassroots organization that exists to enable full participation of people of all sexual orientations and gender identities in the United Methodist Church, both in policy and practice" (Reconciling Ministries Network Web site). At General Conferences these organizations often work in concert with the Methodist Federation for Social Action, a broader-scope advocacy organization concerned with a number of social, political, and economic issues.

The movement and ministry of Transforming Congregations began in 1988. It has intentionally sought a middle ground between hating and rejecting homosexual persons and uncritically accepting and affirming them (and implicitly their lifestyles). This organization's emphasis is on healing and transformation for those struggling to be free of their same-sex attraction and behavior. Transforming Congregations has an affinity with several influential conservative groups with a broader agenda, especially Good News and the

Confessing Movement. Good News is the strongest and most politically effective of the caucus groups. This organization's educational activities are widely influential and it has often been successful in electing delegates to Annual and General Conferences, members of the Judicial Council, bishops, and other leaders who will champion their cause. Good News characterizes itself as a "voice for evangelical and historic Wesleyan concerns within our church" (Good News Web site). Though The Confessing Movement is more sharply focused on the recovery and proclamation of classical doctrine, it also seeks to influence the political process within the denomination.

These advocacy organizations seek to shape policies according to their understanding of the **Bible**. All acknowledge the authority of the Bible, but conservative organizations focus on specific proscriptions of homosexual relationships, while liberal organizations, looking at the Bible as a whole and in cultural context, find biblical authority for any relationships that build people up in love that engenders responsibility in the community. Also, though conservatives tend to see homosexual identity as a choice; liberals hold that most homosexual persons do not choose their sexual orientation. The official United Methodist Press (Abingdon) continues to publish books that represent these diverse points of view.

Dialogue. Though legislative and judicial actions and the political activity surrounding them get most media attention, the continual dialogue may in the long run have more significance for an ultimate resolution of these issues within the church and within the society. When the committee to study homosexuality delivered its report in 1992 it was clear that the diverse group, despite intense differences on the issues, had reached a deep level of respect for one another based on the common ground of their faith. Similar dialogue throughout the church was urged by the distribution of *The Church Studies Homosexuality: A Study for United Methodist Groups Using the Report of the Committee to Study Homosexuality*. This study guide included a section in which the Bible passages most often discussed in relation to homosexuality were presented along with both traditional and alternative interpretations. After the 1996 General Conference such dialogue was further facilitated by two national meetings, in 1997 and in 1998, of a group carefully chosen to represent various points of view on homosexuality and underlying issues related to biblical authority. Social scientists have found that the discussion of controversial issues in groups of people who, despite their disagreements, have something important in common will dampen conflict and create a civility of discourse conducive to resolution of the issues. The national dialogue brought together persons from regions where there is little support for the full acceptance of homosexuality with those from regions where there is a great deal of support. For example, 96 percent of delegates from the Western Jurisdiction (region) voted to change the incompatibility phrase while only 35 percent of the delegates from the Southeastern Jurisdiction voted that way. Eventually the group created a document, *In Search of Unity: A Conversation with Recommendations for the Unity of the United Methodist Church*, that encouraged and enabled regional conferences and local churches to engage in such dialogues.

The Future. This statement in the United Methodist Social Principles as amended at the 2004 General conference reflects the continuing tension within the denomination over concern for homosexual persons and their rights, on the one hand, and worry about encouraging homosexual practice and undermining the authority of the Bible on the other: "We insist that all persons, regardless of age, gender, marital status, or sexual orientation, are entitled to have their human and civil rights ensured.... Homosexual persons no less than heterosexual persons are individuals of sacred worth. All persons need the ministry and guidance of the church in their struggles for human fulfillment, as well as the spiritual and emotional care of a fellowship that enables reconciling relationships with God, with others, and with self. The United Methodist Church does not condone the practice of homosexuality and consider this practice incompatible with Christian teaching. We affirm that God's grace is available to all, and we will seek to live together in Christian community. We implore families and churches not to reject or condemn lesbian and gay members and friends. We commit ourselves to be in ministry for and with all persons" (United Methodist Church 2004, 101).

Solutions to these issues are inextricably bound to broader changes within the US society. Though each legislative or judicial skirmish ends with a tightening of denominational laws, liberals feel that time is on their side as the people in the pews, like the society around them, are becoming more receptive to committed same-sex relationships. Certainly in the past decade there was a strong trend toward acceptance of homosexual relationships. National polls in the 1990s, for example, showed that 57 percent of Americans aged 18 to 29 (44% of the population as a whole) think "homosexuality is a way of life that should be accepted by society." Seventy-seven percent of those 18 to 29 (61% of all Americans) think courses in high school should not teach that "homosexuality is immoral" (Wood 2000, 110). United Methodists reflected this trend. For example, the percentage of United Methodists in a national sample who said that sexual relations between two adults of the same sex is "wrong only sometimes, or not wrong at all" more than doubled between 1994 and 1998, from 19 percent to 39 percent (Wood 2000, 111). United Methodists in the pews may have become more accepting of homosexual relationships than delegates to General Conference. A recent survey shows that 46 percent of delegates to the 2004 General Conference (52% of those under 65) think it is all right for their pastor to conduct a ceremony celebrating a same-sex union. But two surveys in a conservative state, Indiana, show half the United Methodists (61% of those under 65) ready for their pastors to conduct such ceremonies

Several factors may contribute to the shape of the continuing debate within the church and also affect its ability to influence society. First, compared with many other denominations, United Methodists are more flexible in their theology and their biblical interpretations. This openness is in part the heritage of John Wesley, the founder of Methodism, who famously said that religious people should "think and let think." Such flexibility may allow solutions that focus on the Christian ethic inherent in **Jesus**' teachings rather than on specific passages of the Bible. For example, less than 4 percent of the US delegates to the 2004 General Conference think the Bible "is meant to be taken literally word for word", while, at the other end of the biblical interpretation spectrum, more than 40 percent think the Bible "must be interpreted in the light of the limitations of the authors and the culture of their time." Ninety-four percent of the first group and just 32 percent of the second voted against changing the church law stating that the practice of homosexuality is incompatible with Christian teaching.

A second factor is the influence of Central Conference delegates (those from outside the United States). These delegates typically make a disproportionately large number of the speeches against softening policies on homosexual persons. Even though the Central Conferences can adapt denominational laws to their own situation, many US delegates believe that changing policies will adversely impact the denomination's ability to remain a worldwide church. This concern can also be traced back to Wesley who declared "the world is my parish." However, as diversity of opinion among Central Conference delegates increases and becomes more apparent, US delegates may feel free to focus more on the increasing acceptance of homosexuality in the US society.

Finally, being the denomination most broadly representative of US society may be a two-edged sword for the United Methodist Church. A few years ago the continuation of the trend toward acceptance of homosexuality in the United States seemed almost certain. Most young people accepted homosexuality and increasing personal awareness of the sexual orientation of family, friends, neighbors, and coworkers as well as increasingly favorable treatment of homosexuality in the media and in the business world bolstered the trend. The representativeness of the United Methodist Church has helped the church to discern the dilemma of many Americans who want to be accepting of homosexual persons but also want to be faithful to the Bible. The study materials and dialogues sponsored by the denomination have spoken to such people. But new developments within US society make prediction of future trends problematic. The issues surrounding homosexuality have begun to play an important role as wedge issues on the national political scene, generating money, organization, and rhetoric aimed at reversing the acceptance of same-sex commitments as a legitimate lifestyle. These efforts include attempts by some religious leaders to challenge the presence in public schools not only of curriculum materials and library books but also of social arrangements that promote understanding of homosexuals, such as high school clubs where straight and gay students come together for dialogue. It is entirely possible that these conservative developments could slow or even reverse the liberal trends of the 1990s. Reversal of the general societal trend toward acceptance of homosexuality would further strengthen the already strong hand of conservatives within the United Methodist Church.

Conclusion. Despite more than three decades of struggle over policies on homosexuality, schism is not likely. United Methodists of diverse opinions continue to work together in a friendly way. Surveys of General Conference delegates show that at conference after conference the vast majority of delegates actually had cordial conversations with persons who disagreed with them on homosexual issues (Wood 2005). It is not surprising, then, that there is little support for splitting the denomination over these and related issues. At the 2004 General Conference in Pittsburgh some conservative leaders floated a proposal for an "amicable separation." They withdrew the proposal after receiving negative feedback even from some of their conservative constituents. However, press coverage of the proposal for separation generated so much concern that some delegates presented a proposal for the general Conference to reaffirm its support for unity. Ninety-five percent of the delegates voted in favor of this resolution: "As United Methodists we remain in covenant with one another, even in the midst of disagreement, and affirm our commitment to work together for our common mission of making disciples throughout the world" (Cropsey 2004, 2250). In the long run modeling a civil approach to the controversy may be the United Methodist Church's major contribution to society's resolution of the issues related to homosexuality.

JAMES R. WOOD

FURTHER READINGS

Ball-Kilbourne, Gary L., ed. *The Church Studies Homosexuality: A Study for United Methodist Groups Using the Report of the Committee to Study Homosexuality*. Nashville, TN: Cokesbury, 1994.

Case, Riley B. *Evangelical and Methodist: A Popular History*. Nashville, TN: Abingdon, 2004.

Cropsey, Marvin, ed. *The Daily Christian Advocate*, vol. 4. Nashville, TN: United Methodist Publishing House, 2004.

General Commission on Christian Unity and Interreligious Concerns. "In Search of Unity: A Conversation with Recommendations for the Unity of The United Methodist Church." Available at www.gccuic-umc.org.

Hunter, James Davison. *Culture Wars: The Struggle to Define America*. New York: Basic Books, 1992.

United Methodist Church. *The Book of Discipline of the United Methodist Church*. Nashville, TN: The United Methodist Publishing House, 2004.

Wood, James R. "Reports on UMC General Conference Surveys." Available at http://www.csr.indiana.edu/umc.

———. *Where the Spirit Leads: The Evolving Views of United Methodists on Homosexuality*. Nashville, TN: Abingdon, 2000.

WEB SITES

Affirmation, www.umaffirm.org.
Confessing Movement, www.confessingumc.org.
GCCUIC, www.gccuic-umc.org.
Good News, www.goodnewsmag.org.
Methodist Federation for Social Action, www.mfsaweb.org.
Reconciling Ministries Network www.rmnetwork.org.
Transforming Congregations, www.transformingcong.org.
United Methodist Church, www.umc.org.

WELCOMING AND AFFIRMING FAITH COMMUNITIES. There are quite a number of groups within different religious communities that are referred to as "Welcoming and Affirming" or "Welcoming and Open." These groups are dedicated both to offering a haven for **GLBTQ** persons of faith and to seeking changes within their respective faith communities so that GLBTQ people will feel welcomed within the mainstream of their respective religious traditions. Welcoming and Affirming faith groups span the religious traditions—across Judaism, Christianity, Islam, Buddhism, and more. Typically the focus of these groups is upon local congregations that have self-identified as being open to GLBTQ people of faith. These organizations include support groups for Jews (www.glbtjews.org—Keshet Ga'avah—representing over fifty Jewish organizations worldwide; for Orthodox Jews see also www.GayJews.Org.), and some Muslims (www.al-fatiha.net.), though the vast majority of these groups are Christian organizations.

Within the Christian tradition most denominations have support groups for GLBTQ persons. For example, "Affirmation" is the **United Methodist Church** group (not sponsored by the UMC) that provides resources and strategies for GLBTQ people (www.umaffirm.org.). Established in 1975, the group gives up-to-date information on the official status of GLBTQ people within the United Methodist Church, including reports on disciplinary actions taken against gay and lesbian pastors, as well as stories of welcoming church communities. When, in 1984, the United Methodist Church ruled against the ordination or appointment of "self-avowed practicing homosexuals," Affirmation responded by organizing the Reconciling Congregation Program. In the year 2000 this group became the Reconciling Ministries Network (www.rmnetwork.org.). This ministry invites congregations to become a Reconciling Congregation by having their church boards officially vote for such a status. As of January 2006 there were over 200 United Methodist congregations that were Reconciling Congregations, as well as over sixty reconciling campus ministry and other ministry programs in the United States. These groups represent roughly 18,000 members of the United Methodist Church. Although a relatively small number compared to the over 8 million members of the church in the United States, the Reconciling Ministries Network is a vocal group that regularly seeks recognition at the General Conference national meetings of the church held every four years.

Similarly, within the **Presbyterian Church (USA)** there are "More Light Presbyterian" congregations (www.mlp.org.) that have declared themselves open and affirming of GLBTQ persons in various ways by official action of the church's Session (the congregation's governing body). There are currently over 300 More Light congregations nationally, with over 100 congregations alone in New York State. Many of these congregations are associated with the Covenant Network of Presbyterians (a national organization seeking full inclusion of GLBTQ persons within the denomination); many have officially dissented from the Presbyterian Church's passage of Amendment B to its governing Book of Order (this amendment bans ordination of openly GLBTQ persons), while relatively few have declared themselves open to conducting same-sex unions on site in open defiance of denominational policy. As is the case with the United Methodist Church, More Light Presbyterians represent a relatively small proportion of the denomination but are quite active and vocal at the national level (the General Assembly) and within Presbyteries (smaller regional groupings of churches, where the real power of the denomination rests). The ministry extended to GLBTQ persons through local More Light congregations also provides significant places for Presbyterians to worship and be engaged in ministry as GLBTQ Christians.

Similar organizations exist within the **Eastern Orthodox Christian** community (Axios), the **Episcopal Church** (Integrity, www.integrityusa.org.), the **Roman Catholic Church** (Dignity, www.dignityusa.org.), the **Lutheran Church** (Lutherans Concerned, www.lcna.org.), among **evangelical Christians** (Evangelicals Concerned, www.ecwr.org.), within the **United Church of Christ** (www.ucccoalition.org.), and many other denominations.

The United Church of Christ is particularly interesting in this regard as the denomination as a whole officially encourages its member churches to be welcoming and affirming. Already at its 1985 General Synod (the national level of church deliberation) the Synod passed a resolution calling on all its churches to be open and affirming toward GLBT Christians. Since in the UCC structure the General Synod does not issue binding legislation on behalf of the member churches but instead speaks to the member churches through elected officials, the 1985 resolution was significant, but not binding per se on local congregations. Still, it was a major step as the denomination as a whole basically declared itself to be open and affirming, even though individual congregations could choose not to follow this recommendation. In the same manner, at its 2005 General Synod the UCC again made history by passing a resolution recommending that local congregations recognize same-sex unions as in keeping with Christian faith, and that they consider adopting wedding policies that would not discriminate against gay and lesbian couples. Again, this resolution is a recommendation and is not binding. But it is important to note that at the same 2005 General Synod a resolution was introduced to define marriage as an exclusive union between one man and one woman; this resolution was defeated by the Synod. Thus the denomination at the national level (unlike any other national mainstream Protestant denomination) has issued public statements encouraging its member churches not only to be open and welcoming to GLBT persons in terms of membership, but also to be open to same-sex marriages between gay and lesbian couples. In short, rather than being a minority voice within the UCC church, GLBT persons have the support of the denomination's leadership at the national level.

JEFFREY S. SIKER

FURTHER READINGS

Comstock, Gary David. *Unrepentant, Self-Affirming, Practicing: Lesbian/Bisexual/Gay People within Organized Religion*. New York: Continuum, 1996.

Comstock, Gary David. *A Whosoever Church: Welcoming Lesbians and Gay Men Into African American Congregations*. Louisville, KY: Westminster John Knox Press, 2001.

Greenberg, Steven. *Wrestling with God and Men: Homosexuality in the Jewish Tradition*. Madison, WI: University of Wisconsin Press, 2004.

Kuefler, Mathew, ed. *The Boswell Thesis: Essays on Christianity, Social Tolerance, and Homosexuality*. Chicago: University of Chicago Press, 2006.

THE WORLD COUNCIL OF CHURCHES. Established in 1948 in Amsterdam, the World Council of Churches (WCC) currently comprises 347 churches, denominations and church fellowships from over 120 countries and territories throughout the world. This represents over 500 million Christians and includes most of the world's Orthodox churches, and dozens of denominations from traditions of the Protestant Reformation (**Lutheran**, Baptist, **Methodist** and Reformed, as well as Anglican and many United and Independent churches). Although the **Roman Catholic Church** is not a member of the WCC, it is a full member of the Faith and Order Commission and the Commission on World Mission and Evangelism, and so has regular interaction with other member churches of the WCC. The WCC holds international assemblies every seven or eight years. The eighth assembly was held in Harare, Zimbabwe, in 1998, and the ninth assembly was recently held in February 2006 in Porto Alegre, Brazil.

At the eighth assembly of the WCC in Harare, Zimbabwe, there was no official discussion of homosexuality on the WCC agenda. In part this was due to the location of the assembly, as in Zimbabwe homosexual activity is against the law and can result in a ten-year prison sentence. The President of Zimbabwe, Robert Mugabe, has also often criticized in very harsh terms any discussion of loosening prohibitions against homosexuality. The group Gays and Lesbians of Zimbabwe (GALZ), a support group for homosexual rights, requested permission to participate in the various events of the eighth assembly, but their request was denied. Although there were no official sessions devoted to homosexuality, several of the more than 500 workshops sponsored by various member churches of the WCC did address issues related to homosexuality. The **United Church of Christ** in the United States sponsored a workshop on homosexuality and human rights, and the **United Church of Canada** sponsored a workshop on educating church members about sexual orientation. Both the United Church of Christ and the United Church of Canada are among the most open and welcoming churches to gay and lesbian persons. Two denominations from South Africa, the Congregationalist Church, and the United Congregational Church, participated in the workshops. Various Eastern Orthodox churches objected strongly to any discussion of homosexuality at WCC assemblies, and several of the Eastern Orthodox churches have reduced their involvement with the WCC for this and other reasons. The WCC assembly issued a statement in 1998 recognizing the fiftieth anniversary of the Universal Declaration of Human Rights, and while some church leaders pushed to have the statement include sexual minorities, the Eastern Orthodox churches blocked this move.

Because of the undercurrent of tensions regarding issues of human sexuality, in its planning for the ninth assembly of the WCC in February 2006 in Porto Alegre, Brazil, the program guidelines committee of the WCC formally requested that official study and dialogue sessions on the theological, social, and cultural aspects of human sexuality be included in the 2006 assembly. The request was granted, and in response the WCC general secretary invited representatives from various member churches to form a reference group on human sexuality. This group reviewed and assessed statements from over eighty churches on all aspects of human sexuality. They also reviewed a congregational study guide on human sexuality that had been prepared by the Anglican diocese of Johannesburg, South Africa. Regional seminars on biblical texts were organized around the world in 2003 in anticipation of the 2006 assembly. The general secretary also appointed a WCC human sexuality staff group to help make connections between the work of the reference group and other WCC program areas, such as **AIDS/HIV** and the WCC study on theological anthropology (the nature of human existence). In its preparatory work for the ninth assembly, these WCC groups invited participants from various cultures to share different perspectives on human sexuality. They also analyzed church statements and the results of the Bible study seminars. While various conversations were held at the ninth assembly regarding homosexuality within the larger framework of human sexuality, it became clear that attempts to produce official statements on the topic would only deepen already fragile tensions and divisions between the various member churches of the WCC. While there is general agreement on such issues as AIDS/HIV, violence against women, and sexual abuse of children, there was no ready consensus on homosexuality. The conclusion was that much further ecumenical dialogue and discussion was necessary.

In its review of the various church statements on human sexuality, the WCC group noted that most of the statements reflected a very local geographic and theological emphasis reflecting particular denominational approaches. Many of the church statements recognized the discontinuity between traditional church teachings on human sexuality and the current cultural realities that challenged such teachings. The WCC stressed the diversity of the different church statements. Partly this is due to the very different approaches to the Bible found among the different church traditions. In general the statements affirmed human sexuality as intrinsically good and a gift from God to be celebrated in appropriate relational contexts (heterosexual marriage).

It was noted by Cardinal Walter Kasper, president of the Roman Catholic Pontifical Council for Promoting Christian Unity, that in the past all Christian churches had the same position on the question of homosexuality, namely, condemning homosexual activity. At present, however, as Kasper observed, there are not only divisions between the Roman Catholic Church and other churches on this issues, but there are also deep divisions within a number of churches. In particular he was referring to the Anglican Communion, which has been deeply divided over the question of homosexuality since the election in 2003 of Gene Robinson as the first openly gay bishop in the **Episcopal Church USA**. This move in the Episcopal church has created new obstacles for relations between the Roman Catholic Church and the Anglican Communion, especially since in 2005 a Vatican statement made it clear that men with deep-seated homosexual tendencies should not under any circumstance become priests.

These issues raised by the Roman Catholic Church will continue to be important matters as the WCC continues to consider homosexuality and human sexuality at its future meetings.

JEFFREY S. SIKER

FURTHER READINGS

Maffeis, Angelo. *Ecumenical Dialogue*. Collegeville, MN: Liturgical Press, 2005.

VanElderen, Marlin. *Introducing the World Council of Churches*. Geneva, Switzerland: WCC Publications, 2001.

SECTION 3
Bibliography

Further Readings

Abdelwahab Bouhdiba. *Sexuality in Islam*, Alan Sheridan, trans. London: Routledge, 1985.

Abelove, H., M. A. Barale, and D. Halperin, eds. *The Lesbian and Gay Studies Reader*. New York: Routledge, 1993.

AbuKhalil, As'ad. "A Note on the Study of Homosexuality in the Arab/Islamic Civilization." *The Arab Studies Journal*, 1(2) (Fall 1993): 32–34, 48.

"Affirming Churches." *Operation: Rebirth*. Available at http://www.operationrebirth.com/affirmingchurches.html.

Al-Bukhari, Abu Abdallah Muhammad ibn Isma'il. *Sahih al-Bukhari*, Muhammad Muhsin Khan, trans., Arabic and English ed., 9 vols. Beirut, Lebanon: Dar al-Arabia, 1985.

Ali, Abdullah Yusuf, trans. *Al-Qur'an*. Beirut, Lebanon: Dar al-Arabia, 1938.

Alison, James. *Faith Beyond Resentment: Fragments Catholic and Gay*. New York: Crossroad Publishing Co., 2001.

Allen, Mike and Nancy Burrell. "Comparing the Impact of Homosexual and Heterosexual Parents on Children: Meta-Analysis of Existing Research." *Journal of Homosexuality*, 32 (1996): 19–35.

Almond, Brenda, ed. *AIDS, a Moral Issue: The Ethical, Legal, and Social Aspects*, 2nd ed., New York: St. Martin's Press, 1996.

Alpert, Rebecca. *Like Bread on the Seder Plate: Jewish Lesbians and the Transformation of the Tradition*. New York: Columbia University Press, 1997.

Althaus-Reid, Marcella. *The Queer God*. New York: Routledge, 2003.

Amadiume, Ifi. *Male Daughters, Female Husbands: Gender and Sex in African Society*. London: Zed, 1987.

American Civil Liberties Union. *Where We Are Now: Annual Report of the National Lesbian and Gay Rights Project*. New York: American Civil Liberties Union, 2004.

Ammerman, Nancy. *Baptist Battles: Social Change and Religious Conflict in the Southern Baptist Convention*. New Brunswick, NJ: Rutgers University Press, 1990.

Ammerman, Nancy, ed. *Southern Baptists Observed*. Knoxville, TN: University of Tennessee Press, 1993.

Amnesty International. *Report on Torture and Ill-Treatment Based on Sexual Identity*. New York: Amnesty International, 2001.

"Andover-Harvard Theological Seminary Library Index" Unitarian Universalist Association, Office of Lesbian and Gay Concerns. 1972–1999. Available at http://www.hds.harvard.edu/library/bms/bms01309.html.

Anonymous. "A Perspective on Homosexuality." *Christian Science Sentinel*, 101(10) (March 8, 1999): 14–15.

Anonymous. "Homosexuality: How One Man Was Healed." *Christian Science Journal* 103(4) (April 1985): 233–235.

Anonymous. "If God is Really Mother and Loves Us." [Online, November 2005]. Available at http://www.emergence-international.org/content.php?page=les_mother&type=article.

Anonymous. *Gay People in Christian Science?* In Bruce Stores, *Christian Science: Its Encounter with Lesbian/Gay America*. New York: iUniverse, 2004, pp. 233–238.

Anonymous. "My Primary Struggle Was About My Identity as God's Child." *Christian Science Sentinel*, 93(32) (August 12, 1991): 15–21.

Anonymous. "Testimony." *Christian Science Sentinel*, 90(39) (September 26, 1988): 33–35.

Anonymous. "Testimony." *Christian Science Sentinel*, 85(314) (April 4, 1983): 589–591.

Anonymous. "We Are Not the Prey of Sensualism." *Christian Science Sentinel*, 90(39) (September 26, 1988): 15–20.

Aquinas, St. Thomas. *Summa Theologia: A Concise Translation*. Edited by Timothy McDermott. Westminster, MD: Christian Classics, 1989.

Associated Press. "Christian Science Teacher Banned after Lesbian Marriage." *The Boston Globe*. June 25, 2004.

Bagby, Dyana and Laura Douglas-Brown. "Atlanta 'Mega-church' Leads March Against Gay Marriage." Available at http://www.sovo.com/2004/12-10/news/localnews/mega.cfm.

Baird, Robert M. and Stuart E. Rosenbaum, eds. *Same-Sex Marriage: The Moral and Legal Debate*. Amherst, NY: Prometheus Books, 1996.

Bailey, J. Michael and Richard Pillard. "A Genetic Study of Male Sexual Orientation." *Archives of General Psychiatry*, 48 (December 1991): 1089–1096.

Ball-Kilbourne, Gary L., ed. *The Church Studies Homosexuality: A Study for United Methodist Groups Using the Report of the Committee to Study Homosexuality*. Nashville, TN: Cokesbury, 1994.

Banks, John and Martina Weitsch, eds. *Meeting Gay Friends: Essays by members of Friends Homosexual Fellowship*. Manchester: Friends Homosexual Fellowship, 1982.

Bates, Stephen. *A Church at War: Anglicans and Homosexuality*. London: I. B. Tauris, 2004.

Barnett, Walter. *Homosexuality and the Bible. An Interpretation*. Wallingford, PA: Pendle Hill Publications, 1979.

Bellamy, James. A. "Sex and Society in Islamic Popular Literature." In Afaf Lutfi al-Sayyid Marsot, ed., *Society and the Sexes in Medieval Islam*. Malibu, CA: Undena Publications, 1979, pp. 23–42.

Besen, Wayne. *Anything But Straight: Unmasking the Scandals and Lies Behind the Ex-Gay Myth*. New York: Harrington Park Press, 2003.

Black, Dan A., Gary Gates, Seth Sanders, and Lowell Taylor. "Demographics of the Gay and Lesbian Population in the United States: Evidence From Available Systematic Data Sources." *Demography*, 37 (2000): 139–154.

Blair, Ralph. *An Evangelical Look at Homosexuality*. New York: Homosexual Community Counseling Center, 1972.

Blamires, David. *Homosexuality from the Inside*. London: Social Responsibility Council of the Religious Society of Friends, 1973.

Bloomquist, Karen L. and Stumme, John R., eds. *The Promise of Lutheran Ethics*. Minneapolis: Fortress Press, 1998.

Blumhofer, E. W. *The Assemblies of God: A Popular History*. Springfield, MO: Radiant Books, 1985.

———. *The Assemblies of God: A Chapter in the History of American Pentecostalism*, 2 vols. Springfield, MO: Gospel, 1989.

Blumstein, Philip and Pepper Schwartz. *American Couples: Money, Work, Sex*. New York: Pocket Books, 1985.

Boisvert, Donald L. *Out on Holy Ground: Meditations on Gay Men's Spirituality*. Cleveland, OH: The Pilgrim Press, 2000.

———. *Sanctity and Male Desire: A Gay Reading of Saints*. Cleveland, OH: The Pilgrim Press, 2004.

Boswell, John. *Christianity, Social Tolerance, and Homosexuality: Gay People in Western Europe from the Beginning of the Christian Era to the Fourteenth Century*. Chicago: University of Chicago Press, 1980.

———. *Same-Sex Unions in Premodern Europe*. New York: Villard Books, 1994.
Bowles, Neil. "Only One Kind of Man." *Christian Science Journal*, 98(11) (November 1980): 591–593.
Boyarin, Daniel. *Unheroic Conduct: The Rise of Heterosexuality and the Invention of the Jewish Man*. Berkeley and Los Angeles, CA: University of California Press, 1997.
Boyarin, Daniel, Daniel Itzkovitz, and Ann Pellegrini, eds. *Queer Theory and the Jewish Question*. New York: Columbia University Press, 2003.
Boykin, Keith. *One More River to Cross: Being Black and Gay in America*. New York: Anchor Books, 1996.
Bradshaw, Timothy, ed. *The Way Forward?: Christian Voices on Homosexuality and the Church*. Grand Rapids, MI: Eerdmans, 2003.
Brawley, Robert. *Biblical Ethics and Homosexuality: Listening to Scripture*. Louisville, KY: Westminster/John Knox Press, 1996.
Brink, Eugene. ed. *A History of GLAD Alliance: 1979–1999*. Seattle, WA: 1999.
Brodzinsky, David M., Charlotte J. Patterson, and Vaziri Mahoush. "Adoption Agency Perspectives on Lesbian and Gay Prospective Parents: A National Study." *Adoption Quarterly*, 5(3) (2002): 5–23.
Bronski, Michael. "Gay Liberation: Back to the Future" *ZMagazine: A Political Monthly*. Available at http://www.zmag.org/ZMag/articles/sept94bronski.htm.
Brooten, Bernadette. *Love Between Women: Early Christian Responses to Female Homoeroticism*. Chicago: University of Chicago Press, 1996.
Brown, Lester B., ed. *Two-Spirit People: American Indian Lesbian Women and Gay Men*. New York: Harrington Park Press, 1997.
Bryce-Hastings. "Gender Identity and Gender Expression." Available at http://www.westchesteruu.org/sermons/ser%202004_0321_Gender_Identity.htm.
Bumbaugh, Beverly and David Bumbaugh. "The New Universalism." Available at http://www.uc.summit.nj.uua.org/Sermons/BAB/971102.html.
Butler, Judith. *Gender Trouble: Feminism and the Subversion of Identity*. New York: Routledge, 1999.
Byrd, A. Dean. "When a Loved One Struggles with Same-Sex Attraction." *Ensign of the Church of Jesus Christ of Latter-day Saints*, 29(9) (September 1999): 51–55.
Cabaj, Robert P. and Terry S. Stein, eds. *Textbook of Homosexuality and Mental Health*, Washington, DC: American Psychiatric Press, 1996.
Cabezón, José Ignazio, ed. *Buddhism, Sexuality and Gender*. Albany, NY: State University of New York Press, 1992.
Cabezón, José Ignazio. "Homosexuality and Buddhism." In Arlene Swidler, ed., *Homosexuality and World Religions*. Valley Forge, PA: Trinity Press International, 1993, pp. 81–102.
Cahill, Lisa Sowle. "Sexual Ethics." In James J. Walter, Timothy E. O'Connell and Thomas A. Shannon, eds., *A Call to Fidelity: On the Moral Theology of Charles Curran*. Washington, DC: Georgetown University Press, 2002.
Calderone, Mary S. *Human Sexuality and the Quaker Conscience*. Rufus Jones Lecture. Philadelphia, PA: Friends General Conference, 1973.
Cameron, Paul and Kirk Cameron. "Homosexual Parents." *Adolescence*, 31 (1996): 757–767.
Cameron, Paul, Kirk Cameron, and Thomas Landess. "Errors by the American Psychiatric Association, the American Psychological Association, and the National Educational Association in Representing Homosexuality in Amicus Briefs About Amendment 2 to the U.S. Supreme Court." *Psychological Reports*, 79 (1996): 383–404.
Canfield, William J. "The William J Canfield Papers." Available at http://www.lib.neu.edu/archives/voices/gl_sexual1.htm.
Case, Riley B. *Evangelical and Methodist: A Popular History*. Nashville, TN: Abingdon, 2004.
Cass, Vivienne. "Sexual Orientation Identity Formation: A Western Phenomenon." In Robert P. Cabaj and Terry S. Stein, eds., *Textbook of Homosexuality and Mental Health*. Washington, DC: American Psychiatric Press, 1996, pp. 227–251.
Catechism of the Catholic Church. Washington, DC: United States Catholic Conference: 1994.
Chauncey, George. *Gay New York: Gender, Urban Culture, and the Making of the Gay Male World*. New York: Basic Books, 1994.

Cheng, Patrick S. "Multiplicity and Judges 19: Constructing a Queer Asian Pacific American Biblical Hermeneutic." *Semeia*, 90/91 (2002): 119–133.

Chou, Wah-Shan. *Tongzhi: Politics of Same-sex Eroticism in Chinese Societies*. New York: Haworth Press, 2000.

———. *Tongzhi Shenxue* (*Tongzhi* Christian Theology). Hong Kong: Hong Kong Queer Studies Forum, 1994.

Clark, J. Michael. *A Defiant Celebration: Theological Ethics & Gay Sexuality*. Garland, TX: Tangelwüld Press, 1990.

Clark, J. Michael. *Defying the Darkness: Gay Theology in the Shadows*. Cleveland, OH: Pilgrim Press, 1997.

"Class Act." *Harvard Magazine*. [Online, May–June 1999]. Available at http://128.103.142.209/issues/mj99/treasure.html.

Cleaver, Richard. *Know My Name: A Gay Liberation Theology*. Louisville, KY: Westminster/John Knox Press, 1995.

Comstock, Gary David. *Unrepentant, Self-affirming, Practicing: Lesbian/Bisexual/Gay People Within Organized Religion*. New York: Continuum, 1996.

———. *Violence Against Lesbians and Gay Men*. New York: Columbia University Press, 1991.

Congregation for Catholic Education. *Instruction on the Criteria of Vocational Discernment Regarding Persons with Homosexual Tendencies in View of Their Admission to the Priesthood and to Sacred Orders*. 2005.

Congregation for Religious. *Instruction on the Careful Selection and Training of Candidates for the States of Perfection and Sacred Order*. 1961.

Congregation for the Doctrine of the Faith. *Declaration Regarding Certain Questions of Sexual Ethics*. Rome: Congregation for the Doctrine of the Faith, 1975.

———. *Some Considerations Concerning the Response to Legislative Proposals on the Non-Discrimination of Homosexual Persons*. Rome: Congregation for the Doctrine of the Faith, 1992.

———. *Letter to Bishops on the Pastoral Care of Homosexual Persons*. Rome: Congregation for the Doctrine of the Faith, 1986.

———. *Considerations Regarding Proposals to Give Legal Recognition to Unions between Homosexual Persons*. Rome: Congregation for the Doctrine of the Faith, 2004.

———. *Letter to the Bishops of the Catholic Church on the Collaboration of Men and Women in the Church and in the World*. Rome: Congregation for the Doctrine of the Faith, 2004.

Conner, Randy P. "Sexuality and Gender in African Spiritual Traditions." In David W. Machacek and Melissa M. Wilcox, eds., *Sexuality and the World's Religions*. Santa Barbara, CA: ABC/CLIO, 2003, pp. 3–30.

Crapo, Richley H. "Latter-day Saint Lesbian, Gay, Bisexual, and Transgendered Spirituality." In Scott Thumma and Edward R. Gray, ed., *Gay Religion*. Walnut Creek, CA: AltaMira, 2005, pp. 99–113.

Cropsey, Marvin, ed. *The Daily Christian Advocate*, vol. 4. Nashville, TN: United Methodist Publishing House, 2004.

Curran, Charles E. "A Vatican II View Could Allow for Gay, Lesbian Unions, But Latest Document Harkens Back to Aquinas' View of Relationship Between Law and Morality." *National Catholic Reporter*, 39(38) (September 5, 2003): 19.

Curran, Charles E. and Richard McCormick, S. J. *Readings in Moral Theology No. 7: Natural Law and Theology*. New York: Paulist Press, 1991.

Curry, M. D. *Jehovah's Witnesses: The Millenarian World of the Watch Tower*. New York: Garland Pub., 1992.

D'Augelli, Anthony R. "Lesbian, Gay, and Bisexual Development During Adolescence and Young Adulthood." In Robert P. Cabaj and Terry S. Stein, eds., *Textbook of Homosexuality and Mental Health*. Washington, DC: American Psychiatric Press, 1996, pp. 267–288.

D'Emilio, John. *Sexual Politics, Sexual Communities*. Chicago: University of Chicago Press, 1983.

D'Emilio, John and Estelle Freedman. *Intimate Matters: A History of Sexuality in America*. Chicago: University of Chicago Press, 1998.

Dallas, Joe. *Desires in Conflict: Answering the Struggle for Sexual Identity*. Eugene, OR: Harvest House Publishers, 1991.

Das Wilhelm, Amara. *Tritiya Prakriti (People of the Third Sex): Understanding Homosexuality, Transgender Identity and Intersex Conditions through Hinduism*. Philadelphia, PA: XLibris Corp., 2004.

de la Huerta, Christian. *Coming Out Spiritually: The Next Step*. New York: Penguin Putnam, 1999.

Dialogue [published three times a year by Broader Mennonite Church, addresses various themes surrounding the complex issues of homosexuality].

Dinshaw, Carolyn. *Getting Medieval: Sexualities and Communities, Pre- and Postmodern*. Durham, NC: Duke University Press, 1999.

The Doctrine and Covenants of the Church of Jesus Christ of Latter-day Saints. Salt Lake City, UT: Church of Jesus Christ of Latter-day Saints, 1989.

Doniger O'Flaherty, Wendy. *Splitting the Difference: Gender and Myth in Ancient Greece and India*. Chicago: University of Chicago Press, 1999.

Dorf, Elliot and The Commission of Human Sexuality of the Rabbinical Assembly. *This is My Beloved, This is My Friend: A Rabbinic Letter on Intimate Relations*. New York: Rabbinical Assembly, 1996.

Dover, Kenneth James. *Greek Homosexuality*. Cambridge, MA: Harvard University Press, 1978.

Drumm, Rene'. "Gay and Lesbian Seventh-day Adventists: Strategies and Outcomes of Resisting Homosexuality." *Social Work & Christianity*, 28 (2001): 124–130.

Drumm, Rene'. "No Longer an Oxymoron: Integrating Gay and Lesbian Seventh-day Adventist Identities." In Scott Thumma and Edward R. Gray, ed., *Gay Religion*. Walnut Creek, CA: AltaMira Press, 2005, pp. 47–65.

Dubuque, Ray. "Does God Hate Fags?" Available at http://liberalslikechrist.org/about/homophobia.html.

Dundas, Paul. *The Jains*, 2nd ed. London: Routledge, 2002.

Dunne, Bruce. "Homosexuality in the Middle East: An Agenda for Historical Research." *Arab Studies Quarterly*, 12(3–4) (Summer/Fall 1990): 55–82.

Duran, Khalid. "Homosexuality in Islam." In Arlene Swidler, ed., *Homosexuality and World Religions*. Valley Forge, PA: Trinity Press International, 1993, pp. 181–198.

Eddy, Mary Baker. *Church Manual*. Boston, MA: The First Church of Christ, Scientist, 1895.

———. *First Church of Christ Scientist and Miscellany*. Boston, MA: Trustees under the will of Mary Baker G. Eddy, 1913.

———. *Science and Health with Key to the Scriptures*. Boston, MA: The Writing of Mary Baker Eddy, 1994 [1906].

———. "Wedlock." *Miscellaneous Writings*. Boston, MA: Trustees under the will of Mary Baker G. Eddy, 1925.

Eddy, Mary Baker and Sally Wentworth, undated and untitled, MBE Collection A11457. Courtesy the Mary Baker Eddy Library for the Betterment of Humanity.

Ellis, L., and L. Ebertz, eds. *Sexual Orientation: Toward Biological Understanding*. Westport, CN: Praeger, 1997.

Erzen, Tanya. *Straight to Jesus: Sexual and Christian Conversions in the Ex-Gay Movement*. Berkeley, CA: University of California Press, 2006.

Eskridge, William E. *The Case for Same-Sex Marriage*. New York: The Free Press, 1996.

Evangelical Lutheran Church in America. *Talking Together as Christians about Homosexuality A Guide for Congregations*, 1999.

Faderman, Lillian. *Odd Girls and Twilight Lovers: A History of Lesbian Life in Twentieth-Century America*. New York: Columbia University Press, 1991.

"The Family: A Proclamation to the World." *Ensign of the Church of Jesus Christ of Latter-day Saints*, 25(11) (November 1995): 102.

Faure, Bernard. *The Red Thread: Buddhist Approaches to Sexuality*. Princeton, NJ: Princeton University Press, 1998.

Feinstein, Moshe. *Igarot Moshe*. New York: Brooklyn, 1996.

Fisher, John. *Outlaws and Inlaws: Your Guide to LGBT Rights, Same-Sex Relationships and Canadian Law*. Ottawa, ON: Egale Canada Human Rights Trust, 2004.

Flynn, Eileen P. *AIDS: A Catholic Call for Compassion*. Kansas City, MO: Sheed & Ward, 1985.
Foucault, Michel. *The History of Sexuality: An Introduction*. New York: Vintage, 1990.
Fowler, Jeaneane. *An Introduction to the Philosophy and Religion of Taoism: Pathways to Immortality*. Sussex: Academic Press, 2005.
Franklin, Robert M. *Another Day's Journey: Black Churches Confronting the American Crisis*. Minneapolis, MN: Fortress Press, 1997.
Gaede, Beth Ann, ed. *Congregations Talking about Homosexuality*. Herndon, VA: Alban Institute, 1998.
Gagnon, Robert. *The Bible and Homosexual Practice: Texts and Hermeneutics*. Nashville, TN: Abingdon Press, 2001.
Gearhart, Sally and William R. Johnson, eds. *Loving Women/Loving Men, Gay Liberation and the Church*. San Francisco, CA: Glide Publications, 1974.
General Commission on Christian Unity and Interreligious Concerns. "In Search of Unity: A Conversation with Recommendations for the Unity of The United Methodist Church." Available at www.gccuic-umc.org.
General Conference of the Mennonite Church. *Human Sexuality in the Christian Life: A Working Document for Study and Dialogue*. Newton, KS: Faith & Life Press, 1985. Available at www.ambs.edu/LJohns/HSCL/hscl0.htm.
George, Robert P. *In Defense of Natural Law*. Oxford: Oxford University Press, 1999.
Gill, Gillian. *Mary Baker Eddy*. Cambridge, MA: Perseus Books, 1998.
Girman, Chris. *Mucho Macho: Seduction, Desire, and the Homoerotic Lives of Latin Men*. Binghamton, NY: Harrington Park Press, 2004.
Glaser, Chris. *Coming Out as Sacrament*. Louisville, KY: Westminster John Knox Press, 1998.
Glaser, Chris. *Uncommon Calling: A Gay Man's Struggle to Serve the Church*. San Francisco, CA: Harper, 1988.
Goldstein, Melvyn C. "Study of the Ldab-Ldob." *Central Asian Journal*, 9 (1964): 123–141.
Goss, Robert E. *Jesus Acted Up: A Gay and Lesbian Manifesto*. San Francisco, CA: HarperCollins, 1993.
———. *Queering Christ: Beyond Jesus Acted Up*. Cleveland, OH: The Pilgrim Press, 2002.
Goss, Robert, and Mona West, eds. *Take Back the Word: A Queer Reading of the Bible*. Cleveland, OH: Pilgrim Press, 2000.
Gottschalk, Stephen. *The Emergence of Christian Science in American Religious Life*. Berkeley, CA: University of California Press, 1973.
Gramick, Jeannine, ed. *Homosexuality in the Priesthood and the Religious Life*. New York: Crossroad, 1989.
Green, John. *Religious Belief Underpins Opposition to Homosexuality*. Washington, DC: The Pew Forum on Religion & Public Life, 2003.
———. *The American Religious Landscape and Political Attitudes*. Washington, DC: The Pew Forum on Religion & Public Life, 2004.
Greenberg, David F. *The Social Construction of Homosexuality*. Chicago: University of Chicago Press, 1988.
Greenberg, Steven. "Trembling Before God on Yom Kippur." Available at http://www.clal.org/csa59.html.
———. *Wrestling with God and Men: Homosexuality in the Jewish Tradition*. Madison, WI: University of Wisconsin Press, 2004.
Grewal, J. S. *The Sikhs of the Punjab*. Cambridge: Cambridge University Press, 1990.
Grossman, Naomi. "The Gay Orthodox Underground." *Moment*, 26(2) (April 2001): 55. Available at http://www.momentmog.com/archive/aprol/fent1.html.
Gula, Richard M. *Reason Informed by Faith: Foundations of a Catholic Morality*. New York: Paulist Press, 1989.
Gunnemann, Luis H., expanded by Charles Shelby Rooks. *The Shaping of the United Church of Christ: An Essay in the History of American Christianity*. Cleveland, OH: United Church Press, 1999.
Halberstam, Judith. *In a Queer Time and Place: Transgender Bodies, Subculture Lives* New York: New York University Press, 2005.

Halperin, David M. "Sex Before Sexuality: Pederasty, Politics, and Power in Classical Athens." In John Corvino, ed., *Same Sex: Debating the Ethics, Science, and Culture of Homosexuality*. Lanham, MD: Rowman & Littlefield, 1999, pp. 203–219.
Hamer, Dean. *The Science of Desire: The Search For the Gay Gene and the Biology of Behavior*. New York: Simon & Schuster, 1994.
Hamer, Dean et al., "A Linkage Between DNA Markers on the X Chromosome and Male Sexual Orientation." *Science*, 261 (July 16, 1993): 321–327.
Hankins, Barry. *Uneasy in Babylon: Southern Baptist Conservatives and American Culture*. Tuscaloosa, AL: University of Alabama Press, 2002.
Harakas, Stanley S. *Contemporary Moral Issues Facing the Orthodox Christian*. Minneapolis, MN: Light and Life Publishing Co., 1982.
———. *Let Mercy Abound: Social Concern in the Greek Orthodox Church*. Brookline, MA: Holy Cross Orthodox Press, 1983.
Harris, Mark. *Dictionary of Unitarian Universalism*. Lanham, MD: Scarecrow Press, Inc., 2004.
Hartman, Keith. *Congregations in Conflict, The Battle over Homosexuality*. New Brunswick, NJ: Rutgers University Press, 1996.
Hartz, Paula. *Bahá'í Faith*. New York: Facts on File, 2002.
Hattox, Ralph. *Coffee and Coffeehouses: The Origins of a Social Beverage in the Medieval Near East*. Seattle, WA: University of Washington Press, 1985.
Hazel, Dann. *Witness: Gay and Lesbian Clergy Report from the Front*. Louisville, KY: Westminster John Knox Press, 2000.
Hefling, Charles, ed. *Our Selves, Our Souls & Bodies: Sexuality and the Household of God*. Cambridge, MA: Cowley Publications, 1996.
Henniker-Heaton, Rose. "On Sex and Marriage." *Christian Science Journal*, 91(2) (February 1973): 74–76.
Herdt, Gilbert. *Guardians of the Flutes, Idioms of Masculinity*. New York: Columbia University Press, 1987.
———. "Issues in the Cross-Cultural Study of Homosexuality." In Robert P. Cabaj and Terry S. Stein, eds., *Textbook of Homosexuality and Mental Health*. Washington, DC: American Psychiatric Press, 1996, pp. 65–82.
———. *Same Sex, Different Cultures: Gay and Lesbian Across Cultures*. Boulder, CO: Westview Press, 1997.
Heron, Alastair. *Towards a Quaker View of Sex: An Essay by a Group of Friends*, rev. ed., London: Friends Home Service Committee, 1964.
Hill, Calvin. "Some Precious Memories of Mary Baker Eddy." *We Knew Mary Baker Eddy*. Boston, MA: The Christian Science Publishing Society, 1979, pp. 150–183.
Holden, A. *Jehovah's Witnesses: Portrait of a Contemporary Religious Movement*. London: Routledge, 2002.
Horner, T. *Jonathan Loved David: Homosexuality in Bible Times*. Philadelphia, PA: Westminster Press, 1978.
"Homosexuality." *Contexts: Understanding People in Their Social Worlds*, 2(2) (Spring 2003): 58.
Hooks, Bell. *Salvation: Black People and Love*. New York: Harper/Collins, 2000.
———. *Science of Survival: Prediction of Human Behavior*. Los Angeles, CA: The American Saint Hill Organization, 1973.
———. *My Philosophy*. Los Angeles, CA: Golden Era Productions, 1987.
Hubbard, L. Ron. *Dianetics: The Modern Science of Mental Health*. Los Angeles, CA: Golden Era Productions, 2002.
Huegel, Kelly. *GLBTQ: The Survival Guide for Queer and Questioning Teens*. Minneapolis, MN: Free Spirit Publications, 2003.
Hunter, James Davison. *Culture Wars: The Struggle to Define America*. New York: Basic Books, 1992.
Huntly, Alyson. *Daring to Be United: Including Lesbians and Gays in The United Church of Canada*. Toronto: United Church Publishing House, 1998.
Imber, Colin. *Studies in Ottoman History and Law*. Istanbul, Turkey: Isis Press, 1996.

Isherwood, Christopher. *My Guru and His Disciple*. New York: Penguin, 1980.
Isichei, Elizabeth. *The Religious Traditions of Africa: A History*. Westport, CT: Praeger, 2004.
Israel, Gianna and Donald Tarver. *Transgender Care: Recommended, Guidelines, Practical Information, and Personal Accounts*. Philadelphia: Temple Universtity Press, 1997.
Jacobs, Sue-Ellen, Wesley Thomas, and Sabine Lang, eds., *Two-Spirit People: Native American Gender Identity, Sexuality, and Spirituality*. Urbana, IL: University of Illinois Press, 1997.
Jackson, Peter A. "Male Homosexuality and Transgenderism in the Thai Buddhist Tradition." In Winston Leyland ed., *Queer Dharma: Voices of Gay Buddhists Vol. 1*. San Francisco, CA: Gay Sunshine Press, 1998: pp. 55–89.
Jaini, Padmanabh S. *Gender and Salvation: Jaina Debates on the Spiritual Liberation of Women*. Berkeley, CA: University of California Press, 1991.
———. *The Jaina Path of Purification*, rev. ed. New Delhi: Motilal Banarsidass, 1998.
Jakobsen, Janet and Ann Pellegrini. *Love the Sin: Sexual Regulation and the Limits of Tolerance*, New York: New York University Press, 2003.
Jamal, Amreen. "The Story of Lot and the Qur'an's Perception of the Morality of Same-Sex Sexuality." *Journal of Homosexuality*, 41 (2001): 1–88.
Jennings, Theodore W., Jr. *The Man Jesus Loved: Homoerotic Narratives from the New Testament*. Cleveland, OH: Pilgrim Press, 2003.
Jones, John Garrett. *Tales and Teachings of the Buddha: The Jàtaka Stories in Relation to the Pàli Canon*. London: George Allen & Unwin, 1979.
Johnson, Daniel and Hambrick-Stowe, eds. *Theology and Identity: Traditions, Movements, and Polity in the United Church of Christ*. Cleveland, OH: United Church Press, 1990.
Johnson, Toby. *Gay Spirituality: The Role of Gay Identity in the Transformation of Human Consciousness*. Los Angeles, CA: Alyson Publications, 2000.
———. *Gay Perspective: Things Our Homosexuality Tells Us about the Nature of God and the Universe*. Los Angeles, CA: Alyson Publications, 2003.
Jordan, Mark D. *The Invention of Sodomy in Christian Theology*. Chicago: University of Chicago Press, 1997.
———. *The Silence of Sodom: Homosexuality in Modern Catholicism*. Chicago: University of Chicago Press, 2000.
———. *The Ethics of Sex*. Oxford, UK: Blackwell Publishers, 2002.
———. *Blessing Same-Sex Unions: The Perils of Queer Romance and the Confusions of Christian Marriage*. Chicago: University of Chicago Press, 2005.
Katz, Jonathan Ned. *Gay American History: Lesbians and Gay Men in the USA*. New York: Avon, 1976.
Kavi, Ashok Row. "The Contract of Silence." In Hoshang Merchant, ed., *Yaraana: Gay Writings from India*. Delhi: Penguin, 1999.
Keenan, James. "The Open Debate: Moral Theology and the Lives of Gay and Lesbian Persons." *Theological Studies*, 64(1) (March 2003), 127–150.
Kennedy, Miranda. "Gays in Pakistan Risk Harsh Islamic Retribution." *Day to Day*. National Public Radio, August 3, 2004.
Kern, Kathi. *Mrs. Stanton's Bible*. Ithaca, NY: Cornell University Press, 2001.
Kimball, Spencer W. *The Miracle of Forgiveness*. Salt Lake City, UT: Bookcraft, 1969.
King, Michael A. *Fractured Dance: Gadamer and a Mennonite Conflict over Homosexuality*. Telford, PA: Pandora Press, 2001.
Kinsey, Alfred C., Wardell B. Pomeroy, and Clyde E. Martin. *Sexual Behavior in the Human Male*. Philadelphia, PA: W.B. Saunders, 1948.
Kinsey, Alfred C., Wardell B. Pomeroy, Clyde E. Martin, and Paul H. Gebhard. *Sexual Behavior in the Human Female*. Philadelphia, PA: W. B. Saunders, 1953.
Kirkland, Russell. *Taoism: The Enduring Tradition*. New York: Routledge, 2004.
Kirkpatrick, Martha. "Lesbians As Parents." In Robert P. Cabaj and Terry S. Stein, eds., *Textbook of Homosexuality and Mental Health*. Washington, DC: American Psychiatric Press, 1996, pp. 353–370.

Klinger, Rochelle L. "Lesbian Couples." In Robert P. Cabaj and Terry S. Stein, eds., *Textbook of Homosexuality and Mental Health*. Washington, DC: American Psychiatric Press, 1996, pp. 339–352.

Kosofsky Sedgwick, Eve. "How to Bring Your Kids Up Gay: The War on Effeminate Boys." *Tendencies*. Durham, NC: Duke University Press, 1993, pp. 154–164.

Kraus, C. Norman, ed., *To Continue the Dialogue: Biblical Interpretation and Homosexuality*. Telford, PA: Pandora Press, 2001.

Kreider, Roberta, ed., *From Wounded Hearts: Faith Stories of Lesbian, Gay, Bisexual, and Transgendered People and Those Who Love Them*. Gaithersburg, MD: Chi Rho Press, 1998.

———. *Together In Love: Faith Stories of Gay, Lesbian, Bisexual, and Transgender Couples*. Kulpsville, PA: Strategic Press, 2002.

———. *The Cost of Truth: Faith Stories of Mennonite and Brethren Leaders and Those Who Might Have Been*. Kulpsville, PA: Strategic Press, 2004.

Kuefler, Mathew, ed. *The Boswell Thesis: Essays on Christianity, Social Tolerance, and Homosexuality*. Chicago: University of Chicago Press, 2006.

Kumar, Arvind. "Interview with Jim Gilman." *Trikone*, 11(3) (July 1996).

Kurdek, Lawrence. "Relationship Outcomes and Their Predictors: Longitudinal Evidence From Heterosexual, Married, Gay Cohabiting, and Lesbian Cohabiting Couples." *Journal of Marriage and the Family*, 60(3) (1998): 553–568.

———. "Areas of Conflict for Gay, Lesbian, and Heterosexual Couples: What Couples Argue About Influences Relationship Satisfaction." *Journal of Marriage and the Family*, 56(4) (1994): 923–934.

Lamm, Norman. "Judaism and the Modern Attitude to Homosexuality." *Encyclopedia Judaica Year Book*. 1974 Jerusalem: Encyclopedia Judaica, 1974.

Lang, Sabine. *Men as Women, Women as Men: Changing Gender in Native American Cultures*. Austin, TX: University of Texas Press, 1998.

Lattin, Don. "Black Clergy Gather to Fight Gay Matrimony." *San Francisco Chronicle*. May 15, 2004. Available at http://sfgate.com/cgi-bin/article.

Laumann, Edward O., John H. Gagnon, Robert T. Michael, and Stuart Michaels. *The Social Organization of Sexuality: Sexual Practices in the United States*. Chicago: University of Chicago Press, 1994.

Lehrman, Norman. "Homosexuality—A Political Mask for Promiscuity: A Psychiatrist Reviews the Data." *Tradition*, 34(1) (2000): 44–62.

Leibowitz, Yishayahu. *Letters to Prof. Leibowitz*. Jerusalem: Keter, 1999.

Leonard, Bill. *Baptists in America*. New York: Columbia University Press, 2005.

Letter from the Christian Science Board of Directors to Each Branch Church Executive Board in the United States and Canada. April 1980.

Leuze, Robert, ed. *Each of Us Inevitable: Some Keynote Addresses Given at FLGC Annual Mid-winter (and other) Gatherings, 1977–1989*. Sumneytown, PA: Friends for Lesbian and Gay Concerns, 1989.

Levado, Yaakov. "Gayness and God—Wrestlings of an Orthodox Rabbi." *Tikkun*, 8(5): 54–60.

LeVay, Simon. *The Sexual Brain*. Boston, MA: MIT Press, 1993.

———. *Queer Science: The Use and Abuse of Research into Homosexuality*. Cambridge, MA: MIT Press, 1996.

Lewes, Kenneth. *Psychoanalysis and Male Homosexuality*. Northvale, NJ: Jason Aronson, 1995.

Lewin, Ellen. *Recognizing Ourselves: Ceremonies of Lesbian and Gay Commitment*. New York: Columbia University Press, 1998.

Leyland, Winston, ed. *Queer Dharma: Voices of Gay Buddhists Vol. 1*. San Francisco, CA: Gay Sunshine Press, 1998.

———, ed. *Queer Dharma: Voices of Gay Buddhists Vol. 2*. San Francisco, CA: Gay Sunshine Press, 2000.

Lim, Leng Leroy. "'The Bible Tells Me to Hate Myself': The Crisis in Asian American Spiritual Leadership." *Semeia*, 90/91 (2002): 315–322.

Lincoln, C. Eric and Lawrence Mamiya. *The Black Church in African American Experience*. Durham, NC: Duke University Press, 1990.

Linzey, Andrew and Richard Kirker, eds. *Gays and the Future of Anglicanism: Responses to the Windsor Report*. Hants, UK: O Books, 2005.

Loewy, Arnold. "Morals Legislation and the Establishment Clause." 55 *Ala. L. Rev. 159* (2003).

Loftus, Jeni. "America's Liberalization in Attitudes Toward Homosexuality 1973 to 1998." *American Sociological Review*, 66(5) (2001): 762–782.

Long, Ronald E. "The Sacrality of Male Beauty and Homosex: A Neglected Factor in the Understanding of Contemporary Gay Reality." In Gary David Comstock and Susan E. Henking, eds., *Que(e)rying Religion: A Critical Anthology*. New York: Continuum, 1997.

Lull, Timothy. "Homosexuality and the Church." *Lutheran Partners*, September/October 1990, pp. 25–30.

Macourt, Malcolm, ed. *Toward a Theology of Gay Liberation*. London: SCM Press, 1977.

Maffeis, Angelo. *Ecumenical Dialogue*. Collegeville, MN: Liturgical Press, 2005.

Mains, Geoff. "Urban Aboriginals and the Celebration of Leather Magic." In Mark Thompson, ed., *Gay Spirit*. New York: St. Martin's Press, 1987.

Malik, Rajiv. "Discussions on Dharma." *Hinduism Today*. (October–December 2004): 30–31.

Mann, Gurinder Singh. *The Making of Sikh Scripture* Oxford: Oxford University Press, 2001.

Marshall, Paul V. *Same-Sex Unions: Stories and Rites*. New York: Church Publishing Inc., 2004.

Martin, Robert K. *The Homosexual Tradition in American Poetry*. Austin and London: University of Texas Press, 1979.

Mathison, Dr Carla and Amy L. Fraher. "Gay & Lesbian History in the US: A Snapshot of the 20th Century." Available at http://edweb.sdsu.edu/people/cmathison/gay_les.

Matthews, Laura. "Homosexuality—How Do I Respond?" *Christian Science Sentinel*, 99(50) (December 15, 1997).

Mbiti, John S. *Introduction to African Religion*, 2nd rev. ed. Oxford; Portsmouth, NH: Heinemann Educational Books, 1991.

McCullough, Robert. "Testimony." [Online, November 2005]. Available at www.emergence-international.org/artlist.php.

McGinley, Dugan. *Acts of Faith, Acts of Love: Gay Catholic Autobiographies as Sacred Texts*. New York: Continuum, 2004.

McManus, I. C. "The Inheritance of Left-Handedness." In Ciba Foundation Symposium, No. 162, *Biological Asymmetry and Handedness*. Chichester: John Wiley & Sons, 1991, pp. 251–267.

McNeill, John J. *The Church and the Homosexual*. Kansas City, MO: Sheed Andrews and McMeel, 1976.

McWhirter, David P. and Andrew M. Mattison. "Male Couples." In Robert P. Cabaj and Terry S. Stein, eds., *Textbook of Homosexuality and Mental Health*. Washington, DC: American Psychiatric Press, 1996, pp. 319–337.

Melton, J. G., ed. *The Churches Speak on Homosexuality: Official Statements from Religious Bodies and Ecumenical Organizations*. Detroit, MI: Gale Research Inc., 1991.

Michaels, Stuart. "The Prevalence of Homosexuality in the United States." In Robert P. Cabaj and Terry S. Stein, eds., *Textbook of Homosexuality and Mental Health*. Washington, DC: American Psychiatric Press, 1996, pp. 43–63.

Miller, Neil. *In Search of Gay America: Women and Men in a Time of Change*. New York: Harper & Row, 1989.

Miller, James, E. *Whitman, Emerson and the Song of Sex*. New York: Twayne, 1990.

Miller, Perry, ed., *The Transcendentalists, An Anthology*. Cambridge and London: Harvard University Press, 1950.

Mohr, Richard D. *The Long Arc of Justice: Lesbian and Gay Marriage, Equality, and Rights*. New York: Columbia University Press, 2005.

Mondimore, Francis M. *A Natural History of Homosexuality*. Baltimore, MD: Johns Hopkins Press, 1996.

Moore, Gareth, O. P. *A Question of Truth: Christianity and Homosexuality*. London: Continuum, 2003.

Moore, Tracy. *Lesbiot: Israeli Lesbians Talk About Sexuality, Feminism, Judaism and Their Lives*. London: Cassell, 1995.

Moore, Stephen D. *God's Beauty Parlor: And Other Queer Spaces in and Around the Bible*. Stanford: Stanford University Press, 2001.

Morgan, David T. *The New Crusades, the New Holy Land: Conflict in the Southern Baptist Convention, 1969–1991*. Tuscaloosa, AL: University of Alabama Press, 1996.

Murray, Stephen O. *Latin American Male Homosexualities*. Albuquerque, NM: University of New Mexico Press, 1995.

Murray, Stephen O. and Will Roscoe. *Boy-Wives and Female Husbands: Studies of African Homosexualities*. New York: St. Martin's Press, 1998.

Murray, Stephen O. and Will Roscoe, eds., *Islamic Homosexualities: Culture, History and Literature*. New York: New York University Press, 1997.

Myers, David G. and Letha Dawson Scanzoni. *What God Has Joined Together?: A Christian Case for Gay Marriage*. New York: HarperSanFrancisco, 2005.

Nanda, Serena. *Neither Man nor Woman*. Belmont, CA: Wadsworth, 1990.

Natale, Elaine. "Sexual Standards and Spiritual Commitment." *Christian Science Journal*, 108(11) (November 1990): 27–30.

Nelson, James B. and Sandra P. Longfellow, eds. *Sexuality and the Sacred: Sources for Theological Reflection*. Louisville, KY: Westminister/John Knox Press, 1994.

Nicolosi, Joseph. *Reparative Therapy of Male Homosexuality: A New Clinical Approach*. Northvale, NJ: Aronson, 1997.

Nimmons, David. *The Soul Beneath the Skin: The Unseen Hearts and Habits of Gay Men*. New York: St. Martin's Press, 2002.

Nissinen, Martti. *Homoeroticism in the Biblical World: A Historical Perspective*. Minneapolis, MN: Fortress Press, 1998.

O'Donovan, Rocky. "The Abominable and Detestable Crime Against Nature: A Brief History of Homosexuality and Mormonism, 1840–1980." In Brent Corcoran, ed., *Multiply and Replenish: Mormon Essays on Sex and Family*. Salt Lake City, UT: Signature Books, 1994, pp. 123–170.

O'Neill, Craig and Kathleen Ritter. *Coming Out Within: Stages of Spiritual Awakening for Lesbians and Gay Men, the Journey From Loss to Transformation*. New York: HarperCollins, 1992.

O'Toole, Roger. "Religion in Canada: Its Development and Contemporary Situation." *Social Compass*, 43 (1996): 1.

Oaks, Dallin H. "Same-Gender Attraction." *Ensign of the Church of Jesus Christ of Latter-day Saints*, 25(10) (October 1995): 7–14.

Oberhelman, Steven M. "Hierarchies of Gender, Ideology, and Power in Ancient and Medieval Greek and Arabic Dream Literature." In J. W. Wright and Everett K. Rowson, eds., *Homoeroticism in Classical Arabic Literature*. New York: Columbia University Press, 1997, pp. 55–93.

Of Love and Justice: Towards the Civil Recognition of Same-Sex Marriage. Toronto: The United Church of Canada, 2003.

Osterman, Mary Jo. *Claiming the Promise: An Ecumenical Welcoming Bible Study Resource on Homosexuality*. Reconciling Congregations Program, 1997. Available through GLAD Web site (http://www.gladalliance.org/).

Patterson, Charlotte J. "Lesbian and Gay Parenthood." In Marc H. Bornstein, ed., *Handbook of Parenting: Vol. III: Being and Becoming a Parent*, 2nd ed. Mahawah, NJ: Lawrence Erlbaum Associates, 2002, pp. 317–338.

Patterson, Charlotte J. and Raymond W. Chan. "Gay Fathers and Their Children." In Robert P. Cabaj and Terry S. Stein, eds., *Textbook of Homosexuality and Mental Health*. Washington, DC: American Psychiatric Press, 1996, pp. 371–393.

Paulsell, William, ed. *Listening to the Spirit: A Handbook for Discernment*. St. Louis, MO: Christian Board of Publication, 2001 (book + video).

Peel, Robert. *Mary Baker Eddy: The Years of Trial*. New York: Holt, Rinehart, and Winston, 1971.

———. "Sexuality and Spirituality." *Health and Medicine in the Christian Science Tradition*. New York: Crossroad, 1988, pp. 33–43.

Penton, M. James. *Apocalypse Delayed: The Story of Jehovah's Witnesses*. Toronto: University of Toronto Press, 1985.
Perkovich, Mike. *Nature Boys, Camp Discourse in American Literature from Whitman to Wharton*. New York: Peter Lang, 2003.
Perry, Troy D. with Thomas L. P. Swicegood. *Don't Be Afraid Anymore: The Story of Reverend Troy Perry and the Metropolitan Community Churches*. New York: St. Martin's Press, 1990.
Perry, Troy D. *The Lord is My Shepherd & He Knows I'm Gay: The Autobiography of the Reverend Troy D. Perry*. Los Angeles, CA: Universal Fellowship Press, 1997.
Pope, Stephen J. "The Magisterium's Arguments Against 'Same-Sex Marriage': An Ethical Analysis and Critique." *Theological Studies*, 65(3) (September 2004), 530–566.
Pontifical Council for the Family. *Family, Marriage and 'De Facto' Unions*. Rome: Pontifical Council for the Family, 2000.
Price, Reynolds. *A Serious Way of Wondering: The Ethics of Jesus Imagined*. New York: Scribners, 2003.
Part of the Rainbow: a Plain Quaker Look at Lesbian, Gay and Bisexual Lives. London: Quaker Lesbian & Gay Fellowship, 2004.
Quaker Faith & Practice: The Book of Christian Discipline of the Yearly Meeting of the Religious Society of Friends (Quakers) in Britain. London: Yearly Meeting of the Religious Society of Friends (Quakers) in Britain, 1995.
Quinn, D. Michael. *Same-Sex Dynamics among Nineteenth-Century Mormons: A Mormon Example*. Urbana, IL: University of Illinois, 1996.
———. "Prelude to the National 'Defense of Marriage' Campaign: Civil Discrimination Against Feared or Despised Minorities." *Dialogue: A Journal of Mormon Thought*, (3) (Fall 2000): 1–52.
Rafeq, Abdul Karim. "Public Morality in 18th Century Damascus." *La Revue du Monde Musulman et de la Méditerranée*, 55/56 (1990): 180–196.
Rambuss, Richard. *Closet Devotions*. Durham, NC: Duke University Press, 1998.
Randall, Kelvin, ed. *Evangelicals Etcetera: Conflict and Conviction in The Church of England's Parties*. Burlington, VT: Ashgate, 2005.
Reinhardt, Madge. *The Year of the Silence*. St. Paul, MN: Back Row Press, 1979.
Riordon, Michael. *The First Stone: Homosexuality and the United Church*. Toronto: McClelland & Stewart, 1990.
Rodríguez, Juana Maria. *Queer Latinidad: Identity Practices, Discursive Spaces*. New York: New York University Press, 2003.
Rodriguez, Linda. "Gay Christian Scientists Seek a Warmer Welcome." *Bay Windows* (online ed.), October 21, 2004. The official Rodriguez mentions was Ethel Baker.
Rogers, Jack. *Jesus, the Bible, and Homosexuality: Explode the Myth, Heal the Church*. Louisville, KY: Westminster/John Knox Press, 2006.
Rogers Eugene F. Jr., "Aquinas on Natural Law and the Virtues in Biblical Context." *Journal on Religious Ethics*, 27(1) (Spring 99), 29–57.
Roquelaure, A. N. *Beauty's Release*. New York: Plume Books, 1985.
Roscoe, Will. *Changing Ones: Third and Fourth Genders in Native North America*. New York: St. Martin's Press, 1998.
———. *The Zuni Man-Woman*. Albuquerque, NM: University of New Mexico Press, 1991.
Roscoe, Will, ed. *Radically Gay: Gay Liberation in the Words of Its Founder*. Boston, MA: Beacon Press, 1996.
Rowson, Everett K. "The Effeminates of Early Medina." *Journal of the American Oriental Society*, 111(4) (1991): 671–693.
Rupani, Ankur. "Sexuality and Spirituality." *Trikone*, 18(4) (2003): 15.
Saad, Lydia. "Americans Growing More Tolerant of Gays." *The Gallup Poll Monthly*, 375 (1996): 12–14.
Saifee, Seema. "Penumbras, Privacy and the Death of Morals-Based Legislation: Comparing U.S. Constitutional Law with the Inherent Right of Privacy in Islamic Jurisprudence." *27 Fordham Int'l L. J.* 370 (2003).

Sands, Kathleen. "Public, Pubic, and Private: Religion in American Political Discourse." In Kathleen Sands, ed., *God Forbid: Religion and Sex in American Public Life*. New York: New York University Press, 2000, pp. 60–90.
Saunders, Paula. "Gendering the Ungendered Body: Hermaphrodites in Medieval Islamic Law." In Nikki R. Keddie and Beth Baron, ed., *Women in Middle Eastern History: Sifting Boundaries in Sex and Gender*. New Haven: Yale University Press, 1991, pp. 74–95.
Scanzoni, Letha Dawson and Virginia Ramey Mollencott. *Is the Homosexual my Neighbor?: A Positive Christian Response*. San Francisco, CA: HarperSanFrancisco, 1994.
Schmidt, Thomas E. *Straight and Narrow? Compassion and Clarity in the Homosexuality Debate*. Downers Grove, IL: Intervarsity Press, 1995.
Schmitt, Arno and Jehoeda Sofer, eds. *Sexuality and Eroticism Among Males in Moslem Societies*. New York: Harrington Park Press, 1992.
Schneider, Laurel C. "Homosexuality, Queer Theory, and Christian Theology." *Religious Studies Review*, 26 (2000): 3–12.
Schow, Ron, Wayne Schow, and Marybeth Raynes, eds. *Peculiar People: Mormons and Same-Sex Orientation*. Salt Lake City, UT: Signature Books, 1991.
Scroggs, Robin. *The New Testament and Homosexuality: Contextual Background for Contemporary Debate*. Philadelphia, PA: Fortress Press, 1983.
Seow, Choon Leong. *Homosexuality and Christian Community*. Louisville, KY: Westminster/John Knox Press, 1996.
"Sexual Orientation & Organized Religion Excerpts from the ORCT Homepage." From the National Capital Freenet of Canada. Available at http://www.ncf.ca/ip/sigs/life/gay/religion/relorg.
Sharma, Arvind. "Homosexuality and Hinduism." In Arlene Swidler, ed., *Homosexuality and World Religions*. Valley Forge, PA: Trinity Press International, 1993, pp. 39–80.
Shelp, E. E. and R. H. Sunderland. *AIDS and the Church: The Second Decade*. Louisville, KY: Westminster/John Knox Press, 1992.
Shokeid, Moshe. *A Gay Synagogue in New York*. New York: Columbia University Press, 1995.
Siker, Jeffrey S., ed. *Homosexuality in the Church: Both Sides of the Debate*. Louisville, KY: Westminster/John Knox Press, 1994.
Silverstein, Charles. "History of Treatment." In Robert P. Cabaj and Terry S. Stein, eds., *Textbook of Homosexuality and Mental Health*. Washington, DC: American Psychiatric Press, 1996, pp. 3–16.
Singh, Pashaura. *The Guru Granth Sahib: Canon, Meaning and Authority*. Oxford: Oxford University Press, 2000.
Smith, James M. *AIDS and Society*. Upper Saddle River, NJ: Prentice Hall, 1996.
Smith, Peter. *The Bahá'í Faith: A Short History*. Oxford: One World, 1999.
Smith, Richard L. *AIDS, Gays, and the American Catholic Church*. Cleveland, OH: Pilgrim Press, 1994.
Soards, Marion. *Scripture and Homosexuality: Biblical Authority and the Church Today*. Louisville KY: Westminster/John Knox Press, 1995.
Solomon, Alisa. "Viva la Diva: Citizenship, Post Zionism and Gay Rights." In Daniel Boyarin, Daniel Itzkoritz and Ann Pellegrini, eds., *Queer Theory and the Jewish Question*. New York: Columbia University Press, 2003.
Some, Malidoma Patrice. *Of Water and the Spirit: Ritual, Magic, and Initiation in the Life of an African Shaman*. New York: Putnam, 1994.
———. *The Healing Wisdom of Africa: Finding Life Purpose Through Nature, Ritual, and Community*. New York: Putnam, 1998.
Stacey, Judith and Timothy J. Biblarz. "(How) Does the Sexual Orientation of Parents Matter." *American Sociological Review*, 66 (2001): 159–183.
"Statements of Mennonite Conferences, Boards, and Committees on Homosexuality." Compiled by Loren L. Johns at http://www.ambs.edu/LJohns/ChurchDocs.htm.
Stemmeler, Michael L. and Cabezón, José Ignacio, eds. *Religion, Homosexuality and Literature*. Las Colinas, TX: Monument Press, 1992.

Stewart, Howard R. *American Baptists and the Church*. Lanham, MD: University Press of America, 1997.

Stuart, Elizabeth. *Gay and Lesbian Theologies: Repetitions with Critical Difference*. Burlington, VT: Ashgate, 2003.

Stuart, Elizabeth, ed. *Religion Is a Queer Thing: A Guide to the Christian Faith for Lesbian, Gay, Bixexual and Transgendered People*. London: Cassell, 1997.

Stone, Ken, ed. *Queer Commentary and the Hebrew Bible*. Cleveland, OH: Pilgrim Press, 2001.

"The Stonewall Riots: Birth of a Movement." Available at http://allsands.com/History/Events/stonewallriot_toi_gn.htm.

Stores, Bruce. *Christian Science: Its Encounter with Lesbian/Gay America*. New York: Universe, 2004.

The Straight Dope About Scientology and Gays. Available at www.liveandgrow.orgscientology_and_the_gay_community.pdf.

Stryker, Susan. *Transgender Reader*. New York: Routledge, 2006.

Suddaby, William. "Neither Gay nor Straight." [Online, November 2005]. Available at http://www.emergence-international.org/content.php?page=neither_gay&type=article.

Sullivan, Andrew, ed. *Same-Sex Marriage: Pro and Con*. New York: Vintage Books, 1997.

Sullivan, Nikki. *A Critical Introduction to Queer Theory*. New York: New York University Press, 2003.

Sumaki, Amir and Jacob Press. *Independence Park: The Lives of Gay Men in Israel*. Stanford: Stanford University Press, 1999.

"Supportive Communities Network." Available at www.bmclgbt.orgscn.html.

Swartley, Willard M. *Homosexuality: Biblical Interpretation and Moral Discernment*. Scottdale, PA: Herald Press, 2003.

Sweet, Michael J., "Pining Away for the Sight of the Handsome Cobra King: Ananda as Gay Ancestor and Role Model." In Winston Leyland, ed., *Queer Dharma: Voices of Gay Buddhists Vol. 2*. San Francisco, CA: Gay Sunshine Press, 2000, pp. 13–22.

Sweet, Michael J. and Leonard Zwilling. "The First Medicalization: The Taxonomy and Etiology of Queers in Classical Indian Medicine." *Journal of the History of Sexuality*, 3(4) (1993): 590–607.

Swidler, Arlene, ed. *Homosexuality and World Religions*. Valley Forge, PA: Trinity Press International, 1993.

Tanis, Justin. *Trans-gendered: Theology, Ministry and Communities of Faith*. Cleveland, OH: Pilgrim Press, 2003.

Tatchell, Peter. "Stop the Vatican's Anti-Gay Crusade." *Conscience*, 22(3) (October 31, 2001), 22–25.

That We May All Be One: 30 Years of UCC Social Justice Policy Statements on Lesbian, Gay, and Bisexual Concerns. The United Church Board for Homeland Ministries, Division of the American Missionary Association, and The Office for Church in Society, 1999.

Theology and Sexuality: The Journal of the Institute for the Study of Christianity & Sexuality [1994–present]

This We Can Say: Talking Honestly about Sex. Reading, PA: Nine Friends Press, 1995.

Thomas, Robert David. *With Bleeding Footsteps: Mary Baker Eddy's Path to Religious Leadership*. New York: Alfred A. Knopf, 1994.

Thompson, Chad. *Loving Homosexuals as Jesus Would: A Fresh Christian Approach*. Grand Rapids, MI: Brazos Press, 2004.

Thumma, Scott and Edward R. Gray, eds. *Gay Religion*. Walnut Creek, CA: AltaMira Press, 2005.

Tifashi, Ahmad ibn Yusuf. *Nuzhat al-albab fima la yujadu fi kitab*. London: Riad el-Rayyes Books, 1992.

Tigert, Leanne McCall. *Coming Out While Staying In: Struggles and Celebrations of Lesbians, Gays, and Bisexuals in the Church*. Cleveland, OH: United Church Press, 1996.

———. *Coming Out Through Fire: Surviving the Trauma of Homophobia*. Cleveland, OH: United Church Press, 1999.

Tigert, Leann McCall, and Maren C. Tirabassi, eds. *Transgendering Faith: Identity, Sexuality, and Spirituality*. Cleveland; Pilgrim Press, 2004.

Together in Faith: Inclusive Resources about Sexual Diversity for Study, Dialogue, Celebration, and Action. Toronto: The United Church of Canada, 1995.

Troiden, Richard R. "The Formation of Homosexual Identities." *Journal of Homosexuality*, 17(1–2) (1989): 43–73.
Turney, Kelly, ed. *Shaping Sanctuary: Proclaiming God's Grace in an Inclusive Church.* Reconciling Church Program, Chicago: Welcoming Church Movement, 2000.
Udis-Kessler, Amanda. "The Holy Leper and the Bisexual Christian." In Debra Kolodny, ed., *Blessed Bi Spirit, Bisexual People of Faith.* New York: Continuum, 2000.
Unitarian Universalist Association. *U. U. World.* Boston, MA: Unitarian Universalist Association.
Unitarian Universalist Association Office of Bisexual, Gay, Lesbian and Transgender Concerns. *The Welcoming Congregation Handbook, Resources for Affirming Bisexual, Gay, Lesbian, and/or Transgender People*, 2nd ed. Boston, MA: Unitarian Universalist Association, 1999.
United Methodist Church. *The Book of Discipline of the United Methodist Church.* Nashville, TN: The United Methodist Publishing House, 2004.
United States Conference of Catholic Bishops. "Always Our Children: A Pastoral Message to Parents of Homosexual Children and Suggestions for Pastoral Ministers," 1997.
UPI. "Court in Massachusetts Upholds Christian Science Monitor's Dismissal of a Lesbian." *The New York Times*, Section A (August 22, 1985): 16.
VanElderen, Marlin. *Introducing the World Council of Churches.* Geneva, Switzerland: WCC Publications, 2001.
Vanita, Ruth. *Love's Rite: Same-Sex Marriage in India and the West.* New York: Palgrave Macmillan, 2005.
Vanita, Ruth. *Love's Rite: Same-Sex Marriage and its Antecedents in India.* Delhi: Penguin India, 2005.
Vanita, Ruth, ed. *Queering India.* New York: Routledge, 2002.
Vanita, Ruth and Saleem Kidwai, ed. *Same-Sex Love in India: Readings from Literature and History.* New York: Palgrave, 2000.
Via, Dan and Robert Gagnon. *Homosexuality and the Bible: Two Views.* Minneapolis, MN: Fortress Press, 2003.
"Walt Whitman: Whitman and Transcendentalism." American Transcendentalism Web site: http://www.vcu.edu/engweb/transcendentalism/roots/legacy/whitman/.
Ward, Graham. "The Erotics of Redemption–After Karl Barth." *Journal of Theology and Sexuality*, 8 (1998): 52–72.
Wardle, Lynn D. "The Potential Impact of Homosexual Parenting on Children." *University of Illinois Law Review*, (1997): 833–919.
Warner, Michael. *The Trouble with Normal: Sex, Politics, and the Ethics of Queer Life.* Cambridge, MA: Harvard University Press, 2000.
Welcome to Dialogue Series. Published by the Welcome Committee: Mennonites Working to Increase Dialogue on Gay and Lesbian Inclusion. Available at http://www.welcome-committee.orgbooklet-index.html.
West, Mona. "Reading the Bible as Queer Americans: Social Location and the Hebrew Scriptures." *Theology and Sexuality*, 10 (1999): 28–42.
Weston, Kath. *Families We Choose: Lesbians, Gays, Kinship.* New York: Columbia University Press, 1991.
White, O. Kendall and Daryl White. "Ecclesiastical Polity and the Challenge of Homosexuality: Two Cases of Divergence within the Mormon Tradition." *Dialogue: A Journal of Mormon Thought*, 37(3) (2004): 67–89.
White, Mel. *Stranger at the Gate: To Be Gay and Christian in America.* New York, NY: Plume, 1995.
Williams, Walter L. *The Spirit and the Flesh: Sexual Diversity in American Indian Culture.* Boston, MA: Beacon Press, 1988.
Wilson, Nancy. *Our Tribe: Queer Folks, God, Jesus, and the Bible.* San Francisco, CA: Hanpersan Francisco, 1995.
Wink, Walter, ed. *Homosexuality and Christian Faith: Questions of Conscience for the Churches.* Minneapolis: Fortress Press, 1999.
Wolf, James, ed. *Gay Priests.* San Francisco, CA: Harper & Row, 1989.
Wolkomir, Michelle. *Be Not Deceived: The Sacred and Sexual Struggles of Gay and Ex-Gay Christian Men.* New Brunswick, NJ: Rutgers University Press, 2006.

Wood, James R. "Reports on UMC General Conference Surveys." Available at www.csr.indiana.edu/umc.

———. *Where the Spirit Leads: The Evolving Views of United Methodists on Homosexuality*. Nashville, TN: Abingdon, 2000.

Wray, Judith Hoch. *Gay, Lesbian, Bisexual and Transgender Christians in the Church: Reflections for Disciples of Christ Who Seek to Discern God's Will*, 1998. Available at http://www.sacredplaces.com/discern.

Wright, J. W. "Masculine Allusion and the Structure of Satire in Early 'Abbasid Poetry." In J. W. Wright and Everett K. Rowson, ed., *Homoeroticism in Classical Arabic Literature*. New York: Columbia University Press, 1997. pp. 1–23.

Wu, Rose. *Liberating the Church from Fear: The Story of Hong Kong's Sexual Minorities*. Hong Kong: Hong Kong Women Christian Council, 2000.

Zikmund, Barbara Brown, ed. *Hidden Histories in the United Church of Christ*. Cleveland, OH: Pilgrim Press, 1987.

Zwilling, Leonard. "Avoidance and Exclusion: Same-Sex Sexuality in Indian Buddhism." In Winston Leyland, ed. *Queer Dharma: Voices of Gay Buddhists Vol. 1*. San Francisco, CA: Gay Sunshine Press, 1998, pp. 45–54.

Zwilling, Leonard, and Michael J. Sweet. "Like a City Ablaze: The Third Sex and the Creation of Sexuality in Jain Religious Literature." *Journal of the History of Sexuality*, 6(3) (1996): 359–384.

Web Sites

American U.U. History, www.americanunitarian.orgAUCHistory.htm.

Affirmation, www.affirmation.org.

Affirmation: United Methodists for Lesbian, Gay, Bisexual and Transgendered Concerns, www.umaffirm.org.

Al-Fatiha Foundation, www.al-fatiha.net.

All Go, The Queer People of Color Organization, www.allgo.org.

Alliance of Christian Churches, www.accnet.org.

American Catholic Church, www.amercatholicchurchmd.org.

American Unitarian Conference, www.americanunitarian.org.

Association of Welcoming and Affirming Baptists, www.wabaptists.org.

Axios, www.axios.net.

Beyond Inclusion, www.beyondinclusion.org.

BiNet USA, www.binetusa.org.

Brethren Mennonite Council for Lesbian and Gay Concerns, www.bmclgbt.org.

Cathedral of Hope, www.cathedralofhope.com.

Center for Lesbian and Gay Civil Rights, www.center4civilrights.org.

Center for Lesbian and Gay studies in Religion and Ministry, www.clgs.org.

Chi Rho Press, www.chirhopress.com.

Church of Jesus Christ of Latter-day Saints, www.lds.org.

Clergy United for the Equality of Homosexuals, www.clergyunited.com.

CLOUT, www.cloutsisters.org.

A Common Bond, www.gayxjw.org.

Community of Christ, www.cofchrist.org.

Conference for Catholic Lesbians, www.catholiclesbians.org.

Confessing Movement, www.confessingumc.org.

Congregation on the Doctrine of the Faith, www.vatican.va/roman_curia/congregations/cfaith.

CORNET, www.umaffirm.orgcornet.

Christian Lesbians, www.christianlesbians.com.

Diamond Metta Lesbian and Gay Buddhist Society, www.home.pipeline.com/~diamondmetta.

DignityCanada, www.dignitycanada.org.

DignityUSA, www.dignityusa.org.

Ecumenical Catholic Church, www.ecchurch.org.

Emergence International, www.emergence-international.org.

Evangelicals Concerned, www.ecinc.org. and www.ecwr.org.

Evangelical Network, www.t-e-n.org.

Evergreen International, www.evergreeninternational.org.

Exodus International, www.exodusglobalalliance.org.

Franciscans of Divine Providence, www.franciscansofdivineprovidence.com.

Friends for Lesbian, Gay, Bisexual, Transgender, and Queer Concerns (Quaker), www.quaker.orgflgbtqc.

Gamofites, www.gamofites.org.

Gay and Lesbian Acceptance (GALA), www.galaweb.org.

Gay Buddhist Fellowship, www.gaybuddhist.orgindex.html.

Gay LDS Young Adults, www.glya.com.

Gay, Lesbian, Bisexual, Transgendered Round Table, www.ala.orgala/glbtrt/welcomeglbtround.htm.

GCCUIC, www.gccuic-umc.org

GLAD Alliance, www.gladalliance.org.

GLBTQ: An Encyclopedia of Gay, Lesbian, Bisexual, Transgender, and Queer Culture www.glbtq.com.

Good News, www.goodnewsmag.org.

Institute for the Study of Evangelicals, www.wheaton.edu/isae/defining_evangelicalism.html.

Integrity USA, www.integrityusa.org.

Interfaith Working Group, www.iwgonline.org.

International Fellowship of the Metropolitan Community Church, www.mccchurch.org.

Interweave, Unitarian Universalists for Lesbian, Gay, Bisexual and Transgender Concerns, www.uua.orgobgltc/wcp/wc1expln.html. or www.qrd.orgqrd/www/orgs/uua/uu-interweave.html.

Lesbian Buddhist eSangha, www.geocities.com/candacevan/lesbianbuddhistesanga.html.

Lesbian Messianics, www.lesmess.2itb.com.

Lutherans Concerned, www.lcna.org.

LGBT Religious Archives Network, www.lgbtran.org.

MCC Ministry Development Centre, www.mccmdc.com.

Methodist Federation for Social Action, www.mfsaweb.org.

Metropolitan Community Churches, www.mccchurch.org.

More Light Presbyterians, www.mlp.org.

Mosaic: National Jewish Center for Sexual and Gender Diversity, www.jewishmosaic.org.

National Association for Research and Therapy of Homosexuality (NARTH), www.narth.com.

National Association of Catholic Diocesan Lesbian and Gay Ministries, www.nacdlgm.org.

National Association of Evangelicals, www.nae.net.

National Association for Research and Therapy of Homosexuality (NARTH), www.narth.com.

Operation Rebirth, www.operationrebirth.com.

OrthoGays, www.Orthogays.com.

OrthoDykes, www.orthodykes.org.

People of Faith for Gay Civil Rights, www.pfgcr.org.

RadFae.org: Radical Faeries, www.radfae.org.

Rainbow Baptists, www.rainbowbaptists.org.

Rainbow History Project, www.rainbowhistory.org.

Rainbow Sash Alliance, www.rainbowsashallianceusa.org.

Rainbow Wind, www.hometown.aol.com/rainbowind/rbwintr.htm.

Reconciliation, www.ldsreconciliation.org.

Reconciling Ministries Network, www.rmnetwork.org.

ReligiousTolerance.org, www.religioustolerance.orghomosexu.htm.

Resources for Life Homepage, www.resourcesforlife.com.

Reconciling Pentecostals International, www.reconcilingpentecostals.com.

Seventh-day Adventist Kinship, www.sdakinship.org.

Someone to Talk To . . . For Families of Gays and Lesbians, www.someone-to-talk-to.net.

'Southern Baptist Convention, www.sbc.net.

TransFaith On-line, www.angelfire.com/on/otherwise/transfaith.html.

Transforming Congregations, www.transformingcong.org.

Trembling Force Before G-d, www.tremblingbeforeg-d.com.

Unitarian Universalist Association, Office of Bisexual, Gay, Lesbian, and Transgender Concerns, www.uua.orgobgltc.

United Church of Christ, www.ucc.org.

United Church of Christ Coalition for Lesbian/Gay/Bisexual/Transgender Concerns, www.ucccoalition.org.

United Methodist Church, www.umc.org.

Unity Fellowship Church Movement, www.ufc-usa.org.

Whosoever, www.whosoever.org.

World Congress of Gay, lesbian, Bisexual, and Transgender Jews: Keshet Ga'avah, www.glbtjews.org.

Contributors

Victor Anderson is a Professor in the area of Ethics and Society at Vanderbilt University and author of *Beyond Ontological Blackness: An Essay on African American Religious and Cultural Criticism* and *Pragmatic Theology: Negotiating the Intersections of an American Philosophy of Religion and Public Theology*.

Yaakov Ariel is Professor of Religious Studies at the University of North Carolina, Chapel Hill. He teaches and writes in the area of Judaism and American religious history. His books include *Evangelizing the Chosen People: Missions to the Jews in America, 1880–2000*.

David Blamires is the editor of *Friends Quarterly*, and the clerk of the Quaker World Relations Committee. A professor at the University of Manchester, in the United Kingdom, he was a primary contributor to the landmark *Toward a Quaker View of Sex* (1963) and authored *Homosexuality from the Inside* (1973).

John Blevins is Visiting Assistant Professor of Pastoral Care at the Candler School of Theology, Emory University. He has worked as a chaplain to persons with HIV/AIDS in Atlanta and Chicago and as a pastoral counselor. He has also served as program manager for the Southeast AIDS Education and Training Center in the Emory University School of Medicine.

Donald Boisvert is Assistant Professor of Religion at Concordia University, Montreal, Canada. He is the author of *Out on Holy Ground: Meditations on Gay Men's Spirituality* and *Sanctity and Male Desire: A Gay Reading of Saints*. He currently serves as co chair of the Gay Men's Issues in Religion Group of the American Academy of Religion.

Chandler Burr is a journalist whose work has appeared in The New York Times, The Atlantic Monthly, The New Yorker, and many other publications. He is the author of *A Separate Creation: The Search for the Biological Origins of Sexual Orientation.*

Kim Byham is a past-President of Integrity (1987–1990) and for over twenty years has been very active within the Episcopal Church, USA, on matters relating to the status of GLBTQ people in the Episcopal Church. He authored much of the GLBTQ-inclusive legislation adopted by the church. He has served on various governing boards of the church at local, regional, and national levels.

Wendy Cadge is Assistant Professor of Sociology at Bowdoin College. Her research focuses on religious pluralism, immigration, and gender and sexuality in the United States. She is currently a Robert Wood Johnson Foundation Scholar in Health Policy Research at Harvard University. Her recent book project is *Paging God: Religion in the Halls of Medicine*.

James M. Childs, Jr., is Edward C. Fendt Professor of Systematic Theology at Trinity Lutheran Seminary. He is the editor *of Faithful Conversation: Christian Perspectives on Homosexuality*, and the author of *What It Means to Be Lutheran in Social Ministry*, *Greed: Economics and Ethics in*

Conflict, and *Preaching Justice: The Ethical Vocation of Word and Sacrament Ministry*. He also serves as the Director of the Evangelical Lutheran Church in America's Studies on Sexuality.

René Drumm is Professor and Chair of the Social Work and Family Studies Department at Southern Adventist University. She is the author of *Becoming Gay and Lesbian: Identity Construction among Seventh-Day Adventist Homosexuals*.

John-Charles Duffy is a graduate student in Religious Studies at the University of North Carolina at Chapel Hill. His research interests are in Mormonism, the politics of religious diversity in the United States, and the negotiation of religious identities.

Michael Patrick Ellard is the Senior Pastor of the Metropolitan Community Church of San Jose, California. As a member of MCC's Northwest District Committee, he provided support and oversight to Metropolitan Community Churches in Alaska, Hawaii, California, Washington, Oregon, Idaho, Nevada, and Utah. He currently serves on the board of directors of the Santa Clara County Council of Churches and serves as co chair of the council's Gay Ministry Committee.

Matthew J. Gaudet is a graduate student in Theological Studies at Loyola Marymount University in Los Angeles. His primary research interests are in Catholic social teaching and Christian ethics. His most recent work has investigated concepts of human weakness and, in particular, the social ethics of cognitive disability.

Barb Greve is a graduate student at the Starr King School of Theology, which is the Unitarian Universalist School of the Graduate Theological Union, Berkeley, CA.

Loren L. Johns is academic dean and associate professor of New Testament at Associated Mennonite Biblical Seminary in Elkhart, Indiana. He has written on various aspects of the Apocalypse of John, especially as it contributes to a contemporary practice of peace and justice. In 2003 he published *The Lamb Christology of the Apocalypse of John: An Investigation into Its Origins and Rhetorical Force*.

Patricia Beattie Jung is currently the Graduate Program Director and a Professor of Theology at Loyola University Chicago. She teaches in the areas of Christian Sexual Ethics and Fundamental Moral Theology. Her most recent publications include *Moral Issues and Christian Responses*, *Sexual Diversity and Catholicism*, and *Good Sex*. In 2006, she served as the coeditor of the *Journal of the Society of Christian Ethics*.

Debra Kolodny is the editor of *Blessed Bi Spirit: Bisexual People of Faith*, Executive Director of ALEPH: Alliance for Jewish Renewal, and a current rabbinic student in the ALEPH Rabbinic Program.

Ellen Lewin is Professor of Women's Studies and Anthropology at the University of Iowa. She is the author of ethnographic studies of lesbian and gay family in the United States, *Lesbian Mothers* and *Recognizing Ourselves*, and is currently working on a study of gay fathers. She is also the coeditor (with William L. Leap) of two volumes on lesbian and gay anthropology, *Out in the Field* and *Out in Theory*.

Daniel Michon is a Visiting Professor of South Asian Religion at Loyola Marymount University in Los Angeles. His research focuses on the history and religions of Punjab.

Kwok Pui-lan is William F. Cole Professor of Christian Theology and Spirituality at the Episcopal Divinity School in Cambridge, MA. Her most recent book is *Postcolonial Imagination and Feminist Theology*.

Kathleen M. Sands is Associate Professor of Religious Studies at the University of Massachusetts, Boston and editor of *God Forbid: Religion and Sex in American Public Life*. She has held fellowships at Harvard University's Radcliffe Institute, and its Center for the Study of Values in Public Life. Her current research is in the area of religion and law.

Elyse Semerdjian is Assistant Professor of Islamic World History at Whitman College. She was awarded the Syrian Studies Association Best Dissertation Prize (2003). Her forthcoming book, *Off the Straight Path: Sex and Crime in Ottoman Aleppo, Syria*, discusses the theory and practice of *zina* crime from the sixteenth to nineteenth centuries.

Jeffrey S. Siker is Professor and Chair of Theological Studies at Loyola Marymount University, Los Angeles, where he teaches in the area of biblical studies, the history of biblical interpretation, and the use of scripture in ethics. In addition to numerous articles, he is author of *Scripture and Ethics: 20th Century Portraits* (1997) and the editor of *Homosexuality in the Church: Both Sides of the Debate* (1994).

Judy Yates Siker is Associate Professor of New Testament and Academic Dean at the American Baptist Seminary of the West and the Graduate Theological Union in Berkeley, California. Her writing and research interests include Jewish/Christian relations, the Gospel of Matthew and identity politics. She is also an ordained minister in the Presbyterian Church USA (PCUSA).

Ken Stone is Associate Professor of Hebrew Bible at Chicago Theological Seminary. He is the author of *Sex, Honor and Power in the Deuteronomistic History* (1996) and *Practicing Safer Texts: Food, Sex and Bible in Queer Perspective* (2005), and editor of *Queer Commentary and the Hebrew Bible* (2001), for which he won a Lambda Literary Award.

Michael J. Sweet is a clinical Assistant Professor of Psychiatry at University of Wisconsin, Madison. He holds PhDs in Buddhist Studies and Psychology and is the author of numerous publications in the areas of history of sexuality/gay studies and Tibetan Buddhism. He is the coeditor and co translator of *Peacock in the Poison Grove* and is currently working on research and translation of the *Historical Notes on Tibet* by Ippolito Desideri.

Scott Thumma is Professor of Sociology of Religion at Hartford Institute for Religion Research, Hartford Seminary. He has written extensively on homosexuality and evangelicalism. His latest book *Gay Religion* is coauthored with Edward Gray and is a collection of over twenty ethnographic accounts of the diverse ways LGBT persons express their spirituality in contemporary America.

Leanne McCall Tigert is an ordained UCC minister, Fellow in the American Association of Pastoral Counselors, and Senior Adjunct Faculty at Andover Newton Theological School. She has written and edited four books and several articles on sexuality and religion. In 2001, she received the Mayflower Award from Pilgrim Press and was named a Lambda Literary finalist. She maintains a clinical practice in Concord, NH.

Ruth Vanita is Professor at the University of Montana, and was formerly Reader at Delhi University, India. She was the founding coeditor of *Manushi*, India's first nationwide feminist magazine, and is the author of several books, including *A Play of Light: Selected Poems*, *Sappho and the Virgin Mary: Same-Sex Love and the English Literary Imagination*, and, most recently, *Love's Rite: Same-Sex Marriage in India and the West* and *Gandhi's Tiger and Sita's Smile: Essays on Gender, Sexuality, and Culture*.

Amy Black Voorhees is a PhD candidate in American Religious History at the University of California, Santa Barbara. Her research focuses on women's studies and Christian history.

Kristi Wiley is a visiting lecturer in the Department of South and Southeast Asian Studies at the University of California at Berkeley. She teaches Sanskrit and courses on Indian religions and specializes in karma theory. She is the author of the *Historical Dictionary of Jainism* as well as numerous articles on Jainism and Buddhism.

James R. Wood is Professor Emeritus of Sociology at Indiana University, Bloomington. His research has focused on leadership and controversy, especially in churches. He is the author of *Leadership in Voluntary Organizations: The Controversy over Social Action in Protestant Churches*, as well as of *Where the Spirit Leads: The Evolving Views of United Methodists on Homosexuality*.

Judith Hoch Wray is a New Testament scholar, speaker, writer, and consultant whose work focuses on the integration of sexuality and spirituality. Her writings include numerous articles for *The Living Pulpit*, among other publications. She was a founder of Gay, Lesbian and Affirming Disciples Alliance and Christian Lesbians.

John Wright is a graduate of the Starr King School of Theology, the Unitarian Universalist School of the Graduate Theological Union, Berkeley, CA.

Index